de Bibliotheek
Breda

D0363658

De vergeten brief

Kate Morton bij Boekerij:

Het geheim van de zusters
De vergeten tuin
De vergeten brief

www.boekerij.nl

Kate Morton

De vergeten brief

ISBN 978-90-225-5736-5
NUR 302

Oorspronkelijke titel: *The Distant Hours* (Allen & Unwin)
Vertaling: Bob Snoijink
Omslagontwerp: Wil Immink Design
Omslagbeeld: © Mark Owen/Arcangel Images/HH
Zetwerk: Mat-Zet bv, Soest

Voor Kim Wilkins,
die me heeft aangespoord te beginnen;
en voor David Patterson,
die tot de laatste punt aan mijn zijde is gebleven.

Stil... Hoor je hem?

De bomen wel. Die weten als eerste van zijn komst.

Luister! De bomen van het dichte, donkere woud laten hun bladeren sidderen en trillen als vliesdunne schelpen van geslagen zilver. De listige wind slingert door de kruinen en fluistert dat het gauw zal beginnen.

De bomen weten het, want zij zijn oud en hebben het allemaal al eens eerder meegemaakt.

Er is geen maan.

Het is een maanloze nacht wanneer de Mud Man komt. De nacht heeft een paar zachte leren handschoenen aangetrokken. Hij heeft een zwart laken over het landschap getrokken, maar het is een list, een vermomming, de betovering van de slaap zodat alles daaronder zacht zal sluimeren.

Het is niet een en al duisternis, want alles heeft gradaties en textuur. Kijk maar naar de ruige wolligheid van de samengepakte bomen, de uitgestrekte lappendeken van landerijen en de gladde blubbergracht. Maar toch. Alleen wie alle pech van de wereld heeft, zal doorhebben dat iets zich op die ongerijmde plek heeft bewogen. Wie dat ontgaat, heeft voorwaar enorm geboft. Want geen mens heeft de Mud Man ooit zien verrijzen zonder het met de dood te moeten bekopen.

Daar... Zie je wel? De smalle, zwarte slotgracht vol modder ligt er niet meer stil bij. Er is een bel verschenen, daar, op het breedste stuk, een zwoegende bel en sidderende rimpeltjes die het vermoeden wekken...

Maar je wendt het hoofd af! Heel verstandig. Die aanblik is niets voor jou. In plaats daarvan richten we onze aandacht op het kasteel, want daar beweegt zich ook iets.

Hoog in de toren.

Kijk maar, je zult het zien.

Een jong meisje werpt de dekens van zich af.

Uren daarvoor is ze naar bed gebracht; in een belendend vertrek ligt haar kindermeisje zacht te snurken en te dromen van zeep en lelies en grote glazen warme, verse melk. Maar het meisje is van iets wakker geworden; ze richt zich tersluiks op. Ze schuift over het schone witte laken naar de rand van het bed en zet haar voeten naast elkaar als twee smalle, bleke blokken op de houten vloer.

Er is geen maan om naar of bij te kijken en toch wordt ze naar het raam getrokken. Het bespikkelde glas voelt koud aan; ze voelt de ijskoude nachtlucht glinsteren wanneer ze op de boekenkast klimt en boven de rij afgedankte lievelingsboeken van vroeger gaat zitten, boeken die ten prooi zijn gevallen aan haar haast om op te groeien. Ze trekt haar nachtjapon strak over haar bleke benen en legt haar wang in het kommetje tussen haar knieën.

Daarbuiten is de wereld, waar mensen als mechanische poppen rondscharrelen.

Ze is van plan die eerdaags met eigen ogen te gaan aanschouwen. Dit kasteel mag dan sloten op alle deuren en tralies voor de ramen hebben, maar die zijn om dat andere ding buiten te houden en niet om haar op te sluiten.

Dat andere ding.

Ze heeft wel verhalen over hem gehoord. Hij ís een legende. Een vertelling van lang geleden. De tralies en sloten dateren uit een tijd waarin de mensen nog in zulke dingen geloofden. Geruchten over monsters die verscholen in grachten op mooie meisjes azen. Een man die heel vroeger onrecht was aangedaan; die door zijn verlies telkens weer op wraak uit is.

Maar het jonge meisje – dat zich niet graag zo omschreven zou horen – wordt niet meer gekweld door monsters en andere sprookjes uit haar kindertijd. Ze is rusteloos, modern en volwassen en hunkert ernaar om te ontsnappen. Dit raam en dit kasteel zijn niet langer voldoende, en toch heeft ze voorlopig niets anders en daarom staart ze maar somber naar buiten.

Daarbuiten, een stuk verderop in de plooi tussen de heuvels, dommelt het dorp in slaap. In de verte kondigt het doffe geluid van een trein, de laatste van die avond, zijn aankomst aan: een eenzame, onbeantwoorde roep en de kruier met zijn stugge pet haast zich naar buiten om het sein op veilig te zetten. Een stroper in het naburige bos bekijkt zijn vangst en droomt ervan naar huis te gaan en in bed te kruipen, terwijl een pasgeboren baby huilt in een bouwvallig huis aan de rand van het dorp.

Doodgewone gebeurtenissen in een wereld waarin alles logisch is. Waarin de dingen alleen worden waargenomen als ze er zijn en gemist worden wanneer dat niet het geval is. Een heel andere wereld dan die waarin het meisje zich na het wakker worden bevindt.

Want daar beneden, dichterbij dan waarnaar het meisje heeft gekeken, is iets aan de hand.

De slotgracht is gaan ademen. Heel diep in de modder klopt het klamme hart van een begraven man. Uit de diepte verrijst een zacht geluid als het kreunen van de wind, maar dan anders, en het blijft nerveus boven het oppervlak hangen. Het meisje hoort het; althans, ze voelt het, want de fundering van het kasteel wortelt in de modder en het kreunen kruipt door het gesteente van de muren omhoog, de ene verdieping na de andere en ongemerkt door de boekenkast waarop ze zit. Een boek waarop ze ooit dol is geweest, tuimelt op de grond en het meisje in de toren schrikt.

De Mud Man doet plotseling één oog open en hij beweegt het loerend heen en weer. Denkt hij op dat moment al aan zijn verloren gezin? Aan dat aantrekkelijke vrouwtje en de twee mollige, witte baby's die hij heeft achtergelaten? Of reikt zijn herinnering verder terug naar zijn jongensjaren toen hij met zijn broer tussen lange, witte stengels op de akkers door holde? Of gaan zijn gedachten misschien uit naar die andere vrouw die hem liefhad voor zijn dood? Wier vleiende aandacht en weigering om nee te horen de Mud Man alles hebben gekost...

Er verandert iets. Het meisje voelt het en huivert. Ze drukt haar hand op het ijskoude, beslagen raam en laat een stervormige afdruk achter. Het spookuur is nabij, al weet ze niet dat het zo heet. Er is niemand meer die haar nu kan helpen. De trein is weg, de stroper ligt naast zijn vrouw, zelfs de baby slaapt, want hij heeft het opgegeven alles wat hij weet aan de wereld te verkondigen. Op het kasteel is het meisje achter het raam de enige die wakker is; haar kindermeisje snurkt niet meer en haar ademhaling gaat nu zo licht dat je bijna zou denken dat ze bevroren is; de vogels in het kasteelpark zwijgen ook en hebben hun kopje onder hun trillende vleugels gestoken met de ogen stijf dichtgeknepen tegen de dingen die komen gaan.

Het meisje is de enige; plus de man die in de modder ontwaakt. Zijn hart klopt nu sneller want zijn tijd is gekomen en lang zal het niet duren. Hij draait zijn polsen en enkels en verheft zich uit zijn modderige slaapplaats.

Niet kijken, ik smeek het je, wend het hoofd af wanneer hij uit de modder verrijst en uit de slotgracht klautert, wanneer hij op de zwarte, drassige oever staat, zijn armen opheft en diep inademt. Wanneer hij zich herinnert hoe het is om te ademen, lief te hebben en pijn te voelen.

Kijk in plaats daarvan maar naar de donderwolken. Zelfs in het donker kun je ze zien aankomen. Een rommelende stoet boze wolken als vuisten die vechtend naderbij rollen tot ze vlak boven de toren hangen. Brengt de Mud Man de storm met zich mee, of is het andersom? Niemand die het weet.

In haar schuilplek neigt het meisje het hoofd wanneer de eerste druppels, aanvankelijk met tegenzin, tegen het glas spetteren waarop ze haar hand heeft gelegd. Het is een mooie dag geweest, niet te warm, en de avond was koel. Over regen rond middernacht is niets gezegd. Morgen zullen de mensen verrast de doorweekte aarde zien, op hun hoofd krabben en naar elkaar glimlachen: 'Stel je voor! Dat we daardoorheen zijn geslapen!'

Maar kijk! Wat is dat? Er klimt een massieve vorm langs de toren omhoog. De gestalte klimt snel en vakkundig; het lijkt onmogelijk, want dat speelt toch geen mens klaar?

Hij bereikt het raam van het meisje. Ze kijken elkaar recht aan. Zij ziet hem door het natgeregende glas waarop hij nu beukt. Ze doet haar mond open om te gillen, om hulp te roepen, maar juist op dat moment verandert alles.

Híj verandert voor haar ogen. Ze kijkt dwars door de lagen modder heen, door generaties duisternis, razernij en verdriet, naar het gezicht van de mens eronder. Het gezicht van een jongeman. Een vergeten gezicht. Een gezicht waaruit zo veel verlangen, verdriet en schoonheid spreekt, dat ze zonder na te denken haar hand uitsteekt om het raam open te doen, zodat hij uit de regen naar binnen kan komen.

Raymond Blythe, *The True History of the Mud Man*, Voorwoord

DEEL I

Een verdwaalde brief wordt toch bezorgd

1992

Het begon met een brief. Een brief die lange tijd verloren was gewaand, die een halve eeuw in een vergeten postzak op de schemerige zolder van een eenvoudig huis in Bermondsey had gezeten. Ik moet er wel eens aan denken, aan die postzak; aan die honderden liefdesbrieven, kruideniersrekeningen, verjaardagskaarten en briefjes van kinderen aan hun ouders, die daar samengepakt in het donker lagen te zuchten en hun gedwarsboomde boodschappen fluisterden en maar wachtten tot iemand besefte dat ze daar lagen. Want weet je, ze zeggen dat een brief altijd naar een lezer zoekt, dat woorden, of je het nu leuk vindt of niet, een manier vinden om aan het licht te komen en hun geheimen prijs te geven.

Vergeef me, ik ben romantisch, een gewoonte die ik heb aangenomen door jarenlang met een zaklantaarn negentiende-eeuwse romans te lezen toen mijn ouders dachten dat ik sliep. Wat ik bedoel, is dat het vreemd is om te bedenken dat de hele geschiedenis anders was uitgepakt als Arthur Tyrell iets meer verantwoordelijkheidsgevoel aan den dag had gelegd en de bewuste kerstavond in 1941 niet te diep in het glaasje had gekeken en naar huis ging om in een dronken roes weg te zakken in plaats van zijn post te bezorgen, als de postzak niet op zijn zolder was weggestopt en tot zijn dood een halve eeuw later verborgen was gebleven, toen zijn dochter hem vond en de *Daily Mail* belde. Dat het anders was uitgepakt voor mijn moeder, voor mij, en vooral voor Juniper Blythe.

Waarschijnlijk heb je er destijds wel over gelezen; het stond in alle kranten en was op het journaal. Channel 4 wijdde er zelfs een uitzending aan waarin ze een aantal geadresseerden vroegen over hun brief te vertellen, over hun specifieke stem uit het verleden die hen was komen verrassen. Er was een vrouw wier vriendje in de RAF had gezeten en de man met de verjaarskaart van zijn geëvacueerde zoon, het jongetje dat ongeveer een week later omkwam door een verdwaalde granaatscherf. Ik vond het een uitstekend programma: het speelde zich in hoofdstukken af en de verhalen werden afgewisseld met oude foto's van de oorlog. Ik moest een paar keer huilen, maar dat zegt weinig; de tranen staan mij algauw in de ogen.

Maar mama deed er niet aan mee. De producer belde haar om te vragen of er iets bijzonders in de brief stond wat ze met het publiek wilde delen, maar ze zei nee, het was gewoon een oude bestelling van een kledingwinkel die allang was verdwenen. Maar dat was niet waar. Dat weet ik, omdat ik erbij was toen de brief werd bezorgd. Ik zag haar reactie en die was allesbehalve gewoon.

Het was op een ochtend eind februari en de winter had het land nog in de greep, er lag rijp op de perken en ik was komen helpen met het zondagsmaal. Dat doe ik wel vaker omdat mijn ouders het prettig vinden, al ben ik vegetariër en weet ik dat mijn moeder in de loop van de maaltijd een bezorgde trek op haar gezicht krijgt, die vervolgens plaatsmaakt voor een gekwelde uitdrukking, tot ze zich niet langer kan beheersen en de statistieken over eiwit en bloedarmoede me om de oren vliegen.

Ik schilde aardappels boven de gootsteen toen de brief door de gleuf in de voordeur viel. De post komt doorgaans niet op zondag, dus er had al een belletje bij ons moeten gaan rinkelen, maar dat was niet het geval. Ik had het te druk met bedenken hoe ik mijn ouders moest vertellen dat Jamie en ik uit elkaar waren. Dat was al twee maanden zo. Ik wist dat ik vroeg of laat iets moest zeggen, maar hoe langer het duurde, des te verkalkter de woorden leken. En ik had zo mijn redenen om te zwijgen: mijn ouders hadden van meet af aan argwaan jegens Jamie gekoesterd, ze konden niet goed overweg met emotionele schokken en mama zou zich nog meer zorgen maken dan anders als ze wist dat ik alleen in mijn appartement woonde. Maar het meest zag ik op tegen het pijnlijke gesprek dat op mijn aankondiging zou volgen. Om eerst verbijstering, daarna schrik en vervolgens berusting op het gezicht van mijn moeder te zien, wanneer ze besefte dat haar moederschap voorschreef dat ze iets van troost moest bieden... Maar terug naar de post. Het geluid van iets wat met een zachte plof op de mat viel.

'Kun jij dat even halen, Edie?'

Dat was mijn moeder. (Edie ben ik, het spijt me, dat had ik wel eerder mogen zeggen.) Ze knikte naar de gang en gebaarde met de hand die niet in de cloaca van de kip zat.

Ik legde de aardappel neer, veegde mijn handen af aan een theedoek en ging de post halen. Er lag maar één brief op de Welkom-mat: een officiële envelop van het postkantoor met het stempel DOORGESTUURDE POST. Dat las ik mijn moeder hardop voor toen ik ermee de keuken in kwam.

Inmiddels was ze klaar met het vullen van de kip en ze droogde ook haar handen af. Met een fronsje, meer uit gewoonte dan door een bepaalde verwachting nam ze de brief van me aan en pakte ze haar leesbril van de ananas in de fruitschaal. Ze las het stempel van het postkantoor, trok even haar wenkbrauwen op en maakte de buitenste envelop open.

Inmiddels had ik me weer op de aardappels gericht, een taak die misschien interessanter was dan mijn moeder een brief te zien openen, dus spijt het me dat ik haar gezicht niet zag toen ze de kleinere envelop tevoorschijn haalde en het broze bezuinigingspapier en de oude postzegel zag, toen ze de brief omdraaide en de naam las die achterop stond. Sindsdien heb ik me dikwijls verbeeld hoe het bloed op slag uit haar gezicht wegtrok en hoe haar vingers begonnen te beven, zodat het een poosje duurde voordat ze de envelop kon openscheuren.

Wat ik me niet hoef te verbeelden is het geluid. Dat afschuwelijke keelgeluid, onmiddellijk daarop gevolgd door een raspend gesnik dat de keuken vulde, zodat mijn schilmesje uitgleed en ik me in mijn vinger sneed.

'Mam?' Ik liep naar haar toe en sloeg een arm om haar schouder, uitkijkend dat ik niet op haar jurk bloedde. Maar ze zei niets. Ze kon niets uitbrengen, vertelde ze later. Ze bleef stokstijf staan terwijl de tranen over haar wangen rolden en ze dat rare envelopje, waarvan het papier zo dun was dat ik het hoekje van de opgevouwen brief die erin zat kon zien, tegen haar boezem drukte. Daarna verdween ze naar haar slaapkamer boven met een kielzog van halfzachte instructies over de kip en de oven en de aardappels.

Er viel een ongemakkelijke stilte toen ze weg was. Ik bleef heel kalm en bewoog me rustig om het niet nog erger te maken. Mijn moeder is geen huilebalk, maar dit incident – haar ontsteltenis en schok – voelde merkwaardig vertrouwd, alsof we dit al eens eerder hadden meegemaakt. Na een kwartier waarin ik afwisselend aardappels schilde, nadacht over van wie de brief kon zijn en me afvroeg wat me te doen stond, klopte ik eindelijk bij haar aan om te vragen of ze een kop thee wilde. Ze was inmiddels tot bedaren gekomen en we gingen tegenover elkaar aan de kleine formicatafel in de keuken zitten. Ik deed alsof ik niet zag dat ze had gehuild en zij vertelde over de inhoud van de brief.

'Een brief,' zei ze, 'van iemand die ik lang geleden heb gekend. Toen ik nog maar een jaar of twaalf, dertien was.'

Ik moest denken aan een foto op het nachtkastje van oma toen ze oud en stervende was. Drie kinderen, van wie de jongste mijn moeder was, een meisje met kort, donker haar dat op een verhoging op de voorgrond zat. Het was vreemd, maar ik had honderden keren aan mijn oma's bed gezeten, maar nu kon ik me het gezicht van dat meisje niet meer voor de geest halen. Misschien hebben kinderen nooit echt belangstelling voor wie hun ouders waren voordat zij werden geboren, althans niet voordat er iets bijzonders gebeurt dat licht op het verleden werpt. Ik nam een slokje thee in afwachting van het vervolg.

'Ik denk niet dat ik je veel over die tijd heb verteld, hè? Die oorlogstijd, de Tweede Wereldoorlog. Het was een verschrikkelijke tijd, zo veel verwarring, zo veel dingen die kapotgingen. Het leek wel...' Ze slaakte een zucht. 'Nou ja, het leek wel alsof het leven nooit meer gewoon zou worden. Alsof de wereld scheef stond en niets hem ooit weer rechtop kon krijgen.' Ze sloeg haar handen om de dampende theekop en staarde erin.

'Ons gezin – mama en papa, Rita, Ed en ik – woonde in een huisje in Barlow Street, in de buurt van de Elephant and Castle, en daags na het uitbreken van de oorlog werden kinderen zoals wij op school bijeengebracht, moesten we naar het station lopen en werden we op de trein gezet. Ik zal het nooit vergeten, wij allemaal met onze naamkaartjes en gasmaskers en plunjezakken, en de moeders die van gedachten waren veranderd en over de weg naar het station aan kwamen hollen, schreeuwend naar de conducteur dat hij hun kinderen uit de trein moest halen; en die vervolgens naar de oudere kinderen riepen om op de kleintjes te letten en ze geen moment uit het oog te verliezen.'

Ze keek een poosje stil voor zich uit en beet op haar onderlip terwijl het tafereel zich voor haar geestesoog afspeelde.

'Wat zul je bang zijn geweest,' zei ik zacht. We zijn niet zo lichamelijk in onze familie, anders had ik haar hand wel gepakt.

'Eerst wel.' Ze zette haar bril af en wreef in haar ogen. Haar gezicht had zonder die bril iets kwetsbaars en onafs, als een nachtdiertje dat in de war is van het daglicht. Ik was blij dat ze hem weer opzette en haar verhaal hervatte. 'Ik was nog nooit eerder van huis weg geweest en had nog nooit een nacht zonder mijn moeder doorgebracht. Maar mijn oudere broer en zus waren bij me en naarmate de reis vorderde en de onderwijzer repen chocola ging uitdelen, kikkerde iedereen op en begonnen we de ervaring bijna als een avontuur te beschouwen. Kun je je dat voorstellen? Ons was de oorlog verklaard, maar wij zaten met z'n allen liedjes te zingen, peer uit blik te eten, naar buiten te kijken en "ik zie, ik zie wat jij niet ziet" te spelen. Kinderen kunnen heel veerkrachtig zijn, weet je, soms op het harteloze af.

Uiteindelijk kwamen we in een plaatsje dat Cranbrook heette, waar we in groepen werden verdeeld en in bussen geladen. De bus waarin ik met Ed en

Rita zat, bracht ons naar het dorp Milderhurst waar we in de rij naar een zaal werden gedirigeerd. Daar werden we opgewacht door een groep vrouwen van het dorp die een glimlach opgeverfd hadden en een lijst in de hand hadden. We moesten in de rij gaan staan, terwijl mensen rondzwermden om een keus te maken.

De kleintjes gingen snel van de hand, vooral de leuke. Ze dachten zeker dat die minder werk zouden opleveren, dat ze minder Londense maniertjes zouden hebben.' Ze glimlachte ironisch. 'Daar zouden ze gauw op terugkomen.'

Ze vervolgde: 'Mijn broer werd er al snel uitgepikt. Hij was een sterke jongen, groot voor zijn leeftijd en de boeren zaten om hulp te springen. Kort daarop verdween Rita met haar schoolvriendin.'

Nou, dat was het dus. Ik legde mijn hand op de hare. 'O, mama.'

'Het was niet erg.' Ze trok haar hand los en gaf me een tikje op de vingers. 'Ik was niet de laatste, er waren er nog meer... zoals een jongetje met een ernstige huidaandoening. Ik weet niet hoe het hem is vergaan, maar hij stond daar nog in die zaal toen ik wegging.

Weet je dat ik mezelf nog jarenlang heb gedwongen beurs fruit bij de groenteboer te kopen als ik dat het eerste in handen kreeg? Niks bekijken en terugleggen op de plank als het niet in topconditie was.'

'Maar uiteindelijk hebben ze je toch gekozen.'

'Ja, uiteindelijk werd ik toch meegenomen.' Ze ging zachter praten, frommelde aan iets op haar schoot en ik moest me vooroverbuigen om haar te verstaan. 'Ze was een laatkomer. De zaal was bijna leeg, de meeste kinderen waren weg en de vrijwilligsters van de Women's Voluntary Service waren de theespullen al aan het opruimen. Ik moest een beetje huilen, maar ik deed het onopvallend. Toen kwam zíj opeens naar binnen stevenen en de hele sfeer leek wel te veranderen.'

'Veranderen?' Ik trok mijn neus op en moest denken aan die scène in *Carrie* wanneer de lamp ontploft.

'Het is moeilijk uit te leggen. Heb je nooit iemand gekend die zijn eigen sfeer met zich mee lijkt te brengen, wanneer ze ergens komen?'

Mogelijk. Onzeker haalde ik mijn schouders op. Mijn vriendin Sarah doet hoofden omdraaien waar ze ook gaat; niet echt een atmosferisch verschijnsel, maar toch...

'Nee, natuurlijk niet. Het klinkt zo mal als ik het zo zeg. Wat ik bedoel, is dat ze anders was dan de andere mensen... meer... Ach, ik weet het niet. Gewoon méér. Op een merkwaardige manier heel mooi, met lang haar, grote, nogal wilde ogen, maar dat was niet het enige waardoor ze eruit sprong. Destijds, in september 1939, was ze pas zeventien, maar alle andere vrouwen leken wel ineen te krimpen toen zij binnenkwam.'

'Van ontzag?'

'Ja, dat is het woord, van ontzag. Ze waren verbaasd om haar te zien en wisten zich niet goed een houding te geven. Uiteindelijk nam een van hen het woord en vroeg of ze haar kon helpen, maar het meisje gebaarde alleen maar achteloos met haar lange vingers en zei dat ze haar evacué kwam halen. Dat zei ze. Niet een willekeurige evacué, maar háár evacué. En daarna liep ze recht op de plek af waar ik op de grond zat. "Hoe heet je?" vroeg ze en toen ik mijn naam noemde, zei ze met een glimlach dat ik na die lange reis wel moe zou zijn. "Wil je bij mij logeren?"

Ik knikte. Dat moest wel, want ze wendde zich tot de bazigste vrouw en zei dat ze mij mee naar huis zou nemen.'

'Hoe heette ze?'

'Blythe,' zei mijn moeder, terwijl ze een lichte huivering onderdrukte. 'Juniper Blythe.'

'En zij heeft die brief geschreven?'

Mama knikte. 'Ze bracht me naar de mooiste auto die ik ooit had gezien en naar de plek waar zij met haar oudere tweelingzussen woonde, door een smeedijzeren poort, over een slingerende oprijlaan tot we bij een kolossaal gebouw van natuursteen midden in de dichte bossen kwamen. Milderhurst Castle.'

Het leek wel een naam uit een gruwelverhaal en mijn haren gingen een beetje overeind staan omdat ik me mama's snik herinnerde toen ze de naam en het adres van de vrouw achter op de envelop las. Ik kende wel verhalen over geëvacueerde kinderen en een aantal dingen dat ze te verduren hadden en vroeg ademloos: 'Was het vreselijk?'

'O, nee, allerminst. Helemaal niet vreselijk, integendeel zelfs.'

'Maar die brief... Daarvan moest je toch...'

'De brief verraste me, anders niet. Een herinnering van lang geleden.'

Ze viel stil en ik moest denken aan de enormiteit van de evacuatie, hoe angstaanjagend en vreemd die voor haar als kind moest zijn geweest, om naar een plek te worden gestuurd waar alles en iedereen anders is. De herinneringen aan mijn eigen kindertijd waren nog vers, de afschuw om in nieuwe, enerverende situaties terecht te komen, de banden die heel snel uit nood werden gesmeed – banden met gebouwen, meelevende volwassenen en bijzondere vrienden – om te overleven. Toen ik aan die noodvriendschappen dacht, schoot me iets te binnen. 'Ben je er na de oorlog ooit terug geweest, mama? In Milderhurst?'

Ze keek met een ruk op. 'Natuurlijk niet. Waarom zou ik?'

'Ik weet het niet. Om bij te praten; gedag te zeggen. Om je vriendin weer eens te zien.'

'Nee,' zei ze beslist. 'Ik had mijn eigen familie in Londen, mijn moeder kon me niet missen en bovendien was er na de oorlog veel opruimwerk te doen. Het leven ging weer door.' En met die woorden daalde de bekende sluier weer tussen ons in en ik besefte dat het gesprek voorbij was.

Die gebraden kip is er uiteindelijk bij ingeschoten. Mama zei dat ze geen trek had en vroeg of ik het heel erg zou vinden een keertje over te slaan. Het leek me onaardig haar eraan te herinneren dat ik toch geen vlees at en dat mijn aanwezigheid meer een dienst aan haar was, dus zei ik maar dat het prima was en stelde voor dat ze even ging liggen. Dat vond ze wel een goed idee, en terwijl ik mijn spullen in mijn tas stopte, slikte zij ter voorbereiding al twee paracetamol en waarschuwde ze dat ik mijn oren moest bedekken tegen de wind.

Mijn vader bleek door alles heen geslapen te zijn. Hij is ouder dan mijn moeder en is een paar maanden geleden met pensioen gegaan. Niet werken doet hem geen goed; door de week zwerft hij door het huis, op zoek naar dingen die hij kan repareren of opruimen, waar mama gek van wordt, en op zondag zit hij in zijn leunstoel. Het door God gegeven recht van de heer des huizes, zegt hij tegen iedereen die het maar wil horen.

Ik drukte een kus op zijn wang en vertrok. Ik trotseerde de kou op weg naar de metro, moe en van mijn stuk om alleen terug te moeten naar dat stinkend dure appartement dat ik tot voor kort met Jamie had gedeeld. Pas ergens tussen High Street Kensington en Notting Hill Gate besefte ik dat mama me niet had verteld wat er in de brief stond.

Een herinnering licht op

Nu ik het allemaal opschrijf, ben ik teleurgesteld in mezelf. Maar iedereen is gezegend met de deugd van wijsheid achteraf en nu ik weet wat er te vinden was, kun je je met recht afvragen waarom ik niet op zoek ging. En ik ben ook niet op mijn achterhoofd gevallen. Een paar dagen later spraken mama en ik elkaar weer aan de thee en hoewel ik opnieuw naliet iets over mijn veranderde omstandigheden te zeggen, vroeg ik haar wel wat er in de brief stond. Ze wuifde de vraag weg en zei dat het niet belangrijk was, weinig meer dan een groet; dat haar reactie alleen maar het gevolg was van de verrassing. Toen besefte ik nog niet hoe goed mijn moeder kon liegen, anders had ik misschien reden gehad te twijfelen, om door te vragen en op haar lichaamstaal te letten. Maar dat doe je niet, hè? Instinctief geloof je wat mensen je vertellen, vooral mensen die je goed kent, familie, degenen die je vertrouwt; althans dat doe ik instinctief. Of deed.

Dus vergat ik Milderhurst Castle en mama's evacuatie een poosje, het merkwaardige feit dat ik haar er nog nooit over had gehoord incluis, zelfs. Het was vrij eenvoudig weg te verklaren; dat is meestal zo als je maar hard genoeg je best doet. Mama en ik konden het goed met elkaar vinden, maar waren nooit echt intieme vriendinnen geweest, en we hadden bepaald geen voorliefde voor lange, gezellige gesprekken over vroeger. Noch over het heden, trouwens. Naar haar eigen zeggen was het een prettige maar vergeetbare ervaring geweest; er was geen reden om die met mij te delen. God mag weten dat ik voldoende voor háár verzweeg.

Moeilijker te verklaren was het sterke, merkwaardige gevoel dat me overviel toen ik haar reactie op de brief zag, de onverklaarbare zekerheid van een belangrijke herinnering waarop ik niet de vinger kon leggen. Iets wat ik had gezien of gehoord en weer was vergeten en dat nu ergens in een donkere nis van mijn bovenkamer fladderde en weigerde stil te zitten zodat ik er een naam aan kon geven. Het fladderde maar door en ik vroeg me af, deed mijn uiterste best om me te herinneren of er eerder, jaren geleden, ook al eens een brief was gekomen. Maar het was nutteloos. Het diffuse, korrelige gevoel weigerde vaste vorm aan te nemen en ik stelde vast dat het hoogstwaarschijnlijk mijn oververhitte verbeelding was, waarvoor mijn ouders me altijd hadden gewaarschuwd; dat die me nog eens in moeilijkheden zou brengen als ik niet uitkeek.

Destijds had ik dringender zaken aan mijn hoofd. Met name waar ik ging wonen als de periode van de vooruitbetaalde huur was verstreken. Het half jaar vooruit was Jamies afscheidscadeau geweest, een soort excuus, een compensatie voor zijn betreurenswaardige gedrag, maar in juni was het afgelopen. Ik had de kranten uitgespeld en etalages van makelaars afgeschuimd op zoek naar een eenkamerappartement, maar met mijn bescheiden inkomen bleek het lastig om een woning te vinden die ook maar enigszins in de buurt van mijn werk lag.

Ik ben redactrice bij uitgeverij Billing & Brown. Dat is een klein familiebedrijf hier in Notting Hill, eind jaren veertig opgericht door Herbert Billing en Michael Brown, aanvankelijk als een manier om hun eigen toneelstukken en poëzie uit te brengen. Volgens mij stonden ze in het begin nogal in aanzien, maar de afgelopen decennia, toen grotere uitgevers een breder segment van de markt bestreken en de belangstelling van het publiek voor gespecialiseerde titels afnam, zijn we gereduceerd tot het uitgeven van genres die we met een vriendelijk woord 'specialiteiten' noemen en genres die we minder vriendelijk 'trivia' noemen. Meneer Billing – Herbert – is mijn baas; hij is ook mijn mentor, held en beste vriend. Ik heb er niet veel, althans niet van het levende, ademende soort. En dat bedoel ik niet op een treurige, eenzame manier; ik ben gewoon niet het type voor legers vrienden en mensenmassa's. Ik ben goed met woorden, maar niet de gesproken variant. Ik denk dikwijls hoe heerlijk het zou zijn om alleen relaties op papier te onderhouden. En in zekere zin denk ik dat ik dat ook doe, want ik heb talloze andere vrienden, ingebonden exemplaren met ontelbare pagina's glorieuze inkt, verhalen die zich telkens weer op dezelfde manier ontvouwen, maar nooit hun aantrekkingskracht verliezen, verhalen die me bij de hand nemen en me via poorten naar werelden van doodsangst en betoverende verrukking brengen. Opwindende, waardige, betrouwbare metgezellen, sommige vol wijze raad, maar helaas slecht toegerust om me voor een paar maanden een logeerkamer aan te kunnen bieden.

Want hoewel ik geen ervaring had in het verbreken van een relatie – Jamie was mijn eerste echte vriendje, het soort waarmee je je een toekomst voorstelt – vermoedde ik dat dit bij uitstek een periode was om bij vrienden een beroep op een wederdienst te doen. Om die reden wendde ik me tot Sarah.

We zijn altijd buurmeisjes geweest en bij ons vond ze een tweede thuis als haar vier jongere broertjes en zusjes in een stelletje wilde beesten veranderden en zij een goed heenkomen zocht. Ik voelde me gevleid dat Sarah het nogal saaie huis in een buitenwijk als een toevluchtsoord beschouwde, en ook op de middelbare school bleven we dikke vriendinnen tot Sarah een keer te vaak was betrapt op roken achter de toiletten en ze haar wiskundelessen inruilde voor een opleiding tot schoonheidsspecialiste. Nu werkt ze als freelancer voor tijdschriften en filmopnamen. Haar succes is natuurlijk geweldig, maar betekende helaas dat ze in het uur van mijn nood in Hollywood filmsterren in zombies veranderde en haar appartement met zijn logeerkamer aan een Oostenrijkse architect had onderverhuurd.

Ik zat een poosje in de rats en stelde me tot in de pikantste details voor wat voor leven ik zou moeten leiden zonder dak boven het hoofd, totdat Herbert in al zijn ridderlijkheid me de divan in zijn appartementje onder de uitgeverij aanbood.

'Na alles wat je voor mij hebt betekend?' zei hij toen ik vroeg of hij dat wel zeker wist. 'Jij hebt me uit de goot geraapt. Je hebt me gered!'

Hij overdreef. Ik had hem nooit echt in de goot aangetroffen, maar ik wist waar hij op doelde. Ik was pas een paar jaar bij hem in dienst en eigenlijk op zoek naar een baan die wat uitdagender was, toen meneer Brown overleed. En Herbert had het zo moeilijk met de dood van zijn partner dat ik het niet over mijn hart verkreeg hem in de steek te laten. Hij leek niemand anders te hebben dan zijn moddervette hondje, en al zei hij het nooit met zo veel woorden, het was duidelijk dat hij en meneer Brown meer dan alleen zakenpartners waren geweest. Hij at niet meer, waste zich niet meer en dronk zich op een ochtend een stuk in de kraag met gin, hoewel hij geheelonthouder is.

Veel keus leek ik niet te hebben. Ik maakte eten voor hem klaar, nam de gin in beslag en toen de resultaten erg slecht waren en zijn belangstelling niet te wekken was, ging ik de boer op om nieuw werk binnen te halen. In die tijd gingen we folders voor lokale middenstanders drukken. Herbert was zo dankbaar toen hij erachter kwam, dat hij mijn beweegredenen ernstig overschatte. Hij ging me zijn protegé noemen en kikkerde aanzienlijk op wanneer hij over de toekomst van Billing & Brown praatte; hoe hij en ik het bedrijf ter nagedachtenis van meneer Brown nieuw leven in zouden blazen. Zijn ogen sprankelden weer en ik stelde het zoeken naar een andere baan nog een poosje uit.

En daar zit ik nu. Acht jaar na dato, tot Sarahs grote verbazing. Het valt niet mee om uit te leggen aan iemand zoals zij – een creatief en intelligent wezen dat uitsluitend op haar eigen voorwaarden werkt – dat andere mensen er andere maatstaven voor levensgeluk op na kunnen houden. Ik werk samen met mensen op wie ik gesteld ben, ik verdien genoeg om in mijn levensonderhoud te kunnen voorzien (zij het misschien niet in een driekamerappartement in Notting Hill), ik mag mijn dagen doorbrengen met het spelen met woorden en zinnen, ik help mensen met het uitdrukken van hun ideeën en het vervullen van hun publicatiedromen. Bovendien ben ik niet gespeend van vooruitzichten. Nog vorig jaar heeft Herbert me tot vicepresident gepromoveerd, al zijn hij en ik de enigen die fulltime op de uitgeverij werken. Er was zelfs een kleine plechtigheid en zo. Susan, deeltijdmedewerkster, bakte een cake van een pond en kwam op haar vrije dag, zodat we met zijn drieën alcoholvrije wijn uit theekopjes konden drinken.

Met het oog op de dreigende uitzetting aanvaardde ik dankbaar Herberts aanbod om bij hem in te trekken; het was echt een heel roerend gebaar, vooral omdat hij maar zo'n piepklein appartementje had. Ik had ook geen andere keus. Herbert was reuze in zijn sas. 'Geweldig. Jess zal niet weten hoe ze het heeft; ze is dol op bezoek.'

En zo bereidde ik me in mei voor om het appartement waar Jamie en ik hadden gewoond te verlaten, om de laatste blanco pagina van ons verhaal om te slaan en een nieuw verhaal te beginnen dat helemaal van mij alleen was. Ik had een baan, ik was gezond, ik had een heleboel boeken; ik moest alleen dapper zijn en de grauwe eenzame dagen onder ogen zien die zich eindeloos voor me uitstrekten.

Een en ander in aanmerking genomen, vond ik dat ik het wel goed deed. Het kwam maar heel zelden voor dat ik zwolg in de poel van mijn sentimenteelste fantasieën. Op zulke momenten zocht ik een stil, donker hoekje op – waar ik me des te beter geheel aan mijn fantasie kon overgeven – en stelde ik me tot in de bijzonderheden die bleke dagen in de toekomst voor, waarop ik door onze straat zou lopen, bij ons gebouw zou blijven staan om naar boven te kijken, naar de vensterbank waarop ik vroeger mijn kruiden kweekte en het silhouet van iemand anders op het raam zag vallen. Dan ving ik een glimp op van de schemerige barrière tussen het verleden en het heden en was ik me heel bewust van de lichamelijke pijn van het besef nooit meer terug te kunnen...

Tot duurzame frustratie van mijn moeder was ik als klein meisje een dagdromer. Ik bracht haar tot wanhoop wanneer ik dwars door een modderplas liep, of wanneer ze me met een ruk van de stoeprand en het traject van een voorbijsnellende bus moest terugtrekken, en dan zei ze dingen als: 'Het is gevaarlijk om in je eigen hoofd te verdwalen,' of: 'Straks leer je nooit zien wat er echt om je heen gebeurt. Daar komen ongelukken van, Edie. Je moet uit je doppen kijken.'

Zij had makkelijk praten. De wereld had nog nooit zo'n verstandige en praktische vrouw als zij gekend. Maar dat was minder makkelijk voor een meisje dat in haar hoofd had geleefd vanaf het moment dat ze zich kon afvragen: 'Stel dat...' En natuurlijk bleef ik dagdromen, ik werd alleen geraffineerder in het verbergen ervan. Maar in zekere zin had ze gelijk, want door mijn obsessie met mijn grauwe sleurtoekomst na Jamie was ik totaal onvoorbereid op wat er daarna gebeurde.

Eind mei kregen we op kantoor een telefoontje van een autodidactische spokenfluisteraar, die een manuscript over zijn ontmoetingen met wezens van gene zijde op Romney Marsh wilde uitgeven. Als zich een potentiële nieuwe klant aandient, doen we ons best om hem te behagen en daarom reed ik in Herberts stokoude vijfdeurs Peugeot naar Kent om kennis te maken en hem hopelijk binnen te halen. Ik zit niet vaak achter het stuur en heb een hekel aan de snelweg als het druk is, dus toog ik bij het krieken van de dag op weg in de hoop dat ik zo meer kans maakte ongedeerd Londen uit te komen.

Om negen uur was ik op mijn bestemming. De ontmoeting ging van een leien dakje – we haalden hem binnen, contracten werden getekend – en tegen twaalven was ik alweer op de terugweg. Inmiddels was het veel drukker op de weg, iets waartegen Herberts auto, die niet harder ging dan tachtig zonder het risico te lopen dat er een band af zou vliegen, in het geheel niet was opgewassen. Ik manoeuvreerde naar de langzame rijstrook, maar trok toch veel gefrustreerd getoeter en schuddende hoofden. Het doet de ziel geen goed om als hindernis te worden gedoodverfd, vooral als je geen keus hebt, dus bij Ashford verliet ik de snelweg en koos een route binnendoor. Ik heb een vreselijk richtingsgevoel, maar er lag een wegenboek in het handschoenenkastje en ik moest regelmatig stoppen om het te raadplegen.

Het kostte me ruim een half uur om volledig te verdwalen. Ik weet nog steeds niet hoe het kon gebeuren, maar waarschijnlijk speelde de oeroude kaart een rol. Het kan ook zijn dat ik te veel op het panorama lette – akkers overdekt met sleutelbloemen, wilde bloemen die de greppels langs de weg sierden – terwijl ik waarschijnlijk op de weg had moeten letten. Hoe dan ook, ik wist niet waar op de kaart ik me precies bevond en reed over een smal weggetje dat werd overschaduwd door kolossale, gebogen bomen, toen ik ten slotte moest erkennen dat ik geen idee had of ik naar het noorden, zuiden, oosten of westen reed.

Ik maakte me op dat moment overigens nog geen zorgen. Voor zover ik kon zien, zou ik vroeg of laat een kruising bereiken, een oriëntatiepunt, misschien zelfs een kraampje langs de kant van de weg waar iemand zo vriendelijk zou zijn een groot rood kruis op mijn kaart te zetten. Ik hoefde die middag niet meer op mijn werk te verschijnen; wegen leidden altijd ergens naartoe; ik moest gewoon uit mijn doppen kijken.

En zo viel mijn oog erop. Het stak uit het midden van een nogal opzichtige terp die met klimop was overwoekerd. Zo'n antieke, witte wegwijzer met de naam van het dorp uitgesneden in een pijlvormig bordje dat twee kanten op wijst. MILDERHURST 5 KILOMETER, stond erop.

Ik zette de auto langs de kant van de weg om het bordje nog een keer te lezen en mijn nekharen gingen overeind staan. Ik werd getroffen door een merkwaardig paranormaal gevoel, en de mistige herinnering die ik me vaak had geprobeerd voor de geest te halen sinds die dag in februari waarop mama die verloren brief kreeg, tekende zich weer scherp af. Ik stapte uit als in een droom en volgde de aangegeven richting. Ik had het gevoel alsof ik mezelf van een afstand bekeek, bijna alsof ik al wist wat ik zou aantreffen. En misschien was dat ook wel zo.

Want daar stonden ze, achthonderd meter verderop, precies waar ik me ze had voorgesteld. Twee hoge, smeedijzeren hekken die uit de braamstruiken oprezen. Ooit waren ze chic geweest, maar nu hingen ze in een hoek van verval, schuin naar elkaar toe alsof ze een zware last moesten dragen. Op het kleine, natuurstenen poorthuisje zat een roestig bordje met MILDERHURST CASTLE.

Mijn hart bonkte tegen mijn ribbenkast toen ik de weg overstak naar de poort. Ik pakte met elke hand een tralie vast – ik voelde koud, verroest ijzer – en drukte er mijn voorhoofd tegenaan. Mijn blik volgde de oprijlaan van grind, die met een boog heuvelopwaarts ging, een brug overstak en achter een dicht stuk bos verdween.

Het was schitterend en overwoekerd en melancholiek, maar het was niet het beeld waarvan mijn adem stokte. Het was de schok van het besef, van de absolute zekerheid dat ik daar al eens eerder was geweest. Dat ik voor die poort had gestaan en tussen de tralies door had staan kijken naar vogels die als lapjes van de nachtelijke lucht boven het borstelige woud vlogen.

Bijzonderheden om me heen vielen fluisterend op hun plek en het leek wel alsof ik in het weefsel van een droom was beland; alsof ik helemaal opnieuw diezelfde plaats in ruimte en tijd bezette die mijn ik van heel lang geleden had ingenomen. Mijn vingers omklemden de tralies en ergens heel diep vanbinnen werd het gebaar door mijn lichaam herkend. Dit had ik al eens eerder gedaan. De huid van mijn handpalmen wist het nog. Ik herinnerde het me zelf ook. Het was een zonnige dag, een warm briesje speelde met de zoom van mijn jurk, mijn mooiste jurk en in mijn ooghoeken rees de schaduw van mijn moeder hoog op.

Ik keek opzij om te zien waar zij stond en naar haar gezicht dat naar het kasteel keek, dat donkere silhouet in de verte aan de horizon. Ik had dorst, ik had het warm, ik wilde gaan zwemmen in het meer dat ik door het hek zag rimpelen, ik wilde zwemmen tussen de eenden en de waterhoentjes en de libellen met hun hortende vluchtbewegingen in het riet langs de oever.

Ik weet nog dat ik vroeg: 'Mama?' maar geen antwoord kreeg. 'Mama?' Ze wendde haar gezicht naar me toe en er verstreek een fractie van een seconde waarin zich geen sprankje herkenning op haar gezicht aftekende. Er lag een uitdrukking op die ik niet begreep. Ze voelde als een vreemde, een volwassen dame achter wier ogen geheimen schuilgingen. Tegenwoordig beschik ik over woorden voor die merkwaardige mengeling van gevoelens – spijt, genegenheid, verdriet, nostalgie – maar destijds had ik geen idee. En des te meer toen ze zei: 'Ik heb me vergist. Ik had hier nooit moeten komen. Het is te laat.'

Ik geloof niet dat ik iets terugzei. Ik had geen idee wat ze bedoelde en voordat ik het kon vragen, had ze mijn hand gepakt en trok ze me zo ruw naar de auto aan de overkant dat mijn schouder zeer deed. Ik ving een vleugje op van haar parfum; dat rook nu scherper en een beetje zuur omdat het zich vermengde met de snikhete lucht, met de onbekende geuren van het platteland. Ze startte de auto en ik keek net naar buiten, naar een paar mussen toen ik het hoorde: hetzelfde vreselijke snikgeluid als toen de brief van Juniper Blythe kwam.

De boeken en de vogels

De poort van het kasteel zat op slot en de hekken waren veel te hoog om overheen te klimmen. Niet dat ik veel kans had gemaakt als ze lager waren geweest. Ik heb nooit veel met sport of lichamelijke uitdagingen gehad en door de terugkeer van de herinnering waren mijn benen als van rubber geworden, wat ook niet hielp. Ik voelde me merkwaardig los van de wereld en onzeker, en na een tijdje zat er niets anders op dan terugkeren naar de auto, een poosje te gaan zitten en me af te vragen wat ik het beste kon doen. Ik voelde me te afwezig om te rijden, zeker niet helemaal naar Londen, dus startte ik de auto en reed met een slakkengang naar het dorp Milderhurst.

Op het eerste gezicht leek het op alle andere dorpen waar ik die dag doorheen was gereden: één enkele weg door het centrum, met aan de ene kant een plantsoen met daarnaast een kerk en ergens aan de weg een school. Ik parkeerde voor het dorpshuis en kon me bijna de rijen afgematte schoolkinderen uit Londen, smoezelig en onzeker na hun eindeloze treinreis, voor de geest halen. Een spookachtige afdruk van mijn moeder van lang geleden, van voordat ze mijn moeder werd, voordat ze überhaupt veel was, die hulpeloos het onbekende tegemoet ging.

Ik kuierde door High Street en probeerde zonder veel succes mijn gedachten, die alle kanten op vlogen, in bedwang te krijgen. Het stond vast dat mama naar Milderhurst was teruggegaan, en ik was daarbij geweest. We hadden voor het hek gestaan en zij was van haar stuk geraakt. Ik wist het weer. Het was echt gebeurd. Maar dat ene antwoord gaf voedsel aan een heleboel vragen die door mijn brein fladderden als evenzoveel nachtuiltjes op zoek naar het licht. Waarom waren we daarheen gegaan en waarom had ze gehuild? Wat bedoelde ze toen ze zei dat ze zich had vergist, dat het te laat was? En waarom had ze nog geen drie maanden geleden tegen me gelogen toen ze zei dat de brief van Juniper Blythe niets te betekenen had?

Die vragen bleven maar rondtollen tot ik me uiteindelijk voor de open deur van een boekwinkel bevond. Ik denk dat het natuurlijk is dat je in tijden van verbijstering op zoek gaat naar iets vertrouwds, en de hoge schappen met lange rijen keurig gerangschikte titels werkten geweldig kalmerend. Omringd door de geur van inkt en boekomslagen, de stofjes in de stralen diffuus zonlicht, de warme omhelzing van de stille lucht, had ik het gevoel dat ik weer ruimer kon ademhalen. Ik was me ervan bewust dat mijn hartslag tot bedaren kwam en dat mijn gedachten hun vleugels opvouwden. Het was schemerig, des te beter, en mijn oog viel op lievelingsauteurs en titels als een onderwijzeres die de namen van haar leerlingen afroept. Brönte, alle drie present; Dickens, in orde; Shelley, een aantal prachtige uitgaven. Ik hoefde ze niet van hun plek te trekken; het was voldoende om te weten dat ze er waren en er met mijn vingertoppen langs te strijken.

Ik keek speurend rond en zette af en toe een boek terug dat verkeerd was weggezet, en uiteindelijk kwam ik bij een open ruimte achter in de winkel. In het midden stond een tafel met een display met LOCAL STORIES, streekverhalen. Er lag een hele massa geschiedkundige werken, koffietafelboeken en werken van plaatselijke auteurs: *Tales of Mystery, Murder and Mayhem; Adventures of the Hawkhurst Smugglers; A History of Hop Farming*. In het midden stond op een houten standaard een boek dat ik kende: *The True History of the Mud Man*.

De adem stokte me in de keel en ik nam het in mijn handen.

'Vindt u dat een mooi boek?' De winkelbediende was als uit het niets opgedoken en stond vlakbij een stofdoek op te vouwen.

'O, jazeker,' zei ik eerbiedig, 'natuurlijk. Wie niet?'

Toen ik kennismaakte met *The True History of the Mud Man*, was ik tien jaar en vrij van school omdat ik ziek was. Ik denk dat het de bof was, zo'n kinderziekte waardoor je wekenlang werd geïsoleerd, en ik moest een onuitstaanbare zeur zijn geworden, omdat mama's meelevende glimlach was verstijfd tot een stoïcijnse plooi. Toen ze op een dag even een luchtje ging scheppen in High Street om van me af te zijn, keerde ze met hernieuwde moed terug en drukte ze me een verfomfaaid bibliotheekboek in handen.

'Misschien kikker je hier wel van op,' zei ze aarzelend. 'Ik geloof dat het voor iets oudere lezers is, maar jij bent niet op je achterhoofd gevallen; met een beetje moeite zul je het best redden. Het is een vrij lang verhaal vergeleken met de boeken die je gewend bent, maar hou vol.'

Waarschijnlijk hoestte ik ten antwoord vol zelfmedelijden, niet wetend dat ik op het punt stond een enorme drempel te nemen vanwaar geen terugkeer mogelijk was; dat ik een voorwerp in handen hield waarvan het eenvoudige voorkomen haaks stond op zijn ontzagwekkende macht. Elke ware lezer heeft een boek, een ogenblik zoals ik hier beschrijf, en toen mama me het stukgelezen bibliotheekexemplaar gaf, was het mijne gekomen. Ik wist het toen nog niet, maar nadat ik diep was weggezonken in de wereld van de Mud Man, zou het echte leven zich nooit meer met fictie kunnen meten. Sindsdien ben ik juffrouw Perry altijd dankbaar gebleven, want toen ze die roman aan mijn geplaagde moeder gaf en erop aandrong het aan mij te geven, moest ze me ofwel met een veel ouder kind hebben verward, of ze had een gat in mijn ziel bespeurd dat nodig moest worden gevuld. Ik heb altijd voor de laatste verklaring gekozen. Tenslotte is het de heilige opdracht van een bibliothecaresse om boeken in contact te brengen met die ene waarachtige lezer.

Ik sloeg het vergeelde omslag open en vanaf het eerste hoofdstuk, waarin de Mud Man in de smalle, zwarte slotgracht ontwaakt, vanaf dat vreselijke moment waarop zijn hart begint te kloppen, was ik verslingerd. Mijn zenuwen sidderden verrukt, ik liep rood aan, mijn vingers beefden van verlangen om de bladzijden om te slaan, en dat allemaal zonder de bank vol papieren zakdoekjes in de ontbijtkamer van ons huis in de buitenwijk te verlaten. De Mud Man hield me dagenlang in de ban: mijn moeder glimlachte weer, mijn gezwollen gezicht werd weer normaal en mijn toekomstige ik kreeg gestalte.

Mijn oog viel weer op het met de hand geschreven bordje – LOCAL STORIES – en ik wendde me tot de stralende winkelbediende. 'Kwam Raymond Blythe uit deze buurt?'

'Jazeker.' Ze duwde een dunne lok haar achter elk oor. 'Hij kwam hier inderdaad vandaan. Hij woonde en schreef op Milderhurst Castle; daar is hij ook gestorven. Dat is dat chique landgoed een paar kilometer van het dorp.' Haar stem werd een beetje mistroostig. 'Althans, vroeger was het een chic landgoed.'

Raymond Blythe. Milderhurst Castle. Mijn hart bonkte inmiddels in mijn keel. 'Had hij toevallig ook een dochter?'

'Drie stuks zelfs.'

'Heette er een Juniper?'

'Ja, dat is de jongste.'

Ik dacht aan mijn moeder en haar herinnering aan het zeventienjarige meisje dat met zo veel zwier het gemeenschapscentrum van de kerk was binnengekomen, die haar uit de rij evacués had gered, die in 1941 een brief had gestuurd waarvan mama moest huilen toen die vijftig jaar te laat arriveerde. Opeens had ik de behoefte op iets stevigs te leunen.

'Ze wonen daar alle drie nog,' vervolgde de winkelbediende. 'Het heeft iets met het water in het kasteel te maken, zegt mijn moeder altijd. Ze zijn grotendeels nog gezond van lijf en leden. Behalve de jonge Juniper, natuurlijk.'

'Hoezo, wat is er met haar?'

'Dement. Volgens mij zit het in de familie. Het is een triest verhaal; ze zeggen dat ze vroeger een grote schoonheid is geweest, en nog buitengewoon intelligent ook, een veelbelovende schrijfster, maar haar verloofde heeft haar in de oorlog in de steek gelaten en daarna is ze nooit meer dezelfde geweest. Ze draaide door; ze bleef op zijn terugkeer wachten, maar hij is nooit gekomen.'

Ik stond op het punt te vragen waar de verloofde naartoe was gegaan, maar ze was op dreef en het was duidelijk dat de rondvraag nog niet was begonnen.

'Het was maar goed dat haar zussen voor haar konden zorgen, anders had ze naar een inrichting gemoeten. Die twee vrouwen horen bij een uitstervend ras. In hun tijd waren ze betrokken bij allerlei liefdadigheidsinstellingen.' Ze keek over haar schouder om zich ervan te vergewissen dat we alleen waren, en daarna boog ze zich naar me toe. 'Ik weet nog dat Juniper, toen ik nog klein was, door het dorp en over de landerijen zwierf; ze viel niemand lastig, dat was het helemaal niet, ze zwierf gewoon doelloos rond. Het joeg de dorpskinderen de stuipen op het lijf, maar aan de andere kant laten kinderen zich ook wel graag bang maken, hè?'

Ik knikte gretig en ze vervolgde: 'Maar ze was vrij onschuldig; ze haalde zich nooit problemen op de hals die ze niet zelf kon oplossen. En elk zichzelf respecterend dorp moet een excentriekeling hebben.' Er gleed een beverig glimlachje om haar lippen. 'Iemand om de geesten gezelschap te houden. Hier kun je meer over hen lezen, als u wilt.' Ze hield een boek omhoog dat *Raymond Blythe's Milderhurst* heette.

'Dat neem ik,' zei ik, en ik gaf haar een biljet van tien pond. 'Plus een exemplaar van de *Mud Man*.'

Ik stond al bijna op de stoep met een bruine, papieren tas in mijn hand toen ze me nariep. 'Als u echt belangstelling hebt, kunt u misschien een rondleiding krijgen.'

'Van het kasteel?' Ik tuurde de donkere winkel weer in.

'Dan moet u bij mevrouw Bird zijn. *Home Farm Bed and Breakfast* op Tenterden Road.'

De hoeve stond een paar kilometer terug aan de weg waarover ik was gekomen; het was een cottage van natuursteen en rode dakpannen, omringd door tuinen die welig in bloei stonden. Twee dakkapelletjes gluurden van het dak en er zwermden witte duiven om het afdakje van de hoge schoorsteen. Glas-in-loodramen waren opengezet om de warme buitenlucht binnen te laten; de vliegervormige ruitjes knipperden blind naar de middagzon.

Ik zette de auto onder een reusachtige es waarvan de brede takken hun schaduw op de zijkant van de cottage wierpen. Daarna wandelde ik door het zonnige doolhof van koppig geurende jasmijn, ridderspoor en campanula die over het pad woekerden. Zonder mij enige aandacht te schenken, waggelden er twee dikke ganzen langs toen ik vanuit het felle zonlicht een schemerige kamer betrad. De eerste wanden waren behangen met zwart-witfoto's van het kasteel en het landgoed, volgens het bijschrift allemaal genomen bij een fotoshoot van *Country Life* in 1910. Achter een balie met een goudkleurig bordje tegen de verste muur werd ik opgewacht door een kleine, mollige dame in een donkerblauw linnen pakje.

'Kijk eens aan, u moet mijn jonge gast uit Londen zijn.' Ze knipperde met haar ogen door een ronde bril met een schildpadmontuur en glimlachte om mijn verwarring. 'Alice van de boekwinkel heeft me al gebeld om te zeggen dat ik u kon verwachten. U hebt er bepaald geen gras over laten groeien; Bird dacht dat het nog minstens een uur zou duren.'

Ik wierp een blik op de gele kanarie in een paleis van een kooi die achter haar hing.

'Hij was toe aan zijn lunch, maar ik zei dat u natuurlijk zou arriveren zodra ik de deur had dichtgedaan en het bordje "gesloten" had opgehangen.' Daarna lachte ze. Het was een doorrookt lachje dat diep uit haar keel kwam. Ik schatte haar tegen de zestig, maar dat lachje hoorde bij een veel jongere, ondeugendere vrouw dan de eerste indruk deed vermoeden. 'Volgens Alice hebt u belangstelling voor het kasteel.'

'Dat klopt. Ik hoopte op een rondleiding en zij heeft me naar u verwezen. Moet ik me ergens inschrijven?'

'Lieve hemel, nee hoor, zo officieel zijn we hier niet. Ik doe de rondleiding zelf.' Haar linnen boezem zwol gewichtig voordat ze weer uitademde. 'Althans, dat deed ik.'

'Deed?'

'O, jazeker. En het was heerlijk werk. De dames Blythe deden het natuurlijk eerst zelf; ze begonnen ermee in de jaren vijftig om zo het onderhoud van het kasteel te kunnen bekostigen en zich de bemoeienis van de National Trust te besparen – daar wilde mejuffrouw Percy niets van weten, dat kan ik u verzekeren – maar een paar jaar geleden werd het ze een beetje te veel. We hebben allemaal onze grens en toen juffrouw Percy de hare bereikte, ben ik met alle liefde ingevallen. Ooit deed ik het vijf per week, maar tegenwoordig is er niet zo veel vraag meer. Kennelijk zijn de mensen het oude slot vergeten.' Ze keek me vragend aan, alsof ik een verklaring had voor de grillen van het mensdom.

'Nou, ik zou er heel graag een kijkje nemen,' zei ik opgewekt en hoopvol, misschien zelfs een tikje wanhopig.

Mevrouw Bird knipperde met haar ogen. 'Natuurlijk, lieverd, en ik zou het je heel graag laten zien, maar ik ben bang dat de rondleidingen verleden tijd zijn.'

De teleurstelling was verpletterend en even stond ik met mijn mond vol tanden. 'O,' bracht ik uit. 'O, hemeltje.'

'Het is heel jammer, maar juffrouw Percy heeft gezegd dat haar besluit vaststaat. Ze zei dat ze het beu was om haar huis open te stellen zodat domme toeristen er hun troep kunnen achterlaten. Het spijt me dat Alice u op het verkeerde spoor heeft gezet.' Hulpeloos haalde ze haar schouders op en er viel een ongemakkelijke stilte.

Ik probeerde er beleefd in te berusten, maar toen de mogelijkheid een kijkje in Milderhurst Castle te nemen me door de vingers leek te glippen, was er opeens niets ter wereld wat ik liever wilde. 'Alleen... ik ben een grote bewonderaar van Raymond Blythe,' hoorde ik mezelf zeggen. 'Ik denk niet dat ik in de uitgeverswereld was beland als ik als kind de *Mud Man* niet had gelezen. Denkt u niet... Ik bedoel, als u misschien een goed woordje voor me kon doen en de eigenaressen ervan kunt verzekeren dat ik niet het type ben om rommel achter te laten?'

'Nou...' Ze fronste en dacht even na. 'Het kasteel is zeer de moeite waard en juffrouw Percy is heel trots op haar plek... Uitgeverij, zegt u?'

Het was onbedoeld een briljante vondst geweest: mevrouw Bird hoorde nog bij een generatie voor wie die woorden iets van Fleet-Streetachtige glamour herbergden, ondanks mijn armzalige, van paperassen vergeven werkhokje en ontnuchterende grootboeken. Ik greep de kans zoals een drenkeling een vlot pakt. 'Billing & Brown Book Publishers, in Notting Hill.' Ik moest opeens denken aan de visitekaartjes die Herbert me op mijn promotiefeestje had gegeven. Ik vergeet ze altijd mee te nemen, althans niet officieel, maar ze zijn erg handig als boekenleggers en zo kon ik er een uit het exemplaar halen van *Jane Eyre*, dat ik in mijn tas heb zitten voor het geval ik onverwacht in de file terechtkom. Ik koesterde het als een winnend loterijbriefje.

'Vicepresident,' las mevrouw Bird, terwijl ze me over de rand van haar bril opnam. 'Nou, kijk eens aan.' Ik denk niet dat ik me de nieuwe ondertoon van ontzag verbeeldde. Ze streek met haar duim over het hoekje van het kaartje, klemde de lippen op elkaar en knikte vastbesloten. 'Goed dan. Als u een ogenblikje hebt, zal ik die oude lieverds even bellen om te kijken of ik hen kan overreden mij u vanmiddag te laten rondleiden.'

Terwijl mevrouw Bird op gedempte toon in een ouderwetse telefoonhoorn sprak, ging ik in een met chintz beklede leunstoel zitten en opende de papieren tas waarin mijn nieuwe boeken zaten. Ik haalde het glanzende exemplaar van de *Mud Man* tevoorschijn en draaide het om. Wat ik had gezegd was waar, op de een of andere manier had mijn kennismaking met het verhaal van Raymond Blythe mijn hele leven bepaald. Alleen al door het boek in mijn handen te houden, werd ik vervuld door het alomvattende gevoel dat ik precies wist wie ik was.

Het omslagontwerp van de nieuwe editie was gelijk aan dat van het exemplaar uit de bibliotheek van Werst Barnes dat mama een kleine twintig jaar daarvoor had geleend, en ik glimlachte. Ik nam me voor een bubbeltjesenvelop te kopen en het boek zodra ik weer thuis was naar de bibliotheek te sturen. Eindelijk zou ik een schuld van twintig jaar terugbetalen.

Toen de bof indertijd was genezen en het tijd was om de *Mud Man* naar juffrouw Perry terug te brengen, leek het boek verdwenen. Hoe mama ook zocht en hoe dikwijls ik ook mijn hartgrondige verwondering uitsprak, het kwam niet meer boven water, zelfs niet in de woestenij van verloren voorwerpen onder mijn bed. Toen alle zoektochten vruchteloos bleken, moest ik naar de bibliotheek om op te biechten dat ik het kwijt was geraakt. Arme mama bestierf het van gêne, maar ik had zo veel moed geput uit het heerlijke gevoel dat het boek nu van mij was, dat ik me niet schuldig voelde. Het was het eerste en enige voorwerp dat ik ooit heb gestolen, maar ik kon het niet helpen; eenvoudig gezegd: dat boek en ik hoorden bij elkaar.

De hoorn van mevrouw Bird viel met een plastic klap op de haak en ik schrok er een beetje van. Ik zag aan haar gezicht dat het nieuws niet goed was. Ik stond op en hinkte met een slapende voet naar de balie.

'Ik ben bang dat een van de gezusters Blythe vandaag niet lekker is,' zei mevrouw Bird.

'O?'

'De jongste is ziek geworden en de dokter is al onderweg.'

Ik deed mijn best om mijn teleurstelling te verbergen. Vertoon van frustratie leek me heel ongepast als een oude dame ziek was geworden. 'Dat is erg vervelend. Denkt u dat het goed komt?'

Mevrouw Bird wuifde mijn bezorgdheid weg alsof ze naar een onschadelijke maar hinderlijke vlieg sloeg. 'Natuurlijk. Het is niet voor het eerst. Ze heeft al aanvallen sinds haar jonge jaren.'

'Aanvallen?'

'Verloren tijd, noemden ze het vroeger. Periodes die ze kwijt was, meestal na hevige opwinding. Het heeft iets te maken met een ongebruikelijke hartslag, te snel of te langzaam, ik kan het nooit onthouden, maar ze kreeg blackouts en als ze weer bijkwam, wist ze niet meer wat ze had uitgespookt.' Ze kreeg een strakke trek om haar mond, alsof ze nog iets wilde zeggen maar zich bedacht. 'Haar oudere zussen hebben het vandaag te druk met haar om zich met iets anders bezig te houden, maar ze wilden u geen van tweeën de deur weigeren. Het huis heeft bezoek nodig, zeiden ze. Merkwaardige oude besjes; ik kijk er eerlijk gezegd nogal van op, doorgaans hebben ze het niet zo op bezoek. Volgens mij is het de eenzaamheid; alleen zij drieën daar in dat grote huis. Ze stellen morgen voor, in de loop van de ochtend?'

Ik voelde me een tikje nerveus, want ik was niet van plan te blijven logeren, maar het vooruitzicht dat ik zou vertrekken zonder een kijkje in het kasteel te hebben genomen, bezorgde me plotseling een enorm mistroostig gevoel. De teleurstelling knaagde aan me.

'Er is een annulering, dus is er een kamer vrij als u dat wilt,' zei mevrouw Bird. 'Het avondeten is inbegrepen.'

In het weekeinde moest ik werk inhalen, Herbert had de volgende middag zijn auto nodig om naar Windsor te rijden en ik ben niet het type dat op een ingeving besluit op een vreemde plek te overnachten.

'Goed,' zei ik, 'laten we dat dan maar doen.'

Het Milderhurst van Raymond Blythe

Terwijl mevrouw Bird aan het papierwerk begon en de gegevens van mijn visitekaartje overnam, trok ik me beleefd mompelend terug om naar de openstaande achterdeur te lopen en een kijkje te nemen. Daar was een binnenplaats, gevormd door de muur van de boerderij en die van bijgebouwen: een schuur, een duiventil en een derde bouwwerk met een conisch dak waarvan ik de naam pas later zou leren: het was een *eest*, ofwel een droogvloer. In het midden van de binnenplaats lag een ronde, bezonken vijver en de twee dikke ganzen hadden zich te water gelaten op het door de zon verwarmde oppervlak en nu dreven ze daar vorstelijk terwijl de rimpels op het water tegen de flagstones van de oever botsten. Verderop inspecteerde een pauw de rand van een kortgeknipt gazon dat de grens vormde tussen de verzorgde binnenplaats en een weide vol wilde bloemen die doorliep naar het parklandschap in de verte. De hele zonovergoten tuin, als het ware gevangen in de deuropening waarvoor ik stond, was als een kiekje van een lentedag van lang geleden dat op de een of andere manier weer tot leven was gekomen.

'Fantastisch, hè?' zei mevrouw Bird opeens achter me, al had ik haar niet horen naderen. 'Hebt u ooit van Oliver Sykes gehoord?'

Ik zei van niet en ze knikte gretig, want ze wilde me maar al te graag voorlichten. 'Hij was in zijn tijd een vrij bekende architect. Vreselijk excentriek. Hij had een huis in Sussex, Pembroke Farm, maar heeft in het begin van de twintigste eeuw wat werk aan het kasteel verricht, kort nadat Raymond Blythe voor de eerste keer was getrouwd en met zijn vrouw uit Londen was gekomen. Het was een van de laatste opdrachten waaraan Sykes werkte voordat hij verdween op zijn eigen Grote Rondleiding. Hij schiep een grotere versie van onze ronde vijver en heeft geweldig werk gedaan aan de slotgracht: die veranderde hij in een nogal chic, rond zwembad voor mevrouw Blythe. Ze zeggen dat ze geweldig kon zwemmen, dat ze een echte atlete was. Vroeger gooiden ze er...' Fronsend bracht een vinger naar haar wang. '... chemicaliën in, o, hemeltje, wat was het ook weer?' Ze haalde haar vinger weg en verhief haar stem. 'Bird?'

'Kopersulfaat,' klonk een onbemande stem.

Ik keek weer naar de kanarie die naar zaad zocht in zijn kooi, en vervolgens naar de fotowand.

'O ja, natuurlijk,' vervolgde mevrouw Bird zonder een spier te vertrekken. 'Kopersulfaat om het water helder en blauw te houden.' Ze zuchtte. 'Maar dat is inmiddels heel lang geleden. Helaas is de slotgracht van Sykes decennia terug volgestort en is die chique ronde vijver het terrein van de ganzen. Vol troep en eendenrommel.' Ze overhandigde me een zware, koperen sleutel en drukte geruststellend mijn vingers eromheen. 'Morgen wandelen we naar het kasteel. Het weerbericht is goed en vanaf de tweede brug heb je een schitterend uitzicht. Zullen we om tien uur hier afspreken?'

'Je hebt morgenochtend een afspraak met de dominee, lieverd.' De geduldige stem als uit een luidspreker bereikte ons weer, maar deze keer wist ik waar hij vandaan kwam. In de muur achter de receptiebalie zat een amper zichtbaar deurtje.

Mevrouw Bird tuitte haar lippen en leek het mysterieuze amendement te overwegen voordat ze langzaam knikte. 'Bird heeft gelijk. O, jeetje, wat jammer.' Haar gezicht klaarde op. 'Geeft niet. Ik laat wel instructies achter, zorg dat ik zo snel mogelijk klaar ben in het dorp en dan treffen we elkaar bij het kasteel. We blijven maar een uur. Ik wil me niet langer opdringen; de dames Blythe zijn alle drie heel oud.'

'Een uur lijkt me perfect.' Dan kon ik rond lunchtijd weer op de terugweg naar Londen zijn.

Ik had maar een klein kamertje. In het midden nam een hemelbed bijna alle ruimte in beslag en onder een glas-in-loodraam stond een smal schrijfbureautje en weinig meer, maar het uitzicht was geweldig. De kamer was achter in de hoeve en het raam zag uit op dezelfde weide waarvan ik beneden in de deuropening al een glimp had opgevangen. Maar de tweede verdieping bood een beter uitzicht op de heuvel waarop het kasteel stond en boven het bos uit zag ik nog net de torenspits naar de hemel wijzen.

Op het bureau lagen een keurig opgevouwen picknickdeken en een welkomstmandje fruit. Het was een zwoele dag en de tuin was schitterend, dus pakte ik een banaan, klemde de deken onder mijn arm en ging spoorslags weer naar beneden met mijn nieuwe boek, *Raymond Blythe's Milderhurst*.

De binnenplaats geurde naar jasmijn. Grote witte bloesemwolken hingen van een pergola aan de rand van het gazon. Enorme goudkarpers zwommen traag onder het oppervlak van de vijver en kantelden hun mollige lijven heen en weer om maar zo veel mogelijk van de middagzon op te vangen. Het was er hemels, maar ik bleef niet rondhangen. In de verte wenkte een groepje bomen en ik zette koers in die richting, dwars door de weide vol boterbloemen die zichzelf tussen het hoge gras hadden uitgezaaid. Hoewel het nog net geen zomer was, was het een warme dag, de lucht was droog en toen ik de bomen had bereikt, stond het zweet me op mijn voorhoofd.

Ik spreidde de deken uit op een plek waar de zon talloze lichtvlekjes wierp en schopte mijn schoenen uit. Ergens vlakbij kabbelde een beekje over stenen en zeilden vlinders op de wind. De deken verspreidde een geruststellende geur van waspoeder en geplette bladeren en toen ik ging zitten, werd ik omsloten door het hoge weidegras, zodat ik me helemaal alleen waande.

Ik zette *Raymond Blythe's Milderhurst* tegen mijn opgetrokken knieën en streek met mijn hand over het omslag. Dat was een serie zwart-witfoto's in verschillende hoeken, alsof iemand ze had laten vallen en ze waren gefotografeerd waar ze terecht waren gekomen. Mooie kinderen in ouderwetse jurken, picknicks van lang geleden bij een glinsterend zwembad, een rij zwemmers poserend bij de slotgracht; de ernstige blikken van mensen voor wie de vangst van beelden op fotopapier nog een soort toveren was.

Ik sloeg door naar de eerste bladzijde en begon te lezen.

1

De man uit Kent

Er waren er die beweerden dat de Mud Man nooit geboren was, dat hij er altijd al was geweest, net als de wind en de bomen en de aarde, maar ze hadden het mis. Alle levende wezens worden geboren, alle levende wezens hebben een thuis en voor de Mud Man gold hetzelfde.

Er zijn schrijvers voor wie de wereld van de fictie een kans biedt om onzichtbare bergen te beklimmen en enorme fantasiewerelden te creëren. Maar voor Raymond Blythe zou thuis als voor weinig anderen in die tijd een trouwe, vruchtbare en fundamentele bron van inspiratie blijken, zowel in zijn leven als in zijn werk. De brieven en artikelen die hij in de loop van zijn vijfenzeventig jaren heeft geschreven, hebben een rode draad: Raymond Blythe was zonder meer een huismus die vertroosting, toevlucht en uiteindelijk ook religie vond in het stuk land dat zijn voorvaderen eeuwenlang het hunne hadden genoemd. Zelden heeft een schrijverswoning zozeer in dienst gestaan van de fictie als in

Blythes horrorverhaal voor jonge mensen, *The True History of the Mud Man*. Maar ook al vóór die mijlpaal in zijn oeuvre slaagden het trotse kasteel op zijn vruchtbare hoogte in het weelderig groene Weald of Kent, het akkerland, de donkere, fluisterende wouden, de tuinen waarop het kasteel nog altijd uitziet, erin om van Raymond Blythe de man te maken die hij zou worden.

Raymond Blythe werd op de warmste zomerdag van 1866 geboren in een kamer op de tweede verdieping van Milderhurst Castle. Hij was het eerste kind van Robert en Athena Blythe en werd vernoemd naar zijn grootvader van vaders kant, die een fortuin had verdiend in de goudmijnen van Canada. Raymond was de oudste van vier broers, van wie de jongste, Timothy, tragisch om het leven kwam in een vliegende storm in 1876. Athena Blythe, dichteres van enige naam, was gebroken door de dood van haar jongste zoon en er wordt beweerd dat ze spoedig na de begrafenis in een inktzwarte depressie wegzakte waaruit geen terugkeer mogelijk bleek. Ze beroofde zich van het leven door een sprong van de toren van Milderhurst, waarbij ze haar man, haar poëzie en haar drie zoontjes achterliet.

Op de bladzijde ernaast stond een foto van een mooie vrouw met een ingewikkeld kapsel van donker haar, die uit een vakjesraam leunde om te kijken naar vier jongetjes die in volgorde van lengte naast elkaar stonden. De foto dateerde uit 1875 en had het melkwitte voorkomen van zo veel vroege amateurfoto's. De kleinste, Timothy, moest hebben bewogen toen de sluiter klikte, want zijn lachende gezicht was onscherp. De arme drommel had er geen idee van dat hij nog maar enkele maanden te leven had.

Ik nam de volgende alinea's snel door – teruggetrokken victoriaanse vader, weggestuurd naar Eton, studiebeurs voor Oxford – tot Raymond Blythe volwassen werd.

Na zijn afstuderen in Oxford in 1887 verhuisde Raymond Blythe naar Londen, waar hij zijn literaire leven begon als medewerker van het tijdschrift *Punch*. Het navolgende decennium schreef hij twaalf toneelstukken, twee romans en een bloemlezing kinderpoëzie, maar zijn correspondentie wijst erop dat hij niet gelukkig was in Londen en terugverlangde naar het rijke landschap van zijn jongensjaren.

Je kunt veronderstellen dat het stadsleven voor Raymond Blythe draaglijker werd gemaakt door zijn huwelijk in 1895 met de alom bewonderde Muriel Palmerston, naar verluid 'de mooiste van alle debutantes' en inderdaad doen zijn brieven van die tijd een grote uitbundigheid vermoeden. Raymond Blythe was door een wederzijdse kennis aan mejuffrouw Palmerston voorgesteld en volgens alle bronnen was het een goede match. Het tweetal deelde een voorliefde voor buitensport, woordspelletjes en fotografie en was een knap stel dat dikwijls op de societypagina's te vinden was.

Na de dood van vader Blythe in 1898 erfde Raymond Milderhurst Castle en keerde hij met Muriel terug om er zich te vestigen. Veel documenten uit die tijd doen vermoeden dat het stel al lang naar gezinsuitbreiding verlangde en Raymond Blythe stak in zijn brieven uit die tijd niet onder stoelen of banken dat hij zich zorgen maakte omdat hij nog geen vader was. Maar dat specifieke geluk ontging het paar nog een aantal jaren en nog in 1905 bekende Muriel in een brief aan haar moeder dat ze als de dood was dat haar en Raymond 'de laatste zegening van kinderen' ontzegd zou worden. Ze moet dan ook vol vreugde en misschien ook opluchting vier maanden later opnieuw naar haar moeder hebben geschreven dat ze nu 'in gezegende omstandigheden' verkeerde. Ze was gezegend met meer dan één kind, zoals zou blijken: na een miskraam en een lange periode waarin ze gedwongen het bed moest houden, bracht Muriel in januari 1906 eindelijk een meisjestweeling ter wereld. Uit de brieven van Raymond Blythe aan de broers die nog leefden blijkt dat dit de gelukkigste periode van zijn leven was en de plakboeken van het gezin puilen uit van de fotografische bewijzen van zijn vaderlijke trots.

Op de volgende dubbele pagina stond een assortiment foto's van twee kleine meisjes. Hoewel het duidelijk was dat ze erg op elkaar leken, was de een kleiner en fijner gebouwd dan de ander en leek ook iets minder overtuigd te glimlachen dan haar zus. Op de laatste foto zat een man met golvend haar en een vriendelijk gezicht in een leunstoel met op elke knie een in kant geklede baby. Iets in zijn houding – misschien het licht in zijn ogen, of anders de vriendelijke druk van zijn handen op de arm van ieder meisje – vertelde van zijn grote genegenheid voor het tweetal. En toen ik wat beter keek, kwam het me voor hoe zelden je een foto uit dat tijdvak tegenkwam waarop een vader op zo'n simpele, huiselijke manier met zijn dochters was vastgelegd. Mijn hart ging uit naar Raymond Blythe en ik las verder.

Maar niet alles zou zo vreugdevol blijven. Muriel Blythe kwam op een winteravond in 1910 om het leven toen een roodgloeiende sintel uit de open haard op haar schoot vloog. Het chiffon van haar jurk vatte direct vlam en voordat ze geholpen kon worden, stond ze in lichterlaaie; de vlammenzee verwoestte vervolgens de oostelijke toren van Milderhurst Castle en de enorme familiebibliotheek van het geslacht Blythe. Het lichaam van mevrouw Blythe was overdekt met brandwonden, en ondanks het feit dat ze in vochtige doeken werd gewikkeld en door de beste artsen werd behandeld, bezweek ze binnen een maand aan haar vreselijke verwondingen.

Het verdriet van Raymond Blythe na de dood van zijn vrouw was zo groot dat hij jarenlang geen letter meer publiceerde. Volgens sommige bronnen leed hij aan een verlammende schrijfkramp, maar anderen nemen aan dat hij zijn werkkamer op slot deed, weigerde te werken en die pas weer opendeed toen hij aan zijn inmiddels beroemde roman begon, *The True History of the Mud Man*, voortgekomen uit een periode van intense activiteit in 1917. Ondanks de wijdverbreide aantrekkingskracht op jonge lezers zien veel recensenten in het verhaal een allegorie van de Eerste Wereldoorlog waarin zo veel levens verloren gingen in het modderige landschap van Frankrijk. Er worden vooral parallellen getrokken tussen de Mud Man uit de titel en de talrijke soldaten die na de afschuwelijke slachting naar huis en haard terugkeerden. Raymond Blythe zelf was in 1916 gewond geraakt in Vlaanderen en naar Milderhurst teruggestuurd, waar hij onder de hoede van een legertje privéverpleegsters herstelde. Het feit dat de Mud Man geen identiteit heeft en dat de verteller poogt achter de oorspronkelijke naam, status en plaats in de geschiedenis van het vergeten wezen te komen, worden ook gezien als een hommage aan de vele onbekende gesneuvelden van de Eerste Wereldoorlog en de ontheemde gevoelens die Raymond Blythe bij zijn terugkeer misschien overvielen.

Ondanks het feit dat er veel wetenschappelijk onderzoek naar is verricht, blijft de inspiratiebron voor de *Mud Man* een mysterie; Raymond Blythe was berucht gesloten over de compositie van de roman. Hij zei dat die 'een geschenk van de muze' was geweest en dat het verhaal hem in zijn geheel was aangevlogen. Misschien sprak *The True History of the Mud Man* daarom wel zo tot de verbeelding van het grote publiek en heeft zijn betekenis bijna mythische proporties aangenomen. Vraagstukken over de schepping van het werk en zijn invloed zijn nog altijd onderwerp van heftige discussie onder literatuurwetenschappers in veel landen, maar de inspiratie achter de *Mud Man* blijft een van de hardnekkigste literaire mysteries van de twintigste eeuw.

Een literair mysterie. Er liep een rilling over mijn ruggengraat toen ik die woorden binnensmonds herhaalde. Ik was gek op de *Mud Man* om zijn verhaal en om de gevoelens die de compositie van woorden me bezorgde als ik ze las, maar het besef dat de compositie van de roman in een waas van geheimzinnigheid gehuld was, maakte het boek des te beter.

Hoewel Raymond Blythe tot dan toe beroepshalve aanzien had genoten, overschaduwde het kolossale kritische en commerciële succes van *The True History of the Mud Man* al zijn voorgaande werk en zou hij de geschiedenis in gaan als de schepper van de nationale lievelingsroman. De productie van de *Mud Man* als toneelstuk in het Londense West End in 1924 maakte het boek bij een nog breder publiek bekend, maar ondanks herhaalde verzoeken van zijn lezers weigerde Raymond Blythe een vervolg te schrijven. De roman was in eerste instantie opgedragen aan zijn tweelingdochters Persephone en Seraphina, al werd er in latere edities nog een regel aan toegevoegd met de initialen van zijn twee echtgenotes: MB en OS.

Want tezamen met zijn professionele triomf was ook het persoonlijke leven van Raymond Blythe weer opgebloeid. In 1919 was hij hertrouwd met een vrouw die Odette Silverman heette en die hij had leren kennen op een feest van Lady Londonderry in Bloomsbury. Hoewel juffrouw Silverman van onaanzienlijke komaf was, bezorgde haar talent als harpiste haar een entree bij sociale evenementen die anders ontoegankelijk voor haar zouden zijn geweest. Het was een korte verloving en de bruiloft creëerde een societyschandaaltje dat te maken had met de leeftijd van de bruidegom – hij was over de vijftig en zij was met haar achttien lentes maar vijf jaar ouder dan de dochters uit zijn eerste huwelijk – en hun uiteenlopende afkomst. De geruchten gingen dat Raymond Blythe door Odettes jeugdige schoonheid was behekst. Het stel werd in de kapel van Milderhurst Castle, die voor het eerst sinds de dood van Muriel Blythe weer werd gebruikt, in de echt verbonden.

Odette schonk in 1922 het leven aan een dochter. Het kind werd Juniper gedoopt en op de talrijke foto's uit die periode die het hebben overleefd spreekt haar schoonheid voor zich. Ondanks het feit dat Raymond Blythe af en toe gekscherend klaagde over het uitblijven van een zoon en erfgenaam, valt uit zijn brieven uit die tijd op te maken dat hij verrukt was over die aanwinst voor zijn gezin. Helaas zou dat geluk van korte duur zijn, want aan de horizon pakten zich weer onweerswolken samen. In december 1924 stierf Odette aan complicaties in het begin van haar tweede zwangerschap.

Ik sloeg de bladzijde gretig om en stuitte op twee foto's. Op de eerste moest Juniper Blythe een jaar of vier zijn geweest; ze zat met haar benen recht vooruit en de enkels over elkaar. Ze had blote voeten en haar gezicht verried dat ze in een moment van eenzame contemplatie – niet blij – was verrast. Ze staarde omhoog in de lens met amandelvormige ogen die een tikje te wijd uiteen stonden. In combinatie met haar fijne blonde haar, de sproeten op haar dopneusje en dat felle mondje, wekten die ogen de indruk van onheus verkregen informatie.

Op de volgende foto was Juniper een jonge vrouw, de jaren leken in een oogwenk verstreken, zodat diezelfde katachtige blik nu vanuit een volwassen gezicht in de lens keek. Een gezicht van grote, maar merkwaardige schoonheid. Ik moest denken aan mama's beschrijving van de manier waarop de andere vrouwen in het gemeenschapshuis uiteengeweken waren bij Junipers binnenkomst en haar uitstraling. Kijkend naar deze foto kon ik me dat goed voorstellen. Ze had iets nieuwsgierigs en tegelijkertijd iets heimelijks, iets verstrooids en tegelijkertijd iets schranders. De afzonderlijke trekken, de vermoedens en glimpen van emotie en intellect vormden bij elkaar een indringend beeld. Mijn ogen gleden over de begeleidende tekst op zoek naar een datum, april 1939. In het jaar dat mijn twaalfjarige moeder haar leerde kennen.

Na de dood van Raymond Blythes tweede vrouw zou de schrijver zich in zijn werkkamer hebben teruggetrokken. Afgezien van een aantal kleine artikelen in *The Times* zou hij echter niets van belang meer schrijven. Hoewel Blythe ten tijde van zijn dood een project onder handen had, was dat niet, zoals velen hoopten, een vervolg op de *Mud Man*, maar een nogal langdradige wetenschappelijke verhandeling over het lineaire karakter van tijd, waarin hij zijn eigen theorieën – die de lezers van de *Mud Man* bekend waren, namelijk over het vermogen van het verleden om in het heden door te dringen – nader uitwerkte. Het manuscript is nooit voltooid.

Later in zijn leven viel Raymond Blythe ten prooi aan een aftakelende gezondheid en raakte hij ervan overtuigd dat de Mud Man uit zijn beroemde verhaal tot leven was gekomen om bij hem te spoken en hem te kwellen. Het was een begrijpelijke – zij het ingebeelde – angst, gezien de reeks tragische gebeurtenissen die zovelen van zijn naasten in de loop van zijn leven had getroffen, en een theorie die gretig werd omhelsd door talrijke bezoekers aan het kasteel. Algemeen wordt natuurlijk verwacht dat een oud kasteel een mer à boire is van bloedstollende verhalen, en het is alleen maar natuurlijk dat een populaire roman als *The True History of the Mud Man*, die zich binnen de muren van Milderhurst Castle afspeelt, zulke theorieën voedt.

Raymond Blythe bekeerde zich eind jaren dertig tot het rooms-katholieke geloof en zijn laatste jaren ontving hij niemand anders meer dan zijn pastoor. Hij stierf op vrijdag 4 april 1941 na een val van de toren van Milderhurst, hetzelfde lot dat zijn moeder vijfenzestig jaar eerder had getroffen.

Aan het eind van het hoofdstuk stond nog een foto van Raymond Blythe. Die verschilde hemelsbreed van de eerste – van de glimlachende jonge vader met die mollige tweeling op zijn knieën – en toen ik ernaar keek, schoot me het verhaal van Alice in de boekwinkel weer te binnen. Vooral haar vermoeden dat de geestesziekte die Juniper Blythe plaagde in de familie zat. Want deze man, deze versie van Raymond Blythe, had niets van de tevreden ontspanning die op de eerste foto zo opviel. In plaats daarvan leek hij strak van angst te staan: zijn ogen stonden argwanend, zijn mond was samengeknepen en zijn kin verstijfd van spanning. De foto dateerde uit 1939 en Raymond moest toen negenenzeventig zijn geweest, maar de diepe rimpels in zijn gezicht waren niet alleen van ouderdom: hoe langer ik ernaar keek, hoe zekerder ik dat wist. Bij het lezen dacht ik dat de biograaf overdrachtelijk had gesproken toen hij over 'spoken' sprak, maar nu zag ik dat het letterlijk was bedoeld. De man op de foto droeg het angstige masker van een langdurige innerlijke gekweldheid.

De schemering viel en vulde de dalen in het golvende landschap en de bossen van het landgoed Milderhurst met schaduwen die over de landerijen kropen en het licht verzwolgen. De foto van Raymond Blythe loste op in de duisternis en ik sloeg het boek dicht. Maar ik ging niet weg, althans nog niet. Ik wendde mijn hoofd naar de opening in de bomenrij waar het kasteel op de heuvel stond, een donkere massa onder een inktzwarte lucht. Het was een opwindende gedachte dat ik daar de volgende ochtend naar binnen zou gaan.

Die middag waren de personages van het kasteel voor me tot leven gekomen; ze waren tijdens het lezen in me gekropen en nu had ik het gevoel dat ik hen al heel lang kende. Dat het op de een of andere manier klopte was dat ik me hier bevond, al was ik bij toeval op het plaatsje Milderhurst gestuit. Ik kende het gevoel van het lezen van *Wuthering Heights* en *Jane Eyre* en *Bleak House*. Alsof ik het verhaal al kende en het iets bevestigde waarvan ik de wereld altijd al had verdacht, dat het al die tijd in mijn toekomst verborgen had gelegen, in afwachting van het moment waarop ik het zou vinden.

Reis door het geraamte van een tuin

Als ik nu mijn ogen dichtdoe, zie ik nog altijd die fonkelende ochtendlucht op mijn netvlies: de vroegtijdige zomerzon, sudderend onder een felblauw uitspansel. Ik denk dat die herinnering eruit springt, omdat de tuinen, bossen en akkers zich bij mijn volgende bezoek in de metaalachtige tinten van de herfst zouden hullen. Maar niet op die bewuste dag. Toen ik met de instructies van mevrouw Bird losjes in de hand naar Milderhurst vertrok, voelde ik het kriebelen van een verlangen dat zich lang schuil had gehouden. Alles beleefde een wedergeboorte: de vogels zongen het hoogste lied, de lucht voelde dik van het gegons van de bijen, en de heerlijk warme zon dreef me heuvelopwaarts naar het kasteel.

Het was een lange wandeling, en net toen ik bang werd dat ik voorgoed zou verdwalen in een woud waar geen eind aan kwam, kwam ik bij een roestige poort en lag er een verwaarloosd zwembad voor me. Het was groot en rond, minstens tien meter in doorsnee, en ik wist meteen dat dit de vijver was waarover mevrouw Bird had gesproken en die door Oliver Sykes was ontworpen toen Raymond Blythe met zijn eerste vrouw op het kasteel was komen wonen. Natuurlijk leek de vijver enigszins op zijn kleinere tweelingbroer bij de boerderij, maar toch sprongen de verschillen het meest in het oog. De vijver van mevrouw Bird lag vrolijk in de zon te fonkelen en het gladgeschoren gazon reikte helemaal tot de zandstenen rand, maar deze was heel lang aan zijn lot overgelaten. De natuursteen langs de rand waren met een laag mos bedekt en er waren gaten in gevallen, zodat de vijver nu werd omringd door dotterbloemen en margrieten waarvan de gele harten zich verdrongen in het gevlekte zonlicht. Eilandjes van waterlelies woekerden als dakpannen over de oppervlakte en de warme wind joeg rimpels over zijn hele huid als over een reusachtige vis van het soort dat zich ongeremd ontwikkelt, als een exotische mutatie.

Ik kon de bodem van de vijver niet zien, maar ik kon wel raden hoe diep die was. Aan de overkant stond een duikplank. De houten plank was wit uitgeslagen en gesplinterd, de vering was verroest en de hele stellage werd zo te zien door weinig meer dan geluk bijeengehouden. Er hing een houten schommel aan een tak van een reusachtige boom, maar die kon niet bewegen door de massa braamstruiken die zich er van boven tot onder omheen had geslingerd.

De braamstruiken hadden zich niet beperkt tot de schommeltouwen: ongecontroleerd waren ze op de verlaten open plek losgegaan. Door de wirwar van inhalig groen zag ik een bakstenen gebouwtje, waarschijnlijk een kleedkamer. De top van zijn puntdak was net zichtbaar. Op de deur hing een slot waarvan het binnenwerk geheel verroest was, en de ramen bleken, toen ik ze vond, gelamineerd met een dikke laag vuil die zich niet liet verwijderen. Maar aan de achterkant was een ruitje stukgegaan. Op de scherpste punt was een plukje grijze vacht achtergebleven. Ik kon maar binnen kijken, wat ik natuurlijk direct deed.

Stof dat zo dik was dat ik het kon ruiken vanaf de plek waar ik stond, stof van decennia als een deken op de grond en alle andere oppervlakken. De ruimte was onregelmatig verlicht dankzij dakramen waarvan diverse houten luiken waren verdwenen; een aantal hing nog in zijn scharnieren, andere lagen op de grond eronder. Stofdeeltjes zweefden door de openingen en kringelden in linten van gedempt licht. Op een rij planken lagen stapels handdoeken. De oorspronkelijke kleur was met geen mogelijkheid vast te stellen en op een elegante deur in de verste muur tegenover me hing een bordje met KLEEDKAMER. Verderop fladderde een roze vitrage tegen een stapel ligstoelen, wat jarenlang onbespied moest hebben plaatsgevonden.

Ik deed een stap naar achteren en was me opeens bewust van het geluid van mijn schoenen op de dorre bladeren. Het was griezelig stil op de open plek, al bleef ik het vage klotsen van het water tegen de lelies horen, en heel even kon ik me de plek voorstellen toen die nog nieuw was. Over het plaatje van de huidige verwaarlozing schoof een broos beeld van een vrolijk gezelschap in ouderwetse badpakken dat handdoeken uitspreidde, aan frisdrank nipte, van de duikplank dook en zich lang in het koele water verpoosde.

En toen was het weg. Ik knipperde met mijn ogen en opeens was het weer ik en het overwoekerde gebouwtje. Ik had een vaag en onbenoembaar spijtig gevoel. Waarom was dit zwembad aan zijn lot overgelaten? Waarom had de laatste gebruiker van lang geleden de plek opgegeven, afgesloten, waarom was hij weggelopen en nooit meer teruggekomen? De gezusters Blythe waren inmiddels drie oude dames, maar dat was niet altijd zo geweest. Gedurende al die jaren dat ze in het kasteel hadden gewoond moesten er snikhete zomers zijn geweest, die ideaal waren om te zwemmen, juist op een plek als deze.

Ik zou achter de antwoorden op mijn vragen komen, maar dat zou nog even duren. Ik zou ook achter andere dingen komen, geheimen, antwoorden op vragen die ik mezelf nog totaal niet stelde. Maar destijds was dat nog allemaal toekomst. Toen ik die bewuste ochtend in de afgelegen tuin van Milderhurst Castle stond, kon ik mijn verbazing makkelijk van me afschudden en me richten op wat me te doen stond. Want mijn onderzoek van het zwembad bracht me niet alleen niet dichter bij mijn afspraak met de gezusters Blythe, ik had ook het knagende gevoel dat ik daar helemaal niet welkom was.

Ik las de instructies van mevrouw Bird nog eens goed na en het was precies wat ik dacht: er werd met geen woord over het zwembad gerept. Volgens de aanwijzingen had ik op dat moment zelfs de zuidelijke gevel genaderd moeten zijn, tussen twee majestueuze zuilen door.

Ik kreeg een licht gevoel van ontzetting in mijn buik.

Dit was het zuidelijke gazon niet. Er was geen zuil te bekennen.

Hoewel ik er niet van opkeek dat ik verdwaald was – ik kan de weg in Hyde Park nog kwijtraken – was het wel reuze irritant. De tijd drong. Behalve teruggaan en opnieuw beginnen zat er niets anders op dan mijn weg heuvelopwaarts te vervolgen en er maar het beste van te hopen. Aan de overkant van het zwembad was een hek en daarachter een steile stenen trap die in de overwoekerde heuvel was gekerfd. Het waren minstens honderd treden, en elke tree zonk weg in de vorige alsof het hele gevaarte een diepe zucht had geslaakt. Maar het was een veelbelovende route, dus begon ik aan de beklimming. Volgens mij was het allemaal een kwestie van logica. Bovenaan bevonden zich het kasteel en de gezusters Blythe: als ik maar bleef klimmen, zou ik die uiteindelijk wel bereiken.

De gezusters Blythe. Omstreeks die tijd moet ik ze zo zijn gaan noemen. Dat 'gezusters' sprong voor 'Blythe' zoals bij de Gebroeders Grimm, en ik kon er weinig tegen doen. Grappig zoals die dingen gaan. Vóór Junipers brief had ik nog nooit van Milderhurst Castle gehoord, nu voelde ik me ertoe aangetrokken als een stoffige mot door een grote, felle vlam. In het begin ging het natuurlijk allemaal om mijn moeder, het verrassende verhaal over haar evacuatie en het mysterieuze kasteel met zijn naam uit een horrorverhaal. Vervolgens had je de schakel met Raymond Blythe: de plek waar godbetert de Mud Man was geboren! Maar nu ik steeds dichter in de buurt van de vlam kwam, besefte ik dat er iets nieuws was wat mijn hart sneller deed kloppen. Misschien kwam het door al dat lezen of door de achtergrondinformatie die mevrouw Bird me die ochtend aan het ontbijt had opgedrongen, maar op een gegeven ogenblik was ik geboeid geraakt door de gezusters Blythe zelf.

Ik moet zeggen dat broers en zussen me in het algemeen wel interesseren. Ik word aangetrokken en afgestoten door hun intimiteit: het delen van genetische componenten, de willekeurige en bij tijden oneerlijke verdeling van de erfenis en de onontkoombaarheid van de band. Ik begrijp zo'n band wel een beetje. Ik heb ooit een broertje gehad, maar niet lang. Hij werd begraven voor ik hem leerde kennen en tegen de tijd dat ik voldoende puzzelstukjes bijeengelegd had om hem te missen, waren de sporen die hij had achtergelaten netjes opgeborgen. Twee akten – een geboorte- en een overlijdensakte – in een dunne map in de kast, een fotootje in mijn vaders portefeuille en nog een in mijn moeders bijouteriekistje waren het enige wat nog zei: 'Ik was hier!' Plus de herinneringen en het verdriet in het hoofd van mijn ouders, maar die delen ze niet met mij.

Ik wil geen ongemak of medelijden met mij zaaien, ik bedoel alleen maar dat ik mijn hele leven een band heb gevoeld met Daniel, ondanks het feit dat ik niets stoffelijks of gedenkwaardigs heb waarmee ik hem voor de geest kan halen. We zijn net zo verbonden door een onzichtbare draad als de dag aan de nacht vastzit. Zo is het altijd geweest, ook toen ik nog klein was. Als ik in mijn ouderlijk huis een aanwezige was, was hij een afwezige.

Die onuitgesproken woorden telkens wanneer we gelukkig waren: *Was hij er maar bij.* Telkens wanneer ik hen teleurstelde: *Dat zou hij niet hebben gedaan.* Telkens wanneer ik aan een nieuw schooljaar begon: *Die grote kinderen daar zouden zijn klasgenoten zijn geweest.* Die blik op oneindig die soms op hun gezichten lag als ze dachten dat ik er niet bij was.

Nu wil ik niet zeggen dat mijn nieuwsgierigheid naar de gezusters Blythe veel, of überhaupt iets met Daniel te maken had, althans niet direct. Maar hun verhaal was zo prachtig: twee oudere zussen die hun eigen leven opgeven om voor hun jongste zus te zorgen: een gebroken hart, een dolende geest en een onbeantwoorde liefde. Daardoor vroeg ik me af hoe het bestaan met een broer zou zijn uitgepakt, of Daniel misschien het type zou zijn geworden voor wie ik mijn leven zou geven. De gezusters bleven me namelijk maar bezighouden, de drie zussen die op die manier met elkaar verbonden waren. Ze werden oud, verwelkten en sleten hun leven in hun voorouderlijk huis, de laatste overlevenden van een grootse en romantische familie.

Voorzichtig liep ik de trap op, steeds hoger, langs een verweerde zonnewijzer, langs een rij geduldige kruiken op zwijgende sokkels, langs een paartje stenen herten dat naar verwaarloosde hagen staarde, tot ik eindelijk bij de laatste trede was en de grond weer vlak werd. Voor me strekte zich een allee uit van knoestige fruitbomen die met elkaar waren vervlochten en ik werd verder getrokken. Ik weet nog dat ik die eerste ochtend dacht dat het leek alsof de tuin een plan had; alsof er een bepaalde volgorde was, alsof ik werd verwacht, alsof hij weigerde me te laten verdwalen en zijn best deed om me bij het kasteel af te leveren.

Sentimentele malligheid natuurlijk. Ik kan alleen maar aannemen dat ik duizelig was geworden van de steile trap en ten prooi was gevallen aan wilde en hoogdravende gedachten. Hoe dan ook, ik voelde me opgeladen. Ik was onvervaard (zij het nogal plakkerig van het zweet) als een avonturier die uit zijn eigen tijd en plaats was geglipt en nu zijn reis voortzette om... Nou ja, om iets te overwinnen, ongeacht het feit dat deze specifieke missie voorbestemd was te eindigen bij drie oude dames en een rondleiding door een kasteel op het platteland, misschien zelfs een kopje thee als ik geluk had.

Net als het zwembad was dit deel van de tuin lang verwaarloosd geweest en toen ik door de tunnel van gebogen takken wandelde, had ik het gevoel dat ik door het oeroude geraamte van een kolossaal monster liep dat lang geleden was gestorven. Boven mijn hoofd zat een reusachtige ribbenkast die me omvatte, terwijl lange, rechte schaduwen de illusie schiepen dat die ribben zich ook onder mijn voeten kromden. Haastig repte ik me naar het eind, maar daar aangekomen bleef ik met een ruk staan.

Daar stond, ondanks de warmte gehuld in schaduw, Milderhurst Castle. De achterzijde, besefte ik fronsend, met een blik op de bijgebouwen, de zichtbare waterleidingen, de opvallende afwezigheid van zuilen, entreegazon en oprijlaan.

En toen drong het tot me door hoe ik precies was verdwaald. Op de een of andere manier moest ik in het begin een afslag hebben gemist, en daardoor had ik op de beboste heuvel een cirkel beschreven, zodat ik het kasteel vanuit het noorden in plaats van het zuiden was genaderd.

Maar eind goed al goed; ik was er, betrekkelijk ongeschonden, en ik wist vrij zeker dat ik niet gênant laat was. Beter nog: ik bespeurde een vlakke strook wild gras om de kasteeltuin heen. Die volgde ik, en uiteindelijk stuitte ik met een gevoel van triomf op de zuilen die mevrouw Bird had genoemd. Aan de andere kant van het gazon verhief de hoge voorgevel van Milderhurst Castle zich torenhoog naar de zon.

De stille en gelijkmatige opeenstapeling van eeuwen waarvan ik me tijdens de klim door de kasteeltuin bewust was geworden, was hier nog waarneembaarder en had zich als een web om het hele kasteel gesponnen. Het bouwwerk ademde een dramatische gratie en stoorde zich van geen kant aan de inbreuk van mijn aanwezigheid. De hoge schuiframen staarden verveeld langs me heen in de richting van het Nauw van Calais, met een vermoeide, permanente uitdrukking die het gevoel van mijn onbeduidendheid onderschreef, dat het voorname, oude gebouw in zijn tijd te veel had gezien om zich veel aan mij gelegen te laten liggen.

Er vloog een zwerm spreeuwen op van de schoorstenen die door de lucht cirkelden en afdaalden in de vallei waar de boerderij van mevrouw Bird genesteld lag. Het geluid en de beweging voelden merkwaardig verontrustend.

Ik volgde hun snerpende vlucht laag over de kruinen in de richting van piepkleine rode pannendaken. De boerderij leek wel zo ver weg dat ik het hoogst merkwaardige gevoel kreeg dat ik ergens tijdens mijn wandeling heuvelopwaarts een soort onzichtbare grens was gepasseerd. Ik was dáár geweest en nu was ik híér, en er leek iets ingewikkelders aan de hand dan een eenvoudige geografische verplaatsing.

Ik draaide me weer om naar het kasteel en zag dat een grote, zwarte deur in een boog van de toren op de begane grond wijd open stond. Gek dat me dat niet eerder was opgevallen.

Ik liep over het gazon, maar aangekomen bij de stenen trap aan de voorzijde aarzelde ik. Naast een verweerde hazewind van marmer zat zijn afstammeling van vlees en bloed, een zwarte hond van het type dat ik als een stropershond zou leren kennen. Kennelijk had hij me de hele tijd dat ik op het gras had gestaan in de gaten gehouden.

Nu ging hij staan, versperde hij me de weg en nam hij me op met zijn donkere ogen. Ik wilde niet doorlopen, ik voelde me er niet toe in staat. Mijn ademhaling ging oppervlakkig en opeens had ik het koud, maar bang was ik niet. Het is moeilijk uit te leggen, maar het was alsof hij de veerman of een ouderwetse butler was, iemand wiens toestemming ik moest hebben voordat ik door mocht lopen.

Hij keek me strak aan en kwam geluidloos op me af. Hij streek licht onder mijn vingertoppen door, draaide zich om en verdween met grote sprongen zonder om te kijken door de open deur.

Hij wenkte me te volgen, althans die indruk kreeg ik.

Drie verwelkte zussen

Heb je je ooit afgevraagd hoe geschiedenis ruikt? Ik had dat niet voordat ik Milderhurst Castle betrad, maar nu weet ik het wel. Naar schimmel en ammonia, een vleugje lavendel en een flinke kwak stof, naar een massa oude, vergane paperassen. Plus nog iets anders, als een onderstroom, iets wat net niet bedorven of te sterk was. Het duurde een poosje om die geur thuis te brengen, maar nu denk ik het te weten. Het is het verleden. Het is een hutspot van gedachten en dromen, hoop en teleurstelling die langzaam fermenteert in de bedompte lucht en die nooit helemaal kan verdwijnen.

'Hallo?' riep ik, terwijl ik op het bordes van de brede, stenen trap wachtte op iemand die me welkom heette. Na een tijdje was er nog niemand gekomen, dus herhaalde ik iets harder: 'Hallo? Is er iemand thuis?'

Mevrouw Bird had gezegd dat ik naar binnen kon gaan, dat de gezusters Blythe ons verwachtten en dat zij me binnen zou treffen. Ze had zelfs omstandig uitgelegd dat ik niet moest aankloppen of bellen, noch mijn komst anderszins moest aankondigen; iets wat ik weifelend aanhoorde, want waar ik vandaan kwam, leunde onaangekondigd een huis betreden gevaarlijk dicht tegen wederrechtelijk binnendringen aan, maar ik deed wat ze me had gevraagd: ik liep door de stenen galerij, onder de overwelfde wandelgang door en de cirkelvormige ruimte aan het eind in. Er waren geen vensters en ondanks de hoge koepel van het plafond was het er schemerig. Een geluid trok mijn aandacht naar de koepel. Een witte vogel was tussen de balken door gevlogen en fladderde nu in een stoffige bundel zonlicht.

'Kijk eens aan.' De stem kwam van links. Ik draaide me vlug om en op een meter of drie zag ik een stokoude dame in een deuropening staan met de stropershond aan haar zijde. Ze was lang en mager en was gehuld in tweed en een overhemd met knoopjes, bijna als een heer. De tand des tijds had haar vrouwelijke gestalte broos gemaakt, welvingen die er ooit waren geweest waren allang geweken. Het korte grijze haar was van haar voorhoofd teruggetrokken en zat stoppelig en hardnekkig om de oren; op haar eivormige gezicht lag een alerte, intelligente uitdrukking. Ik zag dat ze haar wenkbrauwen bijna helemaal had geëpileerd en vervolgens opnieuw had ingetekend, als strepen met de kleur van oud bloed. Het effect was dramatisch, zij het een tikje grimmig. Ze leunde iets voorovergebogen op een elegante wandelstok met een ivoren handgreep. 'U bent zeker juffrouw Burchill.'

'Ja.' Ik liep naar haar toe en stak, opeens buiten adem, mijn hand uit. 'Hallo, ik ben Edith Burchill.'

Kille vingers drukten zich even tegen de mijne en haar leren horlogebandje zakte geruisloos langs haar pols omlaag. 'Marilyn Bird van de boerderij heeft uw komst aangekondigd. Mijn naam is Persephone Blythe.'

'Ik ben heel dankbaar dat ik mocht komen. Ik wilde Milderhurst Castle al heel graag bezoeken vanaf het moment dat ik er voor het eerst van hoorde.'

'Echt waar?' Haar lippen maakten een plotselinge beweging, een glimlach zo scheef als een haarspeld. 'En waarom dan wel?'

Dat was natuurlijk het moment dat ik haar over mama moest vertellen, over de brief en haar evacuatie naar deze plek toen ze nog een meisje was; dan zou ik het gezicht van Percy Blythe zien oplichten van herkenning, dan zouden we onder het wandelen nieuws en verhalen uitwisselen. Niets zou zo natuurlijk zijn geweest, en daarom verraste het me een beetje toen ik mezelf hoorde zeggen: 'Ik heb erover gelezen in een boek.'

Ze maakte een geluid, een weinig geboeide versie van 'Aha.'

'Ik lees veel,' voegde ik er haastig aan toe, alsof een ware toevoeging de leugen iets minder erg maakte. 'Ik ben dol op boeken. Ik werk ermee. Boeken zijn mijn leven.'

Haar gerimpelde gezicht verwelkte nog verder bij het horen van dat zielloze antwoord, en terecht. De oorspronkelijke smoes was al saai genoeg, maar de aanvullende biografische elementen waren zonder meer onnozel. Ik begreep niet waarom ik niet gewoon de waarheid zei: die was veel boeiender, om niet te zeggen eerlijker. Ik denk dat er een of ander halfzacht, kinderlijk idee achter zat, dat wilde dat dit mijn eigen bezoek was, onbezoedeld door mijn moeders bezoek van een halve eeuw geleden. Hoe dan ook, ik wilde net mijn mond opendoen om het te zeggen, maar het was te laat. Percy Blythe had al gewenkt dat ik haar moest volgen en zij en de stropershond liepen de sombere gang in. Ze had een regelmatige tred en haar voetstappen waren licht; de wandelstok leek niets anders te doen dan lippendienst bewijzen aan haar hoge leeftijd.

'Ik ben in elk geval te spreken over uw stiptheid,' klonk haar stem weer. 'Ik verafschuw laatkomers.'

We vervolgden in toenemende stilte onze weg. Met elke stap lagen de geluiden van de buitenwereld nadrukkelijk verder achter ons: de bomen, de vogels, het verre geklater van een beek. Geluiden waarvan ik niet eens besefte dat ik ze had gehoord tot ze weg waren en een merkwaardig licht vacuüm achterlieten dat zo schril was dat mijn oren gingen suizen en hun eigen geesten opriepen om de leegte te vullen. Fluistergeluiden als van kinderen die spelen dat ze een slang zijn.

Het was iets wat ik goed zou leren kennen, het merkwaardige isolement van het kasteelinterieur. De wijze waarop geluiden, geuren en visuele indrukken die buiten de kasteelmuren onmiskenbaar waren op de een of andere manier in het oude steen bleven steken zonder ooit in staat te zijn zich er een weg doorheen te banen. Het was alsof het poreuze zandsteen in de loop der eeuwen zijn buik vol had gekregen van de indrukken uit het verleden, zoals bloemen die bewaard en vergeten worden tussen de bladzijden van negentiende-eeuwse boeken die een barrière tussen binnen en buiten schiepen die inmiddels totaal was. De buitenlucht kon geruchten dragen van boterbloemen en pas gemaaid gras, maar binnen rook het naar de opeenstapeling van tijd, naar de brakke, ingehouden adem van eeuwen.

We passeerden een aantal intrigerende, gesloten deuren tot we helemaal aan het eind van de gang, vlak voordat die een hoek omsloeg naar de schemering verderop, bij een deur kwamen die op een kier stond. Vanbinnen kwam een smalle strook licht die zich verbreedde tot een grijns toen Percy Blythe er met haar wandelstok tegenaan duwde.

Ze deed een stap naar achteren en knikte om me voor te laten gaan.

Het was een ontvangkamer die een groot en gastvrij contrast vormde met de donkere, eikenhouten lambrisering van de gang waar we doorheen waren gekomen: geel behang dat ooit felgeel geweest moest zijn, maar in de loop der jaren was verschoten, waardoor het krulmotief iets looms had gekregen, en een gigantisch tapijt in roze, blauw en wit – ik kon niet vaststellen of het licht van kleur of gewoon sleets was – dat bijna tot de plinten reikte. Er stond een merkwaardig lange en lage bank tegenover de barokke open haard, een bank met de afdrukken van ontelbare lichamen, die er daardoor des te gerieflijker uitzag. Ernaast stond een Singer-naaimachine met een lap blauwe stof.

De stropershond liep langs me heen en vleide zich kunstig op een schapenvacht aan de voet van een groot, beschilderd kamerscherm van minstens tweehonderd jaar oud. Er stond een tafereel op van honden en jonge hanen, de olijf- en bruintinten op de voorgrond waren verschoten tot een gedempte samensmelting, de lucht op de achtergrond was voor eeuwig avondrood. De plek achter de stropershond was bijna helemaal weggesleten.

Aan een ronde tafel vlakbij zat een vrouw van dezelfde leeftijd als Percy over een vel papier gebogen, als een eiland in een zee van scrabblestukjes. Ze droeg een enorme leesbril die ze onhandig afzette toen ze mij in het oog kreeg en terwijl ze opstond wegstopte in een geheime zak van een lange zijden jurk. Haar ogen bleken grijsblauw, haar wenkbrauwen nogal gewoon, gebogen noch recht, kort noch lang. Maar haar nagels waren felroze gelakt in overeenstemming met haar lipstick en de grote bloemen op haar jurk. Hoewel ze anders gekleed ging, was ze even netjes uitgedost als Percy. Die toewijding aan hun uiterlijke verschijning was op de een of andere manier ouderwets, al waren de kleren dat zelf niet.

'Dit is mijn zus Seraphina,' zei Percy, die naast haar ging staan. 'Saffy,' zei ze overdreven hard, 'dit is Edith.'

Saffy tikte met de vingers van één hand tegen haar oor. 'Je hoeft niet zo te schreeuwen, mijn lieve Percy,' klonk een zachte, zangerige stem, 'mijn gehoorapparaat zit op z'n plek.' Mij wierp ze een verlegen glimlach toe, knipperend met haar ogen uit behoefte aan de bril die haar ijdelheid haar had doen afzetten. Ze was even groot als haar tweelingzus, al leek dat niet zo door haar kleren of dankzij een speling van het licht, of door haar houding. 'Oude gewoonten zijn hardnekkig,' zei ze. 'Percy is altijd de bazigste van ons tweeën geweest; ik ben Saffy Blythe en het is me echt een groot genoegen u te leren kennen.'

Ik kwam naar voren om haar een hand te geven. Ze was het evenbeeld van haar zus, of dat was ze geweest. De ouderdom – ze waren boven de tachtig – had andere groeven in hun gezicht getrokken en bij Saffy was het resultaat op de een of andere manier zachter en vriendelijker. Ze zag er precies zo uit als ik me een oude dame op een landgoed voorstelde, en ik mocht haar direct. Percy had iets vervaarlijks, Saffy daarentegen deed me denken aan haverkoekjes en chic katoenvezelpapier overdekt met een fraai handschrift in inkt. Karakter is iets merkwaardigs, zoals het mensen tekent naarmate ze ouder worden, en zoals het zich van binnen naar buiten werkt om zijn brandmerk te zetten.

'Mevrouw Bird heeft ons gebeld,' zei Saffy. 'Ik ben bang dat ze is opgehouden door haar verplichtingen in het dorp.'

'O.'

'Ze was helemaal in paniek,' vervolgde Percy effen. 'Maar ik heb gezegd dat ik u met plezier zelf zou rondleiden.'

'Met alle plezier,' zei Saffy glimlachend. 'Mijn zus houdt van dit huis zoals andere mensen van hun partner. Ze vindt het heerlijk om de kans te krijgen ermee te pronken, en terecht. Dit oude huis is een eerbetoon aan haar: het is alleen maar aan haar jarenlange, onvermoeibare inspanningen te danken dat het niet aan verval ten prooi is geraakt.'

'Ik heb gedaan wat nodig was om te voorkomen dat de muren om ons heen zouden instorten, dat is alles.'

'Mijn zus is bescheiden.'

'En die van mij koppig.'

Dit gekissebis hoorde ongetwijfeld bij hun repertoire en de twee dames glimlachten naar me. Even was ik gefascineerd omdat ik moest denken aan de foto in *Raymond Blythe's Milderhurst* en me afvroeg wie van deze twee oude dames bij welke hummel hoorde. En toen pakte Saffy Percy's hand. 'Mijn zus heeft ons hele lange leven voor ons gezorgd,' zei ze. Ze wendde zich naar haar zus en wierp zo'n bewonderende blik op haar profiel dat ik wist dat Saffy de kleinste en magerste van het tweetal op de foto was, die met dat onzekere glimlachje onder het oog van de camera.

Die extra lof zat Percy niet lekker; ze bestudeerde haar horloge en mompelde: 'Nou ja. We hebben niet lang meer te gaan.'

Het valt nooit mee om iets zinnigs te zeggen wanneer een hoogbejaard persoon over de naderende dood begint, dus deed ik wat ik ook doe als Herbert een toespeling maakt op het feit dat ik 'ooit' de leiding krijg van Billing & Brown: ik glimlachte alsof ik iets verkeerd had verstaan en deed alsof ik de zonnige erker eens nader bekeek.

Op dat moment ontdekte ik de derde zus, die Juniper moest zijn. Ze zat doodstil in een groene leunstoel van verschoten fluweel door het open raam naar het weelderige parklandschap buiten te kijken. Uit een kristallen asbak rees een vage rookpluim, waardoor ik haar in soft focus zag. In tegenstelling tot haar zussen was er niets fraais aan haar kleren of aan de manier waarop ze die droeg. Ze droeg de internationale dracht van een langdurig zieke: een slecht zittende blouse die stevig in een vormloze lange broek gestopt zat. Op haar schoot zaten vetvlekken van gemorst voedsel.

Misschien voelde Juniper dat ik keek, want ze wendde haar hoofd een tikje – alleen de zijkant – naar me toe. Ik zag dat haar oog glazig en onrustig stond op een wijze die aan zware medicatie deed denken, en toen ik glimlachte, gaf ze geen teken dat ze het had opgemerkt, ze bleef staren alsof ze dwars door me heen wilde kijken.

Terwijl ik naar haar keek, hoorde ik een zacht geluid waarvan ik me niet eerder bewust was geweest. Het was een kleine tv op een bijzettafeltje onder het raam. Er speelde een Amerikaanse soap en de van tevoren opgenomen lachsalvo's onderbraken het constante geroezemoes van snedige conversatie als periodieke statische storingen. Het gaf me een vertrouwd gevoel, dat tv-toestel, de warme zonnigheid buiten en de roerloze, bedompte lucht binnen: ik kreeg een nostalgische herinnering aan bezoekjes aan oma in de vakantie, en overdag televisie mogen kijken.

'Wat doe je hier?'

De prettige herinneringen aan mijn grootmoeder gingen aan gruzelementen onder die ijzige klap. Juniper Blythe keek me nog steeds aan, maar haar gezicht was niet blanco meer. Het stond zonder meer ongastvrij.

'Ik, eh... Hallo,' zei ik.

'Wat denk je dat je hier doet?'

De stropershond stiet een benauwd piepje uit.

'Juniper!' Saffy repte zich naar haar zus. 'Lieverd, Edith is onze gast.' Vriendelijk nam ze het gezicht in haar handen. Ik heb het je verteld, June, weet je nog? Ik heb het allemaal uitgelegd: Edith is hier voor een rondleiding. Percy gaat een heel leuk wandelingetje met haar maken. Maak je maar geen zorgen, schatje, alles is in orde.'

Al wenste ik vurig dat ik op de een of andere manier kon verdwijnen, de tweeling wierp elkaar een blik van verstandhouding toe die zich zo makkelijk in de rimpels op hun gezicht plooide dat ik besefte dat ze die blik al dikwijls hadden gewisseld. Percy knikte met een strak mondje naar Saffy en vervolgens verdween de uitdrukking voordat ik kon duiden wat het was aan die blik dat me zo'n curieus gevoel gaf.

'Goed,' zei ze zo opgelegd vrolijk dat mijn tenen kromtrokken. 'Laten we geen tijd verliezen. Zullen we dan maar, juffrouw Burchill?'

Ik volgde haar maar al te graag toen ze me voorging, de gang op, een hoek om en nog een schemerige gang in.

'Ik ga eerst met u langs de vertrekken aan de achterkant,' zei ze, 'maar daar blijven we niet lang. Dat heeft geen zin, want het meubilair staat al jaren onder de lakens.'

'Waarom is dat?'

'Ze zien allemaal uit op het noorden.'

Percy had een beknopte manier van praten; een beetje zoals radio-omroepers van vroeger klonken toen de BBC nog het laatste woord in articulatie was. Korte zinnen, perfecte dictie, een zweempje nuance dat in elke punt schuilging. 'De verwarming in de winter is een ramp. We zijn maar met z'n drieën, dus de ruimte hebben we niet nodig. Het was eenvoudiger om een aantal deuren voorgoed te sluiten. Mijn zussen en ik hebben onze kamers in de kleine westvleugel vlak bij de gele salon.'

'Dat lijkt me vanzelfsprekend,' zei ik vlug. 'Een huis van deze afmetingen moet wel honderd kamers hebben. Al die verschillende verdiepingen, ik zou zo verdwalen.' Ik kletste maar wat; ik hoorde mezelf, maar kon het niet tegenhouden. Of het nu kwam door mijn fundamentele onvermogen om het over koetjes en kalfjes te hebben, door de opwinding omdat ik eindelijk binnen was, of door een vleugje ongemak na de confrontatie met Juniper... het bleek een dodelijke combinatie. Ik haalde diep adem en tot mijn eigen afgrijzen vervolgde ik: 'Hoewel u hier natuurlijk al uw hele leven woont, dus zult u er vast geen moeite mee hebben...'

'Mijn excuses,' zei ze scherp, terwijl ze zich naar me omdraaide. Zelfs in het halfduister zag ik dat ze bleek was geworden. Ze gaat me vast vragen weg te gaan, dacht ik. Mijn bezoek is te veel. Ze is oud en vermoeid en haar zus is niet lekker.

'Het gaat niet zo goed met onze zus,' zei ze, en de moed zonk me in de schoenen. 'Het is niets persoonlijks. Ze is wel eens onbeleefd, maar daar kan ze niets aan doen. Ze heeft een grote teleurstelling te verwerken gehad, iets vreselijks, heel lang geleden.'

'Dat hoeft u niet uit te leggen,' zei ik. Vraag me alsjeblieft niet weg te gaan, dacht ik erachteraan.

'Dat is vriendelijk van u, maar ik vind van wel. Wat een grofheid. Ze kan niet overweg met vreemden. Het is een hele beproeving geweest. Tien jaar geleden is onze huisarts overleden en het kost ons nog altijd grote moeite iemand te vinden die we kunnen verdragen. Ze heeft verwarde buien. Hopelijk voelt u zich niet onwelkom.'

'Helemaal niet, ik begrijp het volkomen.'

'Ik hoop het, want we zijn erg blij met uw bezoek.' Dat strakke glimlachje. 'Het kasteel houdt van bezoek. Het heeft er behoefte aan.'

Huismeesters in de aderen

Toen ik tien werd, namen mama en papa me mee voor een bezoek aan de poppenhuizen in het Bethnal Green Museum. Ik weet niet waarom we poppenhuizen gingen bekijken. Misschien had ik daar belangstelling voor getoond, of hadden mijn ouders een krantenbericht over de collectie gelezen, maar de dag staat me nog helder voor de geest. Het is een van die zonnige herinneringen die je in je leven opdoet; volmaakt van vorm en verzegeld, als een luchtbel die is vergeten te barsten. We namen een taxi en ik weet nog dat ik dat heel chic vond, en naderhand gingen we theedrinken in een deftig restaurant in Mayfair. Ik weet zelfs nog wat ik aanhad: een mini-jurkje met een ruitpatroon waarop ik al maanden had geaasd en dat ik die ochtend eindelijk had uitgepakt.

Het tweede wat ik nog oogverblindend helder voor de geest kan halen, is dat we mama kwijtraakten. Misschien was dat incident – meer dan de poppenhuizen zelf – de reden dat die dag niet uit mijn geheugen is gewist toen die in de vergaarbak van verpletterende jeugdervaringen belandde. Het was namelijk de wereld op zijn kop; grote mensen verdwaalden niet, niet in mijn beleving. Dat was het voorrecht van kinderen, van kleine meisjes zoals ik die gewoontegetrouw hun dagdromen volgden en treuzelden en in het algemeen achterbleven.

Dat was nu anders. Deze keer was het mama die ons op onverklaarbare wijze en tot mijn grote ontsteltenis was ontglipt. Papa en ik stonden in de rij te wachten voor de souvenirwinkel om een boekje als aandenken te kopen, toen het gebeurde. We schuifelden naar voren en we waren allebei in gedachten verzonken. Pas toen we bij de toonbank stonden en eerst met de ogen knipperden naar de winkelbediende en vervolgens naar elkaar, beseften we dat we op de een of andere manier onze spreekbuis kwijt waren.

Ik was degene die haar weer vond, gehurkt voor een poppenhuis waar we al langs waren gelopen. Ik herinner me nog dat het hoog en donker was met een heleboel trappen en een echte zolder. Ze gaf geen uitleg waarom ze was teruggelopen, ze zei alleen: 'Zulke huizen bestaan echt, Edie. Echte huizen met echte bewoners. Kun je je dat voorstellen? Al die kamers?' Haar lippen trilden een beetje toen ze met een zacht en langzaam deuntje vervolgde: '*Ancient walls that sing the distant hours.*'

Ik denk niet dat ik iets terug heb gezegd. In de eerste plaats was daar geen tijd voor – op dat moment dook mijn vader op, die er een beetje roodaangelopen en op de een of andere manier persoonlijk gekwetst uitzag – en in de tweede plaats wist ik niet goed wat ik moest zeggen. Hoewel we het er nooit meer over hadden, heeft het lang geduurd voordat ik niet meer geloofde dat ergens op die hele wijde wereld echte huizen met echte mensen en zingende muren bestonden.

Ik noem het Bethnal Green Museum hier alleen maar omdat ik, toen Percy Blythe me voorging door steeds donkerdere gangen, me mijn moeders woorden steeds duidelijker herinnerde, net zo lang tot ik haar gezicht kon zien en haar woorden kon horen alsof ze vlak naast me stond. Misschien had het iets te maken met het vreemde gevoel dat me belaagde toen we dat kolossale huis verkenden; de indruk dat ik op de een of andere manier was betoverd met een krimpvloek van een heks en naar de binnenkant van een poppenhuis was getransporteerd, zij het een enigszins sjofel poppenhuis, een exemplaar waarvoor de kindeigenaar zijn belangstelling was verloren en met andere obsessies was doorgegaan, zodat de kamers met hun verschoten behang en zijde, met de biezenmatten op de vloer, met de kruiken en opgezette vogels en het zware meubilair in stilte wachtten op, hopelijk, nieuwe bewoners.

Aan de andere kant kan dat alles ook secundair zijn. Misschien had ik me eerst de woorden van mama herinnerd, want natuurlijk had ze op Milderhurst gedoeld toen ze me vertelde over echte mensen in hun echte huizen met een heleboel kamers. Wat kan haar anders op die gedachten hebben gebracht? Die onleesbare uitdrukking op haar gezicht was het gevolg van de herinnering aan dit huis geweest. Ze dacht aan Percy, Saffy en Juniper Blythe, en aan de vreemde, geheime dingen die haar als meisje moesten zijn overkomen toen ze uit Londen-zuid naar Milderhurst Castle werd overgeplant. Dingen die haar over een kloof van een halve eeuw met zo'n kracht bij de keel grepen dat een verloren brief haar aan het huilen had gemaakt.

Hoe dan ook, toen ik die ochtend door Percy werd rondgeleid, droeg ik mijn moeder met me mee. Ik kon er niets tegen doen. Of het al dan niet onverklaarbare jaloezie was die me de verkenning van het kasteel deed toeeigenen, er zat een stukje van mama, een stukje dat ik niet kende en dat me zeker nooit eerder was opgevallen, stevig in me verankerd. En hoewel ik er niet aan gewend was dingen met haar gemeen te hebben en leek de wereld alleen al door het idee een beetje sneller te tollen, besefte ik dat ik het niet erg vond. Ik vond het zelfs wel prettig dat haar merkwaardige opmerking bij het poppenhuis niet meer zo vreemd was als een stukje van een mozaïek dat niet in het patroon past. Het was een fragment van mama's verleden, een stukje dat op de een of andere manier feller van kleur en interessanter was dan de rest.

Dus zo kwam het dat er een klein en spookachtig Londens meisje met grote ogen nerveus naast me meeliep omdat zij ook voor het eerst een glimp van dit huis opving. En ik bleek het prettig te vinden dat zij er was; als ik had gekund, had ik uitgereikt over de kloof van decennia om haar bij de hand te nemen. Ik vroeg me af hoe anders het huis in 1939 moest zijn geweest, hoeveel er de afgelopen vijftig jaar was veranderd. Of Milderhurst Castle in die tijd ook al voelde als een dommelend huis, waar alles dof en stoffig en schemerig verlicht was. Een oud huis dat zijn tijd uitzit. En ik vroeg me af of ik ooit de gelegenheid zou krijgen om het aan dat kleine meisje te vragen, als zij nog ergens leefde. Of ik haar ooit zou vinden.

Ik kan met geen mogelijkheid alles wat er die dag op Milderhurst is gezien en gezegd reproduceren, en voor dit verhaal is dat ook niet nodig. Er is sindsdien zo veel gebeurd; wat erna gebeurde is in mijn gedachten gekromd en gebogen en vervlochten, zodat het niet meevalt om mijn eerste indrukken van het huis en zijn bewoners te isoleren. In dit verslag zal ik me dus beperken tot de visuele indrukken en geluiden die het levendigst waren, en tot die gebeurtenissen die verband houden met wat later gebeurde, plus wat eraan voorafging. Gebeurtenissen die nooit meer uit mijn geheugen kunnen worden gewist.

Tijdens de rondleiding werden me twee dingen duidelijk. In de eerste plaats had mevrouw Bird een eufemisme gebruikt toen ze Milderhurst beschreef als 'een beetje sjofel'. Het kasteel was er belabberd aan toe en niet op een romantisch vervallen manier. In de tweede plaats, en dat was opmerkelijker, was Percy Blythe daar blind voor. Het maakte haar niet uit dat een dikke laag stof het meubilair verstikte en dat de stilstaande lucht vergeven was van ontelbare stofdeeltjes, dat generaties motten zich aan de gordijnen te goed hadden gedaan, ze bleef spreken over de vertrekken alsof ze nog aan het begin van hun bestaan stonden, alsof het elegante salons waren waarin royalty zich verbroederde met leden van de intelligentsia en een legertje bedienden zich ongezien door de gangen repte om te doen wat de familie Blythe van hen verlangde. Ik zou mededogen voor haar hebben gevoeld omdat ze zo in een sprookjeswereld gevangenzat, maar ze was er helemaal niet de persoon naar om mededogen op te wekken. Ze gedroeg zich resoluut als het tegendeel van een slachtoffer en daardoor maakte mijn medelijden plaats voor bewondering, voor respect omdat ze zo hardnekkig weigerde te erkennen dat het oude huis verviel waar ze bij stonden.

Er moet me nog iets van het hart over Percy: voor een vrouw van in de tachtig met een wandelstok zette ze er flink de sokken in. We wierpen een blik op de biljartkamer, de balzaal, de oranjerie en daarna daalden we af naar de bedienderuimten; we liepen door de kamer van het eetgerei, de kamer voor het glaswerk en de bijkeuken voordat we eindelijk in de keuken belandden. Aan de wand hingen koperen potten en pannen, een potige Aga stond te roesten onder een ingezakt fornuis en op de plavuizen stond een hele familie lege kruiken zij aan zij. In het midden balanceerde een enorme houten tafel op zwangere enkels, het blad was doorploegd door de messen van eeuwen, meel zat als zout in de wonden. Het was koel en bedompt en ik had de indruk dat de bediendevertrekken nog sterker dan de kamers boven de grauwsluier van verlatenheid droegen. Het waren de in onbruik geraakte ledematen van een grote, victoriaanse motor die ten prooi was gevallen aan veranderende tijden om uiteindelijk knarsend tot stilstand te komen.

Ik was niet de enige die zich bewust was van de toegenomen somberte en het gewicht van verval. 'Het is moeilijk te geloven, maar vroeger gonsde het hier,' zei Percy Blythe, terwijl ze met haar vingers over de groeven in de tafel streek. 'Mijn grootmoeder had meer dan veertig man personeel. Veertig. Je vergeet gemakkelijk hoe het huis vroeger heeft geschitterd.'

De grond was bezaaid met kleine bruine propjes die ik eerst voor vuil versleet, maar door dat typische geknars onder mijn zolen algauw herkende als muizenkeutels. Ik nam me voor geen plakje cake aan te nemen als me dat werd aangeboden.

'Zelfs in de tijd dat wij nog klein waren, hadden we een stuk of twintig bedienden voor binnen en een ploeg van vijftien tuiniers om het terrein te onderhouden. De Eerste Wereldoorlog maakte daar een eind aan. Ze namen tot op de laatste man dienst. Dat deden de meeste jongemannen.'

'En geen van hen keerde terug?'

'Twee maar. Twee mannen keerden naar huis terug, maar zij waren nooit meer hetzelfde. We hielden ze natuurlijk aan – iets anders zou ondenkbaar zijn geweest – maar ze hielden het niet lang vol.'

Ik wist niet goed of ze doelde op de duur van hun werknemerschap of meer in het algemeen op hun leven, en ik kreeg niet de kans om het te vragen.

'Daarna rommelden we maar wat aan met tijdelijk personeel wanneer we maar konden, maar tegen de Tweede Wereldoorlog was er met geen mogelijkheid meer een tuinman te vinden. Welke jongeman nam er nu genoegen met het onderhouden van een privépark als er oorlog gevoerd moest worden? Niet het type dat wij vroeger in dienst hadden. Huishoudelijke hulp was net zo schaars. Iedereen had het druk met andere dingen.' Ze stond roerloos op haar stok geleund en toen haar gedachten afdwaalden, liet ze haar gezicht hangen.

Ik schraapte mijn keel en vroeg zacht: 'En tegenwoordig? Krijgt u tegenwoordig nog hulp?'

'O, ja hoor.' Ze maakte een achteloos gebaar en haar aandacht keerde weer terug naar de tegenwoordige tijd. 'Min of meer. We hebben een bediende die eens per week komt helpen koken en schoonmaken en een van de boeren in de omgeving houdt de omheining overeind. Er is nog een jongen, een neef van mevrouw Bird uit het dorp, die het gras maait en een poging doet het onkruid onder controle te houden. Hij levert redelijk werk, al schijnt een degelijk werkethos er niet meer bij te zijn.' Ze glimlachte even. 'De rest van de tijd moeten we het zelf maar zien te rooien.'

Ik glimlachte op mijn beurt toen ze met een gebaar naar de smalle bediendetrap vroeg: 'Zei u niet dat u bibliofiel bent?'

'Volgens mijn moeder ben ik geboren met een boek in mijn handen.'

'Dan vermoed ik dat u wel een kijkje in onze bibliotheek wilt nemen.'

Ik herinnerde me te hebben gelezen dat de bibliotheek van Milderhurst in de as was gelegd tijdens dezelfde brand die de moeder van de tweeling het leven had gekost, dus weet ik niet precies wat ik achter de zwarte deur aan het eind van de donkere gang verwachtte aan te treffen, maar geen rijkelijk voorziene bibliotheek. Maar dat was precies wat er voor me lag toen ik Percy Blythe naar binnen volgde. Alle vier de wanden waren bedekt met boekenplanken van de vloer tot het plafond, en hoewel er weinig licht was – de ramen gingen schuil achter dikke, zware gordijnen die tot op de grond reikten – zag ik rijen zeer oude boeken, het soort met gemarmerde schutbladen, vergulde randen en een stofomslag. Mijn vingers jeukten om er heel lang rond te neuzen, om het exemplaar te vinden waarvan ik de verleiding niet kon weerstaan om het van de plank te plukken, het langzaam te openen en mijn ogen te sluiten om de geur van oud en erudiet stof op te snuiven.

Percy Blythe zag waar mijn aandacht naartoe werd getrokken en leek mijn gedachten te raden. 'Het zijn natuurlijk vervangende exemplaren,' zei ze.

'Het grootste deel van de bibliotheek van de familie Blythe is in vlammen opgegaan. Er was maar heel weinig te redden, de boeken die niet verbrand waren, waren geteisterd door rook en water.'

'Al die boeken,' zei ik. Het idee alleen al deed lichamelijk zeer.

'Wat u zegt. Mijn vader was er kapot van. Een groot deel van zijn latere leven heeft hij aan het herstel van de verzameling gewijd. De brieven vlogen overal naartoe. De mensen die het vaakst langskwamen waren handelaren in zeldzame boeken; verder werd bezoek niet aangemoedigd. Maar na de dood van moeder heeft papa deze ruimte nooit meer gebruikt.'

Misschien is het alleen maar een product van mijn verhitte verbeelding geweest, maar toen ze dat vertelde, wist ik zeker dat ik oud vuur kon ruiken, een geur die vanonder de nieuwe wanden, de verse verf, diep vanuit het oorspronkelijke metselwerk opsteeg. Ik hoorde ook een geluid dat ik niet kon plaatsen; een tikkend geluid dat onder normale omstandigheden niet de aandacht zou trekken, maar wel in dit vreemde, stille huis. Ik keek naar Percy, die door was gelopen en nu achter een leren stoel met diepliggende noppen stond, maar als ze het getik al hoorde, liet ze niets merken. 'Mijn vader was een groot brievenschrijver,' zei ze met een strakke blik op het schrijfbureau in een nis bij het raam. 'Mijn zus Saffy ook.'

'U niet.'

Een vreugdeloos glimlachje. 'Ik heb er in mijn leven heel weinig geschreven, en dan nog alleen als er absoluut niets anders op zat.'

Ik vond dat een apart antwoord en misschien was dat op mijn gezicht te lezen, want ze legde uit: 'Het geschreven woord is nooit mijn metier geweest. In een schrijvende familie leek het me maar beter om mijn tekortkomingen te erkennen. Mindere prestaties werden niet geprezen. Toen wij jong waren, wisselden vader en zijn twee nog levende broers geweldige essays uit en die las hij 's avonds voor. Hij verwachtte dat we dat leuk vonden en hield zich niet in met zijn oordeel over mensen die niet aan zijn maatstaven voldeden. Hij was ondersteboven van de uitvinding van de telefoon en gaf die de schuld van talrijke misstanden in de wereld.'

Daar klonk het tikken weer en nu harder, alsof iets zich bewoog. Het leek een beetje op de wind die door kieren tocht en gruis over een oppervlakte blaast, alleen wat harder. En het kwam van boven, dat was zeker.

Ik speurde het plafond af. Er hing een dof peertje aan een grauwe rozet en er zat een scheur in de vorm van een bliksemschicht in het pleisterwerk. Het kwam me voor dat dit geluid misschien wel de enige waarschuwing kon zijn dat het plafond op instorten stond. 'Dat geluid...'

'O, daar moet u niet op letten,' zei Percy Blythe met een achteloos gebaar van haar magere hand. 'Dat zijn gewoon de huismeesters die door de aderen scharrelen.'

Waarschijnlijk keek ik verward; ik voelde me in elk geval wel zo.

'Die zijn het best bewaarde geheim in dit oude huis.'

'De huismeesters?'

'De aderen.' Ze keek fronsend omhoog en volgde de lijn van de sierlijst, alsof ze een ontwikkeling aanschouwde van iets wat mij ontging. Toen ze weer iets zei, klonk haar stem een tikje anders. Er was een haarscheurtje verschenen in haar ijzeren zelfbeheersing, en even meende ik haar beter te kunnen zien en horen. 'In een kast helemaal boven in het kasteel zit een geheim luik. Daarachter is de ingang van een uitgestrekt netwerk van geheime tunnels. Je kunt er als een muisje doorheen kruipen, van de ene kamer naar de andere, van de zolder tot de kelder. Als je stil genoeg bent, hoor je allerlei gefluister en als je niet uitkijkt, kun je er verdwalen. Dat zijn de aderen van het huis.'

Ik huiverde, plotseling overweldigd door het beeld van het huis als een reusachtig, hurkend wezen dat zich aan me opdrong. Een duister, naamloos beest dat de adem inhield; de grote oude pad van het sprookje die wacht tot hij een jonge maagd zover kan krijgen om hem te kussen. Ik moest natuurlijk aan de Mud Man denken, de onheilspellende, glibberige figuur die uit het water verrijst om het meisje achter het zolderraam op te eisen.

'Toen we klein waren, speelden Saffy en ik graag komedie. Dan verbeeldden we ons dat die gangen werden bewoond door een familie van vroegere eigenaars die weigerden hun weg te vervolgen. We noemden hen de huismeesters en telkens wanneer we een geluid hoorden dat we niet konden thuisbrengen, wisten we dat zij het moesten zijn.'

'Echt waar?' zei ik bijna fluisterend.

Ze moest lachen om mijn gezicht, en liet een merkwaardig vreugdeloos gekakel horen dat even plotseling ophield als het begonnen was. 'O, maar ze waren niet écht, hoor. Helemaal niet. De geluiden die je hoort zijn de muizen. God mag weten dat het ervan wemelt.' Er vertrok iets in haar ooghoek terwijl ze naar me keek. 'Ik vroeg me af, wilt u de kast met de geheime deur in de kinderkamer zien?'

'Dolgraag.' Ik geloof dat ik het piepte.

'Kom dan maar mee. Het is een hele klim.'

De lege zolder en de vervlogen tijden

Ze had niet overdreven. De trap ging met haarspeldbochten omhoog en werd na elke overloop smaller en donkerder. Net toen ik dacht dat ik geen hand meer voor ogen kon zien, draaide Percy Blythe een knop om en een kaal peertje aan een koord hoog aan het plafond verspreidde een dof schijnsel. Toen zag ik dat ze ergens in het verleden op de laatste steile trap een leuning aan de wand hadden bevestigd. Ik denk in de jaren vijftig; de metalen buis had iets louter pragmatisch. Wie of wanneer ook, petje af. De trap was gevaarlijk aftands, des te meer nu ik hem kon zien, dus was ik opgelucht dat ik me ergens aan kon vastklampen. Jammer genoeg betekende het licht ook dat ik de spinnenwebben zag. Er was al heel lang niemand naar boven gegaan, en dat was de kasteelspinnen niet ontgaan.

'Ons kindermeisje bracht ons vroeger met een talgkaars naar bed,' zei Percy toen ze de laatste trap opliep. 'Onderweg viel het schijnsel op de stenen en dan zong ze dat liedje over sinaasappels en citroenen. Dat ken je vast wel: *Here comes a candle to light you to bed.*'

Here comes a chopper to chop off your head. En of ik het kende. Er streek een grijze baard langs mijn schouder, wat zorgde voor een golf van genegenheid voor mijn kleine kamertje bij mama thuis. Daar waren geen webben, alleen maar mama die twee keer per week kwam stoffen met een geruststellend vleugje desinfecterend middel.

'In die tijd hadden we nog geen elektra. Die kwam pas in de loop van de jaren dertig en toen nog maar op half voltage. Vader kon niet tegen al die draden. Hij was doodsbenauwd voor brand, en terecht, als je naging wat mama was overkomen.

Na de brand had hij een aantal oefeningen bedacht. Dan luidde hij een bel beneden op het grasveld en keek hij met zijn oude stopwatch hoe lang we erover deden om beneden te komen. De hele tijd schreeuwde hij dat het huis als een enorme brandstapel elk moment in vlammen kon opgaan.' Ze stiet haar scherpe kakellachje weer uit en stopte abrupt toen ze de bovenste trede weer had bereikt. 'Goed,' zei ze, terwijl ze de sleutel in het slot een ogenblik stilhield voordat ze hem omdraaide, 'zullen we dan maar?'

Ze duwde de deur open en ik tuimelde bijna achterover door de golf van licht die me overspoelde. Ik knipperde met mijn ogen en langzaam maar zeker keerde mijn gezichtsvermogen weer terug en kwamen de contrasterende vormen in de kamer in beeld.

Na die hele tocht was de zolder bijna een anticlimax. Hij was kaal en had weinig meer weg van de victoriaanse kinderkamer. Sterker nog, in tegenstelling tot de rest van het huis waar de kamers zo in hun oorspronkelijke staat waren gehouden dat het leek alsof de bewoners elk moment konden terugkeren, was de kinderkamer griezelig leeg. Hij zag eruit als een ruimte die was schoongemaakt en zelfs witgekalkt. Er lag geen kleed, en er lagen ook geen dekens op de twee metalen bedden die aan weerskanten van een in een onbruik geraakte open haard haaks op de verste muur stonden. Er hingen tevens geen gordijnen, waardoor het licht erg fel was, en op de planken onder een van de zolderramen stonden boeken noch speelgoed.

Een boekenkast onder een zolderraam.

Meer had ik niet nodig om opgewonden te raken. Ik zag bijna het jonge meisje uit het voorwoord van de *Mud Man* voor me, hoe ze 's nachts wakker werd en naar het raam werd getrokken; hoe ze stilletjes op de bovenste plank klauterde, uitzag op het landgoed van haar familie, droomde van de avonturen die ze ooit zou beleven en zich totaal niet bewust was van de verschrikking die haar elk moment kon overkomen.

'Deze zolder heeft generaties Blythe-kinderen gehuisvest,' zei Percy, terwijl haar blik langzaam door de kamer dwaalde. 'Honderden jaren peulen in een dop.'

Ze zweeg over de kale staat van de kamer of over zijn plek in de literatuurgeschiedenis en ik drong niet aan. Vanaf het ogenblik dat ze de sleutel had omgedraaid om me binnen te laten, had ze iets mistroostigs gekregen. Ik wist niet goed of dat kwam door de kinderkamer zelf, of dat het felle licht in de spartaanse kamer de rimpels op haar gezicht beter deed uitkomen. Hoe dan ook, het leek me belangrijk haar voorbeeld te volgen. 'Neem me niet kwalijk,' zei ze uiteindelijk. 'Ik ben hier al een hele poos niet geweest. Alles lijkt wel... kleiner dan ik het me herinner.'

Dat begreep ik wel. Het was al vrij merkwaardig om op mijn eigen vroegere kinderbed te gaan liggen en te merken dat mijn benen over het voeteneind uitstaken, om opzij te kijken en de witte plek op het behang te zien waar Blondie opgeplakt had gezeten, en me te herinneren hoe ik Debbie Harry dagelijks aanbad. Ik kon me alleen maar de discrepantie voorstellen bij iemand die in de kinderkamer stond die ze een kleine tachtig jaar geleden was ontgroeid. 'Hebt u hier vroeger alle drie geslapen?'

'Nee, niet allemaal. Juniper niet, dat kwam pas later.' Percy trok een beetje met haar mond, alsof ze iets bitters proefde. 'Haar moeder had een van de kamers die aan de hare grensde als kinderkamer laten inrichten. Ze was nog jong en niet bekend met de manier waarop de dingen hier gingen. Daar kon zij niets aan doen.'

Dat leek me een merkwaardige woordkeus en ik wist niet of ik het wel begreep.

'Volgens de traditie mochten de kinderen pas op hun dertiende naar een kamer voor zichzelf beneden verhuizen, en al voelden Saffy en ik ons heel belangrijk toen we eindelijk aan de beurt waren, moet ik bekennen dat ik deze zolderkamer toch miste. Saffy en ik waren gewend een kamer te delen.'

'Dat zal wel voor de meeste tweelingen zo zijn.'

'Zeker.' Er verscheen bijna een glimlach op haar gezicht. 'Kom aan, dan zal ik u de deur van de huismeesters laten zien.'

De mahoniehouten kast stond kalmpjes tegen de verste wand in een piepklein kamertje waarvan de deur tussen de bedden was. Het plafond was zo laag dat ik moest bukken om binnen te komen en de bedompte lucht die er hing was bijna verstikkend.

Die leek Percy niet te deren. Haar tanige gestalte bukte om aan een lage greep van de kast te trekken waardoor er een spiegeldeur knarsend openging. 'Daar. Achter in de kast.' Ze keek me aan. Ik stond bij de deur en ze fronste met haar dunne streepjes van wenkbrauwen. 'Maar zo ziet u toch niets, van die afstand?'

Het fatsoen weerhield me ervan mijn neus te bedekken, dus haalde ik diep adem en hield die in terwijl ik vlug naar haar toe liep. Ze deed een stap opzij en gebaarde dat ik nog dichterbij moest komen.

Ik moest het beeld van Hans en Grietje voor de oven van de heks onderdrukken en bukte tot aan mijn middel in de kast. In het halfduister zag ik het luikje in de achterwand. 'Tjonge,' zei ik met mijn laatste adem. 'Daar is het dan.'

'Daar is het dan,' klonk de stem achter me.

Nu ik niet anders kon dan de geur inademen, bleek die niet zo erg en kon ik me de Narniaanse opwinding van de verborgen deur achter in de kast wel voorstellen. 'Dus daar gingen de huismeesters naar binnen en naar buiten.' Ik hoorde mijn eigen stem om me heen weergalmen.

'Misschien wel de huismeesters,' zei Percy droog. 'Wat de muizen betreft, is het een ander verhaal. Die monstertjes zwaaien de scepter en zij hebben niet zo'n fraaie deur nodig.'

Ik kwam weer uit de kast, stofte me af en onwillekeurig viel mijn blik op een ingelijste afbeelding aan de muur tegenover me. Nee, geen afbeelding, maar een pagina uit een godsdienstig geschrift, stelde ik vast toen ik het van wat dichterbij bekeek. Toen ik naar binnen ging, had ik het over het hoofd gezien omdat het achter me hing. 'Wat voor kamer was dit?'

'Dit was de kamer van ons kindermeisje toen we heel klein waren,' zei Percy. 'Vroeger leek het ons het mooiste plekje ter wereld.' Heel even lichtte er een glimlachje op. 'Maar het is eigenlijk niet meer dan een inloopkast, hè?'

'Een inloopkast met een prachtig uitzicht,' zei ik. Ik was naar het venster gelopen. Het enige waarvoor de verschoten gordijnen waren blijven hangen, viel me op.

Ik trok ze opzij en keek op van het aantal zware sloten die aan het kozijn hingen. De verrassing moest van mijn gezicht af te lezen zijn geweest, want Percy zei: 'Door een incident in zijn jeugd maakte mijn vader zich zorgen over de veiligheid.'

Ik knikte en tuurde naar buiten, en terwijl ik dat deed, trok er een vertrouwde rilling langs mijn ruggengraat; ik besefte dat het niet kwam door iets wat ik had gezien, maar door wat ik had gelezen en me voor de geest had gehaald. Recht onder me liep een strook dik en weelderig gras om de voet van het kasteel, een andere kleur groen dan het gras verderop. 'Vroeger was er een slotgracht,' zei ik.

'Ja.' Percy was naast me komen staan en hield de gordijnen open. 'Een van mijn vroegste herinneringen is dat ik niet kon slapen en stemmen beneden hoorde. Het was vollemaan en toen ik op de kast klom en omlaag keek, zag ik mijn moeder in het zilveren maanlicht lachend op haar rug zwemmen.'

'Ze zwom graag,' zei ik, denkend aan wat ik over haar in *Raymond Blythe's Milderhurst* had gelezen.

Percy knikte. 'Het ronde zwembad was papa's huwelijksgeschenk aan haar, maar ze zwom liever in de slotgracht, dus werd er iemand aangetrokken om die te verbeteren. Na haar dood heeft papa hem laten dempen.'

'De gracht moet hem aan haar hebben herinnerd.'

'Ja.' Ze trok met haar lippen en ik besefte dat ik de tragedie in haar familie nogal tactloos had aangeroerd. Ik wees op een uitstulping van steen in de binnenste rand van de vroegere gracht en ging op iets anders over. 'Welke kamer is dat? Ik kan me niet herinneren dat ik zo'n balkon heb gezien.'

'Dat is de bibliotheek.'

'En daar? Wat is dat voor een ommuurde tuin?'

'Dat is geen tuin.' Ze liet het gordijn weer dichtvallen. 'En we moeten eens door.'

Haar toon en lichaamstaal waren wat stijver geworden. Ik wist zeker dat ik haar op de een of andere manier had gegriefd, maar kon er de vinger niet op leggen. Nadat ik vlug ons gesprek de revue had laten passeren, stelde ik vast dat het veel waarschijnlijker was dat oude herinneringen haar van haar stuk hadden gebracht. Ik zei zacht: 'Het moet ongelooflijk zijn om in een kasteel te wonen dat zo lang in uw familie is geweest.'

'Ja,' zei ze. 'Makkelijk is het niet altijd geweest. Er zijn offers gebracht. We zijn gedwongen geweest een groot stuk van het landgoed te verkopen. De boerderij was het recentst, maar gelukkig hebben we het kasteel kunnen behouden.' Met overdreven veel aandacht inspecteerde ze het raamkozijn en streek ze een gebladderd stukje verf glad. Toen ze weer iets zei, klonk ze beklemd door haar poging sterke emoties op afstand te houden. 'Wat mijn zus zei is waar. Ik hou echt van dit huis zoals andere mensen van een persoon kunnen houden. Dat is altijd zo geweest.' Ze keek me even van opzij aan. 'Dat zult u misschien een tikje eigenaardig vinden.'

Ik schudde mijn hoofd. 'Nee, hoor.'

Die dunne, littekenachtige wenkbrauwen gingen weifelend omhoog, maar het was waar, ik vond het helemaal niet vreemd. De grootste teleurstelling in mijn vaders leven was dat het huis waarin hij was opgegroeid aan zijn neus voorbij was gegaan. Het verhaal was vrij eenvoudig: een jongetje dat de sprookjes van het grootse verleden van zijn familie met de paplepel waren ingegoten, een aanbeden rijke oom die van alles beloofde maar er op zijn sterfbed van afzag.

'Oude gebouwen en oude families horen bij elkaar,' vervolgde ze. 'Zo is het altijd geweest. Mijn familie leeft voort in de stenen van Milderhurst Castle en het is mijn plicht om dat zo te houden. Dat is niets voor buitenstaanders.'

Ze klonk fel; instemming leek geboden. 'U moet het gevoel hebben dat ze nog om u heen zijn.' Toen ik dat zei, kreeg ik opeens het beeld van mijn moeder voor ogen, gehurkt voor de poppenhuizen. 'En dat ze zingen in de muren.'

Een wenkbrauw schoot een centimeter omhoog. 'Wat zegt u?'

Ik besefte niet dat ik de laatste woorden hardop had gezegd.

'Over de muren,' drong ze aan. 'U zei daarnet iets over zingende muren. Wat bedoelde u daarmee?'

'Gewoon iets wat mijn moeder me een keer heeft verteld.' Ik slikte bedeesd. 'Over oude muren die de vervlogen tijden bezingen.'

Percy's trekken lichtten op van genoegen; het was een groot contrast met haar gewone, stugge gezicht. 'Dat is een tekst van mijn vader. Uw moeder moet zijn gedichten hebben gelezen.'

Dat betwijfelde ik ten zeerste. Mama was geen lezer en zeker niet van poëzie. 'Kan.'

'Toen we klein waren, vertelde hij ons altijd verhalen over het verleden. Hij zei dat de vervlogen tijden zich soms vergaten te verbergen als hij zich niet voorzichtig door het kasteel bewoog.' Percy wilde de herinnering kennelijk graag vertellen en haar hand bewoog naar voren als het zeil van een schip in de wind. Het was een merkwaardig theatraal gebaar, een tikje ongerijmd vergeleken met haar gewone, afgemeten en efficiënte manier van doen. Haar toon was ook veranderd; de beknopte zinnen werden langer en de scherpte was eraf. 'Dan kwam hij ze tegen, spelend in de donkere, verlaten gangen. Denk eens aan alle mensen die tussen deze muren hebben geleefd, zei hij altijd, mensen die er hun geheimen hebben gefluisterd en hun verraad hebben bekonkeld...'

'Hoort u ze ook? De vervlogen tijden?'

Ze keek me een poosje ernstig aan. 'Malligheid,' zei ze met haar zuinige lachje. 'Het zijn weliswaar óúde stenen in ons kasteel, maar het blijven gewoon stenen. Ze hebben ongetwijfeld veel gezien, maar ze bewaren hun geheimen vakkundig.'

Er gleed een schaduw over haar gezicht; het had iets weg van pijn. Waarschijnlijk moest ze aan haar vader denken, en aan haar moeder, en misschien hoorde ze hun gekwebbel door de tunnel van de tijd. 'Doet er niet toe,' zei ze, meer tegen zichzelf dan tegen mij. 'Het is zinloos om op het verleden te broeden. Als je de doden gaat tellen, kun je je heel alleen voelen.'

'U zult wel blij zijn dat u uw zusters nog hebt.'

'Vanzelf.'

'Ik heb me altijd voorgesteld dat broers en zussen een grote troost moeten zijn.'

Weer viel er een stilte. 'Hebt u er geen?'

'Nee.' Ik glimlachte en haalde mijn schouders even op. 'Ik ben de eenzame eenling.'

'Is het ook eenzaam?' Ze bekeek me alsof ik een zeldzaam exemplaar was dat nadere bestudering vergde. 'Dat heb ik me altijd afgevraagd.'

Ik moest denken aan de grote afwezigheid in mijn leven en vervolgens aan de zeldzame nachten die ik doorbracht in het gezelschap van mijn slapende, snurkende en mompelende neven en nichten, en het schuldgevoel waarmee ik me verbeeldde dat ik een van hen was, dat ik bij iemand hoorde. 'Soms,' zei ik. 'Soms is het eenzaam.'

'Maar ook bevrijdend, stel ik me zo voor.'

Voor het eerst viel het me op dat er een adertje in haar hals trilde. 'Bevrijdend?'

'Er gaat niets boven een zus om je aan je oude zonden te herinneren.' Daarna glimlachte ze naar me, maar het lukte haar niet de humor van de situatie over te brengen. Waarschijnlijk vermoedde zij dat ook, want de glimlach week en ze knikte naar het trapgat. 'Kom aan,' zei ze, 'we gaan naar beneden. Voorzichtig lopen en houd u goed vast aan de leuning. Mijn oom is als kleine jongen op deze trap omgekomen.'

'Lieve hemel.' Hopeloos ontoereikend, maar wat zeg je op zo'n moment? 'Wat erg.'

'Op een avond stormde het verschrikkelijk en hij was bang, althans zo gaat het verhaal. Het onweerde en de bliksem sloeg in bij het meer. De jongen schreeuwde van angst, maar voordat zijn kindermeisje bij hem was, sprong hij zijn bed uit en vluchtte de kamer uit. Het dwaze joch struikelde en belandde als een lappenpop aan de voet van de trap. Soms, als het heel slecht weer was, verbeeldden we ons dat we hem 's nachts hoorden huilen. Hij verbergt zich onder de derde trede, weet u, en wacht tot hij iemand kan laten struikelen, in de hoop dat hij gezelschap krijgt.' Een trede lager dan ik, op de vierde, draaide ze zich om. 'Gelooft u in spoken, juffrouw Burchill?'

'Ik weet het niet. Min of meer.' Mijn oma had spoken gezien. In elk geval één: mijn oom Ed na zijn fatale motorongeluk in Australië. *Hij besefte niet dat hij dood was,* had ze me verteld. *Het arme schaap. Ik stak mijn hand uit en zei dat het goed was, dat hij weer thuis was en dat we allemaal van hem hielden.* Ik huiverde bij de herinnering, en op het gezicht van Percy Blythe lag een zweem van grimmige tevredenheid.

De Mud Man, de Wapenkamer en een afgesloten deur

Ik volgde Percy Blythe naar beneden, door sombere gangen en daarna nog verder naar beneden. Het was toch dieper dan de etage vanwaar we begonnen waren? Zoals alle gebouwen die in de loop der tijden zijn gegroeid, was Milderhurst een allegaartje. Vleugels waren aangebouwd en veranderd, vervallen en gerestaureerd. Het gevolg was verwarrend, vooral voor iemand die hoegenaamd niet over een natuurlijk kompas beschikte. Het leek wel alsof het kasteel zich naar binnen vouwde, als op zo'n tekening van Escher, waar je tot in alle eeuwigheid de trap kon blijven beklimmen, steeds maar weer in het rond, zonder ooit het einde te bereiken. Na de zolder had ik geen venster meer gezien en het was buitengewoon donker. Op een gegeven moment was ik ervan overtuigd dat ik een flard van een melodie langs de stenen hoorde glijden – romantisch, droefgeestig en vagelijk bekend – maar toen we weer een hoek omsloegen, was het weg, en misschien had ik het me maar verbeeld. Wat ik me zeker niet verbeeldde, was de penetrante geur, die sterker werd naarmate we verder afdaalden en dankzij het aardse karakter net niet onaangenaam was.

Al had Percy luchthartig gedaan over haar vaders opvattingen over 'vervlogen tijden', onwillekeurig liet ik onder het lopen mijn hand over de koele stenen glijden en vroeg ik me af of mama nog indrukken had achtergelaten toen ze op Milderhurst woonde. Het kleine meisje liep nog altijd naast me, maar zei niet veel. Ik overwoog Percy naar haar te vragen, maar nu ik dat al zo lang had uitgesteld zonder mijn connectie met het huis te openbaren, riekte alles wat ik kon zeggen naar bedrog. Uiteindelijk koos ik voor een klassieke, passief-agressieve omweg. 'Is het huis in de oorlog gevorderd geweest?'

'Nee. Lieve hemel. Dat had ik niet kunnen verdragen. De schade die een aantal van de fraaiste huizen van dit land heeft opgelopen... Nee.' Ze schudde heftig met haar hoofd. 'Goddank niet. Ik zou het als een lichamelijke aanslag hebben ervaren. Maar we hebben wel een bijdrage geleverd. Ik heb een tijdje in Folkestone voor de ambulancedienst gewerkt; Saffy heeft kleren en verband genaaid en wel duizend sjaals gebreid. We hebben in het begin ook een evacué in huis genomen.'

'O ja?' Mijn stem trilde een beetje. Het meisje naast me huppelde.

'Op aandrang van Juniper. Een jong kind uit Londen. Lieve hemel, ik weet haar naam niet meer. Is dat niet treurig? Mijn excuses voor de lucht hier.'

Iets vanbinnen trok samen van medeleven met dat vergeten meisje.

'Dat komt van de modder,' vervolgde Percy. 'Van de plek waar de slotgracht vroeger liep. In de zomer stijgt het grondwater, sijpelt de kelders in en zorgt voor die stank van rotte vis. Gelukkig is hier beneden niets wat echt van waarde is. Behalve de wapenkamer en die is waterdicht. Wanden en vloer zijn bekleed met koper en de deur is van lood. Daar komt niets in of uit.'

'De wapenkamer.' Er trok snel een rilling langs mijn ruggengraat. 'Net als in de *Mud Man*.' Die speciale kamer, diep in het huis van de oom, het vertrek waar alle familiedocumenten lagen opgeslagen en waar hij het oude, beschimmelde dagboek opduikelt waarin de geschiedenis van de Mud Man wordt ontrafeld. De opslagplaats van geheimen in het hart van het huis.

Percy bleef even staan, leunde op haar stok en keek me aan. 'Dat kent u dus.'

Het was niet echt een vraag, maar ik gaf toch antwoord. 'Ik was er dol op toen ik jong was.' Terwijl ik dat zei, voelde ik iets van de aloude frustratie, het onvermogen om mijn liefde voor het boek toereikend onder woorden te brengen. 'Het was mijn lievelingsboek,' voegde ik eraan toe en de woorden bleven hoopvol in de lucht hangen alvorens op te lossen en in de schaduw te verdwijnen.

'Het was heel populair,' zei Percy, terwijl ze haar weg vervolgde. Natuurlijk had ze alles al eerder gehoord. 'Nog steeds. Volgend jaar is het vijfenzeventig jaar geleden.'

'Echt?'

'Vijfenzeventig jaar,' herhaalde ze, terwijl ze een deur openduwde en me weer een trap op liet gaan. 'Ik herinner het me nog als de dag van gisteren.'

'De publicatie moet heel opwindend zijn geweest.'

'We waren blij om papa zo gelukkig te zien.' Bespeurde ik toen een kleine aarzeling, of liet ik mijn eerste indrukken kleuren door alles wat ik later hoorde?

Ergens sloeg een vermoeide klok en ik besefte met een spijtig schokje dat mijn uur erop zat. Dat leek haast onmogelijk, ik had durven zweren dat ik maar net was aangekomen, maar tijd is een merkwaardig, ongrijpbaar fenomeen. Het uur tussen het ontbijt en mijn vertrek naar Milderhurst had een eeuwigheid geduurd, maar de zestig korte minuten die me binnen de muren van het kasteel waren gegund, waren gevlucht als een zwerm angstige vogels.

Percy keek op haar eigen horloge. 'Ik heb getreuzeld,' zei ze lichtelijk verrast. 'Mijn excuses. De staande klok loopt tien minuten voor, maar we moeten toch een beetje voortmaken. Mevrouw Bird komt u op het hele uur halen en het is nog een flink eind lopen naar de hal. Ik vrees dat er geen tijd is om de toren te bezichtigen.'

Ik stiet een geluid uit dat het midden hield tussen 'O!' en een plotselinge reactie op pijn, maar ik herstelde me. 'Mevrouw Bird vindt het vast niet erg als ik iets te laat ben.'

'Ik had de indruk dat u terug moest naar Londen.'

'Ja.' Het lijkt onwaarschijnlijk, maar heel even was ik Herbert, zijn auto en zijn afspraak in Windsor vergeten. 'Ja, inderdaad.'

'Geeft niet,' zei Percy Blythe, terwijl ze doorliep met haar wandelstok. 'Dan ziet u die de volgende keer wel. Wanneer u nog eens langskomt.' De veronderstelling was me niet ontgaan, maar ik zette er geen vraagteken bij, althans toen niet. Sterker nog, ik vond het een tamelijk leuke, maar betekenisloze opmerking, want bovengekomen werd ik afgeleid door een ritselend geluid.

Het was maar een vaag geruis, net als het geluid van de huismeesters, en aanvankelijk vroeg ik me af of ik het me had verbeeld – door al het gepraat over vervlogen tijden en mensen die in steen gevangen waren – maar toen Percy Blythe ook om zich heen keek, wist ik dat het niet zo was.

Uit een nabije gang kwam de hond aangelopen. 'Bruno,' zei Percy verrast, 'wat doe jij hier helemaal beneden?'

Hij bleef vlak naast mij staan en keek omhoog vanonder zijn treurige oogleden.

Percy bukte zich om hem achter de oren te krabben. 'Weet u wat het Engelse woord voor stropershond, *lurcher,* van oorsprong betekent? Dat komt van het Romaanse woord voor dief, *lur*. Een erg wrede naam voor zo'n goeie ouwe sul als jij.' Ze richtte zich langzaam op, met een hand op haar onderrug. 'Vroeger werden ze gefokt door zigeuners voor de stroop: konijnen en hazen en ander klein wild. Het bezit van zuivere rashonden was streng verboden als je niet van adel was en de straf was zwaar; de uitdaging was om het jachtinstinct te behouden maar ze er zo anders te laten uitzien dat ze geen bedreiging vormden.

Hij is van mijn zus, van Juniper. Die was als klein meisje al dol op dieren, en zij leken ook van haar te houden, vooral na die traumatische gebeurtenis. Ze zeggen dat iedereen iets nodig heeft om van te houden.'

Het leek wel alsof Bruno het niet leuk vond om het onderwerp van gesprek te zijn, want hij vervolgde zijn weg. In zijn kielzog keerde het vage geritsel weer terug, maar het werd overstemd door een telefoon die in de nabijheid ging rinkelen.

Percy bleef heel stil met gespitste oren staan, zoals mensen doen die wachten tot ze zeker weten dat iemand anders heeft opgenomen.

Het rinkelen ging door tot de stilte zich mistroostig om de laatste echo had gewikkeld.

'Kom aan,' zei Percy met iets gehaasts in haar stem. 'Zo kunnen we een stukje afsnijden.'

Het was een schemerige gang, maar niet donkerder dan de andere; nu we uit de kelder naar boven waren gekomen, waren er zelfs een paar stroken diffuus licht verschenen die zich een weg door de knoesten van het kasteel baanden en op de flagstones vielen. We waren op twee derde van de afstand toen de telefoon weer overging.

Deze keer wachtte Percy niet af. 'Neem me niet kwalijk,' zei ze duidelijk geagiteerd. 'Waar zou Saffy toch uithangen? Ik verwacht een belangrijk telefoontje. Wilt u me even verontschuldigen? Ik ben zo terug.'

'Natuurlijk.'

Ze verdween met een knikje, sloeg aan het eind van de gang een hoek om en liet mij aan mijn lot over.

Wat er vervolgens gebeurde, wijt ik aan de deur. Die was recht tegenover me in de gang, slechts een meter bij me vandaan. Ik ben gek op deuren. Allemaal, zonder uitzondering. Deuren leiden ergens naartoe en ik heb nog nooit een deur gezien die ik niet wilde openmaken. Hoe dan ook, als die bewuste deur niet zo oud en sierlijk was geweest, en zo potdicht, als een streepje licht zich er niet zo verleidelijk overheen had gedrapeerd, dwars door het midden, waardoor het sleutelgat en die intrigerende sleutel in het zonnetje lagen, had ik misschien weerstand geboden kunnen hebben. Dan had ik misschien met mijn duimen staan draaien tot Percy me weer kwam halen. Maar zo was het wel en ik deed het niet; ik hou vol dat ik het domweg niet kon. Soms kun je aan een deur zien dat er iets interessants achter zit.

De kruk was zwart en glad, in de vorm van een scheenbot en voelde koel aan. Sterker nog, van de andere kant van de deur leek er een algemeen gevoel van kilte aan me te trekken, al weet ik dat nu niet meer zo zeker.

Mijn vingers sloten zich om de kruk, ik draaide en toen...

'Daar gaan we niet naar binnen.'

Mijn hart vloog zowat door mijn verhemelte, mag ik wel zeggen.

Ik draaide me met een ruk om en speurde de schemerige ruimte achter mij af. Ik zag niets, maar was kennelijk niet alleen. Iemand, de eigenaar van de stem, bevond zich bij mij in de gang. Al had ze niets gezegd, dan nog zou ik het geweten hebben: ik voelde de aanwezigheid van iemand anders, iets wat zich in de toenemende duisternis terugtrok en verschool. Het ritselende geluid was nu ook weer terug, harder, dichterbij, beslist niet in mijn verbeelding en het waren zeker niet de muizen.

'Het spijt me,' zei ik tegen de duistere gang, 'ik...'

'Wij gaan daar niet naar binnen.'

Ik onderdrukte de panische opwelling in mijn keel. 'Ik wist niet...'

'Dat is de nette salon.'

Toen zag ik haar, Juniper Blythe, die uit de kille duisternis tevoorschijn kwam, langzaam de gang overstak en op me afkwam.

Zeg dat je komt dansen

Ze droeg een ongelooflijke jurk, het soort dat je verwacht in vooroorlogse films over welgestelde debutantes, of veilig opgeborgen op de hoogste schappen van chique liefdadigheidswinkels. Hij was van organza, heel licht roze, althans dat was hij ooit geweest, voordat tijd en stof met hun vieze vingers hun werk hadden gedaan. De lange rok werd gedragen door lappen tule die hem uiteen duwden vanuit haar smalle taille zodat ze onder het lopen ritselend langs de muur streken.

Naar mijn gevoel stonden we een hele poos tegenover elkaar in die halfduistere gang. Uiteindelijk bewoog ze een beetje. Haar armen hadden omlaag gehangen, tegen haar rok aan, en nu bewoog ze een hand iets omhoog in een gracieus gebaar, alsof hij door een onzichtbare draad aan het plafond achter me werd getrokken.

'Hallo,' zei ik naar ik hoopte warm. 'Ik heet Edie. Edie Burchill. We hebben al kennisgemaakt, in de gele kamer.'

Ze knipperde met haar ogen en hield het hoofd schuin. Haar lange witte haar hing sluik over haar schouders; de voorste lokken waren nogal lukraak met een paar barokke kammetjes vastgezet. Die onverwacht doorschijnende huid, graatmagere gestalte en elegante jurk schiepen tezamen de illusie van een tiener, een jong meisje met slungelige ledematen en een onbeholpen houding. Maar niet verlegen, integendeel. Ze keek me nieuwsgierig aan en kwam een stapje dichterbij in een verdwaald vlekje zonlicht.

En toen was het mijn beurt om nieuwsgierig te zijn, want Juniper moest zeventig zijn geweest en toch was haar gezicht wonderbaarlijk rimpelloos. Dat was natuurlijk onmogelijk, dames van zeventig hebben geen ongerimpeld gezicht en zij was daar geen uitzondering op – tijdens onze latere ontmoetingen zou ik dat zelf vaststellen – maar in dat licht, in die jurk, door een speling van omstandigheden of door een merkwaardige betovering kwam ze zo op me over. Bleek en glad, glanzend als de binnenkant van een oesterschelp, alsof het verstrijken der jaren dat zo ijverig diepe sporen op het gezicht van haar zuster had getrokken haar op de een of andere manier bespaard was gebleven. En toch was ze niet tijdloos, er was iets onmiskenbaar ouderwets aan haar, een aspect dat onherroepelijk in het verleden verankerd lag, als een oude foto die door een beschermend velletje papier wordt gezien in zo'n album bewolkt met sepiakleurige foto's. Weer kreeg ik het beeld voor ogen van door victoriaanse dames geperste lentebloemen in een plakboek. Prachtexemplaren, uiterst vriendelijk geplukt en bewaard voor toekomstige plaatsen en seizoenen die de hunne niet meer zijn.

De spookachtige verschijning nam vervolgens het woord en de indruk werd nog sterker: 'Thans ga ik de maaltijd gebruiken.' Ze had een hoog, ijl stemgeluid waarvan mijn nekharen overeind gingen staan. 'Wilt u met mij mee?'

Ik schudde mijn hoofd en kuchte omdat mijn keel kriebelde. 'Nee, nee dank u. Ik moet zo meteen naar huis.' Het was niet mijn gewone stem en ik besefte dat ik heel houterig stond, alsof ik bang was. Wat waarschijnlijk ook zo was, al wist ik niet waarvoor.

Juniper leek geen erg in mijn ongemak te hebben. 'Ik heb een nieuwe jurk,' zei ze, terwijl ze aan haar rok plukte, zodat de bovenste laag organza aan weerskanten iets omhoogkwam als de vleugels van een mot, wit en poederig van het stof. 'Niet echt een nieuwe, maar versteld. Hij is ooit van mijn moeder geweest.'

'Hij is prachtig.'

'Volgens mij hebt u haar nooit ontmoet.'

'Uw moeder? Nee.'

'O, ze was mooi, heel mooi. Ze was nog maar een meisje toen ze overleed, nog maar een meisje. Dit was haar mooiste jurk.' Ze draaide koket heen en weer en keek me vanonder haar wimpers aan. De glazige blik van daarnet was verdwenen en had plaatsgemaakt voor heldere, blauwe ogen, wetende ogen, de ogen van dat intelligente kind dat ik op de foto had gezien, gestoord bij haar spel op de treden van het bordes. 'Vindt u hem mooi?'

'Ja nou, heel mooi.'

'Saffy heeft hem voor me versteld. Ze kan toveren met de naaimachine. Je kunt haar een plaatje laten zien van iets wat je mooi vindt, dan zoekt zij uit hoe het is gemaakt, zelfs de laatste mode uit Parijs, de foto's in *Vogue*. Ze heeft wekenlang aan mijn jurk gewerkt, maar dat is een geheim. Percy zou het niet goedkeuren vanwege de oorlog en door het feit dat zij Percy is, maar ik weet dat u het niet zult verklappen.' Daarna glimlachte ze zo raadselachtig dat mijn adem stokte.

'Ik zeg geen woord.'

We bleven een poosje naar elkaar kijken. Mijn aanvankelijke angst was nu verdwenen en daar was ik blij om. Het was een ongegronde reactie, een instinct slechts, en ik geneerde me toen ik eraan dacht. Wat was er tenslotte te vrezen? De verdwaalde vrouw in deze verlaten gang was Juniper Blythe, die ooit mijn moeder uit een groepje bange kinderen had geplukt, die haar een thuis had geboden toen de bommen op Londen vielen, die altijd hoopvol was blijven wachten op de terugkeer van een liefde van lang geleden.

Ze hief haar kin en ademde nadenkend uit. Toen ik mijn conclusie trok, had zij blijkbaar hetzelfde gedaan. Ik glimlachte en dat leek op de een of andere manier de doorslag te geven. Ze rechtte haar rug en kwam vervolgens weer iets dichterbij, langzaam maar doelbewust. Katachtig, dat was ze. Elke beweging herbergde diezelfde soepele mengeling van behoedzaamheid en zelfvertrouwen, een lome manier van bewegen die de onderliggende bedoeling maskeerde.

Ze bleef pas staan toen ze dichtbij genoeg was om het naftaleen op haar jurk en de muffe lucht van sigaretten op haar adem te ruiken. Haar ogen zochten de mijne en ze sprak fluisterend. 'Kun je een geheim bewaren?'

Ik knikte. Zij glimlachte ook; het gleufje tussen haar voortanden was onuitsprekelijk meisjesachtig. Ze nam mijn handen in de hare alsof we vriendinnetjes op het schoolplein waren. Haar handen voelden glad en koel. 'Ik heb een geheim, maar ik mag het eigenlijk niet doorvertellen.'

'Oké.'

Ze hield haar hand als een kind om mijn oor en boog zich naar me toe. Haar adem kriebelde. 'Ik heb een minnaar.' En toen ze haar hoofd weer terugtrok, verscheen er een jeugdig trekje om haar mond, iets van wellustige opwinding die zowel grotesk als treurig en mooi was. 'Hij heet Tom. Thomas Cavill, en hij heeft me ten huwelijk gevraagd.'

Het verdriet dat ik plotseling van haar voelde overspoelde me en het was bijna ondraaglijk om te beseffen dat ze gevangenzat in het moment van haar grootste teleurstelling. Ik wilde dat Percy terugkwam zodat er een eind aan ons gesprek kon komen.

'Beloof je me dat je er met geen woord over zult spreken?'

'Dat beloof ik.'

'Ik heb ja tegen hem gezegd, maar... Sst...' Ze drukte een vinger tegen haar glimlachende lippen. 'Mijn zussen weten het nog niet. Hij komt gauw een keer bij ons eten.' Ze grijnsde haar oudedamesgebit in een glad gepoederd gezicht bloot. 'We gaan onze verloving aankondigen.'

Toen zag ik dat ze iets om haar vinger had. Geen ring, althans geen echte. Dit was een grove namaak, wel van zilver, maar dof en bobbelig, als een stukje alufolie dat is opgerold en in een bepaalde vorm gedrukt.

'En dan gaan we dansen, dansen en nog eens dansen...' Ze zwaaide heen en weer en neuriede mee, misschien wel op muziek die ze hoorde in haar hoofd. Het deuntje had ik al eerder gehoord, zwevend in de koude gedeelten van de gangen. De naam wilde me toen niet te binnen schieten, al lag hij nog zo op het puntje van mijn tong. De opname, want dat moest het zijn geweest, was al een poosje geleden gestopt, maar Juniper luisterde toch met gesloten ogen en een verwachtingsvolle blos van een jonge vrouw op haar wangen.

Ik heb eens aan een boek gewerkt voor een ouder echtpaar dat een verslag van hun leven samen schreef. De vrouw had de diagnose alzheimer gekregen, maar moest nog aan de laatste aangrijpende aftakeling beginnen, en ze hadden besloten haar herinneringen op te schrijven voordat die zouden verwaaien als verbleekte bladeren van een boom in de herfst.

Het was een project van zes maanden en in die tijd zag ik haar hulpeloos door de vergetelheid naar de leegte afglijden. Haar man werd 'die man daar' en de levendige, geestige vrouw met haar sappige taalgebruik, die gewend was te discussiëren, te lachen en je in de rede te vallen, werd het zwijgen opgelegd.

Nee, ik had wel dementie gezien en dit was het niet. Waar Juniper zich ook bevond, leeg was het er niet en ze was weinig vergeten. Maar er was wel iets mis; het was duidelijk dat het niet goed met haar ging. Iedere bejaarde vrouw die ik ooit heb gekend heeft me vroeg of laat met wisselende mate van melancholie verteld dat ze vanbinnen achttien is. Maar het is niet waar. Ik ben pas dertig en ik weet het. Het verstrijken der jaren laat niemand ongemoeid: het gelukzalige gevoel van jeugdige onoverwinnelijkheid verdwijnt en verantwoordelijkheid gaat haar gewicht in de schaal leggen.

Maar Juniper was niet zo. Zij besefte echt niet dat ze oud was. In haar hoofd woedde de oorlog maar door en, te oordelen naar de manier waarop ze heen en weer zwaaide, ook haar hormonen. Ze was een onnatuurlijke kruising van oud en jong, mooi en grotesk, nu en vroeger. Het resultaat was adembenemend en griezelig en er kwam een gevoel van weerzin in me boven, waarna ik me meteen doodschaamde omdat ik er zulke onaardige gevoelens op nahield.

Juniper pakte me bij de polsen en sperde haar ogen open. 'Maar natuurlijk!' zei ze, terwijl ze in een netje van lange bleke vingers giechelde. 'Je weet natuurlijk al van Tom. Zonder jou hadden we elkaar nooit leren kennen!'

Wat ik ook gezegd mag hebben verdronk in het lawaai van alle kasteelklokken die op dat moment het hele uur sloegen. Wat was dat een griezelige symfonie; het ene vertrek met klokken na het andere, alsof ze elkaar aanriepen bij het markeren van de tijd. Ik voelde het geluid diep in mijn lichaam en het effect verspreidde zich in een ijzige oogwenk over mijn huid en bracht me geheel van mijn stuk.

'Ik moet nu echt weg, Juniper,' zei ik toen ze eindelijk ophielden. Ik merkte dat ik schor was.

Ik hoorde een zacht geluid achter me en ik keek over mijn schouder in de hoop dat Percy terugkwam.

'Weg?' Juniper liet haar gezicht hangen. 'Maar je bent er net. Waar ga je heen?'

'Terug naar Londen.'

'Londen?'

'Daar woon ik.'

'Londen.' Haar houding veranderde zo snel als een donderwolk en even donker. Ze greep mijn arm met verrassende kracht beet en toen zag ik iets wat me eerder was ontgaan: een spinnenweb van littekens, glanzend wit geworden door het verstrijken der jaren, op haar bleke polsen. 'Ik wil mee.'

'Ik... Dat gaat niet.'

'Maar het is de enige manier. Dan gaan we Tom zoeken. Misschien zit hij daar wel bij het raam van zijn appartement...'

'Juniper...'

'Je zei dat je me zou helpen.' Ze klonk stug en rancuneus. 'Waarom heb je me niet geholpen?'

'Het spijt me,' zei ik, 'maar...'

'Je zegt dat je mijn vriendin bent, dat je me zou helpen. Waarom ben je niet gekomen?'

'Ik denk dat je me verwart...'

'O, Meredith,' fluisterde ze met haar doorrookte oude stem. 'Ik heb zoiets vreselijks gedaan.'

Meredith. Mijn maag reageerde met het gevoel van een rubberhandschoen die te snel binnenstebuiten wordt getrokken.

Er klonken haastige voetstappen en de hond verscheen, op de voet gevolgd door Saffy. 'Juniper! O, June, hier ben je dus.' Ze klonk heel opgelucht toen ze bij haar zus kwam. Ze omhelsde Juniper warm en trok zich een eindje terug om haar aan te kijken. 'Je moet niet zomaar weglopen. Ik was zo bezorgd; ik heb overal gezocht en ik wist niet waar je uithing, liefje van me.'

Juniper sidderde; ik waarschijnlijk ook. *Meredith*... De naam gonsde helder en hardnekkig na in mijn oren, als een mug. Ik hield mezelf voor dat het niets te betekenen had, toeval, het holle gebazel van een trieste, krankzinnige oude vrouw, maar ik kan niet goed liegen en kon mezelf ook niet voor de gek houden.

Saffy veegde net een losse lok van Junipers voorhoofd toen Percy weer terugkwam. Ze bleef met een ruk staan en overzag het tafereel leunend op haar stok. De tweeling wisselde een blik van verstandhouding, zoals al eerder tot mijn verwarring was gebeurd in de gele kamer. Maar deze keer maakte Saffy zich als eerste los. Ze was er op de een of andere manier in geslaagd de knoop van Junipers armen te ontwarren en hield de hand van haar jongste zus stevig vast. 'Dank je wel dat je bij haar bent gebleven,' zei ze met trillende stem. 'Dat was aardig van je, Edith...'

'E-dith,' echode Juniper, maar ze keek niet naar mij.

'Soms raakt ze in de war en gaat ze zwerven. We letten goed op haar, maar...' Saffy schudde even met haar hoofd om aan te geven dat het onmogelijk is je hele leven in dienst van een ander te stellen.

Ik knikte met mijn mond vol tanden. *Meredith.* Zo heette mijn moeder. Mijn gedachten, talloze gedachten, zwermden onmiddellijk tegen de stroom van de tijd op om de afgelopen maanden af te speuren naar betekenis, tot ze eindelijk met z'n allen in mijn ouderlijk huis arriveerden. Een koude februarimiddag, een kip die de oven niet in ging en de komst van een brief waarvan mijn moeder moest huilen.

'E-dith,' herhaalde Juniper. 'E-dith, E-dith...'

'Ja, lieverd,' zei Saffy. 'Dat is Edith, hè? Ze brengt ons een bezoek.'

Toen wist ik wat ik allang vermoedde. Mama had gelogen toen ze me vertelde dat Junipers brief niet veel meer was geweest dan een groet, net zoals ze had gelogen over ons bezoek aan Milderhurst. Maar waarom? Wat was er tussen mama en Juniper Blythe voorgevallen? Als je Juniper mocht geloven, had mama iets beloofd wat ze niet was nagekomen. Iets wat met Junipers verloofde te maken had, met Thomas Cavill. Als dat zo was en als de waarheid zo erg was als Juniper had laten doorschemeren, was de brief misschien een beschuldiging geweest. Was dat zo? Had mijn moeder gehuild van onderdrukt schuldgevoel?

Voor het eerst sinds mijn komst op Milderhurst verlangde ik ernaar het huis en zijn verdriet de rug toe te keren, om de zon te zien en de wind in mijn gezicht te voelen en iets anders dan bedorven bagger en mottenballen te ruiken. Ik verlangde ernaar alleen te zijn met deze nieuwe puzzel, zodat ik er misschien kop of staart aan kon ontdekken.

'Hopelijk heeft ze je niet gekwetst...' vervolgde Saffy; ik hoorde haar door mijn tuimelende gedachten heen alsof ze ver weg was, aan de andere kant van een dikke, zware deur. 'Maar wat het ook was, ze meende het niet. Soms zegt ze dingen, rare dingen die nergens op slaan...'

Ze maakte haar zin niet af, maar de stilte die volgde was niet af. Ze keek me aan met onuitgesproken gevoelens in haar ogen, en ik besefte dat het niet alleen bezorgdheid was die op haar schouders drukte. Achter dat gezicht verschool zich nog iets anders, vooral toen ze weer een blik op Percy wierp. Angst, besefte ik. Ze waren allebei bang.

Ik keek naar Juniper, die zich achter haar eigen gekruiste armen verborg. Verbeeldde ik het me, of stond ze vooral zo stil omdat ze de oren had gespitst voor wat ik zou antwoorden, wat ik tegen hen zou zeggen?

Ik waagde een glimlach, tegen beter weten in hopend dat die achteloos was. 'Ze heeft niets bijzonders gezegd,' zei ik en ik haalde voor de zekerheid mijn schouders op. 'Ik heb alleen haar mooie jurk bewonderd.'

De lucht om ons heen leek wel te bewegen van de opluchting van de tweeling. Op Junipers gezicht tekende zich geen verandering af en ik bleef een merkwaardig, sluipend gevoel houden, het vage bewustzijn dat ik op de een of andere manier een fout had gemaakt. Dat ik rechtdoorzee had moeten zijn, dat ik de tweeling alles had moeten vertellen wat Juniper had gezegd, de reden dat ze zo van haar stuk was. Maar omdat ik tot dan toe niets over mijn moeder en haar evacuatie had gezegd, wist ik niet of ik de juiste woorden wel kon vinden...

'Marilyn Bird is er,' zei Percy plompverloren.

'O, alles gebeurt altijd tegelijk,' zei Saffy.

'Ze komt je halen om je naar de boerderij te brengen. Je moet weer terug naar Londen, zei ze.'

'Ja,' zei ik. Goddank.

'Wat jammer,' zei Saffy. Het lukte haar volslagen normaal te klinken, waarschijnlijk met grote inspanning en door jarenlange oefening. 'We hadden gehoopt u nog een kopje thee aan te kunnen bieden. Er komt zo weinig bezoek.'

'Volgende keer,' zei Percy.

'Ja,' knikte Saffy. 'De volgende keer.'

Zacht gezegd klonk het onwaarschijnlijk. 'Nogmaals bedankt voor de rondleiding...'

En toen Percy me via een geheimzinnige route terugbracht naar mevrouw Bird en het vooruitzicht van een normale situatie, verdwenen Saffy en Juniper in de tegenovergestelde richting, en hun stemmen weergalmden terug langs de kille stenen.

'Het spijt me, Saffy, sorry sorry sorry. Ik was het gewoon... vergeten...' Daarna gingen de woorden over in gesnik. Het klonk zo hartverscheurend dat ik mijn handen tegen mijn oren wilde drukken.

'Kom mee, liefste, dat is helemaal nergens voor nodig.'

'Maar ik heb iets ergs gedaan, Saffy. Iets heel ergs.'

'Onzin, lieverd, zet het van je af. Zullen we een kopje thee gaan drinken?' Door het geduld en de vriendelijkheid in Saffy's stem trok iets zich in mijn borstkas samen. Ik denk dat ik toen pas voor het eerst besefte hoe oneindig lang zij en Percy dat soort geruststellingen hadden uitgesproken, en de verwarring van het gezicht van hun jongere zus hadden gewist met de verstandige zorgzaamheid van een moeder voor haar kind, maar zonder het vooruitzicht dat de last ooit lichter zou worden. 'We zullen je weer iets handigers aantrekken en daarna drinken we een kopje thee. Jij, Percy en ik. Na een lekkere kop sterke thee ziet de wereld er altijd beter uit, hè?'

Mevrouw Bird wachtte me op onder het gewelfde dak voor de hoofdingang van het kasteel en liep over van verontschuldigingen. Temerig en met een dramatisch gezicht foeterde ze tegen Percy Blythe over de arme dorpelingen die haar onbewust hadden opgehouden.

'Het geeft helemaal niet, mevrouw Bird,' zei Percy op de gebiedende toon van een victoriaans kindermeisje tegen een lastige protegé. 'Ik heb de rondleiding met plezier zelf gedaan.'

'Vanzelfsprekend. Vanwege de goeie ouwe tijd. Het moet heerlijk zijn voor u om...'

'Inderdaad.'

'Het is zo jammer dat er geen rondleidingen meer zijn. Begrijpelijk, natuurlijk, en het siert u en juffrouw Saffy dat u er nog zo lang mee bent doorgegaan, vooral omdat u nog zo veel andere dingen...'

'Precies.' Percy Blythe rechtte haar rug en opeens besefte ik dat ze mevrouw Bird niet mocht. 'Goed, als u me nu wilt verontschuldigen.' Ze neeg haar hoofd naar de open deur waardoor de wereld buiten er zonniger, luidruchtiger en sneller uitzag dan toen ik hem voor het laatst had gezien.

'Dank u wel,' zei ik voordat ze was verdwenen, 'dat u mij uw prachtige huis hebt laten zien.'

Ze nam me een poosje langer op dan noodzakelijk leek en daarna trok ze zich terug in de gang terwijl de wandelstok zachtjes naast haar voort tikte. Na een paar stappen bleef ze staan en draaide ze zich om, en in de omringende schemering was ze amper te zien. 'Het is ooit mooi geweest, weet u. Lang geleden. Vroeger.'

1

29 oktober 1941

Eén ding was zeker, het zou vannacht een maanloze nacht worden. Er hing een dikke, kolkende grijze en witgele wolkenmassa, bijeen gesmeerd alsof ze het slachtoffer waren van het paletmes van een schilder. Percy likte aan het vloeitje, plakte het vast en rolde de sigaret tussen haar vingertoppen om het helemaal sluitend te maken. Er ronkte een vliegtuig over, een van de eigen luchtmacht, een patrouillevliegtuig dat in zuidelijke richting naar de kust vloog. Het was natuurlijk een verplichte vlucht, maar er zou niets te melden zijn, niet in zo'n nacht als deze, niet nu.

Percy stond met haar rug tegen het busje geleund, volgde het traject van het toestel en kneep haar ogen samen toen het bruine insect steeds kleiner werd. Ze moest geeuwen van het felle licht en ze wreef in haar ogen tot ze aangenaam prikten. Toen ze die weer opende, was het vliegtuig verdwenen.

'Hé! Je gaat toch niet mijn pas gepoetste motorkap en spatbord bevuilen met dat gehang van je?'

Percy draaide zich om en zette haar elleboog tegen het dak van het busje. Het was Dot, die grijnzend het hoofdkwartier uit kwam.

'Je mag me wel bedanken!' riep Percy terug. 'Dan hoef je tijdens je volgende dienst tenminste niet met je duimen te draaien.'

'Dat is zo. Anders laat de officier me theedoeken wassen.'

'Of nog een rondje brancarddemonstraties geven voor de blokhoofden.' Percy trok een wenkbrauw op. 'Kun je je iets mooiers voorstellen?'

'De verduisteringsgordijnen verstellen, bijvoorbeeld.'

Percy trok een grimas. 'Dat is zwaar werk.'

'Als je nog wat langer blijft, doe je niets anders,' waarschuwde Dot. 'Verder is er weinig omhanden.'

'Dus er is al bericht gekomen?'

'De jongens van de luchtmacht hebben zich net gemeld. Vanavond is er niets aan de horizon.'

'Dat dacht ik al.'

'En het komt niet alleen door het weer. Volgens de officier hebben de moffen het te druk met de opmars tegen Rusland om zich met ons te bemoeien.'

'Idioten,' zei Percy terwijl ze haar sigaret inspecteerde. 'De winter rukt sneller op dan zij.'

'Je wilt waarschijnlijk toch in de weg blijven lopen, in de hoop dat de moffen in de war raken en hier in de buurt een lading bommen laten vallen?'

'Ik heb erover gedacht,' zei Percy. Ze stopte de sigaret in haar zak en hing haar tas over haar schouder. 'Maar nee. Zelfs een invasie kan me vanavond niet hier houden.'

Dot zette grote ogen op. 'Wat krijgen we nou? Heeft een mooie vent je soms mee uit dansen gevraagd?'

'Helaas niet, maar het is toch goed nieuws.'

'O?'

De bus arriveerde en toen Percy instapte, moest ze haar stem verheffen om boven het geluid van de motor uit te worden gehoord. 'Mijn kleine zusje komt vanavond thuis.'

Percy had net zo weinig met de oorlog op als ieder ander. Sterker nog, ze was vaker dan de meeste mensen getuige geweest van de verschrikkingen, en daarom zou ze nooit van haar leven bekennen dat ze sinds het einde van de nachtelijke luchtaanvallen diep vanbinnen een merkwaardig teleurgesteld gevoel koesterde. Het was totaal absurd om een nostalgisch verlangen te voelen naar een periode van rampzalige gevaren en verwoesting; iets anders dan voorzichtig optimisme neigde naar godslastering en toch was ze de afgelopen maanden uit haar slaap gehouden door een stuitende irritatie en luisterde ze met gespitste oren naar de kalme nachtlucht.

Als er iets was waarop Percy prat ging, was het wel haar vermogen om onder alle omstandigheden pragmatisch te blijven – God mocht weten dat íémand het moest blijven – en daarom besloot ze de onderste steen boven te krijgen. Ze moest een manier zien te vinden om het klokje dat vanbinnen tikte zonder ooit de kans te krijgen om te slaan het zwijgen op te leggen. In de loop van enkele weken had Percy haar situatie geëvalueerd zonder met één woord over haar innerlijke roerselen te reppen. Ze had haar gevoelens van alle kanten geobserveerd voordat ze uiteindelijk de conclusie trok dat er duidelijk een paar steekjes bij haar loszaten.

Het lag in de lijn der verwachting. Krankzinnigheid zat min of meer in de familie, net zo zeker als kunstzinnige aanleg of lange ledematen. Percy had gehoopt dat zij de dans zou ontspringen, maar zo was het nu eenmaal. Het was verrekte waarschijnlijk dat ze het geërfd had. En eerlijk is eerlijk, had ze niet altijd gedacht dat het maar een kwestie van tijd was voordat ze zelf knettergek zou worden?

Natuurlijk was dat papa's schuld, en vooral door de fantastische verhalen die hij hun had verteld toen ze klein genoeg waren om te worden opgetild en onschuldig genoeg om zich op te krullen op zijn brede, warme schoot. Verhalen over de geschiedenis van zijn familie, over het stuk land waaruit Milderhurst was ontsproten, waar hongersnood en welvaart hadden geheerst en dat overstroomd, bebouwd en legendarisch was geweest. Over gebouwen die in de as waren gelegd en weer opgebouwd, die waren verrot en geplunderd, tot spookhuis gereduceerd en vergeten. Over hun voorgangers die het kasteel hun thuis hadden genoemd, over de episoden van verovering en verheffing in Engeland en op hun eigen beminde landgoed.

De geschiedenis in handen van een verteller is voorwaar een machtige kracht, en de hele zomer na papa's vertrek om mee te vechten in de Eerste Wereldoorlog, toen Percy een meisje van acht of negen was, droomde ze levendig van veroveraars die hen over de omringende akkers bestormden. Ze had Saffy gedwongen mee te helpen met het bouwen van boomhutten in de kruinen van Cardarker Wood, de aanleg van wapenvoorraden en het onthoofden van jonge scheuten die haar in de weg stonden. Het was allemaal oefening zodat ze voorbereid zouden zijn als het tijd werd om hun plicht te doen, om het kasteel en het landgoed tegen de indringers te verdedigen…

De bus rammelde de hoek om en Percy sloeg de ogen ten hemel van haar eigen overpeinzingen. Het was natuurlijk bespottelijk. Meisjesfantasieën waren goed en wel, maar dat een volwassen vrouw er nog altijd aan deed? Het was dieptreurig. Met een zucht van weerzin keerde ze zichzelf de rug toe. Het was een lange reis geweest, veel langer dan gewoonlijk en als het zo doorging, mocht ze van geluk spreken dat ze voor het dessert, wat dat ook mocht zijn, thuis zou zijn. Donkere wolken pakten zich samen en de duisternis dreigde hen elk moment te overvallen, en de bus, die geen noemenswaard groot licht droeg, hield zich angstvallig aan de berm. Ze keek op haar horloge: het was al half vijf. Juniper werd om half zeven verwacht, de jongeman om zeven uur en Percy had beloofd om vier uur terug te zijn. Natuurlijk deed die knaap van de luchtbeschermingsdienst gewoon zijn werk toen hij de bus naar de kant gebaarde voor een willekeurige inspectie, maar nou net vanavond had ze wel iets beters te doen. Een handje helpen bij de voorbereidingen op Milderhurst, bijvoorbeeld.

Hoe groot was de kans dat Saffy overdag voor de verandering eens géén paniekaanval had gekregen? Niet groot, bedacht Percy. Helemaal niet groot.

Niemand viel zo makkelijk ten prooi aan het tumult van het ogenblik als Saffy, en vanaf het moment dat Juniper had bericht dat ze een mysterieuze gast had uitgenodigd, kon het niet anders of Het Evenement, zoals het voortaan werd genoemd, zou de complete Seraphina Blythe-aanpak krijgen. Op een gegeven moment was er zelfs sprake van dat ze het restant van grootmoeders Coronation-briefpapier zouden uitpakken om de tafelbezetting op te schrijven, maar Percy was van mening dat een groepje van vier, van wie drie zussen, al die soesa onnodig maakte.

Ze voelde een tikje op haar pols en Percy besefte dat het oude dametje naast haar een blikje openhield en gebaarde dat ze er iets uit moest pakken. 'Zelf gemaakt,' zei ze met een opgewekte piepstem. 'Vrijwel geen boter, maar helemaal niet slecht, al zeg ik het zelf.'

'O,' zei Percy. 'Nee, dank u. Dat kan ik niet aannemen. Houd u ze maar voor uzelf.'

'Toe maar.' De dame rammelde met het blik iets dichter bij Percy's neus en knikte goedkeurend naar haar uniform.

'Nou, goed dan.' Percy pakte er een koekje uit en nam een hap. 'Heerlijk,' zei ze, terwijl ze vanbinnen hunkerde naar die heerlijke goeie ouwe tijd van de roomboter.

'Je zit dus bij het vrijwilligerskorps?'

'Ja, ik ben verpleegster. Ik bestuur de ambulance. Althans, dat deed ik tijdens de bombardementen, maar de laatste tijd ben ik die wagen eigenlijk alleen maar aan het schoonmaken.'

'Je vindt ongetwijfeld wel een andere manier om de oorlogsindustrie te steunen. Jonge mensen zoals jij zijn niet te stuiten.' Er schoot haar iets te binnen, want haar ogen werden groot. 'Natuurlijk! Je moet bij een van die naaikransjes! Mijn kleindochter zit bij de Stitching Susans bij ons in Cranbrook en ach, wat doen die meisjes toch fantastisch werk.'

Afgezien van die naald en draad moest Percy bekennen dat het zo'n gek idee nog niet was. Misschien kon ze haar energie ergens anders kwijt, kon ze een beambte van de overheid vinden voor wie ze chauffeur kon zijn en die haar kon leren hoe je bommen onschadelijk moest maken, een vliegtuig moest besturen of een bergingsadviseur kon worden. Zoiets. Misschien zou die vreselijke rusteloosheid dan afnemen. Ook al vond Percy het vreselijk om te erkennen, ze begon te vermoeden dat Saffy al die jaren gelijk had gehad: dat ze een hersteller van aard was. Ze had geen gevoel voor creativiteit, maar wel een hang naar herstel en je kon haar niet gelukkiger zien dan wanneer haar oplapkunsten werden benut. Wat een ontzettend deprimerende gedachte.

De bus zwoegde weer een bocht door en uiteindelijk kwam het dorp in zicht. Naderbij gekomen zag Percy dat haar fiets nog steeds tegen de oude eik bij het postkantoor geleund stond, waar ze hem die ochtend had neergezet.

Ze bedankte de oude dame nogmaals voor haar koekje, beloofde plechtig haar licht op te steken bij het plaatselijke naaikransje, stapte uit en zwaaide naar haar toen de bus weg ronkte in de richting van Cranbrook.

Sinds ze Folkestone achter zich hadden gelaten, was de wind in kracht toegenomen. Percy stopte haar handen in haar broekzakken en glimlachte naar de zure dames Blethem, die gelijktijdig de adem inhielden en hun boodschappennetje dichttrokken voordat ze een knikje gaven en zich naar huis repten. De oorlog duurde al twee jaar en er waren nog steeds mensen voor wie de aanblik van een vrouw in een lange broek het einde van de wereld aankondigde, ongeacht de gruwelen die zich in eigen land en daarbuiten afspeelden. Percy kreeg een welkome opkikker en vroeg zich af of het verkeerd was dat ze extra dol was op haar uniform door het effect op de dames Blethem van de wereld.

Het was al laat, maar de kans bestond dat meneer Potts de post voor het kasteel nog niet had bezorgd. Er waren niet veel mannen in het dorp die zich met evenveel vuur bij de burgerwacht hadden gemeld als meneer Potts. Hij ging zo ver in zijn ijver om het land te beschermen dat je je bijna veronachtzaamd voelde als hij je niet minstens één keer per maand aanhield voor een identiteitscontrole. Dat het dorp door die toewijding zonder een betrouwbare postbode kwam te zitten, leek meneer Potts als een noodzakelijk kwaad te beschouwen.

De bel rinkelde boven de deur toen Percy naar binnen ging en mevrouw Potts keek met een ruk op van een stapel paperassen en enveloppen. Ze had de manier van doen van een konijn dat op heterdaad wordt betrapt in de moestuin en ze onderstreepte het beeld met een snufje. Percy slaagde erin haar vrolijkheid te verbergen onder een streng soort hartelijkheid, wat tenslotte min of meer haar specialiteit was.

'Nou, nou,' zei de directrice van het postkantoor, die zich herstelde met de snelheid van een door de wol geverfde chicaneur. 'Als dat mejuffrouw Blythe niet is.'

'Goedemiddag, mevrouw Potts. Kan ik iets meenemen?'

'Dan moet ik eerst even kijken, nietwaar?'

Het hele idee dat mevrouw Potts niet alles wist van elk stukje post dat er die dag binnen was gekomen of uitgegaan, was bespottelijk, maar Percy speelde gewoon mee. 'Nou, heel graag,' zei ze, terwijl de postbeambte zich terugtrok naar de dozen op het bureau achter haar.

Na veel gescharrel haalde mevrouw Potts een bundeltje uiteenlopende enveloppen tevoorschijn en stak die omhoog. 'Kijk eens aan,' zei ze, terwijl ze triomfantelijk naar de balie terugkwam. 'Hier is een pakje voor juffrouw Juniper, zo te zien van jullie jonge Londense meisje; is ze blij dat ze weer thuis is, de kleine Meredith?' Percy knikte ongeduldig terwijl mevrouw Potts vervolgde: 'Een brief voor uzelf, met de hand geadresseerd, en eentje alleen voor mejuffrouw Saffy, getypt.'

'Uitstekend. Men zou zich bijna de moeite besparen ze te lezen.'

Mevrouw Potts legde de brieven netjes op een rij op de balie, maar gaf ze niet vrij. 'Ik neem aan dat alles goed gaat op het kasteel?' Ze vroeg het gevoelvoller dan je van zo'n onschuldige vraag zou verwachten.

'Heel goed, dank u. Welaan, als ik...'

'Sterker nog, ik begrijp dat een felicitatie op zijn plaats is.'

Percy slaakte een geërgerde zucht. 'Felicitatie?'

'Bruiloftsmuziek,' zei mevrouw Potts op die ergerniswekkende manier waarop zij het alleenrecht had, waardoor ze zowel kon kraaien over haar op dubieuze wijze verkregen kennis, als kon spitten naar nog meer bijzonderheden. 'Op het kasteel,' herhaalde ze.

'Vriendelijk bedankt, mevrouw Potts, maar ik ben vandaag net zomin verloofd als gisteren.'

Het duurde even voordat het tot de postdirectrice was doorgedrongen, maar toen barstte ze in lachen uit. 'O, u bent me d'r eentje, mevrouw Blythe! Net zomin verloofd als gisteren. Die moet ik onthouden.' Na een heleboel hilariteit herstelde ze zich. Ze viste een met kant afgezet zakdoekje uit de zak van haar rok en depte onder haar ogen. 'Ik bedoelde ú natuurlijk niet,' bracht ze al deppend uit.

Percy deed alsof ze verbaasd was. 'O, nee?'

'O, nee, lieve hemel, u noch juffrouw Saffy. Ik weet dat geen van tweeën plannen koestert ons te verlaten, de Heer zij geprezen.' Ze droogde haar wangen nog een keer. 'Ik doelde op juffrouw Juniper.'

Onwillekeurig viel het Percy op hoe de naam van haar zusje op de lippen van deze roddelkous knetterde. De geluiden zelf leken wel elektrisch en mevrouw Potts een natuurlijke geleider. Mensen vonden het altijd leuk om over Juniper te praten, zelfs toen ze nog klein was. Het kleine zusje had het er zelf niet beter op gemaakt; een kind dat de gewoonte had black-outs te krijgen in tijden van opwinding zorgde ervoor dat mensen gingen fluisteren over een gave en een vloek. Zo ging het al haar hele jeugd. Hoe merkwaardig of onverklaarbaar een situatie in het dorp ook was – de curieuze verdwijning van het wasgoed van mevrouw Fleming, en het feit dat vervolgens de vogelverschrikker van boer Jacob was uitgerust met damesondergoed, een uitbraak van de bof – de achterklap richtte zich uiteindelijk op Juniper, zo zeker als bijen tot honing worden aangetrokken.

'Mejuffrouw Juniper en een zekere jongeman?' drong mevrouw Potts aan. 'Ik hoor dat er grote voorbereidingen worden getroffen op het kasteel. Een jongen die ze in Londen heeft leren kennen?'

Het idee alleen al was belachelijk. Het huwelijk was niet Junipers bestemming: het hart van haar zusje ging pas zingen bij poëzie. Percy overwoog de spot te drijven met de gretige belangstelling van mevrouw Potts, maar bedacht zich na een blik op de klok aan de wand. Dat was een verstandig besluit, ze zat niet te wachten op een gesprek over Junipers verhuizing naar Londen. Het was niet denkbeeldig dat Percy per ongeluk zou gewagen van de moeilijkheden die Junipers escapade op het kasteel teweeg had gebracht. Haar trots zou dat altijd verbieden. 'Het is waar dat we een gast aan tafel hebben, mevrouw Potts, maar al is het een híj, hij is niemands vrijer. Louter een kennis uit Londen.'

'Een kennis?'

'Meer niet.'

Mevrouw Potts kneep de ogen samen. 'Dus geen bruiloft?'

'Nee.'

'Omdat ik uit betrouwbare bron heb vernomen dat er sprake is van zowel een huwelijksaanzoek als een ja.'

Het was publiek geheim dat mevrouw Potts' 'betrouwbare bron' bestond uit het nauwgezet volgen van post en telefoongesprekken, waarvan ze de bijzonderheden vervolgens vergeleek met de dikke catalogus van plaatselijke roddels. Hoewel Percy niet zo ver ging dat ze de vrouw verdacht van het openstomen van enveloppen voordat ze die vrolijk doorstuurde, waren er mensen in het dorp die dat wel deden. Maar in dit geval had ze maar heel weinig post open kunnen stomen (en niet van het soort waarvan mevrouw Potts opgewonden kon raken, omdat Meredith de enige was met wie Juniper correspondeerde) en stoelde het gerucht nergens op. 'Ik denk dat ik het wel zou weten als dat het geval was, mevrouw Potts,' zei ze. 'U kunt ervan op aan dat het gewoon een etentje is.'

'Een bijzónder etentje?'

'O, zijn niet alle etentjes bijzonder in een tijd als deze?' zei Percy luchtig. 'Je weet maar nooit of het je laatste is.' Ze plukte de brieven uit de hand van de postbeambte, en haar oog viel op een van de potten van geslepen glas die ooit op de toonbank hadden gestaan. De zuurtjes en butterscotch waren zo goed als op, maar onder in een van de potten lag nog een treurig hoopje verkleefde spekkies. Percy vond ze walgelijk, maar ze waren Junipers favoriete lekkernij. 'Ik wil graag de rest van de spekjes, als dat goed is.'

Met een zuur gezicht verloste mevrouw Potts de klont van de glazen bodem en schepte die in een bruine papieren zak. 'Dat is dan *sixpence.*'

'Tjonge, mevrouw Potts,' zei Percy met een blik in het besuikerde zakje. 'Als we niet zulke dikke vriendinnen waren, zou ik denken dat u probeerde me af te zetten.'

Mevrouw Potts werd rood van verontwaardiging toen ze dat sputterend ontkende.

'Natuurlijk maak ik maar een grapje, mevrouw Potts,' zei Percy terwijl ze haar het geld gaf. Ze stopte de brieven en de spekjes in haar tas en schonk haar een glimlachje. 'Prettige dag verder. Namens u zal ik informeren naar Junipers plannen, maar áls er iets te melden valt, vermoed ik dat u de eerste zult zijn die het weet.'

2

Uien waren natuurlijk belangrijk, maar dat veranderde niets aan het feit dat de bladeren weinig aan een bloemstukje toevoegden. Saffy inspecteerde de slappe groene scheuten die ze zojuist had gesneden, bekeek ze van alle kanten, tuurde ernaar met samengeknepen ogen en sprak haar hele creatieve vermogen aan in een poging ze zich op tafel voor te stellen. Ze maakten een vluchtig kansje in de Franse kristallen vaas, een erfstuk van grootmoeder, misschien met een vleugje kleur om de herkomst te verdoezelen? Of anders... Haar gedachten kwamen op dreef en ze kauwde op haar onderlip, zoals altijd wanneer ze door een geweldig idee werd getroffen. Of anders kon ze zich helemaal op het thema storten en er wat venkel- en pompoenblad aan toevoegen, als een geestige verwijzing naar de tekorten van deze tijd?

Met een zucht liet ze haar arm zakken, met het slappe loof nog in haar hand. Mistroostig en bijna onwillekeurig schudde ze haar hoofd. Wat kreeg een mens in nood toch rare gedachten! Het was duidelijk dat de jonge uienplanten totaal ongeschikt waren; ze waren niet alleen een hopeloos verkeerde keus, maar hoe langer ze de planten in haar hand hield, hoe meer de odeur haar trof als de lucht van zweetsokken. Een geur waarmee Saffy in ruime mate vertrouwd was geraakt in de oorlog, en vooral dankzij de activiteiten van haar tweelingzus. Nee. Nu Juniper vier maanden lang in Londen had gewoond en ongetwijfeld in de meest chique kringen van Bloomsbury had verkeerd, waarschuwingen voor luchtaanvallen had getrotseerd en af en toe in een schuilkelder had moeten slapen, verdiende ze iets beters dan de lucht van vuil wasgoed.

Om maar niet te spreken van de geheimzinnige gast die ze had uitgenodigd. Juniper was er niet het type naar om vriendschappen te sluiten – de jonge Meredith was tot haar verrassing de enige uitzondering – maar Saffy had de gave tussen de regels door te kunnen lezen, en al waren Junipers regels op zijn best hanenpoten, toch had ze begrepen dat de jongeman iets galants had gedaan waardoor hij Junipers gunst had verworven. Daarom was de uitnodiging een teken van dankbaarheid van de kant van de familie Blythe, dus moest alles in de puntjes zijn. De uienplantjes, bevestigde ze na een tweede blik, waren zonder meer onder de maat. Maar nu ze eenmaal waren geplukt, mochten ze niet worden weggegooid, dat zou godslasterlijk zijn. Lord Woolton zou ontzet zijn. Saffy zou wel een schotel bedenken waar ze goed voor waren, alleen niet voor het menu van vanavond. Uien en hun gevolgen konden nogal armoedig gezelschap opleveren.

Saffy pufte een keer mistroostig, daarna nog een keer omdat de sensatie haar deugd deed en ze liep terug naar het huis, als altijd blij dat haar pad niet door de grote tuin liep. Die kon ze niet verdragen, vroeger was die zo magnifiek geweest. Het was een tragedie dat zo veel bloementuinen in het land aan hun lot waren overgelaten of aan de tuinbouw ten prooi waren gevallen. Volgens Junipers vorige brief waren niet alleen de bloemperken aan Rotten Row in Hydepark geplet onder hoge bergen hout en ijzer en baksteen – de beenderen van God mocht weten hoeveel woningen – maar was de hele zuidkant van het park gereserveerd voor de puinstort. Saffy besefte wel dat het nodig was, maar dat maakte het niet minder tragisch. Van een gebrek aan aardappelen ging je maag knorren, maar bij afwezigheid van schoonheid verhardde de ziel.

Vlak voor haar fladderde een verlate vlinder. De vleugels zwollen en krompen als de spiegelende randen van een blaasbalg. Dat zulke perfectie, die natuurlijke rust, maar bleef bestaan terwijl de mensheid bezig was de wereld te vernietigen, grensde aan het wonderbaarlijke. Saffy's gezicht lichtte op; ze stak haar vinger uit, maar de vlinder sloeg er geen acht op, hij rees en daalde en schoot heen en weer om de bruine vruchten van de mispel te inspecteren. De vlinder was zich van geen kwaad bewust, wat een wonder! Glimlachend vervolgde ze haar weg naar het kasteel, ze dook voorzichtig onder de pergola van de knoestige blauweregen door, zodat haar kapsel niet zou blijven haken.

Meneer Churchill zou er goed aan doen als hij onthield dat oorlogen niet alleen worden gewonnen door kogels en dat diegenen beloond moesten worden die erin slaagden schoonheid te bewaren terwijl de wereld om hen heen aan lelijke flenters werd geschoten. 'De Churchill-medaille voor het Handhaven van Schoonheid in Engeland' klonk prachtig, vond Saffy. Met de onvermijdelijke zelfgenoegzaamheid van iemand die maandenlang bomkraters heeft verkend en daarbij haar eigen medaille voor betoonde moed had verdiend, had Percy haar neus opgehaald toen ze dat onlangs aan het ontbijt zei, maar Saffy vond het zo'n mal idee nog niet. Sterker nog, ze was bezig met een brief aan *The Times* over het onderwerp. De kern ervan was dat schoonheid belangrijk is, net zoals beeldende kunst en literatuur en muziek, en zeker in een tijd waarin beschaafde landen van zins leken elkaar tot steeds grotere barbarij op te hitsen.

Saffy was dol op Londen, dat was altijd zo geweest. Haar toekomstplannen hingen af van zijn overleving en ze vatte elke bom die er viel op als een persoonlijke aanval. Toen de luchtaanvallen op hun hoogtepunt waren en het gedreun van afweergeschut in de verte, de gillende sirenes en ellendige explosies nachtelijk gezelschap waren, had ze koortsig op haar nagels gebeten – een vreselijke gewoonte die ze zonder omwegen aan Hitler weet – en vroeg ze zich af of de liefhebber van een stad des te meer moest lijden omdat hij afwezig was toen het noodlot toesloeg, zoals de radeloosheid van een moeder door afstand wordt uitvergroot. Al toen Saffy nog een jong meisje was, had ze heel even het voorgevoel gehad dat haar levenspad niet over de modderige akkers of binnen de oude stenen muren van Milderhurst zou lopen, maar tussen parken en tearooms en de erudiete gesprekken van Londen. Toen zij en Percy klein waren, nadat moeder was verbrand maar voordat Juniper was geboren – toen ze nog met z'n drieën waren – had papa de tweeling elk jaar meegenomen naar Londen om een tijdje in het huis in Chelsea te wonen. Ze waren nog jong; de tijd had nog geen invloed op hen gehad door hun verschillen op te wrijven en hun opvattingen te slijpen, en ze werden niet alleen als een stel duplicaten behandeld, maar gedroegen zich ook zo. In Londen had Saffy wel het eerste begin van verdeeldheid gevoeld, diep vanbinnen maar krachtig. Terwijl Percy net als papa hunkerde naar de uitgestrekte groene bossen van thuis, kreeg Saffy energie van de stad.

Achter haar weerklonk een aards gerommel en Saffy kreunde. Ze weigerde zich om te draaien en de zware regenwolken die zich achter haar verkneukelden te erkennen. Van alle persoonlijke ontberingen tijdens de oorlog was het verlies van een regelmatig weerbericht via de radio wel een heel wrede klap geweest. Saffy had blijmoedig de beknotte leestijd aanvaard toen ze ermee instemde dat Percy per week nog maar één boek uit de dorpsbibliotheek voor haar zou meenemen in plaats van de gebruikelijke vier. In het verwisselen van hun zijden jurken voor praktische overgooiers had ze zich kalmpjes geschikt. Het verlies van personeel als evenzoveel vlooien uit de vacht van een verdrinkende rat, en dat ze als gevolg daarvan de nieuwe positie als chefkok, werkster, wasvrouw en hovenier bekleedde, had ze op de koop toe genomen. Maar Saffy had in haar pogingen de grillen van het Engelse klimaat te slim af te zijn haar gelijke gevonden. Ondanks het feit dat ze haar hele leven in Kent had gewoond, had ze niet de neus voor het weer van de typische plattelandsvrouw. Ze had juist de merkwaardige tegenovergestelde neiging de was op te hangen of een wandeling door de velden te maken wanneer de regen op de loer lag.

Saffy liep stevig door, bijna op een drafje, en probeerde geen acht te slaan op de geur van de uienbladeren, die wel leek toe te nemen naarmate ze haar pas versnelde. Eén ding was zeker: na de oorlog zou Saffy het plattelandsleven voorgoed vaarwel zeggen. Percy wist het nog niet – ze moest het juiste moment voor zulk nieuws afwachten – maar Saffy ging naar Londen. Daar wilde ze een appartementje zoeken, groot genoeg voor één persoon. Ze had geen eigen meubilair, maar dat was geen grote hindernis; in zulke gevallen vertrouwde Saffy op de Voorzienigheid. Maar één ding stond vast, ze zou niets meenemen van Milderhurst. Haar uitrusting zou splinternieuw zijn; het zou een frisse start worden, bijna twee decennia later dan ze oorspronkelijk van plan was geweest, maar daar was niets aan te doen. Nu was ze ouder en sterker en deze keer liet ze zich niets in de weg leggen, hoe overweldigend de oppositie ook zou zijn.

Hoewel Saffy's bedoelingen nog geheim waren, las ze elke zaterdag de 'te huur aangeboden'-advertenties in *The Times*, zodat ze voorbereid zou zijn mocht de gelegenheid zich voordoen. Ze had gedacht aan Chelsea en Kensington, maar koos uiteindelijk voor een van de Georgian pleinen in Bloomsbury, op loopafstand van zowel het British Museum als de winkels in Oxford Street. Juniper zou, zo hoopte ze, misschien ook in Londen blijven en in de buurt komen wonen en Percy zou natuurlijk op bezoek komen. Maar die zou niet langer dan één nacht overblijven, dankzij de sterke gevoelens die ze koesterde ten aanzien van het slapen in haar eigen bed en om bij de hand te zijn om het kasteel overeind te houden, desnoods lichamelijk, als het zou instorten.

In de privacy van haar gedachten bracht Saffy vaak een bezoek aan haar appartementje, vooral wanneer Percy door de gangen van het kasteel zwierf en tekeerging tegen de bladderende verf, de verzakkende balken en afgaf op elke nieuwe scheur in de muren. Dan deed Saffy haar ogen dicht en opende ze de deur van haar eigen huis. Het zou klein en eenvoudig zijn, en brandschoon, daar zou ze zelf voor zorgen, en het zou er naar azijn en bijenwas ruiken. Saffy omklemde de uienplantjes in haar vuist en liep nog harder door.

Voor het raam een bureau met een Olivetti schrijfmachine in het midden, en in de hoek een klein glazen vaasje – een oud, maar mooi flesje zou desnoods volstaan – met één verse bloem die dagelijks werd ververst. De radio zou haar enige gezelschap zijn en overdag zou ze haar typewerk onderbreken om naar het weerbericht te luisteren en even de wereld verlaten die ze op papier creëerde om uit het raam naar de heldere lucht boven Londen te kijken. Het zonlicht speelde over haar arm, en viel haar woninkje binnen om de wasglans op het meubilair te laten schitteren. 's Avonds zou ze haar bibliotheekboeken lezen, nog een beetje aan haar lopende manuscript werken en naar Gracie Fields op de radio luisteren zonder dat iemand in een andere leunstoel zou mopperen dat het allemaal sentimentele rommel was.

Saffy bleef even staan, drukte haar handen tegen haar warme wangen en slaakte een innig tevreden zucht. Dromend over Londen en over haar toekomst was ze helemaal aan de achterzijde van het kasteel beland; bovendien was ze de regen voor gebleven.

Ze wierp een blik op het kippenhok en haar tevredenheid nam wat af door spijt. Hoe ze het zonder haar meisjes zou moeten stellen wist ze niet. Ze vroeg zich af of het mogelijk was ze mee te nemen. In het tuintje van haar gebouw was vast wel plaats voor een kleine ren, ze zou die voorwaarde gewoon op haar lijstje zetten. Saffy deed het hek open en spreidde haar armen. 'Dag schatjes, hoe staat het ermee vandaag?'

Helen-Melon schudde haar veren uit, maar kwam niet van haar stok en Madame keek niet eens op van de grond.

'Kop op, meisjes. Ik ben nog niet weg. Integendeel, eerst moeten we nog een hele oorlog winnen.'

Die strijdvaardige oproep had niet het gewenste opbeurende effect en Saffy's glimlach week van haar gezicht. Helen was voor de derde achtereenvolgende dag neerslachtig en Madame was anders heel vocaal. De jongste kippen volgden de twee oudste, dus was de stemming in het kippenhok zonder meer grauw. Saffy was tijdens de luchtaanvallen aan die mistroostigheid gewend geraakt; kippen waren even gevoelig als mensen en net zo ontvankelijk voor angst, en de bommenwerpers wisten niet van ophouden. Uiteindelijk had ze 's nachts alle acht meegenomen naar de schuilkelder. De lucht had er weliswaar onder geleden, maar de regeling was iedereen bevallen: de kippen gingen weer aan de leg en omdat Percy meestal 's nachts op pad was, was Saffy blij met hun gezelschap.

'Kom, kom,' koerde ze terwijl ze Madame in haar armen nam. 'Niet zo in de contramine, lieverdje. Het is alleen het naderende onweer maar, anders niet.' Het warme gevederde lijf ontspande zich, maar dat duurde maar even voordat de kip met haar vleugels fladderde en onhandig ontsnapte naar de aarde waarin ze had staan scharrelen.

Saffy veegde haar handen af en zette ze op haar heupen. 'Dus zo erg is het, hè? Dan denk ik dat er maar één ding op zit.'

Eten. Het enige wapen in haar arsenaal waarvan ze gegarandeerd zouden opkikkeren. Haar meisjes waren inhalig en dat was niet erg. Konden alle problemen in de wereld maar worden opgelost met een smakelijke maaltijd. Het was vroeger dan anders, maar het waren kritieke tijden: de tafel in de salon was nog altijd niet gedekt, de opscheplepel werd vermist, Juniper kon elk moment met haar gast voor de deur staan en als ze Percy's humeur ook nog moest regisseren, was een stel chagrijnige hoenders wel het laatste waarop ze zat te wachten. Zo. Het was een praktische beslissing om ze zoet te houden en het had niets te maken met het feit dat Saffy hopeloos weekhartig was.

De stoom van een dag waarop Saffy een maal in elkaar had geflanst van wat ze in de provisiekast kon vinden en van wat ze bijeen had kunnen bedelen op naburige boerderijen, verzamelde zich in de hoogste regionen van de keuken en Saffy trok aan haar blouse in een poging af te koelen. 'Goed,' zei ze nerveus. 'Waar was ik gebleven?' Ze tilde het deksel van de pan om te controleren of de custardvla tijdens haar afwezigheid niet was verdwenen, leidde uit het puffen van de oven af dat de pastei nog moest garen en daarna zag ze een houten kist die zijn oorspronkelijke bedoeling had overleefd, maar op dat moment prima paste bij die van haar.

Saffy sleepte hem naar de verste hoek van de provisiekast, klom erop en ging op haar tenen op de rand staan. Ze ging met haar hand over de schap tot haar vingers langs het donkerste stukje streken en ze op een blikje stuitten. Glimlachend sloot Saffy haar vingers eromheen en klauterde weer naar beneden. Er zat stof van maanden op, vet en stoom hadden een lijmlaag gevormd en ze moest met haar duim over het dekseltje strijken om het etiket eronder te kunnen lezen. Sardientjes. Perfect! Ze greep het stevig vast en genoot van de opwinding van het verbodene.

'Maakt u zich geen zorgen, papa,' kweelde Saffy, terwijl ze de blikopener uit de la met lomp keukengereedschap viste en hem met een duw van haar heup weer dichtdeed. 'Die zijn niet voor mij.' Het was een van haar vaders grondregels geweest: ingeblikt voedsel was een samenzwering en ze zouden zich eerder onderwerpen aan vrijwillige uithongering dan een hap ervan in hun mond te steken. Een samenzwering door wie en met wat voor effect kon Saffy niet zeggen, maar papa had er veel nadruk op gelegd en dat was voldoende. Hij duldde weinig oppositie en lange tijd had ze die ook niet willen voeren. Haar hele meisjestijd was hij de zon in Saffy's leven en 's nachts de maan. Het idee dat hij haar ooit zou teleurstellen hoorde thuis in het tegenovergestelde rijk van kwade geesten en nachtmerries.

Saffy prakte de sardientjes in een porseleinen kom en bespeurde het barstje in de keramiek pas toen ze de vis onherkenbaar had bewerkt. De kippen kon dat natuurlijk niets schelen, maar tezamen met haar ontdekking dat het behang van de schoorsteen in de salon bladderde, was dit het tweede teken van verval in evenzoveel uur. Ze nam zich voor de borden die ze voor vanavond apart hadden gezet te controleren en alle exemplaren die op soortgelijke wijze waren beschadigd te verdonkeremanen. Het was nou net het soort slijtage dat Percy deed briesen, en hoewel Saffy bewondering had voor haar tweelingzusters toewijding aan Milderhurst en zijn onderhoud, zou haar slechte humeur niet bevorderlijk zijn voor de feestelijke hartelijkheid waarop ze hoopte.

Vervolgens gebeurden er een aantal dingen tegelijk. De deur ging knarsend open, Saffy schrok en een restje ruggengraat van een sardientje viel van de vork op de flagstones.

'Juffrouw Saffy!'

'O, Lucy, goddank!' Saffy drukte de vork tegen haar bonkende hart. 'Je kost me tien jaar van mijn leven!'

'Het spijt me. Ik dacht dat u in de tuin was om bloemen voor de salon te plukken... Ik wilde alleen maar... Ik kwam even kijken of...' De zinnen van de huishoudster verbrokkelden toen ze dichterbij kwam en de visprut en het open blikje in het oog kreeg, en ze raakte de draad van haar gedachtegang helemaal kwijt toen ze Saffy aankeek. Haar prachtige paarsblauwe ogen werden groot. 'Juffrouw Saffy!' zei ze. 'Ik had niet gedacht...'

'O, nee, nee, nee...' Saffy wapperde met haar hand om haar het zwijgen op te leggen en bracht met een glimlach een vinger naar haar lippen. 'Rustig maar, Lucy. Dit is niet voor mezelf, heus niet. Ik bewaar ze voor de meisjes.'

'O.' Lucy was zichtbaar opgelucht. 'Nou, dat is heel iets anders.' Ze sloeg haar ogen eerbiedig ten hemel. 'Ik zou niet graag willen dat meneer boos wordt, zelfs nu niet.'

Saffy was het met haar eens. 'We zitten er niet op te wachten dat papa zich vanavond omdraait in zijn graf.' Ze knikte naar het verbandkistje. 'Wil je me een paar aspirientjes aangeven?'

Lucy fronste bezorgd. 'Bent u niet lekker?'

'Het zijn de meisjes. De arme lieverds zijn zenuwachtig en niets is zo goed voor de aangetaste zenuwen als aspirine, behalve misschien een flinke slok gin, maar dat zou nogal onverantwoordelijk zijn.' Met de bolle kant van een theelepel vermaalde Saffy de aspirine tot poeder. 'Weet je, ik heb ze nog niet zo erg gezien sinds de luchtaanval van 10 mei.'

Lucy verbleekte. 'U denkt toch niet dat ze een nieuwe golf bombardementen voelen aankomen?'

'Dat zou ik niet denken. De heer Hitler heeft het veel te druk met zijn wintercampagne om zich veel met ons bezig te houden. Althans, dat zegt Percy. Volgens haar laat hij ons minstens tot Kerstmis met rust; ze is vreselijk teleurgesteld.' Saffy roerde nog altijd in de visprut en ademde in om haar verhaal te vervolgen, toen ze zag dat Lucy naar het fornuis was gelopen. Uit haar houding bleek dat ze niet meer luisterde en opeens voelde Saffy zich mal, zoals wanneer een van de kippen wilde kakelen en het tuinhekje al voldoende was om tegenaan te praten. Ze kuchte gegeneerd en zei: 'Hoe dan ook, ik klets maar wat. Je bent niet naar de keuken gekomen uit belangstelling voor de meisjes en ik hou je van je werk.'

'Helemaal niet.' Lucy deed de klep van het fornuis dicht en richtte zich op, maar haar wangen waren roder dan het gevolg kon zijn van het vuur in de oven, en Saffy besefte dat ze zich het ongemak van daarnet niet had verbeeld; iets wat ze had gezegd of gedaan had Lucy's stemming bedorven en dat zat Saffy helemaal niet lekker. 'Ik kwam even naar de konijnpastei kijken,' vervolgde Lucy. 'Dat heb ik nu gedaan, en ook wilde ik u laten weten dat ik de zilveren opscheplepel die u wilde niet heb kunnen vinden, maar dat ik een andere heb klaargelegd die net zo goed is. Ik heb ook een aantal grammofoonplaten naar beneden gehaald die juffrouw Juniper uit Londen had opgestuurd.'

'Naar de blauwe kamer?'

'Natuurlijk.'

'Uitstekend.' Dat was de nette kamer en om die reden zouden ze de heer Cavill daar onthalen. Percy had bezwaar gemaakt, maar dat was te verwachten. Die was al weken chagrijnig. Ze stevende door de gangen en voorspelde kommer en kwel voor de komende winter, mopperde over het gebrek aan brandstof en het buitensporige van een andere kamer warm stoken terwijl de gele kamer al dagelijks werd verwarmd. Maar Percy zou wel bijdraaien; dat gebeurde altijd. Saffy tikte vastbesloten met de vork op de rand van de kom.

Lucy wierp een blik onder het deksel van de pan. 'U hebt een uitstekende custardvla gemaakt. Ze is heerlijk dik, terwijl er niet eens melk in zit.'

'O, Lucy, je bent een schat. Uiteindelijk heb ik het met water gedaan en een beetje honing zodat ik de suiker voor de marmelade kon bewaren. Ik had niet kunnen denken dat ik de oorlog dankbaar zou zijn voor iets, maar anders had ik misschien nooit van mijn leven geweten hoeveel voldoening het geeft om een volmaakte melkloze custard te maken!'

'Veel mensen in Londen zouden u dankbaar zijn voor het recept. Mijn nicht schrijft dat ze nog maar een liter per week krijgen, kunt u zich dat voorstellen? U moet de bereiding van uw custard opschrijven en naar de *Daily*

Telegraph sturen. Die publiceren zulke dingen, weet u.'

'Dat wist ik niet,' zei Saffy nadenkend. Dat zou nog een publicatie zijn voor haar kleine verzameling. Geen bijzonder gezonde aanwinst, maar toch weer een knipsel. Het zou allemaal helpen wanneer het zover was dat ze haar manuscript kon opsturen, en je wist maar nooit wat er nog meer uit voort zou vloeien. Saffy zag het idee van een regelmatige column wel zitten. *Naaigrage Saffy's Advies aan Dames*, of zoiets, met een embleempje in de hoek, haar Singer 201K, of misschien zelfs een van de kippen! Ze glimlachte verheugd en geamuseerd door de fantasie, alsof het al geregeld was.

Ondertussen praatte Lucy nog steeds over haar nicht in Pimlico en het ene ei dat ze eens in de veertien dagen kregen toebedeeld. 'Vorige week was dat van haar bedorven en ze wilden het niet ruilen, wat vindt u daarvan?'

'Maar dat is gewoon gierig!' zei Saffy ontzet. Naaigrage Saffy zou vermoedelijk een heleboel te zeggen hebben over zulke kwesties en zou niet bang zijn zelf een weids gebaar ter compensatie te maken. 'Je moet haar een paar van mijn eieren sturen, en neem er zelf ook maar een stuk of vijf.'

Lucy had niet blijer kunnen kijken als Saffy haar klontjes massief goud had overhandigd en plotseling geneerde Saffy zich, waardoor het beeld van haar krantenpersonage verdween. Verontschuldigend zei ze: 'We hebben meer eieren dan we op kunnen en ik zoek naar een manier om mijn dankbaarheid te uiten. Sinds het begin van de oorlog heb je me zo dikwijls geholpen.'

'O, juffrouw Saffy.'

'We moeten niet vergeten dat ik de was nog altijd met basterdsuiker zou doen als jij er niet was geweest.'

Lucy zei lachend: 'Nou, ontzettend bedankt. Ik neem uw aanbod heel graag aan.'

Ze pakten de eieren samen in met snippers van de oude kranten die op een stapel naast het fornuis lagen, en Saffy besefte voor de zoveelste keer die dag hoezeer ze had genoten van het gezelschap van hun vorige huishoudster en hoe jammer het was dat ze haar kwijt waren. Wanneer ze naar haar flatje zou verhuizen, besloot Saffy, moest ze Lucy het adres geven en erop aandringen dat ze altijd op de thee moest komen wanneer ze in Londen was. Percy zou daar ongetwijfeld iets op aan te merken hebben – die had nogal ouderwetse ideeën over maatschappelijke klassen en de vrije omgang daartussen – maar Saffy wist wel beter: gezelschap was goud waard, waar je het ook opdook.

Buiten klonk het dreigende gerommel van de donder en Lucy neeg het hoofd om door het smoezelige raampje boven het gootsteentje te kijken. Ze keek fronsend naar de steeds donkerder wordende lucht. 'Als er niets anders te doen is, zal ik de salon gereedmaken en er dan vandoor gaan. Het onweer lijkt door te zetten en vanavond moet ik naar een vergadering.'

'Van het vrijwilligerskorps?'

'Kantinedienst. Die dappere soldaten moeten tenslotte te eten krijgen.'

'Dat doen we,' zei Saffy. 'Nu je het zegt, ik heb een aantal kinderpopjes gestikt voor je benefietveiling. Neem ze maar mee als dat kan. Ze liggen boven, net als...' Ze zweeg even voor het dramatische effect. '... de jurk.'

Lucy's mond viel open en van de opwinding ging ze fluisteren, al waren ze alleen. 'U hebt hem af!'

'Net op tijd, zodat Juniper hem vanavond aan kan. Ik heb hem op zolder opgehangen zodat ze hem meteen ziet.'

'Dan ga ik zeker nog even naar boven voordat ik naar huis ga. Is hij mooi geworden?'

'Hij is goddelijk.'

'Daar ben ik heel blij om.' Lucy aarzelde even voordat ze Saffy's handen licht in de hare nam. 'Alles wordt perfect, dat zult u zien. Het is zo'n bijzondere avond, nu juffrouw Juniper eindelijk uit Londen overkomt.'

'Ik hoop alleen dat de treinen niet al te veel vertraging van het weer ondervinden.'

Lucy glimlachte. 'Wat zult u opgelucht zijn om haar eindelijk gezond en wel weer thuis te hebben.'

'Sinds haar vertrek heb ik nog geen hele nacht doorgeslapen.'

'Dat zijn de zorgen.' Lucy schudde meelevend haar hoofd. 'U bent een moeder voor haar en een moeder slaapt nooit gerust wanneer ze zich zorgen maakt om haar kindje.'

'O, Lucy...' Saffy's ogen werden vochtig. 'Ik héb me ook zorgen gemaakt. Zo vaak. Ik heb het gevoel alsof ik maandenlang mijn adem heb ingehouden.'

'Maar er is toch niets ergs gebeurd?'

'Goddank niet en ik weet zeker dat ze het ons verteld zou hebben als dat wel zo was. Zelfs Juniper zou niet over zoiets ernstigs liegen...'

De deur vloog met een klap open en ze schrokken allebei op. Lucy slaakte een gil en Saffy kon zich nog net inhouden, en deze keer dacht ze eraan het blikje te grijpen en achter haar rug te verstoppen. Het was alleen de wind maar die buiten opstak, maar de onderbreking was voldoende om een eind te maken aan de prettige sfeer binnen, en aan Lucy's glimlach. En toen besefte Saffy wat Lucy zo gespannen had gemaakt.

Ze overwoog er niets over te zeggen – de dag was bijna voorbij en soms was spreken zilver en zwijgen goud – maar het was zo'n gezellige middag geweest met z'n tweeën zij aan zij aan het werk in de keuken en de salon, en Saffy wilde graag het juiste doen. Ze mocht vriendinnen hebben, ze had behóéfte aan een vriendin, wat Percy er ook van vond. Voorzichtig schraapte ze haar keel. 'Hoe oud was je toen je bij ons begon, Lucy?'

Het antwoord klonk zacht, bijna alsof ze de vraag had verwacht. 'Zestien.'

'Dat was tweeëntwintig jaar geleden, hè?'

'Vierentwintig. Het was 1917.'

'Je bent altijd een van vaders favorieten geweest, weet je.'

In de oven was de pasteivulling gaan sudderen in zijn omhulsel van deeg. De vroegere huishoudster rechtte haar rug en slaakte langzaam een nadrukkelijke zucht. 'Hij is goed voor me geweest.'

'En je moet ook weten dat Percy en ik allebei erg op je gesteld zijn.'

Nu de eieren waren ingepakt, had Lucy niets meer bij het aanrecht aan de andere kant te zoeken. Ze sloeg de armen over elkaar en zei zacht: 'Dat is vriendelijk van u, juffrouw Saffy, en ook onnodig.'

'Alleen, als je ooit van gedachten verandert, als de rust is weergekeerd, en als je besluit in een officiëlere rol bij ons terug te...'

'Nee,' zei Lucy. 'Nee, dank u.'

Saffy schrok. 'Ik maak je ongemakkelijk. Vergeef me, lieve Lucy. Ik zou er met geen woord over gerept hebben, maar ik hou niet van misverstanden. Percy bedoelt er niets mee, begrijp je. Het is gewoon haar manier van doen.'

'Heus, u hoeft niet...'

'Ze houdt niet van verandering. Dat is altijd al zo geweest. Toen ze als meisje een keer met roodvonk werd opgenomen, stierf ze bijna van de heimwee.' Saffy deed een zwakke poging om de stemming te verbeteren: 'Soms denk ik dat zij graag zou zien dat we met z'n drieën voor altijd op Milderhurst blijven wonen. Kun je je dat voorstellen? Drie oude dametjes met wit haar dat zo lang is dat we erop kunnen zitten?'

'Ik zou denken dat juffrouw Juniper daar wel iets over te zeggen heeft.'

'Inderdaad.' Saffy zelf trouwens ook. Ze had opeens de aandrang om Lucy alles te vertellen over haar appartementje in Londen, het bureau voor het raam en de radio op de plank, maar ze hield zich in. Dit was nog niet het juiste moment. In plaats daarvan zei ze: 'Hoe dan ook, het spijt ons allebei heel erg dat je na zo veel jaar bij ons weggaat.'

'Het komt door de oorlog, juffrouw Saffy. Ik moest iets gaan doen om te helpen; toen daarna mijn moeder overleed en Harry...'

Saffy maakte een wuivend gebaar. 'Dat hoef je allemaal niet uit te leggen; ik begrijp het helemaal. Hartskwesties en de hele mikmak. We moeten allemaal ons eigen leven leiden, Lucy, vooral in dit soort tijden. Door de oorlog weet je weer wat belangrijk is in het leven, hè?'

'Ik moest maar eens gaan.'

'Ja. Goed. En we zien elkaar gauw weer. Misschien volgende week, om wat piccalilly voor de veiling te maken? Mijn pompoenen...'

'Nee,' zei Lucy, op een nieuwe toon waardoor ze wat strakker klonk. 'Nee. Niet nog een keer. Ik had vandaag al niet moeten komen, maar u klonk zo wanhopig...'

'Maar Lucy...'

'Vraag het me alstublieft niet weer, Saffy. Het is niet goed.'

Saffy stond met haar mond vol tanden. Er raasde weer een nijdige rukwind over en in de verte rommelde de donder. Lucy pakte de theedoek met eieren. 'Ik moet gaan,' zei ze, iets vriendelijker deze keer, wat nog harder aankwam en waar Saffy bijna van moest huilen. 'Ik ga de popjes halen, Junipers jurk bekijken en daarna ben ik weg.'

Met die woorden was ze verdwenen.

De deur zwaaide dicht en Saffy was weer alleen in de warme keuken. Haar handen omklemden de kom met vis en ze pijnigde haar hersens af wat er kon zijn gebeurd dat haar vriendin had verdreven.

3

Percy daalde zonder te trappen de helling op Tenterden Road af, stak de ratelende stenen onder aan de oprijlaan over en sprong van haar fiets. 'We zijn weer thuis, we zijn weer thuis, hoepladiee,' neuriede ze, terwijl het grind onder haar laarzen knarste. Nanny had hun het liedje geleerd toen ze nog heel klein waren, inmiddels decennia geleden, maar het schoot haar altijd te binnen wanneer ze van de weg de oprijlaan insloeg. Sommige liedjes of versregels hadden dat; ze zetten zich vast en weigerden je los te laten, hoe graag je dat misschien ook zou willen. Niet dat Percy zich van 'Hoepladiee' wilde bevrijden. Die lieve Nanny met haar roze handjes, het feit dat ze alles zeker wist en het tikken van haar breinaalden wanneer ze 's avonds bij de open haard op zolder zat en hen in slaap breide. Wat hadden ze gehuild toen ze haar negentigste verjaardag vierde door met pensioen te gaan en bij een achternicht in Cornwall te gaan wonen. Saffy was zo ver gegaan om te dreigen met een doodsmak uit het zolderraam, maar helaas, het dreigement werd overschaduwd omdat het al eens eerder was uitgevoerd en Nanny bleef onvermurwbaar.

Hoewel Percy al laat was, liep ze liever dan de fiets te gebruiken, en ze liet zich welkom heten door de akkers die aan weerskanten van de oprijlaan uitwaaierden. De boerderij met haar droogvloeren links, de molen daarachter, rechts in de verte de bossen. Herinneringen aan ontelbare kindermiddagen sliepen in de bomen van Cardarker Wood en knipoogden naar haar vanuit de verkwikkende schaduwen. De opwindende paniek toen ze zich moesten verstoppen voor de handelaren in blanke slavinnen; de jacht op drakenbotten; de wandelingen met papa op zoek naar oude Romeinse heerwegen...

De oprijlaan was niet zo steil en Percy genoot van de wandeling. Papa was ook een hartstochtelijk wandelaar geweest, vooral na de Eerste Wereldoorlog. Voordat hij het boek had uitgebracht en voordat hij hen verliet om naar Londen te gaan; voordat hij Odette leerde kennen en hertrouwde en nooit meer echt van hen was. De dokter had hem aangeraden dat een dagelijkse wandeling zijn been goed zou doen en hij had de gewoonte aangenomen over de landerijen te zwerven met de wandelstok die meneer Morris had achtergelaten na een van grootmoeders weekeindjes. 'Zie je hoe de punt bij elke stap voor me uit zwaait?' vroeg hij toen ze op een middag in de herfst langs Roving Brook liepen. 'Zo hoort het ook. Goed stevig. Het is een geheugensteuntje.'

'Waarvoor, papa?'

Hij keek fronsend naar de gladde oever alsof hij daar tussen het riet de juiste woorden verwachtte. 'Nou... Dat ik ook stevig ben, denk ik.'

Destijds had ze het niet begrepen; ze dacht dat hij alleen te spreken was over het gewicht van de stok. In elk geval had ze niet doorgevraagd: Percy's positie als wandelgezelschap was broos, en de regels waarvan afhing of ze dat mocht blijven waren streng. Wandelen was volgens de Raymond Blythe-doctrine een contemplatieve bezigheid; bij zeldzame gelegenheden, als beide partijen ertoe genegen waren, werd er gesproken over geschiedenis, poëzie of over de natuur. Kletskousen werden bepaald niet getolereerd en als je eenmaal zo'n etiket kreeg opgedrukt, raakte je het nooit meer kwijt, zeer tot Saffy's verdriet. Dikwijls had Percy achteromgekeken wanneer zij en papa aan hun zwerftocht begonnen en zag ze hoe Saffy hen fronsend nakeek uit het raam van de kinderkamer. Percy had het altijd zielig gevonden voor haar zus, maar nooit voldoende om achter te blijven. Ze ging er maar van uit dat de gunst een beloning was voor de talloze malen dat Saffy beslag op papa's aandacht had gelegd wanneer ze hardop de intelligente verhaaltjes voorlas die ze had geschreven. Later was het als compensatie voor de maanden die ze samen hadden doorgebracht, zij tweeën, vlak nadat hij van de oorlog was teruggekeerd, toen Percy met roodvonk naar het ziekenhuis moest...

Toen Percy bij de eerste brug kwam, bleef ze staan en zette ze haar fiets tegen de leuning. Van hier kon ze het huis nog niet zien; het bleef verborgen in de knuist van zijn bos en zou pas in zijn geheel in zicht komen wanneer ze bij de tweede brug kwam, die kleiner was. Ze boog zich over de leuning en speurde de ondiepe beek onder haar af. Het water kolkte en fluisterde waar de oevers wijder uiteenliepen en leek wat te aarzelen voordat het zijn weg naar het bos vervolgde. Percy's spiegelbeeld dat donker afstak tegen de witte weerkaatste hemel, golfde in het gladdere, diepere midden.

Verderop was de akker met hop waar ze haar eerste sigaret had gerookt. Zij en Saffy samen, giechelend om de sigarettenkoker van een van papa's arrogante vrienden, op een snikhete zomerdag op de oever van de vijver achterovergedrukt terwijl hij zijn dikke enkels aan het zonlicht had blootgesteld.

Een sigaret...

Percy voelde de stevige cilinder in het borstzakje van haar uniform onder haar vingertoppen. Ze had dat ding nu eenmaal gedraaid, dus mocht ze er nu toch wel van genieten? Waarschijnlijk zou kalm een sigaretje roken nog maar een verre droom blijken zodra ze de chaos van het kasteel had betreden.

Ze draaide zich om, steunde tegen de brugleuning, streek een lucifer af, inhaleerde de rook en hield die even binnen voordat ze weer uitademde. God, wat was ze dol op tabak. Af en toe had Percy zo'n vermoeden dat ze met plezier alleen zou wonen, zonder ooit een woord tegen iemand te hoeven zeggen, op voorwaarde dat ze dat hier op Milderhurst kon doen met een levenslange voorraad sigaretten als gezelschap.

Ze was niet altijd zo verrekte solitair geweest. En zelfs nu besefte ze dat de fantasie – hoewel die bepaald niet zonder voordelen was – niet meer dan een fantasie was. Ze zou het niet kunnen verdragen om het zonder Saffy te moeten stellen, althans niet lang. Noch zonder Juniper. Het was al vier maanden geleden dat hun kleine zus naar Londen was afgereisd, en het tweetal dat was achtergebleven had zich in de tussentijd gedragen als een stel nerveuze oude besjes, die zich afvroegen of ze wel voldoende warme sokken bij zich had en verse eieren meestuurden met iedereen van wie ze maar wisten dat ze naar Londen gingen, die haar brieven hardop voorlazen aan de ontbijttafel in een poging haar stemming te peilen, haar gezondheid en haar geestesgesteldheid. Brieven waarin, tussen haakjes, met geen woord werd gerept over de mogelijkheid van trouwen, hoort u, mevrouw Potts? Voor wie Juniper kende, was het een bespottelijk idee. Sommige vrouwen waren in de wieg gelegd voor het huwelijk en voor kinderwagens op de gang, maar andere waren dat beslist niet. Papa had dat beseft en daarom zijn zaakjes zo geregeld dat Juniper na zijn dood goed verzorgd zou achterblijven.

Percy slaakte een zucht van weerzin en vertrapte de peuk onder haar laars. Gedachten aan de vrouw van het postkantoor herinnerden haar aan wat ze er had afgehaald. Ze haalde ze uit haar tas om een excuus te hebben nog een poosje in de rust van haar eigen gezelschap te vertoeven.

In totaal waren het drie dingen, precies zoals mevrouw Potts had gezegd: een pakje van Meredith voor Juniper, een getypte envelop voor Saffy en nog een brief, met de hand geschreven en aan haarzelf geadresseerd. Het handschrift met die duizelingwekkende lussen kon maar van één persoon zijn: haar nicht Emily. Percy scheurde de envelop gretig open en hield de eerste bladzijde zo dat het licht erop viel en ze de woorden kon lezen.

Gedurende de hele jeugd van de Blythe-tweeling had Emily de achtenswaardige titel van lievelingsnicht gedragen, met uitzondering van de keer dat ze Saffy's haar blauw had geverfd. Emily's enige mededingers waren de betweterige nichten uit Cambridge, de rare, magere nichten uit het noorden en haar eigen jongere zusje Pippa dat direct was gediskwalificeerd omdat ze om het minste geringste in huilen uitbarstte, maar dat maakte de eer niet minder gemeend. Een bezoek van Emily aan Milderhurst was altijd reden voor grote feestelijkheid geweest en zonder haar zouden de kinderjaren van de tweeling veel saaier zijn geweest. Percy en Saffy waren heel dik met elkaar, zo ging het nu eenmaal met tweelingen, maar ze waren niet het type om alle anderen buiten te sluiten. Sterker nog, ze waren een stel bij wie de vriendschap sterker werd als er een derde bij kwam. Toen ze klein waren, wemelde het in het dorp van de kinderen met wie ze gespeeld zouden hebben als papa niet zo argwanend jegens buitenstaanders was geweest. Die lieve papa was op zijn manier een vreselijke snob, al zou hijzelf erg schrikken van zo'n etiket. Geld of status speelde geen rol voor hem, hij had bewondering voor hersens; hij probeerde zich te omringen met de valuta van talent.

Emily was gezegend met beide, dus zij had het Raymond Blythe-stempel van goedkeuring verdiend en werd daarom elke zomer op Milderhurst ontboden. Ze had zelfs haar deelname verdiend aan de familieavondjes van Blythe, een min of meer regelmatig toernooi waar grootmoeder ooit mee was begonnen toen papa nog klein was. Op de daartoe geëigende ochtend ging de oproep 'Blythe-avond' uit en het huishouden was de hele dag in rep en roer. Er werden woordenboeken gelokaliseerd, potloden en scherpzinnigheid geslepen en als uiteindelijk het avondmaal achter de rug was, verzamelde iedereen zich in de nette salon. Deelnemers namen hun positie in aan een tafel of in een favoriete leunstoel en uiteindelijk maakte papa zijn entree. Op de dag van het toernooi onttrok hij zich altijd aan de algemene bedrijvigheid en sloot hij zich op in de toren om zijn lijst met opdrachten te schrijven en de aankondiging daarvan was altijd een soort plechtigheid. De bijzonderheden van het spel varieerden, maar over het algemeen kregen we een locatie, een personage en een woord te horen, daarna werd de grootste zandloper van de kok omgedraaid en was het de kunst de meest onderhoudende fictie te schrijven.

Percy was wel intelligent, maar niet geestig, ze was dol op luisteren maar niet op vertellen; ze schreef langzaam en nauwgezet als ze nerveus was en daardoor klonk alles onmogelijk houterig. Ze vreesde die vreselijke avonden tot ze op haar twaalfde helemaal per ongeluk stuitte op de spelregel dat degene die officieel de stand bijhield, vrijstelling genoot. Terwijl Emily en Saffy, wier ijver slechts brandstof was voor de competitie, fronsend aan hun verhaal zwoegden, op hun lip beten en hun potlood over het papier lieten snellen, hartstochtelijk wedijverend om papa's loftuitingen, zat Percy sereen te wachten tot ze voorgelezen zou worden. Qua verbale expressie waren de twee aan elkaar gewaagd, al was Saffy's woordenschat misschien wat groter. Maar Emily's boosaardige humor gaf haar een onmiskenbare voorsprong en een tijd lang was het duidelijk dat papa vermoedde dat het familietalent vooral in haar tot bloei kwam. Dat was natuurlijk voordat Juniper was geboren, een wonderkind dat alle andere kandidaten van tafel veegde.

Als Emily zich al bewust was van de kilte toen papa's belangstelling zich van haar afkeerde, had ze zich snel hersteld. Jaar in jaar uit was ze blijmoedig blijven komen, tot lang voorbij de kinderjaren, tot die laatste zomer in 1925 voor ze ging trouwen en er helemaal een eind aan kwam. Percy had altijd aangenomen dat het voor Emily pleitte dat ze ondanks al haar aanleg niet over het temperament van de ware kunstenaar beschikte. Ze was te gelijkmatig, te goed in sport, te uitgelaten en populair om het pad van schrijfster in te slaan. Ze had geen spoor van een neurose. Het lot dat haar trof nadat papa's aandacht was verslapt was veel beter: een huwelijk met een goede man, een handjevol jongens met sproeten op hun neus, een prachtig huis dat uitzag op zee en nu ook, volgens haar correspondentie, een stel verliefde varkens. De hele brief was weinig meer dan een verzameling anekdotes uit Emily's dorp in Devonshire: nieuwtjes over haar man en jongens, de avonturen van het plaatselijke ambulanceteam, de obsessie van haar buurman voor haar voetpomp, en toch moest Percy lachen toen ze het las. Bij de laatste regel glimlachte ze nog steeds. Ze vouwde de brief netjes op en stak hem weer in de envelop.

Daarna scheurde ze hem doormidden en vervolgens in vieren, stopte de snippers diep in haar zak en vervolgde haar weg. Ze moest niet vergeten de snippers in haar prullenmand te gooien voordat haar uniform in de wasmand belandde. Nog beter was de snippers nog die middag te verbranden, zodat Saffy van niets wist.

4

Niemand keek op van het feit dat Juniper, de enige Blythe van wie bekend is dat ze niet in de kinderkamer sliep toen ze klein was, op de ochtend van haar dertiende verjaardag wakker werd, een paar dierbare bezittingen in haar kussensloop pakte en naar boven ging om haar plaats op de slaapzolder op te eisen. De prachtige tegendraadsheid van de gebeurtenis was zo typerend voor de Juniper die zij kenden en liefhadden, dat telkens wanneer iemand er in later jaren over sprak, de stap totaal natuurlijk had geleken en ze discussieerden over het vermoeden dat het allemaal spontaan was gegaan. Juniper had er zelf weinig woorden aan vuilgemaakt, destijds noch later: de ene dag sliep ze nog gewoon in het zijkamertje op de tweede verdieping, de volgende dag was ze heer en meester van de zolder. Wat kon je er méér over zeggen?

Nog treffender dan Junipers verhuizing naar de kinderkamer vond Saffy de manier waarop Juniper altijd een onzichtbare mantel van merkwaardige glamour achter zich aan sleepte. De zolder, een buitenpost van het kasteel, de plek waar kinderen traditioneel naartoe werden verbannen tot ze door hun leeftijd of instelling volwassen genoeg geacht werden, een ruimte met lage plafonds en rumoerige muizen, bitterkoude winters en zinderende zomers, de plek waar alle schoorstenen van het huis doorheen liepen op weg naar de vrijheid, leek opeens te gonzen. Mensen die helemaal geen reden hadden om de klim te wagen kwamen naar de kinderkamer. 'Ik ga gewoon even een kijkje nemen,' zeiden ze voordat ze in het trappenhuis verdwenen en ongeveer een uur later met een schaapachtig gezicht weer opdoken. Saffy en Percy wisselden dan een geamuseerde blik en vermaakten elkaar met raden naar wat de arme nietsvermoedende gast daarboven had gedaan, als er één ding zeker was: Juniper had niet de gastvrouw uitgehangen. Niet dat hun kleine zusje onbeleefd was, ze was alleen ook niet bijzonder innemend, en ze genoot het meest van haar eigen gezelschap. Dat was maar goed ook, gezien het feit dat ze weinig kans kreeg iemand anders te ontmoeten. Er waren geen nichtjes van haar leeftijd, geen familievriendinnen en papa had erop gestaan dat ze privéonderwijs kreeg. Het beste wat Percy en Saffy konden bedenken was dat Juniper haar bezoek volslagen negeerde en het ongehinderd rond liet scharrelen in de drukke chaos van haar kamer tot men er genoeg van kreeg en weer vertrok. Het was een van Junipers merkwaardigste en ondefinieerbaarste gaven, en die had ze al haar hele leven: een aantrekkingskracht die zo sterk was dat hij onderwerp van studie en een medische categorie zou moeten zijn. Zelfs mensen die Juniper niet mochten wilden aardig gevonden worden door haar.

Maar toen Saffy de hoogste trap voor de tweede keer die dag beklom, was het ontrafelen van haar zusters charme wel het laatste wat haar bezighield. Het onweer kwam sneller naderbij dan de burgerwachtpatrouille van meneer Potts, en de zolderramen stonden wijd open. Dat had ze gezien toen ze in het kippenhok zat, Helen-Melons veren streelde en piekerde over Lucy's plotselinge grimmigheid. Haar aandacht werd getrokken toen het licht aanging en ze had een blik omhoog geworpen om te zien hoe Lucy de popjes uit de naaikamer haalde. Ze had de gang van de huishoudster gevolgd, de schaduw die langs het raam op de tweede verdieping liep, de laatste restjes daglicht toen ze de deur van de gang opende en even later het licht dat boven de hoogste trap naar de zolder aanfloepte. En toen moest Saffy aan de ramen denken. Ze had ze die ochtend zelf opengezet in de hoop dat de frisse lucht van één dag de bedomptheid van maanden kon verjagen. Het was een ijdele hoop en Saffy betwijfelde de goede uitkomst, maar het was toch beter een poging te wagen dan het er maar bij te laten zitten? Maar nu, met het aroma van regen op de wind, moest ze de ramen gaan sluiten. Ze had het licht in het trappenhuis zien uitgaan, nog vijf minuten gewacht en daarna achtte ze de kust vrij om naar boven te gaan zonder bang te hoeven zijn dat ze Lucy tegen het lijf zou lopen.

Saffy meed met grote zorg de derde tree van boven, want het laatste waarop ze vanavond zat te wachten was een streek van de geest van haar oom. Ze duwde de deur van de kinderkamer open en deed het licht aan. De lamp wierp een dof schijnsel, zoals alle andere lampen op Milderhurst, en ze bleef een poosje in de deuropening staan. Nog afgezien van het slechte zicht was dat haar gewoonte wanneer ze een uitstapje naar Junipers domein overwoog. Saffy vermoedde dat er weinig kamers op aarde waren waar het zo van belang was om een koers uit te zetten voordat je je er naar binnen waagde. Smerig was misschien te sterk uitgedrukt, maar zat er niet ver naast.

Ze merkte dat de geur niet weg was; de combinatie van een oude asbak en inkt, van natte hond en wilde muizen was te koppig voor het luchten van één dag. De hondenlucht was makkelijk te verklaren. Junipers mormel Poe had geleden onder haar afwezigheid en chagrijnig tussen het begin van de oprijlaan en haar voeteneind gependeld. Wat de muizen betrof, wist Saffy niet zeker of Juniper ze expres te eten had gegeven, of dat de kleine opportunisten slechts gebruikmaakten van haar verloederde levensstijl op zolder. Geen van beide was denkbeeldig. En hoewel Saffy het niet van de daken zou roepen, ze vond die muizenlucht eigenlijk wel lekker; hij deed haar denken aan Clementina, die ze op de ochtend van haar achtste verjaardag op de dierenafdeling van Harrods had gekocht. Tina was haar lieve kleine metgezel geweest tot aan het onfortuinlijke handgemeen met Percy's slang Cyrus. Ratten waren een alom verguisde soort, schoner dan mensen wilden aannemen en echt gezellig; ze waren de adel onder de knaagdieren.

Nadat Saffy een min of meer open pad door de rommel had ontwaard – een erfenis van haar vorige expeditie – liep ze behoedzaam de kamer door. Als Nanny deze plek nu eens kon zien! Weg waren de schone, frisse dagen van haar regime, haar toezicht op de soupers met melk, het bezempje dat ze 's avonds tevoorschijn haalde om de kruimels op te vegen, het dubbele bureau tegen de muur, de duurzame geur van bijenwas en Pears-zeep. Nee, Nanny's tijdperk was voorgoed verleden tijd; in Saffy's ogen had het plaatsgemaakt voor anarchie. Overal lagen papiertjes vol merkwaardige instructies, schetsen en vragen aan zichzelf die Juniper had opgetekend. Langs de plinten hadden zich bezadigde kluwen stof verzameld als chaperonnes op een bal. Aan de muur hingen afbeeldingen van mensen en plaatsen en merkwaardige collecties woorden die om de een of andere onverklaarbare reden Junipers verbeelding hadden geprikkeld. De vloer was een zee van boeken, artikelen over kleding, kopjes met een twijfelachtig smerige binnenkant, geïmproviseerde asbakken, lievelingspoppen met knipperende ogen en oude buskaartjes met aantekeningen. Het totaal deed Saffy duizelen en maakte haar zonder meer onpasselijk. Lag daar een korst brood onder die deken? Zo ja, dan moest die inmiddels gefossiliseerd zijn.

Hoewel het opruimen van Junipers troep een akelige gewoonte was geweest, die Saffy al lang geleden met succes had bestreden, kon ze zich deze keer niet bedwingen. Rommel was één ding, etenswaar iets anders. Huiverend bukte ze zich, rolde de keiharde korst in de deken en haastte zich naar het raam van het kamertje. Ze klopte de korst uit en luisterde naar de plof op het gras van de voormalige slotgracht beneden. Daarna sloeg ze de deken nog eens uit, deed ze de ramen dicht en sloot de gordijnen.

De haveloze deken moest in de was en opgelapt, maar dat was van later zorg; voorlopig moest Saffy zich tevredenstellen met hem degelijk op te vouwen. Niet te netjes natuurlijk – al kon je veilig aannemen dat Juniper het niet zou opvallen, noch iets zou kunnen schelen – maar net voldoende om een schijn van waardigheid op te houden. Saffy hield de hoeken van de deken wijd en dacht teder dat hij meer verdiende dan een vakantie van vier maanden op de grond als doodskleed van een oudbakken stuk brood. Hij was oorspronkelijk een cadeau geweest; een van de pachtersvrouwen op het landgoed had hem vele jaren daarvoor voor Juniper genaaid. Het was het soort ongevraagde genegenheid die Juniper in mensen opriep. Hoewel de meeste mensen door zo'n gebaar geraakt zouden worden, was Juniper niet de meeste mensen. Ze hechtte geen grotere waarde aan de scheppingen van anderen dan aan die van zichzelf. Het was een van de kanten van de persoonlijkheid van haar kleine zus die Saffy het moeilijkst kon begrijpen en met een zucht keek ze naar de papieren die als herfstbladeren op de grond verspreid lagen.

Ze zocht een plek waar ze de opgevouwen deken kon leggen en koos voor een stoel vlakbij. Boven op een stapel boeken lag een opengeslagen exemplaar en Saffy, die op het ziekelijke af erudiet was, kon niet nalaten terug te bladeren naar de titelpagina om te zien van wie het was. *Old Possum's Book of Practical Cats*, met een opdracht aan Juniper van T.S. Eliot nadat die op bezoek was geweest en papa hem een paar gedichten van June had laten lezen. Saffy kon niet echt hoogte krijgen van Thomas Eliot; ze bewonderde hem natuurlijk als woordkunstenaar, maar zijn ziel had iets pessimistisch, zijn kijk op het leven iets duisters, waardoor ze zich altijd meer van de harde kantjes van het leven bewust werd dan voor zijn bezoek. Minder dankzij de poezen, die zelf capricieuze dieren waren, dan zijn andere gedichten. Zijn obsessie met het tikken van de klok en het verstrijken der jaren was naar Saffy's idee een oproep tot depressie waarop ze niet zat te wachten.

Junipers gevoelens over het onderwerp waren niet duidelijk. Daar keek niemand van op. Saffy dacht vaak dat als Juniper een personage in een boek was, ze het type zou zijn dat zich het best liet omschrijven door de betiteling van anderen, wier standpunt onmogelijk te peilen was zonder het risico te lopen ambivalentie in absoluten te veranderen. Woorden als 'ontwapenend', 'ongrijpbaar' en 'bekoorlijk' zouden voor de schrijver onmisbaar zijn, net als 'vurig' en 'roekeloos' en heel af en toe zelfs 'gewelddadig', al besefte Saffy dat ze dat nooit hardop mocht zeggen. In Eliots handen zou ze 'Juniper, de *Chat au Contraire*' zijn, bedacht Saffy met een glimlach. Het idee sprak haar wel aan en ze veegde het stof van haar vingers af aan haar knieën. Juniper hád tenslotte iets katachtigs: de wijduitstaande ogen met die strakke blik, haar lichte tred, haar verzet tegen ongewenste aandacht.

Saffy waadde door de zee van papier naar de andere ramen en veroorloofde zich een korte omweg langs de kast met de jurk. Ze had hem die ochtend naar boven gebracht zodra Percy veilig en wel was vertrokken; ze had de jurk uit zijn bergplaats gehaald en hem over haar arm gedrapeerd als een slapende prinses in een sprookje. Ze had een kleerhanger zo gebogen dat de zijde breed uithing tegen de buitenkant van de kast met het gezicht naar de deur, maar daar zat niets anders op. De jurk moest het eerste zijn wat Juniper zag wanneer ze vanavond de deur opende en het licht aandeed.

Welnu, die jurk. Dat was een perfect voorbeeld van de onkenbare Juniper. Haar brief uit Londen was zo'n verrassing geweest, dat Saffy het als een grap had beschouwd als ze niet een leven lang abrupte wendingen bij haar zus had waargenomen. Als er één ding was waarom ze iets zou verwedden, was het dit: Juniper Blythe gaf geen zier om kleren. Ze had haar kinderjaren in saaie witte mousseline en op blote voeten doorgebracht en beschikte over het curieuze vermogen om de mooiste jurk binnen twee uur dragen te reduceren tot een vormloze zak. Al had Saffy het wel gehoopt, volwassenheid had daar geen verandering in gebracht. Terwijl andere meisjes van zeventien voor hun eerste jongedamesseizoen naar Londen wilden, had Juniper er nog met geen woord over gerept. Als blikken hadden kunnen doden toen Saffy een keer een toespeling op de mogelijkheid maakte… Ze had de blik nog weken voelen nagloeien. Wat maar goed was ook, gezien het feit dat papa het nooit had goedgekeurd. Ze was zijn 'schepsel van het kasteel' zoals hij haar placht te noemen, ze hoefde er niet weg. Wat moest een meisje als zij trouwens met een reeks debutantenbals?

Junipers haastige naschrift waarin ze vroeg of Saffy een jurk kon maken, iets wat een vrouw naar een bal aan kon, had haar dan ook hogelijk verbaasd. Hing er niet ergens een oude jurk van haar moeder; iets wat ze vlak voor haar dood in Londen had gedragen, en kon die misschien vermaakt worden? Juniper had de brief aan Saffy alleen geadresseerd, dus had de laatste het verzoek in stilte overwogen, al traden zij en Percy meestal als partners op als het om Juniper ging. Na ampele overwegingen was ze tot de slotsom gekomen dat haar kleine zus door het leven in de stad veranderd moest zijn; ze vroeg zich af of Juniper ook in andere opzichten was veranderd en of ze na de oorlog voorgoed naar Londen wilde verhuizen. Weg van Milderhurst, wat papa ook met haar voor ogen had gehad.

Wat de reden van Junipers verzoek ook mocht zijn, Saffy wilde er graag aan voldoen. Naast haar schrijfmachine was Saffy's Singer 201K – ongetwijfeld het beste model dat er ooit was gemaakt – haar grote trots en vreugde, en al had ze sinds het begin van de oorlog enorm veel naaiwerk verricht, was dat allemaal functioneel geweest. De gelegenheid om de stapels dekens en ziekenhuispyjama's een poosje te vergeten om aan een modieus project te werken wond haar erg op, vooral het project dat Juniper voorstelde. Want Saffy wist meteen welke jurk haar zusje bedoelde; ze had hem toen al mooi gevonden, op die onvergetelijke avond in 1924, toen haar stiefmoeder hem in Londen had gedragen bij de première van papa's toneelstuk. Sinds die keer was hij altijd opgeborgen geweest, beneden in de wapenkamer, die luchtdicht was en daarom de enige plek in het kasteel waar motten en rot er geen vat op hadden.

Saffy streek licht langs het zijpand van de zijden rok omlaag. De kleur was echt subliem. Een stralend demiroze, als de onderkant van de wilde paddenstoelen bij de molen, het soort kleur dat je bij oppervlakkige beschouwing voor crème kon verslijten maar dat je bij nadere beschouwing beloonde. Saffy had wekenlang aan de veranderingen besteed, altijd in het geheim, en dat steelse werk was de moeite waard geweest. Ze tilde de zoom op om haar keurige handwerk nogmaals te inspecteren en streek hem vervolgens tevreden weer glad. Ze deed een stapje naar achteren om het hele plaatje nog meer te bewonderen. Hij was inderdaad fantastisch; ze had een jurk die mooi maar gedateerd was en had er gewapend met favoriete exemplaren van het tijdschrift *Vogue* een kunstwerk van gemaakt. Als dat onbescheiden klonk, was dat maar zo. Saffy was zich er maar al te bewust van dat dit misschien haar laatste kans was de jurk in al zijn glorie te aanschouwen (de droevige waarheid was dat als Juniper er eenmaal bezit van had genomen, niemand wist wat voor verschrikkelijks de jurk boven wachtte); ze was niet van plan dit moment te bederven door zich aan de saaie regels van de valse bescheidenheid te houden.

Saffy wierp een blik over haar schouder en voelde het gewicht in haar handen; de mooiste jurken waren altijd aangenaam licht. Ze stak een vinger onder elk schouderbandje, hield hem tegen zich aan en beet op haar onderlip terwijl ze naar zichzelf keek in de spiegel. Daar stond ze met het hoofd een tikje schuin, een gewoonte uit haar jeugd die ze nooit helemaal had kunnen afleren; van een afstandje en in dit halfduister was het alsof het verstrijken der jaren wegviel. Als ze een beetje met samengeknepen ogen tuurde, wat breder glimlachte, kon ze nog altijd dat negentienjarige meisje zijn dat naast haar stiefmoeder stond bij de première van haar vaders toneelstuk en die lichtroze jurk begeerde, en zichzelf beloofde dat zij ooit ook zo'n fantastische creatie zou dragen, misschien zelfs op haar eigen bruiloft.

Saffy hing hem weer aan het knaapje en struikelde over een glazen kan, een van het stel dat papa en mama bij hun trouwen van de familie Asquith hadden gekregen. Ze slaakte een zucht; Junipers oneerbiedigheid kende echt geen grenzen. Dat was allemaal goed en wel voor Juniper, maar Saffy had de kan nu eenmaal gezien, dus kon ze die niet negeren. Ze bukte zich om hem op te rapen en ze had zich al half opgericht toen ze een kopje van Limoges-porselein onder een oude krant zag, en voordat ze het wist, had ze al haar eigen regels aan haar laars gelapt en zich op handen en knieën laten zakken om op te ruimen. De berg serviesgoed die ze verzamelde maakte amper verschil in de troep. Al dat papier, al die haastig opgeschreven woorden.

De rommel, de onmogelijkheid er ooit weer orde te scheppen en een oude gedachte terug te vinden, ervoer Saffy bijna als een lichamelijke pijn. Want zij en Juniper waren allebei weliswaar schrijfster, maar hun methodiek contrasteerde sterk. Saffy was gewend kostbare uren op een dag uit te trekken om stil te zitten met als enige gezelschap een notitieboek, de vulpen die ze voor haar zestiende verjaardag van papa had gekregen en een verse pot sterke thee. Aldus boetseerde ze nauwgezet en langzaam haar woorden in een prettige volgorde, schrijvend en herschrijvend, schrappend en verfraaiend, hardop voorlezend en genietend van het plezier waarmee ze het verhaal van haar heldin Adèle tot leven bracht. Pas wanneer ze volmaakt tevreden was, trok ze zich terug achter haar Olivetti om de nieuwe alinea uit te tikken.

Juniper schreef daarentegen als iemand die verstrikt in een kluwen zichzelf probeert te bevrijden. Dat deed ze telkens wanneer de inspiratie haar trof, ze schreef alsof ze op de loop was, en stukjes poëzie en snippers van beelden, misplaatste bijwoorden die daardoor des te sterker klonken, lagen verspreid door het hele kasteel, gevallen als broodkruimels, en gingen je voor naar de opzichtige kinderkamer boven aan de trap. Saffy vond ze wel eens wanneer ze schoonmaakte – bladzijden met inktvlekken achter de divan en onder het kleed – en dan gaf ze zich over aan het opgeroepen beeld van een Romeinse trireem met gehesen zeil, aan dek werd een bevel geroepen terwijl de twee minnaars zich in het vooronder hadden verstopt en op het punt stonden betrapt te worden... Alleen werd het verhaal vervolgens afgebroken als slachtoffer van Junipers vluchtige en veranderlijke belangstelling.

Andere keren waren er hele verhalen begonnen en voltooid in wilde uitbarstingen van creativiteit: als een maniak, dacht Saffy wel eens, al was dat geen woord dat een Blythe makkelijk in de mond nam, zeker niet als het om Juniper ging. Als hun kleine zus niet aan tafel verscheen, het licht door de vloerdelen van de kinderkamer scheen en een streep onder de deur trok, gaf papa opdracht haar niet te storen met de verklaring dat de behoeften van het lichaam ondergeschikt waren aan de verlangens van het genie, maar Saffy smokkelde altijd een bord eten naar boven als hij even niet keek. Niet dat Juniper het ooit aanraakte, die schreef gewoon de hele nacht door. Opeens met brandende ijver, als zo'n tropische koorts die mensen altijd maar leken op te lopen en kortstondig, zodat de rust de volgende dag weer was teruggekeerd. Moe, versuft en leeg kwam ze dan van de zolder naar beneden, geeuwend en rondhangend op die katachtige manier van haar: de demonen waren uitgedreven en glad vergeten.

En dat was in Saffy's ogen het merkwaardigste van alles. Zij borg haar eigen composities – zowel concepten als definitieve manuscripten – in identieke dozen met een deksel die netjes voor het nageslacht in de wapenkamer lagen opgestapeld. Zij had altijd toegewerkt naar de vreugde om haar werk in te binden en in handen van de lezers te drukken. Juniper interesseerde het van geen kant of haar werk werd gelezen. In het feit dat ze haar werk niet aan anderen liet lezen school geen valse bescheidenheid. Het kon haar gewoon niets schelen. Als het eenmaal was geschreven, had ze er geen belangstelling meer voor. Toen Saffy dat meldde, was Percy verbaasd, maar dat was wel te verwachten. Arme Percy, geen spatje creativiteit in haar hele wezen...

Kijk eens aan! Saffy stopte even; ze zat nog steeds op handen en knieën. Wat lag daar onder het struikgewas van papier? Grootmoeders zilveren opscheplepel! Daar had ze een halve dag naar gezocht. Ze ging op haar hurken zitten en legde haar handen vlak op haar dijen om de knoop uit haar onderrug weg te werken. Te bedenken dat die lepel al die tijd dat zij en Lucy allerlei laden binnenstebuiten keerden, verstopt lag onder de rommel in Junipers kamer. Saffy wilde hem net pakken – er zat een rare vlek op de greep waar ze iets aan moest doen – toen ze zag dat hij als een soort boekenlegger had gediend. Ze sloeg het aantekenboek open. Er stonden nog meer hanenpoten van Juniper op, maar deze keer vergezeld van een datum. Saffy's ogen, geoefend door een leven lang boeken verslinden, waren sneller dan haar manieren, en in een oogwenk had ze vastgesteld dat het een dagboek was en de aantekeningen recent. Mei 1941, vlak voor Juniper naar Londen vertrok.

Het was heel erg om andermans dagboek te lezen en Saffy zou het afgrijselijk vinden als haar eigen privacy zo werd geschonden, maar Juniper had nooit een zier om etiquette gegeven, en om de een of andere reden die Saffy wel begreep maar niet onder woorden kon brengen, was dat een excuus voor haar om even te gluren. Sterker nog, Junipers gewoonte om haar persoonlijke paperassen overal te laten slingeren was eigenlijk een open uitnodiging voor haar oudere zus, min of meer een moederfiguur, om te controleren of alles wel in orde was. Juniper was bijna negentien, maar ze was een bijzonder geval dat niet, zoals de meeste volwassenen, verantwoordelijk was voor zichzelf. Hoe moesten Saffy en Percy als Junipers voogd optreden als ze zich niet met haar konden bemoeien? Nanny zou geen ogenblik aarzelen om dagboeken en brieven die haar protegés hadden laten slingeren door te bladeren, wat nou precies de reden was dat de tweeling zich tot het uiterste had ingespannen om hun bergplaatsen steeds te verwisselen. Dat het Juniper niets kon schelen, was voor Saffy het bewijs dat haar kleine zusje haar moederlijke belangstelling voor haar zaken verwelkomde. En ze was hier nu toch, en Junipers notitieboek lag voor haar neus, opengeslagen op een betrekkelijk recente bladzijde. Welnu, was het niet bijna onverschillig om er niet even een blik op te werpen?

5

Er stond nog een fiets tegen het bordes geleund, waar Percy gewend was die van haar te laten als ze te moe, te lui of gewoon te veel haast had om hem in de stal te zetten, en dat was dikwijls. Dit was ongewoon, Saffy had het niet over een gast gehad, behalve Juniper en die jongeman, Thomas Cavill, die allebei met de bus zouden komen en zeker niet op de fiets.

Percy liep de treden op en zocht in haar tas naar de sleutel. Saffy was sinds het begin van de oorlog heel precies geworden over het afsluiten van de deuren, ervan overtuigd dat Hitler een rood kringetje om Milderhurst zou zetten en de gezusters Blythe zou laten arresteren. Percy vond die voorzichtigheid best, alleen leek haar voordeursleutel zich altijd voor haar te verstoppen.

Eenden hadden onenigheid op de vijver achter haar; de donkere massa van het Cardarker Wood beefde; het onweer rommelde, was inmiddels dichterbij gekomen en de tijd leek wel van elastiek. Net toen ze op het punt stond het op te geven en op de deur te gaan bonken, zwaaide die open en stond ze oog in oog met Lucy Middleton die een sjaal over haar hoofd had getrokken en een fietslamp met een zwak schijnsel in haar hand hield.

'Lieve hemel!' De hand van de voormalige huishoudster vloog naar haar borst. 'U laat me schrikken.'

Percy opende haar mond, maar de woorden wilden niet komen en ze sloot hem weer. Ze stopte met graven in haar tas en sloeg hem over haar schouder. Ze stond nog steeds met de mond vol tanden.

'Ik... Ik heb geholpen in huis.' Lucy was rood. 'Juffrouw Saffy had me gebeld. Eerder op de dag. Geen van haar daghitjes was beschikbaar.'

Percy schraapte haar keel en had er direct spijt van. Het resulterende gekwaak wees op zenuwen en Lucy Middleton was wel de laatste persoon tegenover wie ze zich onzeker wilde betonen. 'Dus alles is klaar voor vanavond?'

'De konijnpastei staat in de oven en ik heb instructies achtergelaten voor juffrouw Saffy.'

'Aha.'

'De maaltijd zal langzaam garen. Ik zou denken dat juffrouw Saffy als eerste overkookt.'

Het was een grapje, en nog geestig ook, maar Percy wachtte te lang met lachen. Ze probeerde nog iets anders te zeggen, maar er was te veel en te weinig, en Lucy Middleton die daar maar wat stond te wachten op een vervolg, moest beseft hebben dat het niet zou komen, want ze manoeuvreerde zich onhandig om Percy heen naar haar fiets.

Nee, het was niet Lucy Middleton meer, maar Lucy Rogers. Ze was al ruim een jaar met Harry getrouwd. Bijna achttien maanden.

'Dag, juffrouw Blythe.' Lucy stapte op haar fiets.

'Je man?' vroeg Percy vlug en ze haatte zichzelf. 'Maakt hij het goed?'

Lucy keek haar niet aan. 'Jawel.'

'En jij ook, neem ik aan?'

'Ja.'

'En de baby?'

Ze fluisterde het bijna. 'Ja.'

Haar houding was die van een kind dat een standje verwachtte, of erger nog, slaag, en Percy werd overweldigd door het plotselinge, vurige verlangen om daaraan te voldoen. Dat deed ze natuurlijk niet; in plaats daarvan sloeg ze een achteloze toon aan, minder ondoordacht dan eerst, bijna luchtig: 'Misschien kun je aan je man zeggen dat de staande klok in de gang nog steeds voorloopt. We zijn tien minuten eerder op het uur dan het geval zou moeten zijn.'

'Jawel, mevrouw.'

'Volgens mij heb ik het me niet verbeeld dat hij speciale gevoelens voor onze oude klok koestert, klopt dat?'

Lucy weigerde haar aan te kijken, maar mompelde iets vaags voordat ze op haar fiets stapte en naar het begin van de oprijlaan reed terwijl het lamplicht een bibberige boodschap op de grond voor haar schreef.

Bij de sidderende dreun van de voordeur beneden sloeg Saffy het dagboek dicht. Het bloed bonkte warm achter haar slapen, op haar wangen en de strakke huid boven haar borsten. Haar hartslag ging sneller dan die van een vogeltje. Welnu. Ze verhief zich van de grond en kwam wankel overeind. Dat had in elk geval een deel van het giswerk weggenomen: over de avond die voor hen lag, het vermaken van de jurk en over de jeugdige, mannelijke gast. Het tegendeel van een galante vreemde. Nee, geen vreemde.

'Saffy?' Percy's stem klonk scherp en nijdig door alle houten vloeren heen.

Saffy drukte een hand op haar voorhoofd om zich schrap te zetten voor de taak die voor haar lag. Ze wist wat haar te doen stond: ze moest zich gaan verkleden en naar beneden gaan; ze moest taxeren in welke mate Percy moest worden omgepraat, en er vervolgens voor zorgen dat de avond een doorslaand succes zou worden. En daar sloeg de staande klok al zes uur, dus moest het onmiddellijk gebeuren. Juniper en haar jongeman – wiens naam vast en zeker dezelfde was als die ze in het dagboek had gelezen – zouden er over een uurtje zijn, de kracht waarmee Percy de voordeur had dichtgeslagen voorspelde weinig goeds en Saffy zelf was nog steeds gekleed als iemand die de hele dag had gespit.

Ze vergat de berg bevrijd serviesgoed en baande zich haastig een weg door de papierbende zodat ze de rest van de ramen kon sluiten en de gordijnen kon dichttrekken. Haar blik viel op iets wat zich op de oprijlaan bewoog – Lucy die op de fiets de eerste brug over reed – maar Saffy wendde haar blik af. In de verte scheerde er een zwerm vogels door de lucht, helemaal boven de hopvelden en ze keek ze even na. 'Zo vrij als een vogeltje in de lucht' was de uitdrukking, en toch waren ze helemaal niet vrij, voor zover Saffy het kon zien: ze waren door gewoonte, seizoensbehoeften, biologische structuur, aard en geboorte aan elkaar verbonden. Niet vrijer dan wie ook. Toch kenden ze de extase van vliegen. Wat Saffy er soms niet voor over zou hebben om haar vleugels uit te slaan en nu meteen het raam uit te zweven om over velden en bossen te vliegen, achter de vliegtuigen aan die koers zetten naar Londen.

Als meisje had ze het een keer geprobeerd. Ze was uit het zolderraam geklauterd, langs de dakrand gelopen en naar de rand onder papa's toren geklommen. Eerst had ze een stel vleugels gefabriceerd, een schitterend stel vleugels van zijde met dikke draad aan dunne, lichte stokken uit het bos bevestigd; ze had zelfs elastieken lussen achterop genaaid zodat ze ze kon dragen. Ze waren zo prachtig, rood noch roze maar vermiljoen, blinkend in de zon, net als de veren van echte vogels. En een paar seconden nadat ze was gesprongen, had ze ook echt gevlogen. De wind had haar van beneden geteisterd, die kwam vanuit de vallei omhoog zetten en duwde haar armen achter haar, en alles werd vertraagd en nog meer vertraagd, kort maar subliem en kreeg ze een idee hoe hemels vliegen was. Daarna ging alles in razend tempo, was ze heel snel gedaald en toen ze de grond raakte, had ze beide vleugels en twee armen gebroken.

'Saffy?' Weer werd er geroepen. 'Verberg je je soms voor me?'

De vogels verdwenen in de gezwollen lucht en Saffy trok het raam en de zwarte gordijnen dicht zodat er van buiten geen spoortje licht te zien was. Daar rommelden de donderwolken als de volle maag van een gourmand die de zuinigheid van een gerantsoeneerde provisiekast bespaard was gebleven. Saffy glimlachte om zichzelf en nam zich voor een aantekening van de beschrijving te maken in haar dagboek.

Binnen was het stil, te stil en Percy's mond verstrakte door een bekende ergernis; Saffy verstopte zich altijd als de confrontatie haar grimmige hoofd opstak. Percy had al hun hele leven de gevechten voor de tweeling geleverd, iets waar ze in uitblonk en in feite erg van genoot, en wat heel goed werkte tot zich een conflict tussen hen voordeed en Saffy, die bedroevend weinig ervaring had, was daar niet voor toegerust. Niet in staat terug te vechten had ze maar twee opties: vluchten of glashard ontkennen. In dit geval had Saffy, te oordelen naar de nadrukkelijke stilte waarmee Percy's pogingen om haar te vinden werden begroet, voor het eerste gekozen. Dat was frustrerend, uitermate frustrerend, want in Percy huisde een woeste, stekelige bal die eruit wilde. Maar omdat er niemand was om tegen te fronsen of onder handen te nemen, zag Percy zich gedwongen hem te koesteren, en die woeste, stekelige bal was er niet naar om uit zichzelf te verschrompelen. Ze kon hem nergens heen gooien, dus moest ze haar gram elders halen. Whisky kon misschien een handje helpen; het kon in elk geval geen kwaad.

Elke middag was er een moment waarop de zon zijn laagste punt bereikte en het licht drastisch en abrupt uit het kasteel verdween. Dat voltrok zich toen Percy door de gang van de entree liep. Toen ze in de gele kamer aankwam, was het bijna te donker om de andere kant van het vertrek te zien, wat riskant was geweest als Percy haar weg in het kasteel niet blind kon vinden. Ze schuifelde om de divan in de erker heen, trok de gordijnen dicht en knipte de lamp op tafel aan. Zoals gewoonlijk loste dat niet echt iets op. Ze haalde een lucifer tevoorschijn om de paraffinelamp aan te steken, maar merkte tot haar lichte verbazing en grote ergernis dat haar hand door de confrontatie met Lucy te zeer trilde om hem af te strijken.

De klok op de schoorsteenmantel, als altijd opportunistisch, koos dat moment om sneller te gaan tikken. Percy had die verrekte klok nooit zien zitten. Hij was van moeder geweest en papa had nadrukkelijk gezegd dat het uurwerk hem dierbaar was, en zo was zijn bestaan veiliggesteld. Maar iets in zijn manier van tikken deed Percy de tanden op elkaar klemmen, een boosaardige ondertoon dat hij het veel leuker vond om de seconden te vermalen dan voor een porseleinen geval betamelijk was.

'O, hou toch je kop, stomvervelende klok,' zei Percy. Ze vergat de lamp en wierp de ongebruikte lucifer in de prullenbak.

Ze ging een glas voor zichzelf inschenken, een sigaret draaien en daarna zou ze voor de bui naar buiten gaan om te kijken of er voldoende brandhout op de stapel lag; misschien kon ze zo die stekelige bal wel kwijtraken.

6

Ondanks de chaos van die dag had Saffy een klein deel van haar aandacht gereserveerd om door de kleerkast te gaan; ze nam alle opties door zodat ze vanavond niet gehinderd door besluiteloosheid gedwongen zou zijn een overhaaste keus te maken. Het was in feite een van haar favoriete bezigheden, zelfs wanneer ze geen gastvrouw bij een bijzonder diner moest spelen: eerst visualiseerde ze deze jurk met die schoenen en die halsketting en daarna begon ze opnieuw en maakte ze een gelukzalige ronde langs de talloze combinatiemogelijkheden. Vandaag was de ene combinatie na de andere de revue gepasseerd om vervolgens verworpen te worden omdat ze niet aan dat laatste, wezenlijke criterium voldeden. Daarmee had ze waarschijnlijk moeten beginnen, maar dat zou de opties schrikbarend hebben beperkt. Het winnende tenue zou natuurlijk het complet zijn dat het beste bij haar mooiste paar nylons paste, dat wil zeggen het enige paar waarvan de zes verstelplekken goed aan het oog onttrokken konden worden door zorgvuldig de juiste schoenen te selecteren, plus een jurk van de juiste lengte en soort. Misschien wel de lichtgroene Liberty-jurk.

Toen Saffy weer terug was in de schone ordelijkheid van haar eigen slaapkamer, uit haar overgooier stapte en strijd leverde met haar ondergoed, was ze blij dat ze de moeilijke beslissingen al had genomen; nu had ze er de tijd noch de aandacht voor. Alsof ze met de ontcijfering van Junipers dagboeknotities nog niet voldoende op haar bord had liggen, was Percy beneden, en nog boos ook. Zoals altijd was het hele huis in die stemming meegegaan; de klap van de voordeur had zich door alle aderen van het huis voortgeplant, vier verdiepingen omhoog en zo Saffy's eigen lichaam in. Zelfs de verlichting – die nooit fel was – leek wel mee te pruilen en de nissen van het kasteel waren groezelig van de schaduwen. Saffy stak haar hand in de achterste hoek van de bovenste lade om haar beste kousen te pakken. Ze zaten in hun papieren verpakking om een stuk talkstof gewikkeld. Ze rolde ze voorzichtig uit en streek licht met haar duim over de recentste reparatie.

In Saffy's ogen was de moeilijkheid dat Percy niet ontvankelijk was voor de nuances van de menselijke verhoudingen. Zij had veel meer oog voor de noden van de muren en vloeren van Milderhurst dan voor die van haar medebewoners. Ze hadden Lucy allebei tenslotte met lede ogen zien vertrekken en Saffy was meer geneigd haar afwezigheid te voelen omdat zij de hele dag alleen thuis was om de was te doen, te boenen en maaltijden in elkaar te flansen met slechts Clara, of die halfzachte Millie als gezelschap. Maar hoewel Saffy begreep dat als een vrouw de keus kreeg tussen haar werk en haar hart, ze altijd het laatste zou kiezen, had Percy geweigerd de verandering in het huishouden gracieus te aanvaarden. Ze had Lucy's huwelijk persoonlijk opgevat en in rancune miste Percy haar gelijke. Daarom was wat Juniper in haar dagboek had geschreven, en wat het kon betekenen, zo verontrustend.

Saffy nam de tijd voor de inspectie van de kous. Ze was niet van gisteren en ze was ook niet victoriaans. Ze had *The Third Act* en *Cold Comfort* en *The Thinking Reed* gelezen en wist van seks. Maar niets wat ze ooit had gelezen had haar voorbereid op Junipers gedachten over het onderwerp. Kenmerkend openhartig, lichamelijk maar ook lyrisch; mooi, rauw en angstaanjagend. Saffy's ogen waren over de bladzijde gesneld en ze nam alles tegelijkertijd in zich op alsof er een groot glas water in haar gezicht werd gegooid. Het hoefde waarschijnlijk geen verbazing te wekken dat ze zich nu geen enkele regel meer kon herinneren, gezien de snelheid waarmee ze had gelezen en de verwarring dat ze op zulke levendige gevoelens was gestuit. Ze herinnerde zich slechts flarden van gevoel, ongewenste beelden, af en toe een verboden woord en de warme schrik wanneer ze het las.

Misschien waren het niet eens zozeer de woorden die Saffy verbijsterden, als wel van wie ze afkomstig waren. Juniper was niet alleen haar veel jongere zusje, maar ze had altijd iemand geleken die nadrukkelijk seksloos was; haar vurige talent, haar verloochening van alles wat vrouwelijk was, gewoon haar merkwaardige persoonlijkheid: door alles leek Juniper dat soort basale menselijk verlangens ontstegen. Kwam nog bij – en misschien stak dit nog wel het meest – dat Juniper er nooit met één woord over had gerept dat ze een liefdesrelatie overwoog. Was de jonge, mannelijke gast van vanavond de man in kwestie? De dagboeknotities dateerden van zes maanden geleden, van voordat ze naar Londen ging en toch was de naam Thomas al gevallen. Kon het zijn dat Juniper hem al eerder had leren kennen, hier op Milderhurst? Dat er meer achter haar vertrek zat dan op het eerste gezicht had geleken? En zo ja, waren ze dan na al die tijd nog steeds verliefd op elkaar? Zo'n schitterende en opwindende ontwikkeling in het leven van haar zusje, en zij had er met geen woord over gesproken? Saffy wist natuurlijk wel waarom: papa zou des duivels zijn als hij nog had geleefd: seks leidde maar al te vaak tot kinderen en papa's theorieën over de incompatibiliteit van kunst en kroost grootbrengen waren publiek geheim. Percy moest daarom als zijn zelfuitgeroepen afgezant niet op de hoogte worden gebracht; daarin had Juniper gelijk. Maar het tegenover Saffy verzwijgen? Zij en Juniper waren toch heel dik met elkaar? En hoe heimelijk Juniper ook was, ze hadden altijd met elkaar kunnen praten. Deze kwestie zou niet anders moeten zijn. Ze rolde de kousen van haar hand en besloot de kwestie direct op te lossen als Juniper was gearriveerd en ze elkaar even onder vier ogen konden spreken. Saffy glimlachte; de avond was niet louter een welkomstfeestje, of een teken van dankbaarheid. Juniper had een speciále vriend.

Nadat Saffy zich ervan had vergewist dat de kousen in orde waren, hing ze die over de rand van het bed en bereidde ze zich voor op de kleerkast. Lieve hemel! Ze bleef even staan, draaide haar in ondergoed gehulde lichaam om en wierp een blik over haar schouder om haar achterkant te bekijken. Of er mankeerde iets aan de spiegel, of ze had er een paar pondjes bij gekregen. Ze zou zichzelf echt aan de wetenschap moeten doneren: aankomen ondanks de deplorabele toestand van de Britse provisiekast. Saffy wist niet goed of dat domweg on-Brits was, of een sluwe overwinning op Hitlers duikboten. Misschien zou het niet in aanmerking komen voor de Churchill-medaille voor de handhaving van schoonheid in Engeland, maar toch een overwinning. Saffy trok een gezicht naar zichzelf, hield haar buik in en deed haar kastdeur open.

Achter de serie saaie overgooiers en vesten voorin was het een wonderland van schitterende maar vergeten zijde. Saffy bracht haar handen naar haar gezicht; het was alsof je bij oude vriendinnen op bezoek ging. Haar garderobe was haar trots en vreugde, elke japon was lid van een club met aanzien. Het was ook een catalogus van haar verleden, zoals ze eens in een aanval van sentimenteel zelfmedelijden had gedacht: de jurken die ze als debutante had gedragen, het zijden exemplaar dat ze had gedragen naar het Milderhurst Midsummer Ball van 1923, zelfs de blauwe jurk die ze het jaar daarop had genaaid voor de première van papa's toneelstuk. Papa vond dat dochters mooi moesten zijn en zo lang als hij leefde, verkleedden ze zich voor het avondeten; zelfs toen hij aan zijn stoel in de toren gekluisterd was, bleven ze het doen om hem een plezier te doen. Maar na zijn dood was de zin ervan snel verdwenen, zeker nu het oorlog was. Saffy had het nog een poosje volgehouden, maar toen Percy zich eenmaal bij het ambulancekorps had aangesloten en nachtdiensten ging draaien, hoefden ze er geen woorden meer aan vuil te maken en raakte de gewoonte in onbruik.

Saffy duwde de japonnen een voor een opzij tot ze uiteindelijk bij de jurk van lichtgroene zijde was aanbeland. Ze duwde de rest even aan de kant om het luisterrijke voorpand in ogenschouw te nemen: de kralen op het decolleté, de sjerp en de schuin gesneden rok. Ze had hem in geen jaren gedragen, ze kon zich amper de vorige gelegenheid herinneren, maar ze wist nog wel dat Lucy had geholpen hem te vermaken. Dat was Percy's schuld; met die sigaretten van haar en die achteloze manier van roken was ze waar ook een bedreiging van de fijne stoffen. Maar Lucy had hem prachtig hersteld; Saffy moest het lijfje scherp afspeuren om de schroeiplek te ontdekken. Ja, die jurk was prima; ze kon ook niet anders. Saffy haalde hem tevoorschijn, drapeerde hem over de sprei en pakte haar kousen.

Ze ging met gespreide vingers langs de zijkant van de eerste pijp om haar teen erin te steken en dacht: het grootste mysterie is hoe het in godsnaam mogelijk is dat iemand als Lucy überhaupt verliefd was geworden op Harry de klokkenmaker. Zo'n onooglijk mannetje, het tegendeel van een romantische held, zoals hij met zijn afhangende schouders door de gangen scharrelde met die haardos van hem die er altijd wat langer, dunner en onverzorgder uitzag dan betamelijk was...

'O, lieve hemel, nee toch!' Saffy's grote teen bleef in de kous haken en ze kantelde opzij. Er was nog een fractie van een seconde waarin ze overeind had kunnen komen, maar een nagel was in het nylon blijven hangen en als ze haar voet had neergezet, riskeerde ze weer een ladder. Dus trotseerde ze de val manhaftig en sloeg pijnlijk met haar dijbeen tegen de hoek van de kaptafel. 'O, hemeltje,' stiet ze uit. 'O, hemeltje, o hemeltje.' Ze zakte op de beklede stoel om de kostbare kous te inspecteren. Waarom, o waarom had ze zich toch niet meer geconcentreerd op wat haar te doen stond? Als deze onherstelbaar waren geladderd, zouden er geen andere meer zijn. Met bevende vingers draaide ze de kous om en om en streek licht met haar vingers over de stof.

Alles leek in orde; het was kantje boord geweest. Saffy slaakte een diepe zucht en toch was ze niet helemaal opgelucht. Ze keek naar haar roodaangelopen spiegelbeeld en bleef kijken: er stond meer op het spel dan haar laatste paar nylons. Toen zij en Percy klein waren, hadden ze volop gelegenheid gehad volwassenen van dichtbij gade te slaan, en wat ze zagen had hen gemystificeerd. Die groteske methusalems gedroegen zich grotendeels alsof ze geen flauw idee hadden dat ze oud waren. Dat verbijsterde de tweeling. Ze waren het erover eens dat er weinig zo onbetamelijk was als iemand op leeftijd die weigerde zijn of haar beperkingen voor lief te nemen, en ze zwoeren dat hun dat nooit zou overkomen. Ze spraken plechtig af dat als zij oud waren, ze zich verdorie ook zo zouden gedragen. 'Maar hoe weten we het?' informeerde Saffy, die het duizelde van de existentiële knoop in de kern van de kwestie. 'Misschien is het wel zoiets als zonnebrand die je pas voelt als het al te laat is om er iets tegen te doen.' Percy had de verraderlijke kanten van de kwestie beaamd. Ze zat stilletjes met haar armen om haar knieën geslagen en dacht na. Praktisch als altijd kwam ze als eerste met de oplossing en zei langzaam: 'Waarschijnlijk moeten we een lijst maken van wat oude mensen doen; drie dingen moeten voldoende zijn. En als we merken dat we die doen, zullen we het weten.'

Het was eenvoudig om de kandidaat-gewoonten te vergaren; ze konden putten uit de levenslange observatie van papa en Nanny; lastiger was het aantal tot drie te beperken. Na veel vijven en zessen kozen ze voor die eigenschappen die het meest voor de hand lagen: in de eerste plaats de herhaald uitgesproken voorkeur voor het Engeland onder koningin Victoria; ten tweede, het bespreken van je gezondheid in ander gezelschap dan van medisch geschoolden en in de derde plaats je ondergoed anders dan staand aantrekken.

Nu kreunde Saffy en moest ze weer denken aan die ochtend toen ze het bed in de logeerkamer opmaakte en ze zichzelf erop betrapte dat ze Lucy de bijzonderheden van haar lage rugpijn niet bespaarde. Het onderwerp van gesprek was de beschrijving waard en ze was bereid het door de vingers te zien, maar nu dit: uit het veld geslagen door een paar kousen? De vooruitzichten waren voorwaar niet best.

Percy was al bijna bij de achterdeur toen Saffy eindelijk verscheen; ze kwam van de trap af zetten alsof ze zich van geen kwaad bewust was. 'Dag, lieve zus van me,' zei ze. 'Nog levens gered vandaag?'

Percy haalde diep adem. Ze had behoefte aan tijd, ruimte en een scherp zwaaiend voorwerp om zichzelf te bevrijden van haar woede en haar bovenkamer uit te ruimen. Anders zou ze er waarschijnlijk mee gaan smijten. 'Vier poesjes uit een afvoer en een klont spekkies.'

'O, kijk eens aan. Een klinkende overwinning. Fantastisch gedaan! Zullen we een kop thee gaan drinken?'

'Ik ga wat hout hakken.'

Saffy kwam een stap dichterbij. 'Volgens mij is dat nogal overbodig.'

'Beter te vroeg dan te laat. Strak regent het pijpenstelen.'

'Dat begrijp ik wel,' zei Saffy overdreven kalm, 'maar ik weet vrij zeker dat de stapel hoog genoeg is. Sterker nog, na al je werk van de afgelopen maand schat ik dat we tot de jaren zestig voldoende zullen hebben. Waarom ga je niet naar boven om je voor het eten te verkleden...' Saffy zweeg even toen een luid geraas van het ene dak van het kasteel naar het volgende sprong... 'Kijk eens aan, gered door de regen!'

Er waren van die dagen dat zelfs het klimaat zich tegen je keerde. Percy haalde haar tabak tevoorschijn om een sigaret te draaien. Zonder op te kijken, vroeg ze: 'Waarom heb je haar hier gevraagd?'

'Wie?'

Een harde blik.

'O, dat.' Saffy maakte een vaag handgebaar. 'Clara's moeder was ziek geworden, Millie is even dom als altijd en jij hebt het altijd zo verrekte druk; het was domweg te veel voor mij alleen. Bovendien kan niemand Agatha zo goed verleiden als Lucy.'

'Dat ging jou anders altijd goed af.'

'Erg vriendelijk van je, Percy, maar je kent Aggie. Ik zou er niet van opkijken als ze er vanavond de brui aan gaf, al was het maar om mij dwars te zitten. Sinds ik de melk heb laten overkoken, koestert ze een geweldige wrok.'

'Ze is... Het is een óven, Seraphina.'

'Dat is het 'm nou juist! Wie zou haar tot zo'n vreselijk temperament in staat hebben geacht?'

Percy werd gemanipuleerd; ze kon het voelen. Die zogenaamd luchtige toon van haar zus, de pas afgesneden worden toen ze op weg was naar de achterdeur, vervolgens naar boven gestuurd worden waar ze natuurlijk al een japon – iets afschuwelijk chics – voor haar had klaargelegd. Het was alsof Saffy bang was dat ze in gezelschap haar manieren niet kon bewaren. Percy kon wel brullen, maar zo'n reactie zou alleen haar zusters zorgelijkheid bevestigen, dus dat liet ze na. Ze onderdrukte de neiging en likte langs het vloeitje om de sigaret dicht te plakken.

'Hoe dan ook,' vervolgde Saffy, 'Lucy is een schat geweest, en omdat we niets fatsoenlijks te braden hadden, heb ik besloten alle hulp aan te nemen die ik kon krijgen.'

'Niets te braden?' vroeg Percy luchtig. 'De laatste keer dat ik keek, liepen er nog acht dikke kandidaten in de ren.'

Saffy's adem stokte. 'Dat zou je niet doen.'

'Ik dróóm van drumsticks.'

Saffy's stem was aangenaam gaan beven en die trilling verplaatste zich helemaal naar haar wijzende vingertop: 'Mijn meisjes produceren prima; ze zijn niet om te eten. Ik wil niet jij dat naar ze kijkt en aan jus denkt. Dat is... Dat is barbaars.'

Er waren een heleboel dingen die Percy wilde zeggen, maar toen ze daar zo in die bedompte gang stond, de regen de aarde aan de andere kant van de stenen muur teisterde, haar tweelingzus ongemakkelijk tegenover haar op de trap stond te schuifelen en haar heupen en buik de jurk op alle verkeerde plekken liet oprekken, kreeg ze opeens het beeld voor ogen van de tijdslijn en de verschillende teleurstellingen van onderweg. Die vormden een blokkade waarop haar huidige frustratie stuksloeg en zich weer als een trekharmonica uitrekte. Zij was de dominante van de tweeling, dat was ze altijd geweest en hoe razend Saffy haar ook maakte, ruziemaken ondermijnde een of ander fundamenteel principe in hun universum.

'Perce?' Saffy's stem trilde nog. 'Moet ik mijn meisjes in het oog gaan houden?'

'Je had het moeten zeggen,' zei Percy na een korte zucht, terwijl ze de lucifers uit haar zak haalde. 'Meer niet. Je had me over Lucy moeten vertellen.'

'Ik wilde dat je die hele toestand achter je liet, Perce. Voor je eigen bestwil. Bedienden hebben hun werkgevers wel ergere dingen aangedaan dan weggaan. Het is niet zo dat we haar met de vingers aan het tafelzilver hebben betrapt.'

'Je had het moeten zeggen.' Percy's keel deed zeer tijdens het praten. Onhandig trok ze een lucifer uit het boekje.

'Als het zo belangrijk is, zal ik haar niet meer vragen. Voor wat het waard is: ik kan me nauwelijks voorstellen dat ze daar erg mee zal zitten; het trof me dat ze er nogal op gespitst was om jouw gezelschap te mijden. Volgens mij jaag je haar angst aan.'

Een lucifer brak tussen Percy's vingers.

'O, Perce... Ach kijk, je bloedt.'

'Het is niets.' Ze veegde haar hand af aan haar broek.

'Niet aan je kleren, dat is bloed, dat krijg je er nooit meer uit.' Saffy hield een verkreukeld kledingstuk omhoog dat ze van boven had meegenomen. 'Het is je misschien niet opgevallen, maar het personeel van de wasserij heeft ons al een poosje geleden verlaten. Ik ben de enige die nog over is en ik kook, roer en schrob me een ongeluk.'

Percy wreef over de bloedvlek op haar broekspijp en maakte hem alleen maar erger.

Saffy zuchtte. 'Laat die broek maar even; dat doe ik later wel. Ga maar naar boven om jezelf wat op te frissen.'

'Ja.' Percy keek lichtelijk verrast naar haar vinger.

'Jij trekt een mooie feestjurk aan, dan zet ik ondertussen het water op voor een pot thee. Weet je wat, ik maak wel een cocktail, goed? Tenslotte hebben we iets te vieren.'

Vieren was een beetje te sterk uitgedrukt, maar Percy's strijdlust was geweken. 'Ja,' zei ze. 'Goed idee.'

'Als je klaar bent, moet je je broek maar mee naar de keuken nemen, dan zet ik hem meteen in de week.'

Percy balde haar vuist en ontspande hem weer toen ze langzaam de trap opliep. Daarna bleef ze staan en draaide ze zich om. Ze haalde de getypte envelop uit haar tas. 'Er zat een brief voor jou bij de post van vandaag.'

7

Saffy trok zich terug in de provisiekamer om de brief te lezen. Ze wist direct waar die over ging en het had haar de grootste moeite gekost om haar opwinding voor Percy verborgen te houden. Ze had haar de brief uit handen gegrist en was aan de voet van de trap blijven staan om zich ervan te vergewissen dat haar zus niet op het laatste moment van gedachten zou veranderen en toch naar de houtstapel zou gaan. Pas toen ze Percy's slaapkamerdeur dicht hoorde gaan, kon ze zich eindelijk ontspannen. Ze had bijna de hoop verloren dat ze ooit nog antwoord zou krijgen en nu het was gekomen, wenste ze bijna dat het niet zo zou zijn. De spanning, de tirannie van het onbekende was bijna niet te dragen.

Beneden in de keuken haastte ze zich naar de vensterloze provisiekamer die ooit bol had gestaan van de ontembare aanwezigheid van meneer Broad, maar tegenwoordig stond er weinig meer om je aan zijn schrikbewind te herinneren dan het bureau en een kast met oude, oersaaie dagelijkse administratie. Saffy trok aan het touwtje zodat het peertje ging branden en leunde tegen het bureau. Haar vingers leken wel duimen toen ze de envelop probeerde open te krijgen.

Zonder haar briefopener, die in zijn bakje op het schrijfbureau boven lag, moest Saffy haar toevlucht tot openscheuren nemen. Daar hield ze niet van, dus deed ze het zo netjes mogelijk en de gerekte spanning van die extreme voorzichtigheid vond ze bijna aangenaam. Ze trok het opgevouwen velletje tevoorschijn. Het viel haar op dat het heel mooi gegaufreerd katoenvezelpapier was, warm wit van kleur, en met een diepe zucht sloeg ze het open. Haar ogen vlogen over de regels, ze zoog de betekenis op en daarna begon ze weer opnieuw en dwong ze zichzelf aandachtiger te lezen om haar ogen te geloven terwijl haar lichaam ergens diep vanbinnen in bezit werd genomen door een ongelooflijk licht gevoel dat zelfs in haar vingertoppen tintelde.

Haar oog was voor het eerst op de advertentie gevallen toen ze de 'te huur aangeboden'-advertenties in *The Times* doorbladerde. *Gezelschapsdame en gouvernante gezocht om Lady Dartington en haar drie kinderen voor de duur van de oorlog te vergezellen naar Amerika*, stond er. *Erudiet, ongetrouwd, beschaafd en ervaren met kinderen.* De advertentie was Saffy op het lijf geschreven. Hoewel ze zelf geen kinderen had, kwam dat bepaald niet door gebrek aan belangstelling. Ooit was er een tijd geweest – gold dat niet voor de meeste vrouwen? – dat al haar toekomstdromen over baby's gingen. Maar die leken er zonder man niet in te zitten en dat was de crux van de kwestie. Wat de andere criteria betrof, was Saffy ervan overtuigd dat ze zonder onbescheiden te zijn aanspraak op eruditie en cultuur kon maken. Ze had direct maatregelen getroffen om de functie te krijgen door een introductiebrief te schrijven die aantoonde dat Seraphina Blythe de ideale kandidaat was. Daarna had ze gewacht en haar best gedaan haar dromen over New York voor zich te houden. Ze had al lang geleden geleerd dat het zinloos was om Percy onnodig tegen de haren in te strijken en daarom had ze niets over de positie tegen haar gezegd en in stilte levendig over alle mogelijkheden gedroomd. Ze had zich de reis gênant genoeg tot in de bijzonderheden voorgesteld en zichzelf de rol toebedeeld van een evenknie van Molly Brown die de kinderen Dartington moed zou inspreken wanneer ze onderweg naar de beroemde Amerikaanse havenstad de Duitse duikboten trotseerden...

Het aan Percy vertellen was nog wel het moeilijkste; die zou er niet blij mee zijn, en wat er van haar zou worden als ze alleen de gangen doorkruiste, muren repareerde en hout hakte, vergat een bad te nemen, of de was te doen, of te bakken... Ze moest er niet aan denken. Maar de brief die Saffy in haar hand hield, het aanbod van deze baan was haar grote kans en ze was niet van plan om zich door sentimentele redenen te laten weerhouden. Net als Adèle in haar roman zou ze *het leven bij de keel grijpen en het dwingen haar recht in de ogen te kijken*. Saffy was heel trots op die zin.

Zachtjes deed ze de deur van de provisiekamer achter zich dicht en zag direct dat er stoom uit de oven kwam. In alle opwinding was ze bijna de pastei vergeten. Wat erg! Ze mocht van geluk spreken als ze niet was verkoold.

Saffy trok haar ovenhandschoenen aan en tuurde naar binnen. Ze slaakte een diepe zucht van verlichting toen ze zag dat de bovenkant van de pastei weliswaar goudkleurig was, maar nog niet bruin. Ze verplaatste hem naar de onderste oven, waar de temperatuur niet zo hoog was en hij kon blijven staan zonder te verpieteren, en stond op om weg te gaan.

Op dat moment zag ze Percy's gevlekte broek naast haar eigen overgooier op de keukentafel liggen. Die moest daar zijn neergelegd toen Saffy in de provisiekamer was. Wat een bof dat Percy haar niet op het lezen van de brief had betrapt.

Saffy schudde de broek uit. Maandag was officieel wasdag, maar ze kon de kleren net zo goed een poosje in de week leggen, vooral Percy's uniform; het aantal uiteenlopende vlekken dat Percy wist te vergaren zou indrukwekkend zijn als ze niet zo verrekte moeilijk te verwijderen waren. Maar Saffy hield wel van een uitdaging. Ze stak haar hand eerst in de ene zak en daarna in de andere om te controleren of er geen vergeten ditjes en datjes in zaten die de was zouden bederven. En dat was maar goed ook.

Saffy haalde snippers papier tevoorschijn – hemeltje, wat veel! – en legde ze naast haar op het aanrecht. Ze schudde vermoeid haar hoofd; ze was de tel kwijt van het aantal keren dat ze Percy had getracht te leren haar zakken te legen voordat haar kleren in de was gingen.

Maar wat vreemd... Saffy verschoof de snippers met haar vinger en vond er een met een postzegel. Het was een brief, althans dat was het geweest, het was een verscheurde brief. Maar waarom zou Percy zoiets doen, en van wie was die brief?

Boven sloeg er een deur dicht en Saffy's blik vloog naar het plafond. Ze hoorde voetstappen en weer een deur dichtslaan.

De voordeur! Juniper was er. Of was hij het soms, die jongen uit Londen?

Saffy wierp nog een blik op de verfomfaaide snippers en kauwde op de binnenkant van haar wang. Dit was een mysterie dat smeekte om opgelost te worden. Kon de brief soms licht werpen op het chagrijnige humeur dat haar zus de laatste tijd aan den dag legde?

Met een beslist knikje stopte Saffy de brief behoedzaam onder haar lijfje en ze schoof de snippers uit Percy's zak onder een deksel. Die zou ze later aan een nader onderzoek onderwerpen.

Ze wierp nog een laatste blik op de konijnpastei, trok haar jurk om haar boezem recht, zorgde ervoor dat hij niet te strak om haar middel zat en ging naar boven.

Verbeeldde Percy zich de geur van bederf alleen maar? De laatste tijd was die een onaangenaam fantoom geworden; sommige dingen bleek je niet kwijt te raken als je ze eenmaal had geroken. Ze waren al ruim een half jaar niet in de nette salon geweest, niet meer sinds papa's begrafenis, en haar zuster had wel haar uiterste best gedaan, maar de bedompte geur was hardnekkig. De tafel was naar het midden van de kamer geschoven, op het Bessarabische tapijt en vervolgens gedekt met grootmoeders fraaiste eetservies, vier glazen per bestek en naast elk bord een fraai gedrukt menu. Percy pakte er een om nader te bekijken, las dat er spelletjes op het programma stonden en legde het weer neer.

Opeens moest ze denken aan de schuilkelder waarin ze tijdens het begin van de Blitzkrieg hadden gezeten, toen Hitlers bommenwerpers een stokje staken voor een voorgenomen bezoek aan papa's notaris in Folkestone. Die geforceerde vrolijkheid, de liedjes, die afschuwelijk zure geur van angst...

Percy deed haar ogen dicht en toen zag ze hem weer. De gestalte die helemaal gekleed in het zwart halverwege het bombardement was verschenen en onopgemerkt tegen de muur geleund stond en met niemand sprak. Hij had het hoofd diep onder zijn gitzwarte hoed gebogen. Percy sloeg hem gade, geboeid omdat hij er op de een of andere manier uitsprong. Hij had maar één keer opgekeken, vlak voordat hij zijn jas om zich heen trok en in het vurige geweld van de nacht verdween. Zijn blik had de hare even gekruist en ze had er niets in gelezen. Geen mededogen, geen angst, geen vastberadenheid; ze las slechts een kille leegte. Op dat moment besefte ze dat hij de Dood was, en hij had haar sindsdien dikwijls beziggehouden. Wanneer ze dienst had en in bomkraters klauterde om er lijken uit te halen, moest ze denken aan die vreselijke, bovenaardse kalmte die hij om zich heen had toen hij de schuilkelder verliet en de chaos betrad. Kort daarop had ze zich aangemeld bij het ambulancekorps, maar moed had niets met haar beslissing te maken, dat was het helemaal niet. Het was gewoon makkelijker om een gokje met de Dood te wagen op de brandende puinhopen, dan gevangen te blijven zitten onder de sidderende, kreunende aarde met geen ander gezelschap dan de opgewektheid van de wanhoop en machteloze angst...

Er zat nog een paar centimeter amberkleurige vloeistof in de karaf en Percy vroeg zich vagelijk af wanneer die erin was gegoten. Heel lang geleden, dat was zeker – tegenwoordig gebruikten ze de flessen in de gele kamer voor zichzelf – maar dat gaf nauwelijks, sterke drank op leeftijd was des te beter. Percy wierp een blik over haar schouder, schonk een flinke scheut in een glas en toen nog een. Ze nam een slok terwijl ze de kristallen stop luidruchtig terugdeed. En nog een slok. Ze kreeg een welkom brandend gevoel midden in haar borst: de pijn was levend en echt en ze voelde hem hier en nu.

Voetstappen. Hoge hakken. Ver weg, maar ze tikten rap over de stenen naderbij. Saffy.

Zorgelijkheid van maanden balde zich samen in Percy's maag en darmen. Ze moest zichzelf in de hand zien te krijgen. Niemand schoot er iets mee op als ze Saffy's avondje bedierf, de hemel mocht weten hoe weinig gelegenheid haar tweelingzus kreeg om haar liefhebberij om bezoek te ontvangen uit te leven. O, maar Percy voelde zich duizelig van het gemak waarmee ze het wél kon verpesten. Het had iets van de sensatie van iemand die op de rand van een ravijn staat en in een peilloze diepte kijkt, wanneer het besef dat je niet moet springen zo sterk is dat je wordt bevangen door een curieuze drang om het juist wel te doen.

God, wat was ze een hopeloos geval. Er was iets fundamenteels kapot in het hart van Percy Blythe, iets raars dat misvormd en uitermate onsympathiek was. Dat ze ook maar een moment het gemak overwoog waarmee ze haar zus, haar irritante geliefde tweelingzus van haar geluk kon beroven. Was ze altijd al zo pervers geweest? Percy slaakte een diepe zucht. Het was duidelijk dat ze ziek was, en de aandoening was niet van recente datum. Het ging al hun hele leven zo: hoe meer enthousiasme Saffy voor iemand anders, iets anders of voor een idee aan den dag legde, hoe minder Percy kon opbrengen. Het was alsof ze één wezen waren dat in tweeën was gespleten, en alsof er een grens was aan de hoeveelheid gedeelde gevoelens die ze op een willekeurig moment tentoon konden spreiden. En op een zeker ogenblik had Percy zichzelf tot tegenwicht uitgeroepen: als Saffy zich zorgen maakte, verkoos Percy lichtzinnige opgewektheid; was Saffy ergens opgewonden over, dan deed Percy haar best om dat met sarcasme te blussen. Wat was ze toch een verrekte zuurpruim.

De grammofoon was opengeslagen en schoongemaakt en er lag een stapel platen naast. Percy pakte er een, een nieuwe die Juniper uit Londen had opgestuurd. God mocht weten waar en hoe ze die had opgeduikeld; Juniper had zo haar methoden, dat kon je wel raden. Muziek zou vast helpen. Ze liet de naald zakken en Billie Holiday zong een liedje. Percy slaakte een warme whiskyzucht. Zo, dat was beter: eigentijdse muziek zonder associaties. Jaren geleden, decennia zelfs, had papa een keer het woord 'nostalgie' opgegeven in een van zijn schrijfopdrachten. Hij had de definitie hardop voorgelezen: 'Een acuut heimwee naar vroeger', en Percy wist nog dat ze het met de onervaren zekerheid van de jeugd een heel raar concept had gevonden. Ze kon zich niet voorstellen waarom iemand een poging zou doen het verleden te doen herleven, terwijl de toekomst alleen maar mysteries herbergde.

Percy dronk haar glas leeg, hield het afwezig schuin naar links en naar rechts en zag hoe de overgebleven druppels zich samenvoegden. Ze was wat nerveus geworden en dat kwam door de confrontatie met Lucy, dat wist ze best, maar er was een waas gedaald over de gebeurtenissen van de dag en Percy's gedachten keerden weer terug naar mevrouw Potts in het postkantoor. Haar aan zekerheid grenzende vermoedens dat Juniper verloofd was. Juniper trok roddels aan, maar in Percy's ervaring was er altijd vuur waar rook was. Maar toch niet in dit geval?

Achter haar kreunde de deur en er kwam een koele windvlaag uit de gang mee naar binnen.

'En?' vroeg haar zus ademloos. 'Waar is ze? Ik hoorde de deur slaan.'

Als Juniper iets uit haar privéleven wilde delen zou dat met Saffy zijn. Percy tikte bedachtzaam op de rand van haar glas.

'Is ze al naar boven gegaan?' Saffy ging zachter praten tot ze fluisterde: 'Of was hij het soms? Hoe is hij? Waar is hij?'

Percy rechtte haar rug. Als ze nog enige medewerking van Saffy mocht verwachten, moest ze onvoorwaardelijk het boetekleed aantrekken. Ze keerde zich om naar haar tweelingzus. 'Ze zijn er nog niet,' zei ze glimlachend, naar ze hoopte onschuldig.

'Ze zijn laat.'

'Klein beetje maar.'

Saffy had die doorzichtige, nerveuze uitdrukking op haar gezicht die ze ook had toen ze nog klein waren en toneel moesten spelen voor papa's vrienden en er nog niemand op de stoelen in de zaal zat. 'Weet je het zeker?' vroeg ze. 'Ik zou toch zweren dat ik de voordeur hoorde...'

'Kijk maar onder de stoelen als je wilt,' zei Percy luchtig. 'Er is niemand anders. Je zult het luik hebben gehoord, dat van het raam daar. Dat is losgeschoten door de wind, maar ik heb het weer gerepareerd.' Ze knikte naar de moersleutel op de vensterbank.

Saffy zette grote ogen op toen ze de natte plekken op Percy's jurk zag. 'Het is een speciaal etentje, Perce. Juniper zal...'

'Het opvallen noch het iets kunnen schelen,' maakte Percy haar zin af. 'Kom aan, let niet meer op mijn jurk, jij ziet er mooi genoeg uit voor twee. Wil je niet gaan zitten? Dan ga ik iets te drinken voor ons inschenken voor tijdens het wachten.'

8

Omdat Juniper noch haar vriend was gearriveerd, wilde Saffy zich eigenlijk weer naar beneden haasten om de snippers van de brief aan elkaar te leggen en erachter te komen wat Percy geheimhield. Maar nu ze haar tweelingzus zo verzoenend aantrof, was dat een onverwachte bonus en die mocht ze niet onbenut laten, zeker niet die avond, toen ze elk moment Juniper en haar speciale gast konden verwachten. Daarom was het maar het beste om zo dicht mogelijk in de buurt van de voordeur te blijven, zodat ze Juniper alleen zouden treffen wanneer ze eindelijk kwam opdagen. 'Dank je wel,' zei ze toen ze het aangeboden glas aanpakte, en ze nam een forse teug om van haar goede wil te getuigen.

'Zo,' zei Percy terwijl ze zich weer op de rand van de salontafel liet zakken. 'Hoe is jouw dag geweest?'

Almaar merkwaardiger, zou Alice misschien hebben gezegd. Meestal praatte Percy namelijk niet over koetjes en kalfjes. Saffy verborg haar gezicht achter haar volgende slok en stelde vast dat het wel zo verstandig was om uiterst prudent te werk te gaan. Ze maakte een achteloos gebaar en zei: 'O, prima. Hoewel ik wel ben gevallen toen ik mijn ondergoed aantrok.'

'Nee, toch,' zei Percy die oprecht in de lach schoot.

'O, jawel; ik kan je de blauwe plek nog laten zien. Die zal wel alle kleuren van de regenboog krijgen voor hij verdwijnt.' Saffy wees met een koket gebaar op haar derrière, terwijl ze op het puntje van de chaise longue ging verzitten. 'Dat betekent waarschijnlijk dat ik oud word.'

'Uitgesloten.'

'O ja?' Saffy kikkerde haars ondanks een beetje op. 'Vertel.'

'Nogal eenvoudig. Ik ben het eerst geboren; technisch gesproken zal ik altijd ouder zijn dan jij.'

'Ja, dat weet ik wel, maar ik begrijp niet...'

'En ik kan je verzekeren dat ik zelfs nog nooit heb gewankeld bij het aankleden, zelfs niet tijdens een luchtaanval.'

'Hm...' Saffy fronste peinzend. 'Ik begrijp wat je bedoelt. Zullen we mijn ongelukje dan maar toeschrijven aan een tijdelijke absence die niets met leeftijd te maken heeft?'

'Ik vind van wel; anders zouden we het scenario van onze eigen ondergang schrijven.' Dat was een gevleugelde uitspraak van papa geweest, geuit in het aangezicht van talrijke en uiteenlopende obstakels, en ze glimlachten allebei.

'Het spijt me,' vervolgde Percy. 'Over daarnet, op de trap.' Ze streek een lucifer af en stak haar sigaret op. 'Ik wilde geen ruzie maken.'

'Zullen we de oorlog er maar de schuld van geven?' vroeg Saffy, terwijl ze zich afwendde om de naderende rookwolk te ontduiken. 'Dat doet iedereen. Is er nog nieuws uit de grote, wijde wereld?'

'Weinig. Lord Beaverbrook heeft het over tanks voor de Russen; in het dorp is geen vis te krijgen en blijkbaar is de dochter van mevrouw Caraway in verwachting.'

Saffy was verrukt. 'Nee toch!'

'Jawel.'

'Maar die is pas hoe oud, vijftien?'

'Veertien.'

Saffy boog zich dichter naar haar toe. 'Zeker van een soldaat?'

'Een piloot.'

'Kijk eens aan.' Ze schudde ontdaan haar hoofd. 'En mevrouw Caraway is zo'n steunpilaar van de samenleving. Wat erg.' Het ontging haar niet dat Percy zat te gniffelen achter haar rook, bijna alsof ze haar tweelingzus ervan verdacht dat ze genoot van de tegenslag van mevrouw Caraway. Dat was ook wel een beetje zo, maar alleen omdat de vrouw eeuwig en altijd zo bazig deed en op alles en iedereen wel iets aan te merken had, Saffy's bloedeigen stikwerk incluis. 'Wát?' zei ze met een rood gezicht. 'Het ís ook vreselijk.'

'Maar ik kijk er niet van op,' zei Percy terwijl ze haar as aftikte, 'met die meisjes van tegenwoordig die van god los zijn.'

'Het leven is veranderd sinds de oorlog,' beaamde Saffy. 'Ik zie het aan de ingezonden brieven. Vrouwen die de hort op zijn terwijl hun man weg is, en onwettige kinderen. Kennelijk hoef je tegenwoordig een man amper te kennen om al met hem naar het altaar te lopen.'

'Maar niet onze Juniper.'

Saffy's huid koelde af. Daar had je het al, het addertje onder het gras dat ze al had verwacht: Percy wist het. Op de een of andere manier wist ze van Junipers verhouding. Dat verklaarde die onverwachte luchtigheid; dit was geniepig hengelen en Saffy zat gevangen aan het haakje van de lijn van de sappige dorpsroddel. Om je dood te schamen. 'Natuurlijk niet,' zei ze zo minzaam mogelijk. 'Zo is Juniper helemaal niet.'

'Natuurlijk niet.' Ze zaten elkaar een poosje aan te kijken met een gelijksoortige glimlach op een identiek gezicht en namen een slokje. Saffy's hart bonkte harder dan papa's lievelingsklok en ze verbaasde zich erover dat Percy het niet hoorde; nu wist ze hoe het voelde om een insect in een web te zijn, wachtend op de grote spin. Percy tipte haar sigaret af in een kristallen asbak. 'Hoewel ik vandaag wel iets grappigs heb gehoord. In het dorp.'

'O?'

'Ja.'

De stilte rekte zich ongemakkelijk tussen hen uit terwijl Percy rookte en Saffy op haar tong beet. Het was gekmakend, om niet te spreken van achterbaks: haar eigen tweelingzus die haar voorliefde voor dorpsroddels gebruikte in de hoop haar geheimen te ontfutselen. Nou, daar werkte ze niet aan mee: wat moest Saffy trouwens met Percy's dorpsroddel? Ze wist de waarheid al. Zij had tenslotte Junipers dagboek gelezen en liet zich niet verleiden om de inhoud daarvan met Percy te delen.

Saffy stond zo waardig mogelijk op, trok haar jurk recht en inspecteerde de gedekte tafel. Ze legde vorken en messen met overdreven zorg recht. Het lukte haar zelfs afwezig te neuriën en een onschuldig glimlachje om haar mond te toveren. Dat bood een beetje troost op een moment dat de twijfels uit de schaduw kropen.

Dat Juniper een minnaar had, was natuurlijk verrassend en het was pijnlijk voor Saffy geweest dat haar niets was verteld, maar dat veranderde niets aan de situatie, toch? In elk geval niets wat Percy aanging, niets van belang. Het kon toch geen kwaad als Saffy het nieuws voor zich hield? Juniper had een vriendje, meer niet. Ze was een jonge vrouw, dus was dat alleen maar natuurlijk. Een kleinigheid en waarschijnlijk van tijdelijke aard. Zoals alle bevliegingen van Juniper zou ook deze verbleken, zijn kracht verliezen en worden weggeblazen op de wind van de volgende.

Buiten was het harder gaan waaien en de klauwen van de kersenboom krasten over het loshangende luik. Saffy rilde, al had ze het niet koud; haar kleine bewegingen werden opgevangen door de spiegel boven de haard en ze wierp even een blik op haar spiegelbeeld. Het was een magnifieke spiegel met een gouden lijst die met een ketting aan een haak op grote hoogte hing. Om die reden hing hij een tikje schuin van de muur en als Saffy omhoogkeek, was het alsof de spiegel nijdig terugkeek en zij tot een gedrongen groene dwerg was gereduceerd. Ze slaakte een korte, onwillekeurige zucht. Ze voelde zich opeens alleen en was het verstoppertje spelen beu. Ze wilde net wegkijken om haar aandacht weer op de tafel te richten, toen ze Percy's rokende spiegelbeeld ineengedoken aan de rand van de spiegel naar de groene dwerg zag zitten kijken. Ze keek niet alleen; ze bestudeerde haar. Ze zocht naar aanwijzingen, naar de bevestiging van iets wat ze al vermoedde.

Door het besef dat ze werd gadegeslagen ging Saffy's hart sneller kloppen, en opeens kreeg ze de aandrang om iets te zeggen, om de kamer te vullen met conversatie, met geluid. Ze haalde even adem en stak van wal. 'Juniper is natuurlijk te laat en waarschijnlijk hoeven we daar niet van op te kijken; ze wordt ongetwijfeld opgehouden door het weer, ergens zal er wel een kink in de kabel gekomen zijn; ze zou met de bus van kwart voor zes zijn aangekomen en zelfs als je rekening houdt met de bus uit het dorp, zou ik haar inmiddels wel thuis hebben verwacht. Ik hoop wel dat ze een paraplu bij zich heeft, maar je weet hoe ze is als het aankomt op...'

'Juniper is verloofd,' viel Percy haar scherp in de rede. 'Dat wordt er gezegd. Dat ze zich heeft verloofd.'

Het mes voor het voorgerecht tikte met een hard metalig geluid tegen zijn metgezel. Saffy's lippen weken; ze knipperde met haar ogen. 'Wat zeg je, lieverd?'

'Ze gaat trouwen. Juniper heeft zich verloofd.'

'Maar dat is belachelijk. Natuurlijk is ze dat niet.' Saffy was oprecht verbijsterd. 'Juniper?' Ze stiet een kort lachje uit. 'Trouwen? Hoe kom je daar nu bij?'

Percy blies een pluim rook uit.

'Nou? Wie zegt er zulke onzin?'

Percy was bezig een plukje tabak van haar onderlip te verwijderen en zei even niets. In plaats daarvan keek ze fronsend naar het sliertje op haar vingertop. Uiteindelijk sloeg ze het van haar hand in de asbak. 'Het stelde waarschijnlijk niets voor. Ik was gewoon op het postkantoor en...'

'Ooo!' zei Saffy, een tikje triomfantelijker dan misschien nodig was. Ze was ook opgelucht dat Percy's roddel niet meer was dan dat; ongegronde dorpsroddel. 'Ik had het kunnen weten. Dat mens van Potts! Dat is echt een vreselijke lastpost. We mogen wel blij zijn dat ze haar bakerpraatjes niet op staatszaken richt.'

'Dus jij gelooft het niet?' vroeg Percy toonloos.

'Natuurlijk geloof ik er geen woord van.'

'Heeft Juniper niets tegen je gezegd?'

'Geen woord.' Saffy liep naar Percy en gaf een klopje op haar arm. 'Kom nou, lieve Percy. Kun jij je Juniper als bruid voorstellen? Helemaal gehuld in witte kant met de belofte iemand anders lief te hebben en te gehoorzamen zolang ze allebei leven?'

De sigaret lag inmiddels verfomfaaid en levenloos in de asbak en Percy zette haar vingers tegen elkaar onder haar kin. Daarna speelde er een flauwe glimlach om haar lippen, haalde ze haar schouders op en liet ze weer zakken alsof ze het idee weer losliet. 'Je hebt gelijk,' zei ze. 'Malle roddelpraat, anders niet. Ik vroeg me alleen af...' Maar wat ze zich precies afvroeg, daar liet Percy naar raden.

Hoewel er geen muziek opstond, draaide de naald van de grammofoon plichtsgetrouw om het middelpunt van de plaat. Saffy verloste hem uit zijn lijden en tilde de arm terug op zijn standaard. Ze wilde zich net verontschuldigen om naar de konijnpastei te kijken, toen Percy zei: 'Juniper zou het ons gezegd hebben. Als het waar was, zou ze het ons hebben verteld.'

Saffy werd rood, want ze moest denken aan het dagboek op de grond in de kamer boven, de schrik van de laatste aantekeningen en de pijn omdat ze in het duister was gehouden.

'Saffy?'

'Natuurlijk,' zei ze vlug. 'Dat is toch normaal? Mensen vertellen elkaar zulke dingen.'

'Ja.'

'Vooral aan hun zussen.'

'Ja.'

Dat was zo. Een verhouding geheimhouden was één ding, een verloving iets heel anders. Saffy was ervan overtuigd dat zelfs Juniper niet zo blind was voor de gevoelens van anderen en voor de gevolgen van zo'n besluit.

'Toch,' zei Percy, 'moeten we met haar praten, en haar eraan herinneren dat papa...'

'Er niet meer is,' maakte Saffy haar zin vriendelijk af. 'Hij is er niet, Percy. We zijn nu allemaal vrij om te doen en laten wat we willen.' Zoals Milderhurst de rug toekeren, zich inschepen voor de glamour en opwinding van New York en nooit meer terugkijken.

'Nee.' Percy zei het zo bits dat Saffy heel even bang was dat ze haar plannen hardop had gezegd. 'Niet vrij, niet helemaal. We hebben allemaal onze plicht jegens elkaar. Juniper begrijpt dat. Ze weet dat trouwen...'

'Perce...'

'Dat was wat papa wilde. Het waren zijn vóórwaarden.'

Percy's ogen boorden zich in de hare en Saffy besefte dat het voor het eerst in maanden was dat ze de kans kreeg het gezicht van haar tweelingzus van zo dichtbij te bestuderen; ze ontdekte er nieuwe rimpeltjes. Ze rookte veel en maakte zich zorgen en natuurlijk eiste de oorlog zijn tol, maar wat de oorzaak ook mocht zijn, de vrouw tegenover haar was niet jong meer. Maar oud was ze evenmin en opeens zag Saffy in – maar dat had ze toch wel eens eerder bedacht? – dat er nog iets tussen was, een overgangsfase. En dat ze zich daar nu allebei in bevonden. Geen jonge meisjes meer, maar nog lang geen oude besjes.

'Papa wist wat hij deed.'

'Natuurlijk, lieverd,' zei Saffy teder. Waarom waren ze haar nooit eerder opgevallen, al die vrouwen in dat grote tussenstadium? Die waren toch niet onzichtbaar? Ze leidden gewoon stilletjes hun dagelijks leven en deden de dingen die vrouwen deden die niet jong meer waren en nog niet oud. Het huis op orde houden, de tranen van de wangen van hun kinderen wissen en de gaten in de sokken van hun echtgenoot stoppen. En opeens begreep Saffy waarom Percy zich zo gedroeg, bijna alsof ze jaloers was op de mogelijkheid dat Juniper, die pas achttien was, misschien wel ooit zou trouwen. Dat ze nog haar hele volwassen leven voor zich had. Ze begreep ook waarom Percy juist vanavond aan die sentimentele gedachten ten prooi moest vallen. Al werd ze gedreven door bezorgdheid over Juniper en aangevuurd door de roddel in het dorp, ze deed zo door de ontmoeting met Lucy. Vervolgens werd Saffy overspoeld door een verpletterende golf genegenheid voor haar stoïcijnse tweelingzus, een golf die zo sterk was dat ze even buiten adem was. 'Wij hebben geen geluk gehad, hè, Perce?'

Percy keek op van de sigaret die ze draaide. 'Wat?'

'Wij tweeën. Wij hebben niet geboft in hartsaffaires.'

Percy keek haar aan. 'Ik zou niet zeggen dat geluk er veel mee te maken had. Het was toch gewoon een kwestie van rekenen?'

Saffy glimlachte; het was precies zoals de gouvernante die Nanny had vervangen hun had gezegd, vlak voordat ze wegging om te trouwen met een neef in Noorwegen die weduwnaar was geworden. Ze had hen meegenomen voor een les op de oever van het meer, wat haar gewoonte was als ze geen zin had in lesgeven maar aan het wakend oog van meneer Broad wilde ontsnappen. Ze keek op van de plek waar ze lag te zonnen om met dat lome accent van haar en ogen vol boosaardig plezier te zeggen dat ze maar beter alle gedachten aan trouwen overboord konden zetten, want dat diezelfde Eerste Wereldoorlog waarin hun vader gewond was geraakt ook hun kans om te trouwen de nek om had gedraaid. De dertienjarige tweeling had haar alleen maar wezenloos aangekeken, een gezichtsuitdrukking die ze hadden vervolmaakt omdat ze wisten dat ze volwassenen ermee op de kast kregen. Wat kon hun dat schelen? Trouwen en aanbidders waren wel het laatste wat hen bezighield, althans toen. Saffy zei zacht: 'Nou, dat is toch pech hebben, niet dan? Dat al je toekomstige partners op het slagveld in Frankrijk sneuvelen?'

'Hoeveel was je er van plan te nemen?'

'Wat?'

'Partners. Je zei: "Dat al je toekomstige..."' Percy stak haar sigaret aan en maakte een achteloos gebaar. 'Ach, laat ook maar,' zei ze.

'Eentje maar.' Saffy voelde zich opeens licht in het hoofd. 'Er is er maar één geweest die ik wilde.' De navolgende stilte was moordend en Percy had tenminste het fatsoen om ongemakkelijk te kijken. Maar ze zei niets, ze bood haar geen woorden van troost noch een teken van begrip, noch een vriendelijk gebaar, ze kneep alleen het uiteinde van haar sigaret tussen haar vingers om hem te doven en liep naar de deur.

'Waar ga je heen?'

'Ik heb opeens hoofdpijn.'

'Ga dan even zitten. Ik haal wel een paar aspirientjes voor je.'

'Nee...' Percy weigerde Saffy recht aan te kijken. 'Nee, ik haal ze zelf wel uit het medicijnkastje. Even lopen zal me goeddoen.'

9

Percy repte zich door de gang en vroeg zich af hoe ze zo verrekte stom had kunnen zijn. Ze was van plan geweest de snippers van Emily's brief direct te verbranden en in plaats daarvan had ze zich door de confrontatie met Lucy van haar stuk laten brengen, zodat ze die in haar broekzak had laten zitten. Wat nog erger was, ze had hem rechtstreeks aan Saffy gegeven, uitgerekend degene voor wie de correspondentie verborgen moest blijven. Percy haastte zich naar beneden, de deur door en de met damp gevulde keuken in. Wanneer had ze zich de brief herinnerd als Saffy niet zojuist een toespeling op Emily's man Matthew had gemaakt? Was het te vroeg om de aftakeling van haar betrouwbare verstand te betreuren en zich af te vragen welke demonische deals ze zou moeten sluiten om haar geestelijke vermogens weer terug te krijgen?

Percy bleef met een ruk voor de tafel staan. Haar broek was weg. Haar hart maakte een salto en bonkte tegen haar ribbenkast, en ze drong het met geweld terug op de plek waar het hoorde. Met paniek schoot ze niets op; bovendien wist Percy vrij zeker dat Saffy de brief nog niet had gelezen: haar manier van doen boven was daar veel te afgemeten en rustig voor geweest. Want lieve god, als Saffy wist dat Percy nog altijd contact met hun nicht had, zou ze haar woede niet kunnen verbergen. Dat betekende dat alles nog niet verloren was. Zoek die brief, verwijder het bewijs en alles zou weer goed komen.

Ze herinnerde zich dat er ook een jurk op de tafel had gelegen, wat betekende dat er ergens een berg vuile was moest liggen. Hoe moeilijk was het om die te vinden? In elk geval lastiger dan als ze een flauw idee had hoe de was werd gedaan, maar helaas had Percy nooit veel aandacht voor Saffy's huishoudelijke bezigheden gehad, en ze nam zich in stilte voor die omissie goed te maken zodra de brief weer veilig en wel in haar bezit was. Ze begon met de manden op de plank onder de tafel, rommelend door theedoeken en ovenschalen, pannen en deegrollen met één oor op de trap gespitst voor het geval Saffy haar kwam zoeken. Dat was toch niet waarschijnlijk? Juniper was al aan de late kant, dus zou Saffy niet graag haar post bij de voordeur in de steek laten. Percy wilde er zelf ook weer zijn; zodra Juniper er was, zou ze haar rechtstreeks vragen naar het gerucht van mevrouw Potts.

Want al was Percy meegegaan met haar tweelingzus' overtuiging dat Juniper het hun heus wel verteld zou hebben als ze zich had verloofd, in werkelijkheid miste ze dat vertrouwen. Het was wel het soort argumenten dat andere mensen elkaar voorhielden, maar Juniper was niet zoals andere mensen: ze was geliefd, maar ook onmiskenbaar eigenzinnig. En het was niet alleen een kwestie van de verloren tijd, van de aanvallen; dit was het kleine meisje dat zichzelf troostte door met voorwerpen over haar blote ogen te wrijven zoals gladde kiezels, het uiteinde van een deegrol, of papa's favoriete vulpen. Het meisje dat ontelbare nanny's had verdreven met haar ongeneeslijke weerbarstigheid en haar weigering ingebeelde handlangers los te laten; een meisje dat bij de zeldzame gelegenheden waarop ze zich liet verleiden schoenen aan te trekken, die met alle geweld aan de verkeerde voet wilde dragen.

Een curieus karakter op zich vond Percy geen probleem, zoals het familieadagium ging: welk individu van enige waarde herbergde niet een flinke dosis eigenaardigheid? Papa had zijn demonen, Saffy de hare en Percy zelf maakte er geen aanspraak op erg alledaags te zijn. Nee, eigenaardigheden deden er niet toe; het enige waarom Percy zich druk maakte, was haar plicht om Juniper tegen zichzelf in bescherming te nemen. Papa had haar die taak gegeven. Juniper is speciaal, had hij gezegd, en het was de verantwoordelijkheid van ieder van hen om haar te beschermen. En daar hadden ze voor gezorgd, althans tot nu toe. Ze waren deskundigen geworden in het herkennen van momenten waarop juist die aspecten die de brandstof van haar talent waren dreigden om te slaan in een angstaanjagende woede. Toen papa nog leefde, had die haar dolle buien ongehinderd de vrije teugel gelaten: 'Het is hartstocht,' had hij gezegd met een bewonderende ondertoon, 'oprechte, teugelloze hartstocht.' Maar hij had er wel voor gezorgd dat hij er ook met zijn advocaten over praatte. Percy had ervan opgekeken toen ze erachter kwam wat hij had gedaan; haar eerste reactie was het hete gevoel van verraad, de kindermantra 'Dat is niet eerlijk!' Maar ze was gauw genoeg weer in het gareel. Ze zag in dat papa gelijk had, dat wat hij voorstelde voor alle betrokkenen het beste was. En ze was dol op Juniper, dat waren ze allemaal. Percy had alles voor haar kleine zusje over.

Boven klonk een geluid en Percy verstijfde terwijl ze het plafond bestudeerde. Het wemelde van de geluiden in het kasteel, dus was het een kwestie van oude getrouwen afstrepen. Toch zeker te hard voor de huismeesters? Daar klonk het geluid weer. Voetstappen, meende ze. Maar kwamen ze dichterbij? Kwam Saffy naar beneden? Percy hield zich een poosje met ingehouden adem muisstil tot ze zich ervan had vergewist dat de voetstappen zich eindelijk verwijderden.

Daarna richtte ze zich voorzichtig op en speurde ze de keuken af, iets radelozer dan daarvoor; er was nog altijd geen teken van een bebloede broek. Bezems en een zwabber in de hoek, laarzen bij de achterdeur, in de gootsteen stond niets anders dan wekend servies en op het fornuis stonden een pan en een ketel...

Een ketel! Natuurlijk had ze Saffy ooit iets horen zeggen over ketels en de was, waarna het gesprek op hardnekkige vlekken en een preek over Percy's eigen slordigheid kwam. Percy liep snel naar het fornuis, tuurde in de grote stalen ketel en bingo! Wat een opluchting, de broek.

Grijnzend zeulde ze het doorweekte uniformstuk uit het water en draaide het naar alle kanten om de zakken te vinden; eerst wurmde ze haar hand in de ene en daarna in de andere... Het bloed trok op slag uit haar gezicht: de zakken waren leeg. De brief was weg.

Boven klonk opnieuw geluid: al weer voetstappen; Saffy ijsbeerde. Percy vloekte binnensmonds, verwenste haar eigen domheid en hield zich vervolgens muisstil om te horen waar haar zus naartoe ging.

De voetstappen kamen dichterbij. Daarna klonk er een bonkend geluid. De voetstappen veranderden van koers. Percy spitste haar oren. Was er iemand aan de voordeur?

Stilte. Vooral geen dringende roep van Saffy. Dat wilde zeggen dat er niemand had aangeklopt, want één ding was zeker: wanneer de gasten er eenmaal waren, zou Percy's afwezigheid niet worden geduld.

Misschien was het dat luik weer; ze had het tenslotte maar licht met een kleine moersleutel terug op zijn plek getikt. Ze had geen gereedschapskist bij de hand, dus kon ze weinig anders beginnen, en buiten stormde het nog steeds. Dat moest maar op het lijstje van dingen die ze morgen moest repareren.

Percy haalde heel diep adem en slaakte een mistroostige zucht. Ze liet de broek weer in de ketel terugzakken. Het was al over achten, Juniper was te laat en de brief kon wel overal zijn. Misschien... en daar kikkerde ze wat van op... had Saffy het als rommel beschouwd? Het waren tenslotte snippers; misschien was de brief al verbrand en was ze nog maar een hoopje as in de Aga?

Behalve het hele huis uitkammen of Saffy rechtstreeks vragen wat er van de brief was geworden – Percy's tenen trokken krom van de gedachte aan dat gesprek – zag ze niet in wat ze er verder nog aan kon doen, en dat betekende dat ze net zo goed weer naar boven kon gaan om op Juniper te wachten.

Daarna klonk er een enorme donderklap, zo hard dat zelfs Percy in de ingewanden van het huis ervan huiverde. In het kielzog daarvan klonk er een ander, zachter geluid, dichterbij. Buiten, bijna alsof iemand langs de muur kraste en er af en toe op klopte, op zoek naar de achterdeur.

Junipers gast kon er nu elk moment zijn.

Het kon natuurlijk zijn, bedacht Percy, dat iemand die onbekend was met het kasteel en er 's avonds gedurende de verduistering midden in een onweersbui kwam, de ingang elders zou zoeken dan via de voordeur. Percy besefte dat die kans maar klein was, maar ze moest toch maar even gaan kijken. Ze kon hem toch niet buiten aan zijn lot overlaten?

Ze klemde haar lippen opeen, wierp nog één blik om zich heen in de keuken: voedsel uit de provisiekamer klaar voor gebruik op het aanrecht, een theedoek in een prop, een deksel, niets wat ook maar in de verste verte leek op een bergje snippers. Ze diepte de zaklantaarn uit het kistje met noodvoorraad, trok een regenjas over haar jurk en deed de achterdeur open.

Juniper was bijna twee uur te laat en Saffy maakte zich officieel zorgen. O, ze besefte wel dat het een vertraging op het spoor moest zijn, een lekke busband, een wegversperring, iets alledaags, en er zouden zeker op een natte avond als deze geen vijandelijke vliegtuigen zijn om het nog ingewikkelder te maken; toch had een rationele verklaring geen plek in de zorgen van een grote zus. Totdat Juniper recht van lijf en leden door de voordeur zou wandelen, bleef een aanzienlijk deel van Saffy's gedachten in de greep van de angst.

Kauwend op haar onderlip vroeg ze zich af met welk nieuws haar zusje uiteindelijk aan zou komen. Saffy geloofde het zelf toen ze Percy bezwoer dat Juniper niet verloofd was, echt waar, maar nadat Percy zo abrupt was weggelopen en haar in de nette salon aan haar lot had overgelaten, was ze er steeds minder zeker van geworden. De twijfels waren gerezen toen ze een grapje maakte over hoe twijfelachtig het beeld van Juniper in witte kant was. Nog terwijl Percy bemend knikte, onderging het opgetutte beeld dat voor Saffy's geestesoog passeerde een metamorfose – als een weerspiegeling in rimpelend water – tot een ander en veel minder onwaarschijnlijk visioen. Een visioen dat Saffy al had gekoesterd sinds ze boven was begonnen aan het vermaken van de jurk.

Van daaruit waren de puzzelstukjes snel op hun plaats gevallen. Waarom had Juniper haar anders gevraagd de jurk te vermaken? Niet voor zoiets gewoons als een etentje, maar voor een bruiloft. Haar eigen bruiloft met die Thomas Cavill die vanavond aan hen zou worden voorgesteld. Een man van wie ze tot nu toe niets geweten hadden. Sterker nog, hun kennis was beperkt tot de brief die Juniper had gestuurd, waarin stond dat ze hem te eten had gevraagd. Ze hadden elkaar tijdens een luchtaanval leren kennen, ze hadden een gemeenschappelijke vriend en hij was onderwijzer en schrijver. Saffy piekerde zich suf om zich de rest te herinneren, Junipers precieze bewoordingen, de zinswendingen die de indruk hadden gewekt dat de heer in kwestie op de een of andere manier haar leven had gered. Hadden ze zich dat onderdeel maar verbeeld? Of was het een van Junipers creatieve onwaarheden, opsmuk om hun sympathie te werven?

Er stond wel meer over hem in haar dagboek, maar die informatie was niet van biografische aard. Wat daar stond waren gevoelens en verlangens, de hunkeringen van een volwassen vrouw. Een vrouw die Saffy niet herkende, tegenover wie ze zich verlegen voelde; een vrouw die wereld was geworden. Saffy vond de overgang al moeilijk te verteren, dus Percy zou helemaal gepaaid moeten worden. Wat haar tweelingzus betrof, zou Juniper altijd het kleine zusje blijven dat pas kwam kijken toen zij al bijna volwassen waren, het meisje dat vertroeteld en beschermd moest worden. Dat je kon opbeuren of voor je winnen met weinig meer dan een zak snoep.

Saffy glimlachte treurig om haar geliefde maar stekelige tweelingzus die zich ongetwijfeld op dat ogenblik zo wapende dat hun vaders wensen gerespecteerd zouden worden. Die arme lieve Percy, in zo veel opzichten intelligent, dapper en hartelijk, taaier dan leer, maar nooit in staat om de kluisters van haar vaders onmogelijke verwachtingen te slaken. Saffy wist wel beter; zij was al lang geleden opgehouden Hem te behagen.

Ze rilde, ze had het opeens koud en wreef zich in de handen. Daarna sloeg ze de armen over elkaar, vastbesloten iets van ijzer erin te vinden. Saffy moest nu sterk zijn voor Juniper; het was haar beurt. Want in tegenstelling tot Percy had zij wel begrip voor de last van een hartstochtelijke romance...

De deur ging kreunend open en daar stond Percy. De tocht liet de deur met een klap achter haar dichtslaan. 'Het komt met bakken uit de hemel.' Ze veegde het water van haar neus en kin en schudde haar natte haren uit. 'Ik hoorde daarnet een geluid buiten.'

Saffy knipperde onthutst met haar ogen. De woorden kwamen automatisch. 'Het was dat luik. Ik denk dat ik het heb gemaakt, maar ik ben natuurlijk niet handig... Percy, waar heb jij in hemelsnaam gezeten?' En wat had ze uitgespookt? Saffy's ogen werden groot van verbazing toen ze de natte, modderige kleren en die... bladeren... in het haar van haar zus zag. 'Geen hoofdpijn meer?'

'Wat?' Percy had hun glazen gepakt en was naar de tafel met drank gelopen om voor hen allebei nog een whisky in te schenken.

'Je hoofdpijn. Heb je de aspirine nog gevonden?'

'O. Ja, dank je.'

'Je was alleen een hele poos weg.'

'O ja?' Percy gaf Saffy haar glas. 'Dat zal wel. Ik dacht dat ik buiten een geluid hoorde; waarschijnlijk Poe die bang was voor het onweer. Maar eerst vroeg ik me af of het misschien Junipers vriend was; hoe heet hij ook alweer?'

'Thomas.' Saffy nam een slokje. 'Thomas Cavill.' Verbeeldde ze zich dat Percy haar blik meed? 'Percy, ik hoop...'

'Maak je geen zorgen. Ik zal aardig voor hem zijn wanneer hij komt.' Ze liet de whisky in haar glas draaien. 'Als hij tenminste komt.'

'Je mag het hem niet voorbarig kwalijk nemen dat hij te laat is, Percy.'

'Waarom niet, in 's hemelsnaam?'

'Het is de schuld van de oorlog. Niets rijdt meer op tijd. Juniper is er ook nog niet.'

Percy pakte de sigaret die ze een poosje geleden op de rand van de asbak had achtergelaten. 'Daar kijk ik niet van op.'

'Hij zal uiteindelijk heus wel komen.'

'Als hij bestaat.'

Wat een merkwaardige opmerking. Saffy duwde verward een lok haar achter haar oor; verward en bezorgd vroeg ze zich af of Percy soms een grapje maakte, met haar kenmerkende spot die Saffy gewoonlijk serieus nam. Haar maag speelde op, maar Saffy sloeg er geen acht op en verkoos de opmerking als een grapje op te vatten. 'Ik mag het wel hopen. Het zou erg jammer zijn als hij maar een verzinsel bleek. De tafelschikking zal met een couvert minder verschrikkelijk uit evenwicht zijn.' Ze nam plaats op de rand van de chaise longue, maar hoe ze ook streefde naar comfort, er leek een merkwaardige spanning van Percy op haar over te slaan.

'Je ziet er moe uit,' zei Percy.

'O ja?' Saffy probeerde minzaam te klinken. 'Dat ben ik ook, denk ik. Misschien zal activiteit me goeddoen. Misschien moest ik maar even naar de keuken om...'

'Nee.'

Saffy liet haar glas vallen. Whisky gutste over het tapijt en vormde bruine kralen op de blauwrode oppervlakte.

Percy raapte het glas op. 'Het spijt me,' zei ze. 'Ik bedoelde alleen...'

'Wat dom van me.' Saffy veegde over een natte plek op haar jurk. 'Dom, dom...'

En toen werd er geklopt.

'Juniper,' zei Percy.

Saffy slikte. De veronderstelling ontging haar niet. 'Of Thomas Cavill.'

'Inderdaad, of Thomas Cavill.'

'Nou,' zei Saffy met een zuinig glimlachje, 'wie het ook is, ik neem aan dat we maar beter open kunnen doen.'

DEEL II

Het boek van magische, natte dieren

1992

Thomas Cavill en Juniper Blythe bleven me maar door het hoofd spoken. Het was ook zo'n melancholisch verhaal; ik maakte het tot mijn melancholische verhaal. Ik keerde terug naar Londen, vatte de draad van mijn leven weer op, maar een deel van mij bleef verankerd aan dat kasteel. De fluisteringen vonden me op de rand van de slaap in een dagdromerig ogenblik. Mijn ogen zakten dicht en ik was direct weer terug in die koele schemergang, wachtend naast Juniper op de komst van haar verloofde. 'Ze is verdwaald in het verleden,' had mevrouw Bird tegen me gezegd toen we wegreden en ik in het spiegeltje zag hoe de bossen zich als vleugels om het kasteel samentrokken als onder een donker, beschermend kleed. 'Altijd maar weer diezelfde avond in oktober 1941, als een naald die in de groef van een grammofoonplaat is blijven hangen.'

Het hele idee was zo in- en intriest – een heel leven in één avond weggegooid – en het vervulde me met vragen. Hoe was het die avond voor haar geweest toen Thomas Cavill niet kwam opdagen voor het diner? Hadden alle drie de gezusters zitten wachten in een vertrek dat speciaal voor de gelegenheid was opgetuigd? Ik vroeg me af op welk moment ze zich zorgen ging maken; of ze aanvankelijk dacht dat hij gewond was geraakt, dat er een ongeluk was gebeurd, of dat ze direct wist dat ze in de steek was gelaten. 'Hij is met een ander getrouwd,' vertelde mevrouw Bird me desgevraagd. 'Hij verloofde zich met Juniper en daarna ging hij er met iemand anders vandoor. Hij schreef nog niet eens een briefje om een eind aan hun relatie te maken.'

Ik hield het verhaal in mijn handen, draaide het om en bekeek het vanuit elk perspectief. Ik stelde het me voor, wijzigde het en liet het weer de revue passeren. Waarschijnlijk heeft het feit dat ik op soortgelijke wijze was verraden er iets mee te maken, maar mijn obsessie – want ik moet bekennen dat het daarop uitdraaide – werd door meer elementen gevoed dan louter empathie. Ze had vooral te maken met mijn laatste ogenblikken met Juniper. De metamorfose die ik zag toen ik over mijn terugkeer naar Londen sprak; de manier waarop de jonge vrouw die smachtend op haar minnaar wachtte, plaatsmaakte voor een nerveus wrak dat me smeekte haar te helpen, en me ervan langs gaf omdat ik een belofte had verbroken. Ik staarde me vooral blind op het ogenblik waarop ze me in de ogen keek en me ervan betichtte dat ik haar op een ernstige manier tekort had gedaan, en op de toon waarmee ze me Meredith noemde.

Juniper Blythe was oud, ze was niet in orde en haar zusters hadden veel moeite gedaan om me te waarschuwen dat ze dikwijls over dingen sprak die ze niet begreep. Toch werd me hoe langer hoe meer akelig duidelijk dat mama een rol in haar lot had gespeeld. Het was het enige logische. Het verklaarde haar reactie op de verloren brief, de snik – want die was toch van wanhoop? – toen ze zag wie de afzender was en die net zo had geklonken als de snik voordat we wegreden van Milderhurst toen ik klein was. Dat geheime bezoek, tientallen jaren geleden, toen mama mijn hand had losgetrokken van het hek, me terug naar de auto duwde en alleen zei dat ze zich had vergist, dat het te laat was.

Maar te laat waarvoor? Om het weer goed te maken misschien? Om een faux pas van lang geleden te herstellen? Was ze uit schuldgevoel naar het kasteel teruggegaan en vervolgens weer weggegaan voordat we de poort door waren? Dat kon best. En als dat zo was, zou dat zeker een verklaring voor haar ontsteltenis zijn. Het zou ook kunnen verklaren waarom ze de hele toestand überhaupt had verzwegen. Wat me toen trof, was namelijk evenzeer de geheimzinnigheid als het mysterie. Ik geloof niet dat me alles verteld had moeten worden, maar in dit geval kon ik niet het gevoel van me afschudden dat ik was voorgelogen. Sterker nog: dat dit mij op de een of andere manier rechtstreeks trof. Er verschool zich iets in mijn moeders verleden, iets wat ze met veel moeite had geprobeerd geheim te houden. Een handeling, een beslissing, misschien slechts één ogenblik toen ze een meisje was; iets wat zijn lange, duistere schaduw op mama's heden wierp en daardoor ook op het mijne. En – niet alleen omdat ik nieuwsgierig was, niet alleen omdat ik zo met Juniper Blythe meeleefde, maar omdat dit geheim op een wijze die moeilijk uit te leggen is een levenslange afstand tussen mij en mijn moeder vertegenwoordigde – ik moest weten wat zich had afgespeeld.

'Ik ben het met je eens,' zei Herbert toen ik het hem vertelde. We hadden die middag mijn dozen met boeken en een assortiment huishoudelijke spullen op zijn overvolle zolder gestouwd en waren net naar buiten gegaan om een wandeling door Kensington Gardens te maken. De wandelingen zijn een dagelijkse gewoonte van ons geworden, op aanraden van de dierenarts, om Jess met haar spijsvertering te helpen, maar die begroet de gebeurtenis met spectaculair veel tegenzin. 'Kom eens mee, Jessie,' zei Herbert met een tikje van de neus van zijn schoen tegen haar koppige kont, die zich nogal onverzettelijk op het beton had gevestigd. 'We zijn bijna bij de eendjes, ouwe lieverd.'

'Maar hoe kom ik erachter?' Ik kon natuurlijk naar tante Rita, maar mama's precaire relatie met haar oudste zus gaf dat idee iets heel gluiperigs. Ik stak mijn handen diep in mijn zakken, alsof ik het antwoord ergens tussen de pluizen kon vinden. 'Wat moet ik doen? Waar moet ik beginnen?'

'Welaan, Edie.' Hij gaf me Jessies lijn zodra hij een sigaret uit zijn zak kon friemelen en stak hem aan met zijn hand om het vlammetje. 'Ik heb het gevoel dat er maar één plek is waar je kunt beginnen.'

'O ja?'

Hij blies theatraal een rookpluim uit. 'Je weet net zo goed als ik dat je het aan je moeder moet vragen.'

Het zou je vergeven zijn als je dacht dat Herberts suggestie voor de hand lag en dat is deels mijn schuld. Ik neem aan dat ik de lezer een volslagen verkeerd beeld van mijn familie heb gegeven, omdat ik met die lang verloren brief ben begonnen. Daar begint het verhaal, maar niet míjn verhaal. Het is niet het begin van het verhaal van Meredith en Edie. Als je die bewuste zondagmiddag bij ons op bezoek was geweest, zou niemand het je kwalijk nemen als je ons een vrij hartelijk stel vond, dat we ontspannen keuvelden en over ons leven konden praten. Hoe aardig dat ook mag klinken, zo lag het niet. Ik kan een aantal gebeurtenissen in mijn kinderjaren aanhalen die aantonen dat we geen relatie hadden die zich onderscheidde door contact en begrip: de niet nader toegelichte verschijning van een militairachtige beha in mijn lade toen ik dertien werd. Het feit dat ik het voornamelijk van Sarah moest hebben voor alle voorlichting over de bloemetjes en de bijtjes en alles daartussenin. Het spook van de broer dat zowel mijn ouders als ik zogenaamd niet zagen.

Maar Herbert had gelijk: dit was mijn moeders geheim en als ik achter de waarheid wilde komen, als ik meer wilde weten over het kleine meisje dat als een schaduw met me op was gelopen in Milderhurst Castle, was het de enige juiste manier om te beginnen. Het toeval wilde dat we volgende week hadden afgesproken om koffie te gaan drinken in een patisserie om de hoek van Billing & Brown. Ik ging om elf uur van kantoor weg, vond een tafeltje in de hoek achterin en deed zoals gewoonlijk onze bestelling. De serveerster had me net een dampende pot zwarte thee gebracht toen ik een flard lawaai van de straat hoorde. Ik keek op en zag mijn moeder aarzelend in de deuropening staan met haar tas en hoed in de hand. Ze keek met een defensief soort behoedzaamheid om zich heen in de onbekende en uitgesproken moderne theesalon. Ik keek de andere kant op, naar mijn handen, het tafeltje, ik friemelde aan de rits van mijn tas, alles om te voorkomen dat ik er getuige van was. Ik heb die onzekere blik de laatste tijd wel vaker gezien, en ik weet niet of die komt doordat zij ouder wordt, of ik, of omdat de wereld inderdaad steeds sneller gaat. Mijn reactie daarop zit me niet lekker, want een blik op mijn moeders zwakte zou eigenlijk mededogen moeten wekken, zou haar sympathieker moeten maken, maar het tegendeel is het geval. Het beangstigt me, als een scheur in de structuur van het gewone die dreigt alles lelijk te maken, onherkenbaar, niet zoals het hoort. Mijn moeder is mijn hele leven een orakel geweest, een muur van fatsoen, dus om haar onzeker te zien, vooral in een situatie die voor mij alledaags is, zet mijn wereld op zijn kop en geeft me het gevoel dat het kleed onder mijn voeten wordt weggetrokken. Dus wachtte ik af, en pas toen er voldoende tijd was verstreken, keek ik op en ving ik haar blik op. Haar zekerheid en zelfvertrouwen waren terug. Ik wuifde verrast, alsof ik toen pas besefte dat ze er was.

Ze baande zich behoedzaam een weg door de drukke theesalon en lette er overdreven op dat haar tas niet tegen hoofden stootte, waarmee ze op de een of andere manier haar afkeuring over de inrichting kenbaar maakte. Ondertussen controleerde ik of niemand gemorste suiker of cappuccinoschuim of gebakkruimels op haar kant van het tafeltje had achtergelaten. Die min of meer regelmatige afspraken waren iets nieuws, een paar maanden na papa's pensionering ingesteld. Voor allebei waren het stroeve aangelegenheden, ook als ik niet van plan was op subtiele wijze in mama's leven te gaan spitten. Ik kwam half overeind toen ze bij mijn tafeltje was, mijn lippen kusten de lucht bij haar aangeboden wang en daarna namen we allebei plaats met een uiterst opgeluchte glimlach omdat de openbare begroeting achter de rug was.

'Warm buiten, hè?'

'Zeker,' zei ik, en we zaten direct weer in een comfortabele groef: papa's huidige obsessie met de orde in huis (hij ruimde de dozen op zolder op), mijn werk (bovennatuurlijke ontmoetingen op Romney Marsh) en mama's bridgeclubroddels. Daarna viel er een stilte waarin we naar elkaar glimlachten en wachtten tot mama aarzelend informeerde: 'En hoe is het met Jamie?'

'Goed.'

'Ik heb de laatste recensie in *The Times* gelezen. Zijn nieuwe stuk is goed ontvangen.'

'Ja.' Ik had de recensie ook gelezen. Ik had er niet naar gezocht, echt niet;

het stuk sprong gewoon in het oog toen ik naar de advertenties voor huurappartementen zocht. Het was toevallig een uitstekende recensie. Verrekte krant: er was niets fatsoenlijks te huur.

Mama zweeg even toen de bestelde cappuccino werd gebracht. Ze legde een servetje tussen kop en schotel om de gemorste melk te absorberen. 'Wat staat er nu op z'n programma?'

'Hij werkt aan zijn eigen scenario. Sarah is bevriend met een regisseur die heeft beloofd het te lezen wanneer het af is.'

Haar mond vormde een stilzwijgende, cynische O voordat ze iets positiefs kon zeggen. De laatste woorden verdronken in een slok koffie. Haar gezicht vertrok door de bittere smaak en gelukkig ging ze op iets anders over. 'En hoe is het met je huis? Je vader wil weten of die kraan in je keuken nog steeds stuk is. Hij heeft weer een manier bedacht om hem voor eens en voor altijd te repareren.'

Ik stelde me het koude, lege huis voor zoals ik het die ochtend voor het laatst had verlaten. De spoken van mijn herinneringen zaten in de verzameling kartonnen dozen waartoe mijn leven nu was gereduceerd, en waren op Herberts zolder gestouwd. 'Prima,' zei ik. 'Met het appartement is niets mis. De kraan doet het goed. Zeg maar dat hij zich echt geen zorgen meer hoeft te maken.'

'Is er nog iets anders waarnaar gekeken moet worden?' Er was een licht smekende ondertoon in haar stem geslopen. 'Ik dacht eraan hem zaterdag naar je toe te sturen voor wat algemeen onderhoud.'

'Ik zei toch dat alles in orde is.'

Ze keek verrast en gekwetst en ik besefte dat ik het te bruusk had gezegd, maar deze vreselijke gesprekken waarin ik moest doen alsof alles van een leien dakje ging, putten me uit. Ondanks mijn neiging in de fantasiewereld van boeken te verdwijnen, ben ik geen leugenaar en uitvluchten gaan me slecht af. Onder normale omstandigheden zou dit het ideale moment zijn om haar het nieuws over Jamie te vertellen, maar dat kon ik niet, want ik wilde het gesprek weer op Milderhurst en Juniper Blythe brengen. Hoe dan ook, een man aan het tafeltje naast dat van ons draaide zich op dat moment om en vroeg of hij ons zout mocht lenen. Toen ik het aanreikte, zei mama: 'Ik heb iets voor je.' Ze haalde een oude M&S-tas tevoorschijn, dubbelgevouwen om de inhoud te beschermen. 'Maak je maar niet blij met een dooie mus,' voegde ze eraan toe. 'Het is niets nieuws.'

Ik deed de tas open, haalde de inhoud eruit en keek er even verbaasd naar. Mensen geven me dikwijls manuscripten die ze de moeite van het publiceren waard wanen, maar ik kon amper geloven dat iemand er zo ver naast kon zitten.

'Weet je het niet meer?' Mama keek me aan alsof ik mijn eigen naam was vergeten.

Ik keek opnieuw naar de aan elkaar geniete stapel papier met de kindertekening voorop en de bibberige woorden boven aan de pagina: *Het boek van natte dieren, geschreven en geïllustreerd door Edith Burchill.* Er was een pijltje ingevoegd tussen 'van' en 'natte' en het woord 'magische' was er in een andere kleur aan toegevoegd.

'Dat heb jij geschreven, weet je dat niet meer?' vroeg mama.

'Jawel,' loog ik. Iets op mama's gezicht zei me dat het belangrijk was dat ik het nog wist. Bovendien *wilde* ik het me ook herinneren. Ik streek met mijn duim over een inktvlek die was ontstaan door een pen die te lang had gewacht met de volgende haal.

'Je was er zo trots op.' Ze hield het hoofd schuin om het bundeltje papier in mijn handen te bekijken. 'Je hebt er dagen aan gewerkt, gehurkt op de grond onder de kaptafel in de logeerkamer.'

Dat kwam me wél bekend voor. Uit de langetermijnopslag in mijn hoofd maakte zich een heerlijke herinnering los en ik kreeg een tintelend gevoel in mijn lichaam: de geur van stof in het ronde tapijt, de scheur in het pleisterwerk waar net een pen in paste, de harde vloerdelen onder mijn knieën wanneer ik het zonlicht over de vloer zag spelen.

'Je was altijd bezig met een of ander verhaal, dan zat je eindeloos in het halfdonker te schrijven. Je vader was wel eens bang dat je verlegen zou worden, dat je nooit vriendinnen zou krijgen, maar we konden je enthousiasme nooit beteugelen.'

Ik herinnerde me dat ik las, maar niet dat ik schreef. Toch raakte mama's opmerking over het beteugelen van mijn enthousiasme een snaar. Ik zag beelden voor me van lang geleden, van papa die zijn hoofd schudde wanneer ik terugkwam uit de bibliotheek en hij me aan tafel vroeg waarom ik geen boeken uit de non-fictieafdeling leende, wat ik toch met al die sprookjesonzin moest, waarom ik geen belangstelling voor de echte wereld had.

'Ik was vergeten dat ik verhalen schreef,' zei ik, terwijl ik het boek omdraaide en moest glimlachen om het zogenaamde uitgeverslogo dat ik achterop had getekend.

'Nou ja.' Ze veegde een oude kruimel van tafel. 'Hoe dan ook, ik vond dat je het moest hebben. Je vader heeft allerlei dozen van zolder gehaald, zo heb ik het gevonden. Het heeft geen zin om het aan de zilvervisjes over te laten, hè? Je weet maar nooit, misschien krijg je ooit zelf een dochter aan wie je het kunt laten zien.' Ze rechtte de rug en het konijnenhol naar het verleden sloot zich. 'Vertel eens,' zei ze. 'Hoe was je weekeinde? Nog iets bijzonders gedaan?'

En daar was hij dan: de perfecte opening en de gordijnen waren wijd open. Ik had zelf niet met een betere opening kunnen komen. Ik keek naar *Het boek van magische, natte dieren* in mijn handen; het oude, stoffige papier, de lijnen van viltstiften, de kinderlijke schaduwpartijen en kleuren, en besefte dat mijn moeder het al die jaren had bewaard, dat ze het aan me wilde geven ondanks haar bezwaren tegen mijn nutteloze bezigheden, dat ze nou juist vandaag had uitgekozen om me aan een deel van mezelf te herinneren dat ik glad was vergeten, en ik werd plotseling overvallen door een groeiend verlangen om alles te vertellen wat me op Milderhurst Castle was overkomen. Ik had het aangename gevoel dat het allemaal goed uit zou pakken.

'Eigenlijk wel,' zei ik.

'O ja?' Ze glimlachte opgewekt.

'Iets heel bijzonders.' Mijn hart bonkte in mijn keel, ik aanschouwde mezelf als van een afstandje, en terwijl ik op het randje van het ravijn wankelde, vroeg ik me af of ik echt ging springen. 'Ik heb een rondleiding gehad,' zei ik met een stem die ik vagelijk als de mijne herkende. 'In Milderhurst Castle.'

'Je... Wat?' Mama zette grote ogen op. 'Ben je naar Milderhurst geweest?' Ze keek me recht aan toen ik knikte en daarna sloeg ze haar ogen neer. Ze friemelde aan het sierlijke oor van haar kopje en ik sloeg haar behoedzaam en nieuwsgierig gade, want ik wist niet wat er ging gebeuren en was even nieuwsgierig naar, als afkerig van wat ik te horen zou krijgen.

Ik had meer vertrouwen moeten hebben. De waardigheid herstelde zich als een prachtige zonsopgang die de wolken aan de horizon verjaagt. Ze hief haar hoofd op en zette haar schoteltje glimlachend recht. 'Kijk eens aan,' zei ze. 'Milderhurst Castle. En hoe was het?'

'Het was... groot.' Taal is mijn vak, maar iets beters kon ik niet verzinnen. Ik was natuurlijk verrast door de totale metamorfose die ik zojuist had gadegeslagen. 'Als iets uit een sprookje.'

'Zei je een rondleiding? Ik wist niet dat zoiets kon. Dat zal wel iets moderns zijn, denk ik.' Ze maakte een achteloos gebaar. 'Voor geld kan alles.'

'Het was een informele rondleiding,' zei ik. 'Een van de eigenaressen heeft me rondgeleid. Een stokoude dame die Percy Blythe heette.'

'Percy?' Haar stem trilde een heel klein beetje, het enige deukje in haar kalmte. 'Percy Blythe? Woont zij daar nog?'

'Allemaal, mama. Alle drie. Zelfs Juniper, die jou die brief had gestuurd.'

Mama opende haar mond alsof ze iets wilde zeggen; toen er niets kwam, deed ze hem weer stevig dicht. Ze vlocht haar vingers ineen op haar schoot en bleef zo roerloos en bleek als een marmeren standbeeld zitten. Ik bleef ook zwijgen, maar de stilte werd te zwaar.

'Het was griezelig,' zei ik terwijl ik mijn theepot pakte. Ik zag dat mijn handen beefden. 'Alles was stoffig en schemerig en om ze daar met z'n drieën in de salon te zien zitten, drie oude dames in dat kolossale oude huis... Het voelde een beetje alsof ik in een poppenhuis was bel...'

'Juniper... Edie...' Mama's stem klonk merkwaardig afgeknepen en ze schraapte haar keel. 'Hoe was het met haar? Wat voor indruk maakte ze?'

Ik vroeg me af waar ik moest beginnen: de meisjesachtige vreugde, het onverzorgde voorkomen, of haar laatste tirade van radeloze beschuldigingen. 'Ze was in de war,' zei ik. 'Ze droeg een ouderwetse japon en vertelde dat ze op iemand wachtte, op een man. De dame in de boerderij waar ik logeerde vertelde dat ze niet in orde is, en dat haar zussen voor haar zorgen.'

'Is ze ziek?'

'Dement. Min of meer.' Voorzichtig vervolgde ik: 'Haar vriend had haar heel lang geleden verlaten en daar is ze nooit helemaal bovenop gekomen.'

'Vriend?'

'Verloofde, om precies te zijn. Hij liet haar zitten en het verhaal gaat dat ze er gek van is geworden. Letterlijk.'

'O, Edie,' zei mama. De lichtelijk misselijke uitdrukking op haar gezicht maakte plaats voor het soort glimlachje dat je misschien aan een onhandig poesje zou schenken. 'Je hebt altijd al zo veel fantasie gehad. Het echte leven is niet zo.'

Ik zette mijn stekels op. Het wordt vermoeiend om als een onnozele bakvis te worden behandeld. 'Ik vertel alleen maar wat er in het dorp wordt gezegd. Een dame vertelde me dat Juniper altijd broos is geweest, al toen ze nog jong was.'

'Ik heb haar gekénd, Edie; je hoeft mij niet te vertellen hoe ze was toen ze jong was.'

Ze snauwde het en dat overviel me. 'Sorry,' zei ik, 'ik...'

'Nee.' Ze drukte licht met haar hand op haar voorhoofd, daarna keek ze verstolen over haar schouder. 'Nee, ík moet sorry zeggen. Ik begrijp niet wat me bezielt,' zuchtte ze met een nerveuze glimlach. 'Ik denk dat het me overviel; alle drie nog op het kasteel. Wat moeten die óúd zijn.' Fronsend leek het alsof ze grote belangstelling voor de rekensom had. 'Die andere twee waren al oud toen ík ze kende; althans, zo leek het.'

Ik was nog steeds geschrokken van haar uitbarsting en antwoordde voorzichtig: 'Bedoel je dat ze er oud uitzagen, met grijs haar en zo?'

'Nee, nee, dat was het niet. Het is lastig te zeggen wat het precies was. Waarschijnlijk waren ze destijds pas halverwege de dertig, maar dat betekende in die jaren natuurlijk iets anders. En ik was nog een kind. Kinderen kijken daar anders tegenaan, toch?'

Ik zei niets; dat verwachtte ze ook niet. Haar ogen keken me wel aan, maar stonden op oneindig, alsof ze een ouderwets diascherm waren waarop beelden werden geprojecteerd. 'Ze gedroegen zich meer als ouders dan als zussen,' zei ze. 'Ik bedoel voor Juniper. Zij waren een heel stuk ouder dan zij, en haar moeder was gestorven toen ze nog heel klein was. Hun vader leefde nog wel, maar hij bemoeide zich weinig met ze.'

'Hij was de schrijver Raymond Blythe,' zei ik behoedzaam, bang dat ik weer te ver ging met informatie die zij al uit de eerste hand had. Maar deze keer leek ze het niet zo erg te vinden en ik wachtte op een aanwijzing dat ze alles wist over wat die naam inhield, dat ze zich weer herinnerde dat ze het boek mee naar huis had genomen toen ik nog klein was. Ik had er vergeefs naar gezocht toen ik de spullen van het appartement inpakte, in de hoop dat ik het zou kunnen meenemen om aan haar te laten zien. 'Hij heeft een boek geschreven dat *The True History of the Mud Man* heet.'

'Ja,' zei ze heel zacht, meer niet.

'Heb je hem ooit ontmoet?'

Ze schudde haar hoofd. 'Ik heb hem een paar keer vanuit de verte gezien. Hij was inmiddels heel oud en leidde een teruggetrokken leven. De meeste tijd bracht hij door in zijn schrijftoren en daar mocht ik niet komen. Dat was een van de belangrijkste regels, en er waren er niet veel.' Ze had de ogen neergeslagen en onder elk ooglid klopte een paars adertje. 'Af en toe hadden ze het over hem; volgens mij kon hij wel lastig zijn. Ik beschouwde hem altijd als een soort King Lear, die zijn dochters tegen elkaar uitspeelde.'

Het was voor het eerst dat ik mijn moeder naar een fictief personage hoorde verwijzen, en het gevolg was dat mijn gedachtestroom geheel ontspoorde. Mijn proefschrift had Shakespeares tragedies als onderwerp gehad en ze had nooit te kennen gegeven dat ze zijn stukken kende.

'Edie?' Mama keek opeens op. 'Heb je ze verteld wie je bent? Toen je op Milderhurst was, heb je toen over mij verteld? Aan Percy, en de anderen?'

'Nee.' Ik vroeg me af of die omissie mama zou beledigen; of ze met alle geweld zou willen horen waarom ik hun de waarheid niet had verteld. 'Nee, dat heb ik niet gedaan.'

'Mooi,' zei ze knikkend. 'Dat was een verstandig besluit. Wel zo vriendelijk. Je had ze alleen maar in de war gebracht. Het is allemaal zo lang geleden en ik ben er maar zo kort geweest. Ze zijn natuurlijk volkomen vergeten dat ik er überhaupt ben geweest.'

En dat was mijn kans. Ik greep hem met beide handen aan. 'Dat is het 'm nou juist, mama. Dat zijn ze niet; althans Juniper niet.'

'Hoe bedoel je?'

'Zij hield me voor jou.'

'Zij...?' Haar ogen speurden de mijne af. 'Hoe weet je dat?'

'Ze noemde me Meredith.'

Mama's vingertoppen streken langs haar lippen. 'Zei ze... nog meer?'

Een tweesprong; een keus. En ook weer niet. Ik liep op eieren: als ik mama precies vertelde wat Juniper had gezegd, dat ze haar ervan had beschuldigd dat ze een belofte had verbroken en haar leven had geruïneerd, zou dat vrijwel zeker het einde van ons gesprek betekenen. 'Niet veel,' zei ik. 'Waren jullie dikke vriendinnen?'

Op dat moment kwam de man die achter ons zat overeind en zijn aanzienlijke achterwerk stootte tegen ons tafeltje zodat alles wat erop stond schudde. Toen hij zich verontschuldigde, glimlachte ik afwezig, want ik moest ervoor zorgen dat onze kopjes niet omvielen en het gesprek op koers bleef. 'Waren jij en Juniper bevriend, mama?'

Ze pakte haar kopje en leek een hele poos nodig te hebben om met het lepeltje het schuim te verwijderen. 'Weet je, het is zo lang geleden dat het niet meevalt om me alles nog te herinneren.' Er klonk een broos, metalig geluid toen het lepeltje het kopje raakte. 'Zoals ik al zei, ben ik er maar iets meer dan een jaar geweest. Begin 1941 kwam mijn vader me weer halen.'

'En ben je nooit meer terug geweest?'

'Ik heb Milderhurst nooit meer gezien.'

Dat loog ze. Ik voelde me warm en duizelig worden. 'Weet je dat zeker?'

Ze stiet een lachje uit. 'Wat een rare opmerking, Edie. Natuurlijk weet ik dat zeker. Zoiets zou je je toch herinneren, denk je niet?'

Inderdaad, dat deed ik ook. Ik slikte. 'Dat is het 'm nou juist. Er is namelijk iets geks gebeurd. Toen ik dit weekeinde de poort van Milderhurst zag, het hek aan het begin van de oprijlaan, kreeg ik heel sterk het gevoel dat ik daar al eens eerder had gestaan.' Toen ze niets zei, hield ik aan: 'Dat ik daar met jou had gestaan.'

Haar stilte was kwellend en opeens werd ik me bewust van het geroezemoes om ons heen, de akelige klap van de koffiehouder die werd geleegd, het malen van de koffiemolen, de schrille lach van een van de klanten op de entresol. Het leek wel alsof ik alles van een afstand hoorde, alsof mama en ik afzonderlijke individuen in onze eigen cocon waren.

Ik probeerde mijn stem zo normaal mogelijk te laten klinken. 'Toen ik klein was. Jij en ik waren erheen gereden, we stonden voor de poort. Het was warm en er was een vijver en ik wilde zwemmen, maar we gingen de poort niet door. Je zei dat het te laat was.'

Mama depte langzaam en voorzichtig haar lippen met haar servet en keek me aan. Even dacht ik het lichtje van een biecht in haar ogen te lezen. Daarna knipperde ze en was het weer weg. 'Dat verbeeld je je maar.'

Ik schudde langzaam mijn hoofd.

'Al die poorten lijken op elkaar,' vervolgde ze. 'Je hebt vast ooit ergens een foto gezien, of een film en je bent in de war geraakt.'

'Maar ik herínner...'

'Dat zul je vast geloven. Net als toen je buurman Watson ervan beschuldigde een Russische spion te zijn, of die keer dat je ervan overtuigd was dat je was geadopteerd... We moesten je zelfs je geboorteakte laten zien, weet je nog?' Ze had een toon aangeslagen die ik me maar al te goed van vroeger herinnerde. De razend makende zekerheid van een verstandig, achtenswaardig en machtig persoon; iemand die niet luisterde, hoe hard ik ook sprak. 'Ik moest van je vader met je naar de dokter voor je nachtmerries.'

'Dit is iets anders.'

Ze glimlachte opgewekt. 'Je hebt veel fantasie, Edie. Dat is altijd zo geweest. Ik weet niet van wie je het hebt; niet van mij in elk geval. En zéker niet van je vader.' Ze pakte haar tasje van de grond. 'Over hem gesproken, ik moest maar eens naar huis gaan.'

'Maar mam...' Ik voelde de kloof tussen ons wijder worden; een opwelling van radeloosheid stuwde me voort. 'Je hebt je koffie nog niet eens op.'

Ze wierp een blik op het kopje met de afgekoelde grijze prut onderin. 'Ik heb genoeg gehad.'

'Ik bestel wel een verse kop, ik trakteer...'

'Nee,' zei ze. 'Wat krijg je van me voor het eerste kopje?'

'Niets, mam. Blijf alsjeblieft nog even.'

'Nee.' Ze legde een briefje van vijf naast mijn schoteltje. 'Ik ben al de hele ochtend weg en je vader is alleen. Je kent hem, als ik niet gauw terugga, breekt hij het huis af.'

Ze drukte haar wang tegen de mijne – ze voelde klam aan – en weg was ze.

Een fatsoenlijke striptent en de doos van Pandora

Voor alle duidelijkheid, het was tante Rita die contact met mij opnam, niet andersom. Net toen ik het spoor wat bijster was en er vergeefs probeerde achter te komen wat er tussen mama en Juniper Blythe was voorgevallen, was tante Rita volop bezig een vrouwenavondje te organiseren voor mijn nicht Samantha. Ik wist niet goed of ik beledigd moest zijn of me gevleid moest voelen toen ze me op kantoor belde met de vraag of ik een chique, mannelijke striptent wist, dus koos ik maar voor verbaasd en uiteindelijk ook nuttig zijn, omdat ik blijkbaar niet anders kan. Ik zei dat ik dat niet uit mijn hoofd wist, maar dat ik wat navraag zou doen, dus spraken we af elkaar de zondag daarop in het geheim te ontmoeten in haar kapsalon, zodat ik haar het resultaat van mijn verkenning kon meedelen. Dat betekende dat ik mama's zondagse maal weer moest overslaan, maar het was de enige dag waarop Rita vrij was. Ik zei tegen mama dat ik meehielp met de voorbereidingen van Sams bruiloft en daar kon ze weinig tegen inbrengen.

Classy Cuts verschuilt zich achter een piepkleine etalage aan Old Kent Road, ingeklemd tussen een onafhankelijke platenwinkel en de beste patatboer in Southwark. Rita is zo ouderwets als de Motown-elpees die ze verzamelt en haar kapsalon doet uitstekende zaken met finger waves, beehivekapsels en blauwe spoelingen voor de bingoavonden. Haar nering was oud genoeg om retro te zijn zonder dat ze het besefte, en ze vertelt aan iedereen die het wil horen hoe ze als spichtige zestienjarige in dezelfde kapsalon was begonnen toen de oorlog nog in volle gang was, en hoe ze door diezelfde ramen op Bevrijdingsdag zag dat meneer Harvey, de hoedenmaker van de overkant, zijn kleren uittrok en een dansje op straat maakte met geen ander kledingstuk dan zijn fraaiste hoed.

Vijftig jaar op één plek. Het is geen wonder dat ze razend populair is in haar buurtje van Southwark, waar de druk kwetterende kraampjes nogal schril afsteken tegen de fonkelende chic van Docklands. Een paar van haar oudste cliënten kennen haar al van de tijd waarin scharen nog ver van haar gehouden werden, en tegenwoordig vertrouwen ze hun mauve permanentjes aan niemand anders toe. 'Mensen zijn niet gek,' zegt tante Rita. 'Geef ze een beetje liefde en ze gaan nooit meer naar iemand anders.' Ze had ook het griezelige vermogen om de winnaars te voorspellen bij de plaatselijke paardenrennen, dus dat kon niet slecht zijn voor de zaken.

Ik weet er niet veel van, maar ben ervan overtuigd dat geen twee zussen minder op elkaar lijken. Mama is gereserveerd, Rita niet. Mama heeft een voorkeur voor keurig nette pumps, Rita serveert het ontbijt op hoge hakken; mama zwijgt als het graf als het om familieverhalen gaat, Rita is een overlopend reservoir van informatie. Dat weet ik uit de eerste hand. Toen ik negen was en mama werd opgenomen om haar galstenen te laten verwijderen, pakte papa mijn spullen in en stuurde me naar Rita. Ik weet niet goed of mijn tante op de een of andere manier aanvoelde dat de spicht in haar deuropening geen enkele voeling met haar wortels had, of dat ik haar met vragen heb overladen, of dat ze het gewoon beschouwde als een uitgelezen kans om mijn moeder dwars te zitten en een klap in een oeroude strijd uit te delen, maar die week deed ze haar best om alle witte plekken op die landkaart in te vullen.

Ze liet me vergeelde foto's aan de wand zien, vertelde grappige verhalen over hoe het leven was toen ze zo oud was als ik en schilderde een levendig beeld in geuren en kleuren met stemmen van lang geleden, dat me scherp bewust maakte van iets wat ik al heel vaag wist. Het huis waarin ik woonde, de familie waarin ik opgroeide, was een hygiënische en eenzame plek. Ik weet nog dat ik op het kleine logeerbed in Rita's huis lag, omringd door het zachte gesnurk en de woelgeluiden van mijn vier neefjes en nichtjes, en wenste dat zíj mijn moeder was; dat ik in een warm, overvol huis woonde dat uit zijn voegen barstte van de broers en zussen en oude verhalen. Ik herinner me ook de onmiddellijke golf schuldgevoel na die gedachte, en hoe ik mijn ogen stijf dichtkneep en me mijn ontrouwe verlangen voorstelde als een kleine kluwen zijde die ik in gedachten ontwarde om vervolgens de wind op te roepen de draad weg te blazen alsof hij nooit had bestaan.

Maar dat had hij wel.

Maar goed, het was begin juli en warm toen ik haar opzocht, het was het soort warmte dat je meedroeg in je longen. Ik klopte op de glazen deur en terwijl ik dat deed, ving ik een glimp op van mijn eigen vermoeide spiegelbeeld. Laten we maar zeggen dat een divan delen met een ruftende hond je huid geen goed doet. Ik tuurde voorbij het bordje met GESLOTEN en zag tante Rita achterin aan een kaarttafel zitten; er hing een sigaret aan haar onderlip, en ze bestudeerde iets kleins en wits in haar hand. Ze gebaarde me naar binnen. 'Edie, lieverd,' klonk het boven de deurbel en de Supremes uit, 'mag ik even je ogen lenen, moppie?'

Een bezoek aan tante Rita's kapsalon is alsof je een stapje terug doet in de tijd: de zwart-witte schaakbordtegels, de rij kunstlederen fauteuils met limoengroene kussens, de eierdopvormige haardrogers van nep parelmoer aan een arm die je kon wegdraaien. Ingelijste posters achter glas van Marvin Gaye en Diana Ross and the Temptations. Het onveranderlijke aroma van waterstofperoxide en het frituur van de buurman die eeuwig een strijd op leven en dood met elkaar leveren...

'Ik probeer dit verrekte ding hierdoorheen te rijgen,' zei Rita om haar sigaret heen, 'maar alsof het nog niet erg genoeg is dat al mijn vingers net duimen zijn geworden, is dat verrekte lint een eigen leven gaan leiden.'

Ze stak het me toe, en na een beetje turen besefte ik dat het een kanten zakje was met bovenin gaatjes zodat je het met een lint dicht kon trekken.

'Ze zijn een cadeautje voor Sams vriendinnen,' zei tante Rita met een knikje naar een doos met identieke zakjes aan haar voeten. 'Althans, wanneer ik ze eenmaal heb gevuld met allerlei lekkers.' Ze tikte de as van haar sigaret. 'Het water heeft net gekookt, maar in de koelkast heb ik nog wat citroenlimonade, als je dat liever hebt.'

Mijn keel trok al samen toen ze het aanbood. 'Lijkt me heerlijk.'

Het is geen woord dat je gewoonlijk zou associëren met je moeders zus, maar het is nu eenmaal zo, dus zeg ik het toch: tante Rita is frivool. Toen ik haar zo gadesloeg terwijl ze de limonade inschonk, met dat ronde achterwerk dat haar rok op de juiste plaatsen vulde, en die smalle taille ondanks de vier baby's die ze ruim dertig jaar daarvoor ter wereld had gebracht, wilde ik de paar anekdotes die ik in de loop der jaren van mama had gehoord best geloven. Die waren me zonder meer verteld als waarschuwing dat fatsoenlijke meisjes dat soort dingen niet behoren te doen, maar ze hadden een nogal onbedoeld effect: voor mij waren ze bouwstenen van de bewonderenswaardige legende van tante Rita, de raddraaier.

'Alsjeblieft, schat.' Ze gaf me een martiniglas vol sprankelend vocht, zakte kreunend in haar eigen stoel en duwde met de vingers van twee handen haar beehive in model. 'Poe, wat een dag,' zei ze. Goeie god, jij ziet er net zo moe uit als ik me voel!'

Ik nam een enorme slok citroenlimonade en de prik schroeide mijn keel. De Tempations zetten net 'My Girl' in en ik zei: 'Ik dacht dat je op zondag dicht was.'

'Ben ik normaal gesproken ook, maar een van mijn bejaarde lieverds moest een spoeling en krulspelden voor een begrafenis – gelukkig niet haar eigen – en ik had de moed niet om te weigeren. Een mens doet wat ze moet doen, toch? Sommige klanten zijn net familie.' Ze inspecteerde het zakje dat ik had geregen, trok het lint aan en maakte het weer los met lange, roze, tikkende nagels. 'Goed zo, meisje. Nog maar twintig te gaan.'

Ik salueerde toen ze me de volgende gaf.

'Hoe dan ook, het is een uitgelezen kans om ongemerkt wat voorbereidingen voor de bruiloft te treffen.' Ze sperde even haar ogen open voordat ze die weer als luikjes samenkneep. 'Die Sam van mij is heel nieuwsgierig. Dat is ze altijd al geweest, ook toen ze klein was. Ze klom op de kasten om te kijken waar ik de kerstcadeautjes had verstopt en vervolgens verbijsterde ze haar broers en zussen door te raden wat er in de pakjes onder de kerstboom zat.' Ze trok een nieuwe sigaret uit het pakje op tafel, zei: 'De kleine rekel,' en streek een lucifer af. Het uiteinde van de sigaret lichtte hoopvol op en het vuur zat erin. 'En jij dan? Een jonge meid als jij moet op zondag toch wel iets beters te doen hebben?'

'Nog beter dan dit?' Ik stak het volgende kanten zakje omhoog met het lint op zijn plek. 'Wat kan er nu beter zijn dan dit?'

'Brutaal nest,' zei ze en haar glimlach deed me denken aan die van oma, terwijl die van mijn moeder dat nooit doet. Ik had mijn oma aanbeden met een kracht die niet rijmde met het vermoeden dat ik een adoptiekind was, wat ik ooit in mijn kinderjaren koesterde. Ze had zolang ik haar kende alleen gewoond, en al had ze genoeg aanzoeken gehad – zoals ze haastig had opgemerkt – ze had geweigerd te hertrouwen en de slavin van een oude man te worden terwijl ze wist hoe het was om de liefste van een jongeman te zijn. Op elk potje past een dekseltje, had ze me dikwijls ernstig verteld en goddank had ze haar dekseltje in mijn grootvader gevonden. Ik heb oma's man, mama's vader, nooit gekend, althans niet bewust, omdat hij stierf toen ik drie was. De paar keer dat ik naar hem informeerde, was mama, die een hekel had aan het herkauwen van het verleden, steevast aan de oppervlakte gebleven. Goddank was Rita scheutiger. 'En,' zei ze, 'hoe is het met jou?'

'Heel goed.' Ik diepte mijn aantekeningen op uit mijn tas, vouwde het papiertje open en noemde de naam die ik van Sarah had gekregen: 'De Roxy Club. Het telefoonnummer staat er ook bij.'

Tante Rita wenkte met haar vingers en ik gaf het papiertje aan haar. Ze tuitte de lippen zo strak als de opening van de kanten zakjes. 'De Roxy Club,' herhaalde ze. 'En is dat een leuke tent? Een beetje stijlvol?'

'Volgens mijn bronnen wel.'

'Goed zo.' Ze vouwde het papiertje weer op, schoof het achter een behabandje en knipoogde. 'De volgende word jij, hè, Edie?'

'Wat?'

'Voor het altaar.'

Ik glimlachte zwakjes en haalde mijn schouders op.

'Hoe lang zijn jullie al samen, jij en je partner, zes jaar toch?'

'Zeven.'

'Zeven jaar.' Ze hield het hoofd schuin. 'Hij zal toch wel gauw fatsoenlijk willen trouwen, anders krijg jij misschien de kriebels en ga je bij hem weg. Weet hij niet wat een prachtvangst hij met jou heeft? Zal ik eens een hartig woordje met hem wisselen?'

Al zou ik niet proberen de breuk te verdoezelen, was dat een angstaanjagende gedachte. Ik vroeg me af hoe ik haar moest afpoeieren zonder veel prijs te geven. 'Om u de waarheid te zeggen, tante Rita, geloof ik dat we geen van tweeën het type zijn om te trouwen.'

Ze nam een haal van haar sigaret en kneep één oog een beetje samen om me te bestuderen. 'Is dat zo?'

'Ik vrees van wel.' Dat was een leugen. Voor een deel. Ik was en blijf zonder meer het type om te trouwen. Het feit dat ik Jamies spottende scepsis ten aanzien van huwelijksgeluk gedurende de hele relatie had aanvaard, stond haaks op mijn aangeboren romantische aard. Mijn enige excuus is dat je, als je verliefd bent, tot alles bereid bent om je partner te houden.

Terwijl Rita een trage zucht slaakte, leek haar blik door te schakelen van ongeloof via verbazing tot uiteindelijk een vermoeid soort aanvaarding. 'Nou, misschien heb je nog gelijk ook. Het leven overkomt je gewoon, weet je, als je even niet oplet. Je leert iemand kennen, je rijdt in zijn auto, je trouwt met hem en krijgt kinderen. Op een dag besef je dat je niets met elkaar gemeen hebt. Je weet wel dat het ooit beter is geweest, waarom zou je anders met die knaap getrouwd zijn? Maar de slapeloze nachten, de teleurstellingen, de zorgen... De schok van het besef dat er meer leven achter je ligt dan voor je.' Ze glimlachte alsof ze me een recept voor een pastei gaf in plaats van het verlangen mezelf aan het gas te leggen. 'Nou ja, zo is het leven nu eenmaal, hè?'

'Dat klinkt fantastisch, tante Rita. Vergeet niet om dat in uw bruiloftstoespraak te verwerken.'

'Brutaal nest.'

Tante Rita's opbeurende woorden bleven in de rokerige lucht hangen terwijl we ons allebei op een kanten zakje concentreerden. De grammofoon bleef draaien, Rita neuriede mee terwijl een zanger met een zwoele stem ons aanspoorde eens goed op zijn glimlach te letten en uiteindelijk kon ik me niet meer inhouden. Hoe leuk ik het ook vond om Rita te zien, ik had een agenda.

Mama en ik hadden elkaar amper gesproken sinds ons gesprek in de patisserie; ik had onze volgende afspraak afgezegd met het excuus dat ik achterstallig werk had en betrapte me erop dat ik haar berichten op mijn antwoordapparaat niet beantwoordde. Waarschijnlijk voelde ik me gekwetst. Klinkt dat hopeloos kinderachtig? Ik hoop het niet, omdat het waar is. Het feit dat mama hardnekkig weigerde me te vertrouwen, haar pertinente ontkenning dat we voor de poort van het kasteel hadden gestaan, het feit dat ze volhield dat ík het allemaal had verzonnen; alles bij elkaar veroorzaakte een plekje in mijn borst dat zeer deed en ervoor zorgde dat ik vastbeslotener was dan ooit om achter de waarheid te komen. En nu had ik het zondagse maal weer overgeslagen, had ik mama nog meer tegen de haren in gestreken en was ik naar de andere kant van de stad gereisd in een hitte waarvan je schoenzolen smolten. Ik zou niet, ik kon niet en ik moest niet zonder buit vertrekken. 'Tante Rita?' zei ik.

'Mm?' Ze keek fronsend naar het lint dat tussen haar vingers in de knoop was geraakt.

'Ik wil iets met je bespreken.'

'Mm?'

'Over mama.'

Ze keek me zo scherp aan dat het pijn deed. 'Is er iets met haar?'

'Nee hoor, ze maakt het goed, dat is het niet. Ik ben de laatste tijd alleen een beetje met het verleden bezig, dat is alles.'

'Aha, dat is iets anders, het verleden. Welk stukje van vroeger had je in gedachten?'

'De oorlog.'

Ze legde haar tasje neer. 'Kijk eens aan.'

Ik pakte het voorzichtig aan. Tante Rita is dol op praten, maar ik wist dat dit een heikel onderwerp was. 'Jullie waren geëvacueerd, u en mama en oom Ed.'

'Ja. Niet lang. En het was me toch een vreselijke ervaring. Al dat geklets over de frisse buitenlucht? Niemand had me iets verteld over de stank op het platteland, de bergen dampende stront overal waar je je voeten zet. En zij vinden óns smerig! Sindsdien heb ik koeien en boeren altijd met andere ogen bekeken; ik kon niet wachten om terug naar de stad te gaan, en dan nam ik de bommen wel voor lief.'

'En mama? Vond zij dat ook?'

Er fonkelde even een argwanend lichtje in haar ogen. 'Hoezo? Wat heeft ze tegen jou gezegd?'

'Niets. Ze heeft me niets verteld.'

Rita richtte haar aandacht weer op het witte zakje, maar er lag iets onbehaaglijks in haar neergeslagen blik. Ik kon haar bijna op haar tong zien bijten om de stroom gedachten terug te dringen die ze tegen beter weten in wilde uitspreken.

De trouweloosheid brandde in mijn aderen, maar ik wist dat het mijn enige kans was. Elk woord schroeide een beetje: 'Je weet hoe ze is.'

Tante Rita snoof plotseling en rook de geur van onze familieband. Ze tuitte haar lippen en keek me een poosje van opzij aan, voordat ze het hoofd naar me toe boog. 'Ze vond het fantastisch, je moeder. Zij wilde niet meer naar huis terug.' De verbijstering fonkelde in haar ogen en ik wist dat ik een oude, gevoelige snaar had geraakt. 'Wat voor kind wil er nou niet bij haar eigen ouders zijn, in haar eigen gezin? Welk kind blijft er nou liever bij een andere familie?'

Een kind dat zich een buitenbeentje voelt, dacht ik, denkend aan mijn eigen fluisteringen vol schuldgevoel in een donker hoekje van de slaapkamer van mijn neven en nichten. Een kind dat het gevoel heeft dat ze ergens gevangenzit waar ze niet thuishoort. Maar dat hield ik allemaal voor me. Ik had het gevoel dat elke uitleg voor iemand als mijn tante, die zich mocht prijzen omdat ze zich precies bevond waar ze wilde zijn, tekort zou schieten. 'Misschien was ze wel bang voor de bommen,' zei ik uiteindelijk. Mijn stem klonk wat schor en ik schraapte mijn keel. 'De Blitzkrieg?'

'Poeh. Ze was niet bang, althans niet banger dan de rest. Andere kinderen wilden weer terug naar de heisa. Alle kinderen uit onze straat kwamen weer thuis en doken samen in de schuilkelders. En je oom...' Rita's gezicht kreeg iets eerbiedigs wat paste bij het noemen van mijn bewierookte oom Ed. 'Hij is helemaal uit Kent teruggelift, zo graag wilde hij weer naar huis toen er weer van alles te doen was. Hij stond midden in een luchtaanval voor de deur, net op tijd om een zwakzinnige buurjongen in veiligheid te brengen. Maar Merry niet, hoor, die was juist het tegenovergestelde. Wilde pas thuiskomen toen papa haar eigenhandig ging ophalen. Onze moeder, jouw oma, is er nooit meer overheen gekomen. Ze heeft er nooit iets van gezegd, zo was ze niet. Ze deed alsof ze blij was dat Merry veilig en wel op het platteland zat, maar wij wisten het. We waren niet op ons achterhoofd gevallen.'

Ik kon mijn tante niet recht in haar felle ogen kijken: ik voelde me bezoedeld door mijn ontrouw, schuldig door medeplichtigheid. Mama's verraad van Rita leefde nog steeds, een wrok die over een kloof van vijftig jaar tussen toen en nu smeulde. 'Wanneer was dat?' vroeg ik, terwijl ik onschuldig als een lam aan een nieuw wit zakje begon. 'Hoe lang was ze weg geweest?'

Tante Rita drukte een lange, babyroze nagel met een vlindertje op het uiteinde tegen haar onderlip. 'Eens denken, de bombardementen duurden al een poosje, maar het was geen winter want papa had sleutelbloemen meegenomen; zo graag wilde hij je oma blij maken en alles zo soepel mogelijk laten verlopen. Zo was hij.' De nagel tikte een nadenkend ritme. 'Dat moet zo omstreeks 1941 zijn geweest, maart of april, zoiets.'

Daar was ze dus eerlijk in geweest. Mama was ruim een jaar weg geweest en een half jaar voordat Juniper Blythe het liefdesverdriet trof dat haar leven zou verwoesten, voordat Thomas Cavill beloofde met haar te trouwen en haar vervolgens liet zitten. 'Heeft ze ooit...'

Ik werd overstemd door een salvo 'Hot Shoe Ruffle' uit Rita's nieuwerwetse stilettotelefoon op de toonbank.

Niet opnemen, bad ik in stilte. Ik wilde dat ons gesprek geen haarbreed in de weg werd gelegd nu het eenmaal op stoom was.

'Dat is vast Sam,' zei Rita, 'die me wil bespioneren.'

Ik knikte en we wachtten de laatste akkoorden af, waarna ik er geen gras over liet groeien. 'Heeft mama ooit iets verteld over haar verblijf op Milderhurst? Over de mensen bij wie ze heeft gelogeerd? De gezusters Blythe?'

Rita draaide met haar ogen als met een paar knikkers. 'In het begin hield ze er niet over op. We kregen er wat van, dat kan ik je wel vertellen. De enige keer dat ik haar blij zag kijken, was wanneer er een brief uit Milderhurst kwam. Dan werd ze heel stiekem; ze maakte hem pas open als ze alleen was.'

Ik herinnerde me dat mama had verteld hoe ze in de evacuatiehal in Kent door Rita in de steek was gelaten. 'U en zij waren als kinderen niet dik met elkaar.'

'We waren zusjes. Er zou iets goed mis zijn geweest als we zo af en toe geen ruzie hadden, we woonden nu eenmaal opgepropt in dat huisje van mama en papa... Maar we konden best met elkaar overweg, hoor. Althans voor de oorlog, voordat ze die familie leerde kennen.' Rita peuterde de laatste sigaret uit het pakje, stak hem op en blies een rookpluim in de richting van de deur. 'Toen ze terugkwam, was ze veranderd, en niet alleen in de manier waarop ze praatte. Ze had in dat kasteel allerlei ideeën in haar hoofd gekregen.'

'Wat voor ideeën?' vroeg ik, maar ik wist het al. Rita's stem had iets defensiefs gekregen, wat ik herkende: de gekwetstheid van iemand die het gevoel heeft het slachtoffer van een oneerlijke vergelijking te zijn.

'Ideeën.' De roze nagels zwaaiden in de lucht dicht bij haar beehivekapsel en even was ik bang dat ze het daarbij zou laten. Ze staarde naar de deur en haar lippen bewogen langs de diverse antwoorden die ze kon geven. Na wat wel een eeuwigheid leek, keek ze me weer aan. De cassette was afgedraaid en het was ongewoon stil in de salon. Of liever gezegd, de afwezigheid van muziek gaf het gebouw de gelegenheid om te zuchten en te kraken, om vermoeid te klagen over de warmte, de geur en de trage tol van de verstreken jaren. Tante Rita keek strak en zei langzaam en duidelijk: 'Toen ze terugkwam, was ze een snob geworden.'

Iets wat ik altijd had aangevoeld, werd concreet: mijn vader, hoe hij tegenover mijn tante en neven en nichten stond en zelfs tegenover oma, de gesprekken op gedempte toon tussen hem en mama en mijn eigen waarneming van hoe de dingen bij ons en bij Rita thuis gingen. Mama en papa waren snobs en ik geneerde me voor ze en voor mijzelf, en tot mijn verwarring was ik vervolgens boos op Rita omdat ze het had gezegd, en schaamde ik me omdat ik haar zover had gekregen. Ik kreeg een waas voor ogen terwijl ik deed alsof ik me op het rijgen van het witte zakje concentreerde.

Tante Rita daarentegen was een last kwijt. De opluchting straalde van haar gezicht tot ver daarbuiten. De onderdrukte waarheid was een wond die tientallen jaren had gewacht tot iemand hem zou doorprikken. 'Boekenwijsheid,' siste Rita, terwijl ze haar peuk uitdrukte, 'ze wilde over niets anders praten toen ze eenmaal terug was. Kwam het huis binnen, haalde haar neus op voor de kleine kamers en papa's houterige liedjes en nam haar intrek in de plaatselijke bibliotheek. Ze verstopte zich met een boek in een hoekje wanneer ze eigenlijk had moeten helpen. Ze schepte ook op dat ze voor een krant ging werken. Ze stuurde zelfs werk van haar in! Kun je je dat voorstellen?'

Mijn mond viel echt open. Meredith Burchill schreef niet; ze stuurde zeker niets naar de krant. Ik was ervan uitgegaan dat Rita het verhaal zou aandikken, maar ik was zo verbluft van het nieuws dat het domweg waar moest zijn. 'Is er ooit iets gepubliceerd?'

'Natuurlijk niet! Dat zeg ik nou juist, die poppenkast hadden ze haar daar aangepraat. Ze praatten haar ideeën aan die boven haar stand waren, en dat kan maar tot één ding leiden.'

'Wat schreef ze dan? Waar ging het over?'

'Ik zou het niet weten. Ze liet me nooit iets van haar lezen. Waarschijnlijk dacht ze dat ik het niet zou begrijpen. Ik zou er hoe dan ook geen tijd voor hebben gehad. Ik had Bill inmiddels leren kennen en was hier begonnen. Het was oorlog, weet je wel.' Rita lachte, maar iets zuurs maakte de rimpels om haar mond dieper; die had ik nog niet eerder gezien.

'Heeft er ooit nog iemand van de familie Blythe mama in Londen opgezocht?'

Rita haalde haar schouders op. 'Toen Merry eenmaal terug was, was ze heel gesloten. Ze verdween vaak voor boodschappen zonder te zeggen waar ze naartoe ging. Ze kan wel iemand hebben ontmoet.'

Kwam het door de manier waarop ze het zei dat er een zweem van insinuatie aan haar woorden hing, of kwam het doordat ze wegkeek toen ze het zei? Ik weet het niet, hoe dan ook, ik wist direct dat er meer achter haar opmerking zat. 'Wie dan?'

Rita tuurde naar de doos met kanten zakjes en neeg het hoofd alsof ze nog nooit zoiets boeiends had gezien als de manier waarop ze in zilverwitte rijtjes lagen.

'Tante Rita?' Ik hing aan haar lippen. 'Wie kan ze hebben ontmoet?'

'O, goed dan.' Ze sloeg de armen over elkaar zodat haar borsten tegen elkaar aan werden geprangd en keek me recht aan. 'Hij was onderwijzer, althans dat was hij voor de oorlog, in Elephant and Castle.' Zwierig waaide ze haar malse decolleté lucht toe. 'O, la, la! Hij was heel knap; hij en zijn broer allebei. Net filmsterren, van die sterke, zwijgzame types. Ze woonden een paar straten verderop en zelfs je oma vond wel een excuus om in de deuropening te staan als hij langsliep. Alle meisjes waren verliefd op hem, je moeder incluis.

Hoe dan ook,' vervolgde Rita terwijl ze haar schouders ophaalde, 'op een keer heb ik ze samen gezien.'

Ken je de uitdrukking 'haar ogen puilden uit'? Dat deden de mijne. 'Wat?' zei ik. 'Waar? Hoe?'

'Ik was haar gevolgd.' De rechtvaardiging daarvan strafte elke vorm van gêne of schuldgevoel dat ze eventueel kon hebben af. 'Ze was tenslotte mijn kleine zusje, ze deed niet normaal en het was een gevaarlijke tijd. Ik wilde er gewoon zeker van zijn dat haar niets overkwam.'

Het kon me niets schelen waarom ze mama was gevolgd; ik wilde weten wat ze had gezien. 'Maar waar was dat? Wat deden ze?'

'Ik heb het alleen vanuit de verte gezien, maar dat was genoeg. Ze zaten op het grasveld in het park, naast elkaar, dicht naast elkaar zelfs. Hij praatte en zij luisterde – ze was echt een en al oor, weet je – en daarna gaf ze hem iets en hij...' Rita rammelde met haar lege sigarettendoosje. 'Verrekte rommel. Ik zweer je dat ze zichzelf oproken.'

'Ri-ta!'

Een korte zucht. 'Ze kusten elkaar. Zij en meneer Cavill, open en bloot in het park waar Jan en alleman ze kon zien.'

Werelden botsten, vuurwerk ontplofte, sterretjes schoten naar de donkere hoekjes van mijn geest. 'Meneer Cávill?'

'Let wel, lieve Edie, je moeders onderwijzer, Tommy Cavill.'

Er kwamen geen woorden in me op, althans geen woorden die ergens op sloegen. Ik moet wel iets hebben uitgebracht, want Rita hield haar hand bij haar oor en zei: 'Wat?' maar een tweede keer lukte het me niet meer. Mijn moeder, mijn tienermoeder, was van huis weggeglipt voor een heimelijke ontmoeting met haar onderwijzer, de verloofde van Juniper Blythe, een man op wie ze verliefd was. Ontmoetingen waarbij er dingen werden overhandigd en sterker nog: waarbij er gezoend werd. En dat was allemaal gebeurd in de maanden voordat Juniper in de steek werd gelaten.

'Je ziet een beetje pips, lieverd. Wil je nog een glas limonade?'

Ik knikte; ze schonk het in; ik nam een grote slok.

'Weet je, als het je zo interesseert, moet je je moeders brieven die ze uit het kasteel stuurde zelf maar lezen.'

'Welke brieven?'

'Die ze naar Londen schreef.'

'Dat zou ze nooit toelaten.'

Rita inspecteerde een verfvlek op haar pols. 'Ze hoeft het niet te weten.'

Ik moet onnozel hebben gekeken.

'Ze zaten bij mama's spulletjes.' Rita keek me recht aan. 'En ze zijn na haar dood in mijn bezit gekomen. Dat sentimentele oude mens had ze al die jaren bewaard, of ze haar nu pijn deden of niet. Ze was bijgelovig. Ze geloofde dat je brieven niet mocht weggooien. Ik zal ze even tevoorschijn halen, goed?'

'O... Ik weet het niet, ik weet niet of ik wel...'

'Het zijn brieven,' zei Rita, die haar kin met een sluwe beweging liet zakken, waardoor ik me op een Pollyanna-achtige manier stompzinnig voelde. 'Die zijn toch geschreven om te worden gelezen?'

Ik knikte aarzelend.

'Misschien begrijp je dan beter waar je moeder aan dacht daar in haar chique kasteel.'

De gedachte mijn moeders brieven achter haar rug om te lezen tokkelde op de snaren van mijn schuldgevoel, maar ik legde ze het zwijgen op. Rita had gelijk: de brieven mochten dan wel door mama zijn geschreven, maar ze waren aan haar familie in Londen gericht. Rita had alle recht ze aan mij te geven en ik had alle recht ze te lezen.

'Ja,' zei ik, al klonk het meer als een piepje. 'Ja, graag.'

Het gewicht van de wachtkamer

En omdat het leven soms zo lijkt te werken, kreeg mijn vader terwijl ik mama's geheimen zat uit te pluizen met de zus voor wie ze die het liefst wilde achterhouden, zijn hartaanval.

Herbert wachtte me op met het nieuws toen ik thuiskwam van mijn bezoek aan Rita. Hij nam mijn handen in de zijne en vertelde me wat er was gebeurd. 'Het spijt me verschrikkelijk,' zei hij. 'Ik had het je wel eerder willen laten weten, maar ik wist niet hoe.'

'O...' De paniek sloeg me om het hart. Ik maakte met een ruk rechtsomkeert en draaide me weer terug. 'Is hij...?'

'Hij ligt in het ziekenhuis en is stabiel, geloof ik. Je moeder heeft niet veel gezegd.'

'Ik moet...'

'Ja, kom maar. Dan hou ik een taxi voor je aan.'

Ik keuvelde de hele rit met de chauffeur. Het was een kleine man met heel blauwe ogen en bruin haar dat hier en daar grijs kleurde, vader van drie jonge kinderen. En terwijl hij verhalen vertelde over hun ondeugende streken en zijn hoofd schudde met dat masker van zogenaamde ergernis dat ouders van kleine kinderen opzetten om hun trots te dempen, stelde ik glimlachend vragen met een stem die gewoon en zelfs luchtig klonk. We kwamen in de buurt van het ziekenhuis en pas toen ik hem een biljet van tien pond overhandigde en zei dat hij het wisselgeld kon houden en hem veel plezier toewenste bij het recital van zijn dochter, besefte ik dat het was gaan regenen en dat ik zonder paraplu op de stoep van het ziekenhuis in Hammersmith stond en de taxi in de schemering zag verdwijnen, terwijl mijn vader ergens daarbinnen lag met een gebroken hart.

Mama zag er kleiner uit dan anders, in haar eentje op de laatste van een rij plastic ziekenhuisstoelen tegen een saaie, blauwe ziekenhuismuur. Mijn moeder verzorgt zich altijd goed en ze kleedt zich in de stijl van een andere tijd: hoeden en bijpassende handschoenen, schoenen die ze ingebakerd opborg in hun doos uit de winkel, een plank met een dikke rij verschillende handtasjes, klaar om te worden gepromoveerd tot finishing touch van het tenue van de dag. Ze zou er niet over piekeren om het huis te verlaten zonder poeder en lipstick op, zelfs niet toen haar man vooruit was gesneld in een ambulance. Wat moest ik een desillusie voor haar zijn, centimeters te groot, veel te veel krullen, met slordig bijgewerkte lippen met de eerste de beste gloss die ik kon vinden tussen de bende van kleingeld, stoffige pepermuntjes en willekeurige rommel die in de diepte van mijn verschoten boodschappentas vertoeft.

'Mama.' Ik liep recht op haar af, drukte een kus op een wang die dankzij de airconditioning de kou van de dood uitstraalde en liet me op de stoel naast haar zakken. 'Hoe is het met hem?'

Ze schudde haar hoofd en de angst voor het ergste vormde een brok in mijn keel. 'Dat hebben ze niet gezegd. Hij ligt aan allerlei apparaten en de artsen komen en gaan.' Ze deed even haar ogen dicht en bleef zachtjes hoofdschudden, als uit gewoonte. 'Ik weet het niet.'

Ik moest flink slikken en besloot dat onwetendheid minder erg was dan het ergste weten, maar die platitude hield ik voor me. Ik wilde iets oorspronkelijks zeggen om haar gerust te stellen, iets om haar zorgelijkheid te verlichten, om alles goed te maken, maar mama en ik hadden geen ervaring op dit traject van lijden en troost, dus hield ik mijn mond.

Ze opende haar ogen weer en keek me aan, stak haar hand uit om een pluizige krul achter mijn oor te duwen en ik vroeg me af of het er misschien niet zo toe deed, dat ze al wist wat ik dacht, al wist hoe graag ik iets zou doen om haar op te beuren. Dat ik niets hoefde te zeggen omdat we familie van elkaar waren, moeder en dochter, en sommige dingen waren duidelijk zonder gezegd te hoeven worden...

'Je ziet er belabberd uit,' zei ze.

Ik wierp een steelse blik opzij en zag mijn schemerige spiegelbeeld in een glanzende National Health-poster. 'Het regent.'

'Zo'n grote tas,' zei ze met een droefgeestige glimlach, 'en geen plek voor een kleine paraplu.'

Ik schudde licht met mijn hoofd, wat overging in een rilling en opeens besefte ik dat ik het koud had.

Je moet iets te doen hebben in de wachtkamer van een ziekenhuis, anders loop je het risico te gaan wachten, en dat leidt weer tot denken, wat in mijn ervaring een slecht idee kan zijn. Zwijgend zat ik naast mijn moeder, ik maakte me zorgen over mijn vader, nam me voor een paraplu te kopen, hoorde de klok aan de muur de seconden wegtikken en werd belaagd door een horde gedachten die langs de muur kwam aanglijden en met taps toelopende vingers langs mijn schouders streek. Voor ik wist wat er gebeurde, hadden ze me bij de hand genomen om me naar plekken te brengen waar ik al in geen jaren was geweest.

Ik zag mezelf tegen de muur van de badkamer staan en voetje voor voetje als een koorddanseres over de rand van het bad lopen. Het kleine blote meisje wil weglopen en met de zigeuners mee. Ze weet niet precies wie zij zijn en waar ze hen moet zoeken, maar beseft dat ze het beste via hen kan proberen om zich bij een circusgezelschap aan te sluiten. Dat is haar droom en daarom oefent ze op die evenwichtsbalk. Ze is bijna aan de andere kant wanneer ze uitglijdt. Ze valt voorover, de lucht wordt uit haar longen geperst en ze gaat kopje onder. Sirenes, felle lichten, vreemde gezichten…

Ik knipperde met mijn ogen en het beeld verdween, maar werd gevolgd door een ander beeld. Van een begrafenis, die van oma. Ik zit naast mama en papa op de voorste bank in de kerk en luister maar met een half oor wanneer de predikant een andere vrouw beschrijft dan die ik heb gekend. Ik word afgeleid door mijn schoenen. Ze zijn nieuw, en al weet ik heus wel dat ik beter moet luisteren en mijn aandacht op de kist moet richten en serieuze gedachten moet hebben, ik kan mijn ogen maar niet afhouden van die lakschoenen en beweeg ze heen en weer om van de glans te genieten. Mijn vader ziet dat, stoot me zacht aan met zijn schouder en ik kijk met enige moeite weer voor me. Er staan twee foto's op de kist, een van de oma die ik heb gekend en een andere van een vreemde, een jonge vrouw die ergens op het strand zit, achterovergeleund met een glimlach alsof ze iets grappigs ten koste van de fotograaf wil gaan zeggen. De dominee zegt iets en dan begint tante Rita te huilen, de mascara loopt uit over haar gezicht en ik kijk afwachtend naar mijn moeder of zij net zo zal reageren. De handen in haar handschoenen liggen ineengevouwen op schoot, haar blik is op de kist gericht, maar er gebeurt niets. Er gebeurt niets en ik vang een blik van mijn nichtje Samantha op. Zij heeft ook naar mijn moeder gekeken en opeens schaam ik me…

Ik stond abrupt op zodat ik die duistere gedachten verraste en ze er haastig vandoor gingen. Ik had diepe zakken en ik stak mijn handen er zo ver mogelijk in, stevig genoeg om mezelf wijs te maken dat ik een doel had; daarna ijsbeerde ik door de gang en keek met een half oog naar de verbleekte posters die inentingsprojecten aanprezen die al twee jaar geschiedenis waren; alles om maar dicht bij het hier en nu en ver van het daar en toen te blijven.

Ik sloeg weer een hoek om naar een felverlicht alkoof waar ik een automaat met warme drank tegen de muur trof, met een platformpje voor het bekertje en met een tuit die chocolademelk, koffie of heet water afgeeft, afhankelijk van de knop die je indrukt. Op een plastic blaadje lagen theezakjes en ik hing er een paar in piepschuimen bekertjes, een voor mama en een voor mij. Ik zag een poosje hoe de zakjes roestkleurige linten in het water lieten bloeden en daarna roerde ik op mijn dooie akkertje de poedermelk erdoorheen en liet ik de korrels helemaal oplossen voordat ik terugliep met de thee.

Mama nam haar beker zwijgend aan en ving met haar wijsvinger een druppel op die langs de zijkant rolde. Ze hield het warme bekertje in haar handen maar dronk er niet van. Ik ging naast haar zitten en dacht aan niets. Althans, dat probeerde ik terwijl mijn brein vooruitsnelde en ik me afvroeg hoe het toch kwam dat ik zo weinig herinneringen aan mijn vader had. Echte herinneringen, niet het soort dat je ontvreemdt aan foto's en familieverhalen.

'Ik was boos op hem,' zei mama uiteindelijk. 'Ik had hem geroepen. Ik was klaar met het vlees en had het op de tafel gelegd om aan te snijden. Het koelde wel af, maar ik besloot dat het net goed voor hem was als zijn eten koud was. Ik dacht er even over om hem zelf te gaan halen, maar ik was het helemaal zat om hem vergeefs te roepen. Ik dacht, kijk maar hoe lekker je koud vlees vindt.' Ze kneep haar lippen opeen zoals mensen doen als de dreiging van tranen het praten bemoeilijkt, en ze dat willen verdoezelen. 'Hij had weer de hele middag op zolder gezeten en had dozen naar beneden gehaald die de gang blokkeerden, god mag weten hoe ik ze weer naar boven krijg, want hij zal het niet kunnen...' Ze staarde zonder iets te zien in haar thee. 'Hij was naar de badkamer gegaan om zich op te frissen voor het avondeten en daar gebeurde het. Ik vond hem buiten kennis naast de badkuip, precies waar jij die keer bent flauwgevallen toen je klein was. Hij had zijn handen gewassen, want ze zaten nog onder de zeep.'

Er viel een stilte en die wilde ik dolgraag vullen. Praten heeft iets troostends; het geordende patroon is een anker in de echte wereld: er kan niets vreselijks of onverwachts gebeuren als er een rationele dialoog plaatsvindt. 'Dus heb je de ambulance gebeld,' moedigde ik haar aan met de toon van een kleuterjuf.

'Ze waren er snel bij, dat was boffen. Ik zat naast hem om de zeep van zijn handen te vegen en opeens waren ze er. Twee, een man en een vrouw. Ze moesten hartmassage toepassen en zo'n elektrische machine gebruiken.'

'Een defibrillator,' zei ik.

'En ze hebben hem een medicijn tegen bloedpropjes gegeven.' Ze bestudeerde haar handpalmen. 'Hij was nog in zijn hemd en ik weet nog dat ik dacht dat ik schoon ondergoed moest gaan brengen.' Ze schudde haar hoofd en ik wist niet of dat van spijt was omdat ze het was vergeten, of van verbijstering dat haar zoiets te binnen was geschoten terwijl haar man buiten bewustzijn op de grond lag. Ik besloot dat het niet uitmaakte en dat ik hoe dan ook niet in de positie was om een oordeel te vellen. Denk niet dat het aan mijn aandacht was ontsnapt dat ik bij haar was geweest om te helpen als ik tante Rita niet had zitten uithoren over mama's verleden.

Er kwam een dokter door de gang op ons af en mama vlocht haar vingers in elkaar. Ik kwam half overeind, maar hij hield de pas niet in, liep door de wachtkamer en verdween door een andere deur.

'Het kan niet lang meer duren, mama.' Het gewicht van een onuitgesproken verontschuldiging vervormde mijn woorden en ik voelde me volslagen hulpeloos.

Er is maar één foto van de trouwerij van papa en mama. Ik bedoel, er zijn er waarschijnlijk wel meer die ergens in een vergeten album stof liggen te vergaren, maar ik weet maar van één foto die het verstrijken der jaren heeft overleefd.

Alleen zij tweeën staan erop, het is niet zo'n typische huwelijksfoto waarop de familie van bruid en bruidegom aan weerskanten uitwaaiert, als vleugels van het paar in het midden, ongelijke vleugels die het vermoeden wekken dat het schepsel nooit zal kunnen vliegen. Op deze foto ontbreken de slecht bij elkaar passende families en zijn ze slechts met z'n tweeën, en de manier waarop ze naar zijn gezicht kijkt lijkt wel betoverd. Alsof hij straalt, wat hij min of meer ook doet, waarschijnlijk het gevolg van de belichting die fotografen destijds gebruikten.

En hij is zo ongelooflijk jong; allebei trouwens. Hij heeft zijn haar nog, het bedekt zijn hele hoofd en hij heeft geen flauw vermoeden dat het niet zo zal blijven. Hij heeft nog geen idee dat hij een zoon zal krijgen om die vervolgens weer te verliezen, dat zijn toekomstige dochter hem zo zal verbijsteren en dat zijn vrouw hem zal negeren, dat zijn hart het op een dag zal begeven en hij met een ambulance naar het ziekenhuis moet en dat diezelfde vrouw met de dochter die hij niet begrijpt in de wachtkamer zal zitten wachten tot hij weer bij kennis komt.

Niets daarvan is op de foto te zien, nog geen vermoeden. Die foto is een bevroren ogenblik; hun hele toekomst ligt onbekend voor hen, precies zoals het hoort. Maar tegelijkertijd ligt de toekomst ook wel in die foto, althans een versie ervan. Hij ligt in hun ogen, vooral in de hare. De fotograaf heeft namelijk meer dan twee jonge mensen op hun bruiloft vastgelegd, hij heeft het passeren van een drempel gefotografeerd, als een golf in zee vlak voordat hij gaat draaien en schuimen en omlaag stort. En de jonge vrouw, mijn moeder, ziet meer dan alleen de jongeman naast haar, de knaap op wie ze verliefd is, zij ziet hun hele gezamenlijke leven dat zich voor hen uitstrekt...

Anderzijds kan het zijn dat ik romantiseer; misschien bewondert ze alleen zijn haar of verheugt ze zich op de receptie, of op de huwelijksreis... Je schept nu eenmaal je eigen fictie rondom zulke foto's die binnen een familie in iconen veranderen. Terwijl ik daar zo in het ziekenhuis zat, besefte ik dat er maar één manier was om zeker te weten hoe zij zich had gevoeld, waarop ze hoopte toen ze zo naar hem keek; of haar leven, haar verleden, ingewikkelder was gebleken dan haar lieve gezichtsuitdrukking deed vermoeden. Het enige wat ik hoefde te doen was vragen. Merkwaardig dat ik daar nog nooit eerder op was gekomen. Waarschijnlijk is het de schuld van het licht op mijn vaders gezicht. De manier waarop mijn moeder hem aankijkt trekt de aandacht naar hem toe, dus is ze eenvoudig af te doen als een jong en onschuldig meisje van doorsnee komaf wier leven nog maar net is begonnen. Die mythe had mama met verve in stand gehouden, besefte ik, want telkens wanneer ze sprak over hun leven voordat ze elkaar leerden kennen, vertelde ze steevast papa's verhalen.

Maar toen ik mij – pas terug van Rita – het beeld voor de geest haalde, richtte ik me op mama's gezicht, iets meer in de schaduw en wat kleiner dan het zijne. Kon het zijn dat die jonge vrouw met de grote ogen er een geheim op nahield? Dat ze tien jaar voor haar bruiloft een stiekeme relatie met een onderwijzer had gehad, een man die verloofd was met haar oudere vriendin? Ze moest toen een jaar of vijftien zijn geweest en Meredith Burchill was zeker niet het type voor een kalverliefde, maar hoe zat het met Meredith Baker? Toen ik opgroeide, ging een van mama's lievelingspreken over dingen die fatsoenlijke meisjes niet deden. Kon het zijn dat ze uit ervaring sprak?

Daarna werd ik overvallen door het zware gevoel dat ik alles en niets wist van de persoon die naast me zat. De vrouw in wier lichaam ik was gegroeid en bij wie ik was opgegroeid, was op een cruciale manier een vreemde voor me; ik had dertig jaar geleefd zonder haar meer dimensies toe te kennen dan de papieren poppetjes met de geverfde glimlach en gevouwen jurkjes waarmee ik altijd speelde toen ik klein was. Erger nog, ik had de afgelopen maanden roekeloos geprobeerd haar diepste geheimen boven water te krijgen terwijl ik nooit veel moeite had gedaan haar het hemd van het lijf over de rest te vragen. Maar toen ik daar zo in het ziekenhuis zat en mijn vader ergens op intensive care lag, leek het me opeens heel belangrijk dat ik meer over hen te weten kwam. Over haar. Die mysterieuze vrouw met haar toespelingen op Shakespeare; die een keer artikelen ter publicatie naar de krant had gestuurd.

'Mama?'

'Hm?'

'Hoe hebben jij en papa elkaar leren kennen?'

Haar stem was broos omdat ze een hele poos niets had gezegd en ze moest haar keel schrapen voordat ze zei: 'In de bioscoop. Bij de vertoning van *The Holly and the Ivy*. Dat weet je toch?'

Stilte.

'Ik bedoel, hóé hebben jullie elkaar ontmoet. Zag jij hem of hij jou? Wie heeft er het eerst iets gezegd?'

'O, Edie, dat weet ik echt niet meer. Hij; nee ik. Ik ben het vergeten.'

Mama's blik had iets afstandelijks gekregen, maar op een warme manier, alsof ze even werd verlost van het onthutsende heden waarin haar man zich in een belendende kamer aan het leven vastklampte. 'Was hij knap?' spoorde ik haar vriendelijk aan. 'Was het liefde op het eerste gezicht?'

'Nou, nee. Eerst zag ik hem voor een moordenaar aan.'

'Wat? Pápa?'

Ik geloof niet dat ze me hoorde, zo ging ze op in haar eigen herinnering. 'Het is griezelig om in je eentje in de bioscoop te zitten. Al die rijen lege stoelen, de duisternis en dat enorme scherm. Hij is bedoeld voor een gemeenschappelijke ervaring en als dat niet het geval is, is het resultaat griezelig afstandelijk. Er kan van alles gebeuren in het donker.'

'Zat hij naast jou?'

'O, nee. Hij hield beleefd afstand – je vader is een echte heer – maar naderhand raakten we in de foyer met elkaar aan de praat. Hij had op iemand gewacht...'

'Op een vrouw?'

Ze besteedde overdreven veel aandacht aan haar rok en zei licht verwijtend: 'O, Edie...'

'Ik vraag het maar.'

'Ik geloof wel dat het een vrouw was, maar ze kwam niet opdagen.' Mama drukte haar handen op haar knieën en hief het hoofd met een teergevoelig snufje. 'En dat was dat. Hij vroeg of ik meeging om ergens thee te drinken en ik zei ja. We gingen naar de Lyons Corner Shop aan de Strand. Ik nam een stuk perentaart en kan me nog herinneren dat ik dat heel chic vond.'

Ik glimlachte. 'En was hij je eerste vriendje?'

Verbeeldde ik me de aarzeling? 'Ja.'

'Je hebt het vriendje van iemand anders afgepikt.' Ik plaagde maar wat om het luchtig te houden, maar zodra ik het zei, moest ik denken aan Juniper Blythe en Thomas Cavill en werd ik rood. Ik was te zeer onthutst door mijn faux pas om veel aandacht voor mama's reactie te hebben en voordat ze tijd had om antwoord te geven, vroeg ik maar snel: 'Hoe oud was je toen?'

'Vijfentwintig. Het was 1952 en ik was net vijfentwintig geworden.'

Ik knikte alsof ik een rekensommetje maakte, terwijl ik in werkelijkheid luisterde naar het stemmetje in mijn hoofd dat fluisterde: is dit misschien geen goed moment, nu we het er toch over hebben, om iets meer over Thomas Cavill te weten te komen? Het was een boosaardig stemmetje en gênant om er aandacht aan te besteden; ik ben er weliswaar niet trots op dat ik het hoorde, de kans was gewoon te mooi. Ik hield mezelf voor dat ik mama afleidde van papa's toestand en zonder aarzelen zei ik: 'Vijfentwintig, is dat niet een beetje laat voor een eerste vriendje?'

'Niet echt.' Ze zei het te snel. 'Het waren andere tijden. Ik had het te druk met andere dingen.'

'Maar toen leerde je papa kennen.'

'Ja.'

'En werden jullie verliefd.'

Zo zacht dat ik bijna haar lippen moest lezen, zei ze: 'Ja.'

'Was hij je eerste liefde, mama?'

Ze haalde even diep adem en keek alsof ik haar had geslagen: 'Niet doen, Edie.'

Dus tante Rita had gelijk. Nee, dus.

'Wil je niet zo over hem in de verleden tijd praten?' De rimpels om haar ogen vulden zich met tranen. En ik voelde me schuldig alsof ik haar echt een klap had gegeven, vooral toen ze huilend haar hoofd op mijn schouder legde, eerder lekkend dan wenend, want huilen doet ze niet. En hoewel mijn arm tegen de plastic rand van de stoel geklemd zat, verroerde ik geen vin.

Buiten klonk het geraas van het verkeer in de verte, zo nu en dan geaccentueerd door sirenes. Ziekenhuismuren zijn weliswaar alleen van baksteen en pleisterwerk, maar eenmaal binnen verdwijnt de werkelijkheid van de mierenhoop van de buitenwereld; hij is maar één deur door, maar kon net zo goed in een sprookjesland heel ver weg zijn. Net als Milderhurst, dacht ik;

daar had ik hetzelfde ontheemde gevoel gehad, het gevoel alsof ik in een overweldigende cocon zat toen ik daar naar binnen ging, alsof de buitenwereld tot zandkorrels was verworden en uiteengevallen. Ik vroeg me even af wat de gezusters Blythe aan het doen waren, hoe ze hun dagen hadden gevuld gedurende de weken na mijn bezoek, die drie dames in dat grote, donkere kasteel. Wat ik voor mijn geestesoog zag voltrok zich in een reeks kiekjes: Juniper die in haar groezelige zijden jurk door de gangen zwierf; Saffy die uit het niets verscheen om haar met zachte hand mee terug te voeren, Percy die fronsend voor het zolderraam haar landgoed als een scheepskapitein op wacht overzag...

Middernacht kwam en ging, de dienstdoende verpleegkundigen wisselden elkaar af en de nieuwe gezichten brachten hetzelfde gekeuvel. Lachend en bedrijvig heen en weer lopend in de verlichte zusterkamer: een onweerstaanbaar baken van gewoonheid als een eiland aan de andere kant van een zee die niet te bevaren was. Ik probeerde wat te dommelen met mijn tas als hoofdkussen, maar het was zinloos. Mijn moeder naast me was zo klein en alleen en op de een of andere manier ook ouder dan toen ik haar voor het laatst had gezien, en ik kon mijn verbeelding er niet van weerhouden om vooruit te snellen en gedetailleerde schetsen te maken van het leven zonder papa. Ik zag het heel duidelijk voor me: zijn lege leunstoel, de rustige maaltijden, het staken van het doe-het-zelfgehamer. Wat zou dat huis eenzaam voelen, wat zou het er stil worden en vergeven zijn van de echo's.

Als we papa kwijtraakten, zouden alleen zij en ik nog over zijn. Twee is geen groot getal; het laat geen reserves toe. Het is een rustig aantal dat zorgt voor keurige, eenvoudige conversatie waar interruptie niet vereist, of zelfs maar mogelijk is. Of nodig, trouwens. Was dat ons voorland? vroeg ik me af. Wij tweeën die zinnen uitwisselen en onze opvattingen omzeilen, beleefde geluiden maken en halve waarheden vertellen en de schijn ophouden? Het was een ondraaglijk vooruitzicht en ik voelde me opeens heel erg alleen.

Als ik op mijn eenzaamst ben, mis ik mijn broer het meest. Hij zou inmiddels een man zijn geweest met een ontspannen manier van doen en een vriendelijke glimlach en de gave om mijn moeder op te beuren. De Daniel van mijn verbeelding weet altijd precies wat hij moet zeggen en is daarmee het tegenovergestelde van zijn arme zus die erg gebukt gaat onder het feit dat ze altijd met haar mond vol tanden zit. Ik wierp een blik op mijn moeder en vroeg me af of zij ook aan hem moest denken; of het feit dat we in het ziekenhuis waren herinneringen aan haar jongetje opriep. Maar ik kon het niet vragen omdat we niet over Daniel spraken, net zoals we niet over haar evacuatie spraken, noch over haar verleden, de dingen waar ze spijt van had. Nooit.

Misschien kwam het doordat ik treurig was om de geheimen die heel lang onder de oppervlakte van onze familie hadden gesudderd; misschien deed ik boete voor het feit dat ik haar boos had gemaakt met mijn nieuwsgierigheid van daarnet; misschien was er ook een klein stukje van mezelf dat een reactie wilde losweken en haar wilde straffen omdat ze me haar herinneringen onthield en me bestal van de echte Daniel: hoe dan ook, voordat ik wist wat er gebeurde had ik diep ademgehaald en vroeg ik: 'Mama?'

Ze wreef in haar ogen en keek op haar horloge.

'Jamie en ik zijn uit elkaar.'

'O?'

'Ja.'

'Vandaag?'

'Nou, nee. Niet echt. Omstreeks Kerstmis.'

Ze slaakte een zacht, verrast kreetje. 'O.' Daarna fronste ze verward en telde ze de maanden die er inmiddels waren verstreken. 'Maar je zei er niets over...'

'Nee.'

Dat onderdeel en wat het impliceerde zorgden ervoor dat ze haar gezicht liet hangen. Ze knikte langzaam en moest natuurlijk denken aan de tientallen keren dat ze naar Jamie had geïnformeerd en aan de antwoorden die ik had gegeven; allemaal bedrog.

'Ik moest het appartement opgeven,' zei ik terwijl ik mijn keel schraapte. 'Ik zoek een zit-slaapkamer. Een plekje voor mezelf.'

'Daarom kon ik je niet bereiken toen je vader... Ik heb alle nummers geprobeerd die ik maar kon bedenken, zelfs dat van Rita, totdat ik Herbert te pakken kreeg. Ik kon niets anders bedenken.'

'Nou,' zei ik opgewekt, maar merkwaardig kunstmatig, 'toevallig kon het niet beter treffen. Daar logeer ik namelijk.'

Ze keek verbijsterd. 'Heeft hij dan een logeerkamer?'

'Een bank.'

'Aha.' Mama had haar handen op schoot ineengeslagen alsof ze daarbinnen een vogeltje beschermde, een kostbaar vogeltje dat ze niet wilde verliezen. 'Ik moet Herbert nog een bedankje sturen,' zei ze vermoeid. 'Met Pasen heeft hij ons een pot zelfgemaakte bramenjam gestuurd en ik ben vergeten hem te schrijven.'

En daarmee was het gesprek waartegen ik maandenlang had opgezien ten einde. En nog wel betrekkelijk pijnloos, wat mooi was, maar op de een of andere manier ook zielloos, wat niet mooi was.

Daarna stond mijn moeder op en mijn eerste gedachte was dat ik me vergiste, het was niet voorbij; we zouden toch een scène krijgen, maar toen ik haar blik volgde, zag ik de dokter op ons afkomen. Ik stond ook op en probeerde zijn gezicht te lezen en te raden welke kant het dubbeltje op zou vallen, maar dat was onmogelijk. Zijn gezichtsuitdrukking paste bij elk scenario; volgens mij leren ze dat tijdens hun studie.

'Mevrouw Burchill?' klonk het afgemeten met een licht buitenlands accent.

'Ja.'

'Uw man is stabiel.'

Mama stiet een geluid uit alsof er lucht uit een ballonnetje ontsnapte.

'Het is maar goed dat de ambulance er zo snel was. U hebt er goed aan gedaan om meteen te bellen.'

Ik werd me bewust van zachte hikgeluidjes naast me en besefte dat mama's ogen weer overliepen.

'We zullen zien hoe hij herstelt, maar in dit stadium is angioplastie waarschijnlijk niet nodig. Hij moet nog een paar dagen ter observatie blijven, maar verder mag hij thuis herstellen. U zult op stemmingswisselingen moeten letten: hartpatiënten krijgen vaak last van depressieve gevoelens. De zuster kan u daarmee verder helpen.'

Mama knikte heftig en dankbaar. 'Natuurlijk, uiteraard,' zei ze, en ze zocht, net als ik, naar de juiste woorden om onze dankbare opluchting over te brengen. Uiteindelijk deed ze het met gewoon: 'Dank u wel, dokter,' maar die had zich alweer teruggetrokken achter het onkwetsbare scherm van zijn witte jas. Hij knikte slechts afwezig, alsof hij elders moest zijn, een ander leven moest redden, wat ongetwijfeld ook het geval was en hij al bijna was vergeten wie wij waren en bij welke patiënt we hoorden.

Ik stond op het punt om voor te stellen dat we papa een bezoek zouden brengen toen ze in tranen uitbarstte – mijn moeder die nooit huilt – en niet zomaar een traantje dat je met de rug van je hand afveegt, maar een enorm, hartverscheurend snikken, dat me deed denken aan die keer toen ik als kind boos over het een of ander was en mama me vertelde dat sommige meisjes weliswaar zo fortuinlijk waren om er lief uit te zien als ze huilden – met opengesperde ogen, rode wangen en een pruillip – maar dat zij noch ik daarbij hoorden.

Ze had gelijk, we zijn lelijk als we huilen, wij allebei. Te veel rode vlekken, te bits, te luidruchtig. Maar toen ik haar daar zo zag staan, zo klein, zo onberispelijk uitgedost en zo duidelijk van haar stuk gebracht, wilde ik haar in mijn armen sluiten om haar helemaal te laten uithuilen tot ze niet meer kon. Maar dat deed ik niet. Ik diepte een papieren zakdoekje uit mijn tas.

Ze nam het aan maar hield niet op met huilen, althans niet meteen, en na een korte aarzeling legde ik mijn hand op haar schouder, klopte er min of meer op en daarna wreef ik over de rug van haar kasjmiervest. Zo bleven we een poosje staan tot ze een beetje meegaf en naar me toe leunde als een kind dat troost zoekt.

Uiteindelijk snoot ze haar neus. 'Ik was zo bang, Edie,' zei ze terwijl ze onder haar ogen depte, een voor een, en controleerde of er mascara op zat.

'Ik weet het, mama.'

'Ik denk gewoon niet dat ik het leven... als er iets gebeurde, als ik hem kwijtraakte...'

'Het is al goed,' zei ik beslist. 'Hij is oké. Alles komt goed.'

Ze knipperde naar me met haar ogen als een diertje waarvoor het licht te fel is. 'Ja.'

Ik vroeg een verpleegkundige naar zijn kamernummer en we liepen door de half verlichte gang tot we het gevonden hadden. Toen we dichterbij kwamen, bleef mama staan.

'Wat is er?' vroeg ik.

'Ik wil niet dat je vader overstuur raakt, Edie.'

Ik zei niets en vroeg me af hoe ze er in 's hemelsnaam bij kwam dat ik zoiets van plan kon zijn.

'Hij zou het vreselijk vinden als hij hoorde dat je bij iemand op de bank slaapt. Je weet hoe hij zich zorgen over je kan maken.'

'Het is niet voor lang.' Ik wierp een blik op de deur. 'Echt, mam, ik ben ermee bezig. Ik zoek in de krant naar wat er te huur is, maar er is niets wat...'

'Onzin.' Ze trok haar rok glad en haalde heel diep adem. Ze keek me niet recht aan toen ze zei: 'Thuis heb je een bed waar niets mis mee is.'

Weer thuis, weer thuis, holadiee

En zo trok ik als alleenstaande vrouw op mijn dertigste weer in bij mijn ouders in hetzelfde huis als waarin ik was opgegroeid. In mijn eigen kamer, in mijn eigen bed van anderhalve meter onder het raam dat uitzag op begrafenisondernemer Singer & Sons. Ik mag er wel aan toevoegen dat het een vooruitgang was vergeleken met mijn recentste onderkomen. Ik ben dol op Herbert en die lieve oude Jess is me niet gauw te veel, maar de hemel bewaar me als ik nog een keer een bank met haar moet delen.

De verhuizing op zich was betrekkelijk pijnloos; ik nam niet veel mee. Het was een tijdelijke oplossing, zoals ik eenieder vertelde die maar wilde luisteren, dus was het veel logischer dat ik mijn bagage bij Herbert liet. Ik pakte één koffer en toen ik thuiskwam, trof ik alles min of meer aan zoals ik het tien jaar daarvoor had achtergelaten.

Mijn ouderlijk huis in Barnes was in de jaren zestig gebouwd, gloednieuw gekocht door mijn ouders toen mama zwanger was van mij. Wat vooral opvalt is dat het een zeldzaamheid is: een huis zonder rommel. Echt helemaal niets. In het Burchill-huishouden is een systeem voor alles: diverse mandjes in de natte ruimte, keukenlinnen op kleur; een notieboekje met een pen die het altijd doet bij de telefoon en je vindt er nog geen rondslingerende envelop met tekeningetjes en krabbels en half opgeschreven namen van vergeten mensen die ooit hebben gebeld. Onberispelijk. Geen wonder dat ik vroeger vermoedde een adoptiefkind te zijn.

Zelfs papa's grote zolderopruiming had een bescheiden minimum aan troep opgeleverd: een twintigtal dozen waarop met plakband een lijstje met de inhoud was bevestigd, plus dertig jaar achterhaalde elektronica nog in hun oorspronkelijke verpakking. Maar die konden niet eeuwig in de gang verblijven, dus omdat papa herstelde en mijn weekeinden saai en leeg waren, viel de klus vanzelfsprekend aan mij toe. Ik werkte als een paard en liet me maar één keer afleiden toen ik op een doos met daarop EDIES SPULLEN stuitte en de verleiding niet kon weerstaan om hem open te maken. In de doos lag een keur aan vergeten spullen: sieraden van macaroni met bladderende verf, een porseleinen snuisterijenkistje met elfjes op de zijkant en helemaal onderop tussen allerlei spulletjes en boeken – de adem stokte me even in de keel – mijn onrechtmatig verkregen, zo gekoesterde en zoekgeraakte exemplaar van de *Mud Man*.

Toen ik dat oude, sleetse boekje in mijn volwassen handen hield, werd ik overspoeld door flikkerende herinneringen: het beeld van mijn tien jaar oude ik, genesteld op de bank in de huiskamer, was zo helder dat ik bijna uit kon reiken over de kloof van jaren om er met mijn vinger rimpels in te trekken. Toen zag ik mama met haar jas aan en een netje boodschappen binnenkomen. Ze haalde iets uit de tas en gaf het aan mij, een boek dat mijn wereld zou veranderen. Een roman geschreven door de keurige heer bij wie ze logeerde na de evacuatie in de Tweede Wereldoorlog…

RAYMOND BLYTHE: peinzend wreef ik met mijn duim over de reliëfletters op het omslag. Misschien kikker je hier wel van op, had mama gezegd. Volgens mij is het voor iets oudere lezers, maar je bent een intelligent meisje; met een beetje moeite zal het best lukken. Mijn hele leven had ik het aan juffrouw Perry, de bibliothecaresse, toegeschreven dat ze me op het juiste pad had gezet, maar toen ik daar met de *Mud Man* in mijn handen op de houten vloer van de zolder zat, stolde er een andere gedachte in een dun straaltje licht. Ik vroeg me af of het mogelijk was dat ik het al die tijd bij het verkeerde eind had gehad, of juffrouw Perry misschien weinig meer had gedaan dan het zoeken en uitlenen van de titel en dat máma me het juiste boek op het juiste moment had gegeven. Ik vroeg me af of ik het durfde te vragen.

Het was al een oud boek toen ik het kreeg en vervolgens was het hartstochtelijk gekoesterd, dus zijn verfomfaaide toestand was te verwachten. Binnen zijn aftakelende omslag zaten dezelfde bladzijden als die ik had omgeslagen toen de wereld die ze beschreven nog nieuw voor me was, toen ik niet wist hoe het zou aflopen met Jane en haar broer en die arme, treurige man in de modder.

Ik had het sinds mijn bezoek aan Milderhurst weer willen lezen, ademde vlug in en liet het op een willekeurige plek openvallen, en mijn blik daalde naar het midden van een prachtige bladzijde vol vochtplekken: *Het rijtuig dat hen naar de oom zou brengen bij wie ze zouden gaan logeren, maar die ze nog nooit hadden gezien, vertrok 's avonds uit Londen en reed 's nachts door, om uiteindelijk bij zonsopgang aan het begin van een verwaarloosde oprijlaan te arriveren.* Ik las verder, hotsend achter in het rijtuig naast Jane en Peter. We reden door de vermoeide, kribbige poort en over de lange, slingerende oprijlaan omhoog totdat het eindelijk zijn koude gezicht in het melancholieke ochtendlicht boven op de heuvel liet zien: Bealehurst Castle. Ik huiverde van de voorpret over wat ik daarbinnen allemaal kon aantreffen. De toren verhief zich boven de daklijn, de vensters staken donker af tegen de crèmekleurige natuursteen en ik stak net als Jane mijn hoofd naar buiten en legde mijn hand naast de hare op het rijtuigvenster. Er schoven donkere wolken langs de bleke hemel en toen het rijtuig eindelijk met een dof geluid stopte, stapten we uit en bevonden we ons aan de rand van een gitzwarte slotgracht. Uit het niets stak een windje op dat rimpels over het water joeg, en de koetsier gebaarde naar een houten ophaalbrug. Langzaam en zwijgend liepen we eroverheen. Net toen we bij de zware voordeur kwamen, klonk er een bel, een echte, en liet ik het boek bijna uit mijn handen vallen.

Volgens mij heb ik het nog niet over de bel gehad. Terwijl ik dozen naar de zolder terug zeulde, was papa voor de duur van zijn herstel in de logeerkamer geïnstalleerd met een stapel exemplaren van *Accountancy Today* op het nachtkastje, een cassettespeler met bandjes van Henry Mancini en een butlerbelletje om de aandacht te trekken. De bel was zijn idee en een oude herinnering aan een koortsaanval toen hij klein was, en na twee weken waarin hij weinig anders had gedaan dan slapen, was mama zo blij geweest dat er iets van levendigheid terugkeerde dat ze zijn voorstel maar al te graag overnam. Ze vond het heel logisch klinken, had ze gezegd en ze voorzag geen moment dat er schandelijk misbruik van het sierbelletje zou worden gemaakt. In papa's verveelde en chagrijnige handen veranderde het in een gevreesd wapen, een talisman voor de terugkeer naar zijn kindertijd. Met de bel in zijn vuist veranderde mijn zachtaardige, cijfers vretende vader in een verwend en veeleisend kind vol ongeduldige vragen over of de postbode al was geweest, wat mama met haar tijd deed en hoe laat hij zijn volgende kop thee kon verwachten.

Maar die ochtend toen ik op de doos met de *Mud Man* was gestuit, was mama naar de supermarkt en had ik officieel papadienst. Bij het geluid van de bel verdween de wereld van Bealehurst, de wolken verdwenen snel in alle windrichtingen, de slotgracht en het kasteel losten op en de trede waarop ik stond verwerd tot as zodat ik viel, en met niets anders dan zwarte tekst die in de witte ruimte om me heen zweefde door het gat midden in de bladzijden verdween; om met een bons weer in Barnes te landen.

Ik weet dat het me niet staat, maar een poosje bleef ik roerloos zitten wachten voor het geval ik niet direct hoefde te reageren. Pas toen er voor de tweede keer werd gerinkeld, stak ik het boek in mijn vestzak en daalde ik met aanmerkelijke tegenzin de trap af.

'Hallo, pap,' zei ik opgewekt – want het is niet aardig om boos te zijn omdat je wordt gestoord door een revaliderende ouder – toen ik de logeerkamer binnenkwam. 'Alles goed?'

Hij lag zo diep in de kussens dat hij er bijna in was verdwenen. 'Is het al lunchtijd, Edie?'

'Nog niet.' Ik hees hem iets rechter. 'Mama heeft gezegd dat ze soep voor je zou maken zodra ze terug was. Ze heeft al een heerlijke pot...'

'Is je moeder nog niet terug?'

'Kan niet lang meer duren.' Ik glimlachte meelevend. Die arme vader van me had een vreselijke tijd doorgemaakt: weken achtereen bedlegerig zijn is voor niemand eenvoudig, maar voor iemand als hij zonder liefhebberijen of enig vermogen om zich te ontspannen, was het een kwelling. Ik ververste zijn glas water en probeerde het boek dat uit mijn zak stak niet te betasten. 'Kan ik intussen iets voor je halen? Een kruiswoordpuzzel? Een kruik? Nog een plakje cake?'

Hij zuchtte verdraagzaam. 'Nee.'

'Zeker weten?'

'Ja.'

Mijn hand lag weer op de *Mud Man* en mijn aandacht maakte zich schuldig aan afdwalen naar de specifieke voordelen van de slaapbank in de keuken versus de leunstoel in de huiskamer, die bij het raam die zich de hele middag in de zon koestert. 'Nou, dan ga ik maar weer eens aan het werk,' zei ik schaapachtig. 'Kop op, hè, pap...'

Ik was al bijna de kamer uit toen hij vroeg: 'Wat heb je daar, Edie?'

'Waar?'

'Daar, het steekt uit je zak.' Hij klonk zo hoopvol. 'Dat is toch niet de post, hè?'

'Dit? Nee.' Ik klopte op mijn vestzak. 'Dit is een boek uit een van de dozen op zolder.'

Hij tuitte zijn lippen. 'Die zijn om dingen in op te bergen, niet om ze er weer uit te halen.'

'Dat weet ik, maar het is een lievelingsboek van me.'

'Waar gaat het dan over?'

Ik was verbijsterd. Ik kon me niet herinneren dat mijn vader me ooit naar de inhoud van een boek had gevraagd. 'Een stel wezen,' bracht ik uit. 'Een meisje dat Jane heet en een jongen, Peter.'

Hij fronste ongeduldig. 'Ongetwijfeld over nog wat meer. Dat zijn zo te zien een heleboel bladzijden.'

'Natuurlijk... Ja. Het gaat over nog veel meer.' O, waar moest ik beginnen? Plicht en verraad, afwezigheid en verlangen, wat mensen allemaal bereid zijn te doen om hun beminden te beschermen, waanzin, trouw, eer, liefde... Ik wierp nog een blik op mijn vader en besloot me tot de intrige te beperken. 'De ouders van de kinderen zijn verkoold in een verschrikkelijke brand in Londen en ze gaan bij een oom die ze al jaren niet meer hebben gezien op zijn kasteel wonen.'

'Kasteel?'

Ik knikte. 'Bealehurst. Hun oom is best aardig en de kinderen zijn aanvankelijk verrukt van het kasteel, maar langzaam maar zeker gaan ze beseffen dat er meer aan de hand is dan ze op het eerste gezicht merkten; dat er onder de oppervlakte een diep en duister geheim loert.'

'Diep én duister, hè?' Hij glimlachte een beetje.

'O, ja. Allebei. Echt heel vreselijk.'

Ik zei het vlug en opgewonden en papa boog zich iets naar me toe, leunend op zijn elleboog. 'Wat is het dan?'

'Wat is wat?'

'Het geheim. Wat is het?'

Ik keek hem perplex aan. 'Nou, dat kan ik niet zomaar... vertellen.'

'Natuurlijk wel.'

Hij sloeg de armen over elkaar als een nors kind en ik zocht haastig naar de woorden om hem het contract tussen lezer en schrijver uit te leggen, de gevaren van narratieve gulzigheid. De heiligschennis om zomaar eruit te gooien wat was opgebouwd in hoofdstukken; de geheimen die de schrijver achter talrijke kunstgrepen had verborgen. Maar ik kon alleen maar zeggen: 'Wil je het lenen?'

Hij pruilde. Het misstond hem. 'Van lezen krijg ik hoofdpijn.'

Er viel een stilte tussen ons die bijna ongemakkelijk werd, omdat hij wachtte tot ik zou zwichten en ik – uiteraard, want wat voor keus had ik? – weigerde. Uiteindelijk slaakte hij een mistroostige zucht. 'Laat ook maar,' zei hij met een sip gebaar. 'Waarschijnlijk doet het niet ter zake.'

Maar hij keek zo somber en de herinnering drong zich zo intens aan me op, de herinnering aan de manier waarop ik in de wereld van de *Mud Man* was beland toen ik thuis lag met de bof of wat het ook was, dat ik onwillekeurig zei: 'Als je het echt wilt weten, kan ik het misschien voorlezen?'

De *Mud Man* werd een gewoonte van ons, iets waarnaar ik elke dag uitkeek. Na het eten hielp ik mama in de keuken, ruimde ik papa's blad op en daarna gingen hij en ik verder waar we gebleven waren. Hij kon maar niet begrijpen waarom een verzonnen verhaal hem zo boeide. 'Maar het moet op ware gebeurtenissen zijn gebaseerd,' zei hij herhaaldelijk. 'Een oude ontvoeringszaak. Zoals die Lindbergh-kwestie, dat kind dat uit zijn slaapkamerraam werd gestolen?'

'Nee, pap. Raymond Blythe heeft het gewoon verzonnen.'

'Maar het is zo levendig, Edie; ik zie het in gedachten voor me wanneer je voorleest, alsof ik het zie gebeuren, alsof ik het verhaal al ken.' Daarna schudde hij verwonderd zijn hoofd en werd ik tot mijn tenen vervuld van trots, ook al had ik zelf geen aandeel gehad in de schepping van de *Mud Man*. Op dagen dat ik moest overwerken werd hij nerveus en was hij de hele avond kribbig tegen mama, totdat hij mijn sleutel in de voordeur hoorde, vervolgens met zijn belletje rinkelde en dan zogenaamd verbaasd reageerde wanneer ik boven kwam: 'Ben jij dat, Edie?' zei hij dan met opgetrokken wenkbrauwen alsof hij in de war was. 'Ik wilde je moeder net vragen mijn kussens wat op te schudden. Nou, nu je er toch bent, kunnen we net zo goed eens kijken wat er op het kasteel gebeurt.'

En misschien was het nog meer het kasteel dan het verhaal dat hem het meest aansprak. Papa's algemene belangstelling werd voornamelijk bepaald door zijn afgunstige respect voor chique landgoederen, en nadat ik een keer had laten vallen dat Bealehurst sterk was gebaseerd op het echte voorouderlijk huis van Raymond Blythe, had ik me verzekerd van zijn belangstelling. Hij stelde talrijke vragen, waarvan ik er een aantal uit mijn herinnering of bestaande kennis kon beantwoorden en andere zo specifiek waren dat ik niet anders kon dan mijn eigen exemplaar van *Raymond Blythe's Milderhurst* pakken, waaraan hij zijn hart kon ophalen; soms zelfs naslagwerken die ik uit Herberts enorme verzameling had geleend en van kantoor mee naar huis had genomen. Op die manier waaierden papa en ik elkaars obsessie aan en voor het eerst van ons leven hadden wij tweeën iets gemeenschappelijks.

Er was maar één obstakel in onze verheugde oprichting van de Burchill *Mud Man*-fanclub en dat was mama. Ongeacht het feit dat onze Milderhurst-gewoonte in alle onschuld was ontsproten, het feit dat papa en ik achter gesloten deuren bij elkaar zaten om een wereld tot leven te brengen waarover mama pertinent weigerde te praten en waarop zij meer aanspraak maakte dan een van ons, voelde stiekem. Ik wist dat ik er met haar over moest praten; ik wist ook dat het een stekelig gesprek ging worden.

Sinds ik weer thuis woonde, was het tussen mama en mij verdergegaan zoals het min of meer altijd was gegaan. Ik denk dat ik er enigszins onnozel een beetje van uitgegaan was dat wij tweeën een affectieve wedergeboorte zouden doormaken; dat we samen in een dagelijkse routine zouden vervallen en vaak ontspannen met elkaar zouden praten; dat mama misschien zelfs vertrouwelijk zou worden en mij haar geheimen zou vertellen. De wens is hier waarschijnlijk de vader van de gedachten. Ik hoef nauwelijks te zeggen dat het niet gebeurde. Al denk ik dat mama blij was met mijn aanwezigheid en dankbaar dat ik haar een handje hielp met papa, en veel toleranter leek ten aanzien van onze verschillen dan vroeger, was ze in andere opzichten afstandelijker dan ooit, afgeleid en vaag en heel, heel zwijgzaam. Aanvankelijk dacht ik dat dit het gevolg van papa's hartaanval was, dat de snelle opeenvolging van angst en opluchting haar tot een chaotische herevaluatie had gebracht; maar naarmate de weken verstreken en er geen verbetering optrad, ging ik daaraan twijfelen. Soms trof ik haar verstild halverwege een activiteit, met haar handen in het sop van de gootsteen, starend uit het keukenraam met de blik op oneindig, en haar gezichtsuitdrukking leek zo ver weg, zo in de knoop en verward, dat het wel leek alsof ze was vergeten waar en wie ze was.

Zo was het precies op de avond dat ik te biecht ging over het voorlezen.

'Mama?' zei ik. Ze leek me niet te horen en ik ging wat dichter naar haar toe en bleef bij de hoek van de keukentafel staan. 'Mama?'

Ze draaide zich om. 'O, dag, Edie. Mooi is het buiten in deze tijd van het jaar, hè? Die lange, late zonsondergangen.'

Ik ging naast haar staan voor het raam om het laatste restje roze gloed uit de lucht te zien verdwijnen. Het was zeker ook mooi, maar misschien niet mooi genoeg om haar vurige belangstelling ervoor te verklaren.

Na een poosje zwijgen van haar kant schraapte ik mijn keel en vertelde ik dat ik papa de *Mud Man* voorlas en vervolgens legde ik heel behoedzaam de omstandigheden uit die daartoe hadden geleid en vooral dat het geen voorbedachten rade was geweest. Ze leek me amper te horen; een licht knikje toen ik vertelde hoe geboeid papa was door het kasteel was het enige teken dat ze luisterde. Toen ik alles had gezegd wat ik de moeite van het vermelden waard vond, hield ik afwachtend mijn mond en zette me een beetje schrap voor wat er misschien ging komen.

'Het is lief van je om je vader voor te lezen, Edie. Daar geniet hij van.'

Het was niet precies de reactie die ik had verwacht.

'Dat boek wordt een soort traditie in onze familie.' Een zweem van een glimlach. 'Een metgezel in tijden van ziekte. Waarschijnlijk ben je het vergeten, maar ik heb het je gegeven toen je thuis lag met de bof. Je was zo ongelukkig, het was het enige wat ik kon bedenken.'

Zo. Het was dus van meet af aan mama geweest. Zij en niet juffrouw Perry had de *Mud Man* uitgekozen. Het perfecte boek op een uitgelezen tijdstip. Ik vond mijn stem weer terug. 'Dat weet ik nog.'

'Het is goed dat je vader iets heeft om over na te denken nu hij zijn bed niet uit kan. Nog beter is dat hij jou heeft om het mee te delen. Hij krijgt niet veel bezoek, weet je. Andere mensen hebben een druk leven, de collega's van zijn werk. De meeste hebben een kaart gestuurd en ik denk dat hij na zijn pensioen... Nou ja, het leven gaat door, toch? Het is alleen... Het valt niet mee voor een mens om het gevoel te hebben dat hij is vergeten.'

Ze wendde haar gezicht af, maar niet voordat me was opgevallen dat ze de lippen op elkaar perste. Ik kreeg het gevoel dat we het niet meer alleen over mijn vader hadden en omdat al mijn gedachten destijds naar Milderhurst en Juniper Blythe en Thomas Cavill voerden, vroeg ik me onwillekeurig af of mama soms rouwde over een oude liefde, over een relatie lang voordat ze mijn vader leerde kennen toen ze nog jong en ontvankelijk en kwetsbaar was. Hoe meer ik erover piekerde, hoe langer ik daar bleef staan om af en toe een steelse blik op haar peinzende profiel te werpen, hoe bozer ik werd. Wie was die Thomas Cavill die er tijdens de oorlog vandoor was gegaan met een spoor van gebroken harten in zijn kielzog: de arme Juniper die verkommerde in het haveloze familiekasteel en mijn eigen moeder die haar privéverdriet nog decennia na dato koesterde?

'Er is alleen één ding, Edie...' Mama keek me weer aan en haar treurige ogen speurden naar de mijne. 'Ik heb liever niet dat papa van mijn evacuatie weet.'

'Weet papa niet dat je geëvacueerd bent geweest?'

'Wel dat het is gebeurd, maar niet waar ik ben geweest. Hij weet niets van Milderhurst.'

Opeens bestudeerde ze met grote belangstelling de rug van haar handen, ze tilde haar vingers een voor een op en draaide aan haar subtiele, gouden trouwring.

'Je beseft toch wel dat hij je een persoon van onschatbare geweldigheid zou vinden als hij wist dat jij daar ooit hebt gewoond?'

Er speelde een flauwe glimlach om haar lippen, maar ze bleef naar haar handen kijken.

'Ik meen het, hij is weg van die plek.'

'Toch heb ik het liever zo,' zei ze.

'Oké, ik begrijp het.' Dat deed ik niet, maar volgens mij hadden we dat al vastgesteld, en in het licht van de straatlantaarn dat nu haar jukbeenderen streelde, zag ze er kwetsbaar uit, als een ander soort vrouw, op de een of andere manier jonger en brozer, dus drong ik niet verder aan. Maar ik bleef haar gadeslaan; ze was zo in gepeins verzonken dat ik niet weg kon kijken.

'Weet je Edie,' zei ze zacht, 'toen ik klein was, stuurde mijn moeder me omstreeks deze tijd op pad om je opa uit het café te halen.'

'Echt? In je eentje?'

'Dat was in die tijd, voor de oorlog, niet ongewoon. Dan ging ik in de deuropening van het café staan en als hij me zag, wuifde hij naar me, dronk hij zijn glas leeg en liepen we samen naar huis.'

'Konden jullie het goed met elkaar vinden?'

Ze hield het hoofd een beetje schuin. 'Ik denk dat ik hem een beetje verbijsterde. Je oma ook. Heb ik je ooit verteld dat ze wilde dat ik na mijn eindexamen kapster zou worden?'

'Net als Rita.'

Ze knipperde met haar ogen naar de aardedonkere straat buiten. 'Ik geloof niet dat ik er erg goed in geweest zou zijn.'

'Ik weet het niet. Je bent vrij handig met de snoeischaar.'

Er viel een stilte en ze glimlachte naar me van opzij, maar het ging niet helemaal vanzelf en ik had het gevoel dat ze nog iets wilde zeggen. Ik wachtte af, maar wat het ook was, ze bedacht zich en weldra staarde ze weer naar het raam.

Ik deed een halfzachte poging om haar nog wat over haar schooltijd te laten praten, waarschijnlijk in de hoop dat het gesprek op Thomas Cavill zou komen, maar ze hapte niet. Ze zei alleen dat ze school wel leuk had gevonden en vroeg of ik een kop thee wilde.

Het enige voordeel van mama's afwezigheid in die tijd was dat ik de breuk met Jamie niet hoefde toe te lichten. Omdat gevoelens onderdrukken zo'n beetje een familiekwaal was, informeerde mama niet naar bijzonderheden en overstelpte ze me evenmin met platitudes. Ze was zo vriendelijk om ons allebei te laten geloven in de mythe dat ik uit louter altruïsme naar huis was gekomen om haar met papa en de huishouding te helpen.

Ik vrees dat je van Rita niet hetzelfde kon zeggen. Slecht nieuws doet snel de ronde en mijn tante is verzot op onheil, dus waarschijnlijk had ik er niet van op moeten kijken toen ze me bij aankomst in de Roxy Club voor Sams vrouwenavondje bij de ingang aanklampte. Rita gaf me een arm en zei: 'Lieverd, ik heb het gehoord. Maak je geen zorgen, je mag niet denken dat dit betekent dat je oud en onaantrekkelijk bent en de rest van je leven alleen moet blijven.'

Ik gebaarde naar de ober dat ik wilde bestellen, ik kon wel een stevige borrel gebruiken en besefte met een ietwat wee gevoel in mijn maag dat ik eigenlijk mijn moeder benijdde om haar rustige avondje thuis met papa en zijn bel.

'Een heleboel mensen ontmoeten de ware pas op latere leeftijd,' vervolgde ze, 'en worden dan heel gelukkig. Kijk maar naar je nicht daar.' Rita wees naar Sam, die me toegrijnsde langs de string van een zongebruinde, vreemde man. 'Jij komt ook wel aan de beurt.'

'Dank je wel, tante Rita.'

'Mooi zo.' Ze knikte goedkeurend. 'Zorg dat je een leuke avond hebt en zet alles van je af.' Ze stond op het punt om door te lopen en haar opgewektheid bij anderen te verspreiden, toen ze mijn arm pakte. 'Ik was het bijna vergeten,' zei ze. 'Ik heb iets voor je meegenomen.' Ze tastte in haar tas en haalde een schoenendoos tevoorschijn. Op de zijkant stond een afbeelding van geborduurde pantoffels van het soort waarop mijn oma dol was, en al leek het een wat onwaarschijnlijk cadeau, ik moest toegeven dat ze er comfortabel uitzagen. En ze waren nog praktisch ook; ik bracht in die periode tenslotte een heleboel tijd binnenshuis door.

'Dank je,' zei ik. 'Heel lief van je.' Daarna tilde ik het deksel op en zag ik dat er helemaal geen pantoffels in de doos zaten, maar dat hij halfvol brieven zat.

'Die zijn van je moeder,' zei tante Rita met een duivels lachje. 'Ik had ze je beloofd. Ga jij die maar eens lekker lezen, daar kikker je van op.'

En hoewel ik verrukt was van de brieven, voelde ik op dat moment een zweem van weerzin jegens tante Rita namens het meisje wier krullende handschrift in keurige regels op de enveloppen stond. Het jonge meisje wier oudere zus haar tijdens de evacuatie in de steek had gelaten om samen met een vriendin elders te worden ondergebracht zodat de kleine Meredith op zichzelf was aangewezen.

Ik deed het deksel er weer op. Opeens wilde ik de brieven graag die club uit hebben. Ze hoorden niet thuis in die jolige chaos, de ongecensureerde gedachten en dromen van een meisje van lang geleden; hetzelfde jonge meisje dat naast me was opgelopen in de gangen van Milderhurst en dat ik ooit beter hoopte te leren kennen. Toen het de beurt was aan de drankjes met oplichtende rietjes, verontschuldigde ik me en nam ik de brieven mee naar huis en naar bed.

Het was pikkedonker toen ik thuiskwam en op mijn tenen naar boven ging uit angst dat ik de slapende klokkenluider wakker zou maken. Mijn bureaulamp wierp een zacht schijnsel, het huis maakte rare nachtelijke geluiden en ik ging op de rand van mijn bed zitten met de schoenendoos op schoot. Ik neem aan dat dit het moment was dat ik alles nog anders had kunnen aanpakken. Ik stond voor een splitsing en ik had beide richtingen kunnen kiezen. Na een minieme aarzeling tilde ik het deksel op om de enveloppen tevoorschijn te halen en toen ik ze doorbladerde, zag ik dat ze op datum lagen.

Er viel een losse foto op mijn knieën: twee meisjes die naar de camera lachten. In de kleinste, met het donkerste haar, herkende ik mijn moeder. Ze had ernstige, bruine ogen, knokige ellebogen en het korte, verstandige kapsel dat oma het mooist vond. De andere was een ouder meisje met lang blond haar. Dat was natuurlijk Juniper Blythe. Ik herinnerde me haar uit het boek dat ik in het dorp Milderhurst had gekocht; dat was het kind met de stralende ogen, al helemaal volwassen. In een vastbesloten opwelling stopte ik de foto en de brieven weer in de doos, op nummer één na, die ik opensloeg. Het papier was zo dun dat ik de pennenstrepen onder mijn duimen voelde. De datum, 6 september 1939, stond in nette blokletters rechts bovenaan. In een groot, rond handschrift stond:

Lieve mama en papa,

Ik mis jullie allebei heel erg veel. Missen jullie mij ook? Ik woon nu op het platteland en daar is het leven heel anders. Er zijn bijvoorbeeld koeien, wisten jullie dat ze echt 'boe' zeggen? Heel hard, ik schrok me een hoedje toen ik het voor het eerst hoorde.
Ik woon in een echt kasteel, maar het ziet er anders uit dan u het zich misschien voorstelt. Er is geen ophaalbrug, maar wel een toren en drie zussen en een oude man die ik nooit zie. Ik weet alleen dat hij er is omdat de zussen over hem praten. Ze noemen hem papa en hij schrijft boeken. Echte boeken, zoals in de bibliotheek. De jongste zus heet Juniper, zij is zeventien en knap en heeft grote ogen. Zij is degene die me naar Milderhurst heeft gebracht. 'Juniper' betekent 'jeneverbes', wisten jullie dat ze daar jenever van maken?
Er is hier ook telefoon, dus misschien kunnen jullie, als jullie tijd hebben en meneer Waterman van de winkel het niet erg vindt...

Ik was aan het eind van de eerste bladzijde gekomen, maar draaide hem niet om. Ik bleef roerloos zitten, alsof ik heel goed naar iets luisterde. En waarschijnlijk deed ik dat ook, naar de stem van het kleine meisje die uit de schoenendoos was verrezen en nu in de donkere hoeken van mijn kamer nagalmde. *Ik woon nu op het platteland... Ze noemen hem papa... Er is een toren, en drie zussen...* Dat is het bijzondere van brieven. Gesprekken verwaaien zodra ze gevoerd zijn, maar het geschreven woord is standvastig. Die brieven waren een soort reizigers in de tijd; ze hadden vijftig jaar geduldig in hun doos op me liggen wachten.

De koplampen van een auto op straat wierpen snippers licht tussen mijn gordijnen door en er schoven zilveren lichtscherven over het plafond. Stilte, het werd weer schemerig. Ik draaide de bladzijde om en las door, en terwijl ik dat deed, bouwde zich een spanning in mijn borst op, alsof er vanbinnen een warm, stevig voorwerp hard tegen mijn ribbenkast werd geduwd. De sensatie had iets weg van opluchting en gek genoeg alsof er een vreemd soort heimwee genas. Dat sloeg nergens op, alleen klonk de stem van dat kleine meisje zo vertrouwd dat het lezen van de brieven een soort reünie met een oude vriend was, iemand die ik lang geleden had gekend...

1

Londen, 4 september 1939

Meredith had haar vader nog nooit zien huilen. Dat deden vaders niet, in elk geval niet de hare (en hij huilde eigenlijk ook niet echt, nog niet, maar het scheelde niet veel), en zo kwam ze erachter dat het een leugen was die hun was verteld, dat dit geen avontuurlijke onderneming was en dat het niet in een mum voorbij zou zijn. Dat die trein op hen wachtte om hen weg te voeren uit Londen waarna alles anders zou worden. Toen ze papa's grote, vierkante schouders zag schokken onder dat rare vertrokken gezicht met lippen die zo strak stonden dat ze dreigden te verdwijnen, wilde ze net zo hard blèren als de baby van mevrouw Paul als hij honger had. Maar dat deed ze niet, dat kon ze niet, zeker niet met Rita die naast haar zat te wachten op een kans om haar te kunnen knijpen. In plaats daarvan stak ze haar hand op en haar vader volgde haar voorbeeld, en daarna deed ze alsof iemand haar riep en draaide ze zich af zodat ze allebei niet meer zo afschuwelijk dapper hoefden te zijn.

Op school waren er in de zomer oefeningen geweest en 's avonds had papa de hele zaak nog eens dunnetjes overgedaan door hun te vertellen over de keren dat hij als jongetje naar Kent was geweest om hop te plukken met zijn familie: de zonnige dagen, 's avonds de liedjes bij het kampvuur, hoe mooi het platteland wel was, hoe groen en lieflijk en eindeloos. Meredith genoot wel van zijn verhalen, maar had ook een paar keer een blik op mama geworpen en daardoor had ze een onheilspellend voorgevoel gekregen dat als een steen op haar maag drukte. Mama stond met haar knokige heupen, knieën en ellebogen over de gootsteen gebogen en de woeste aandacht die ze besteedde aan het boenen van de pannen voorspelde altijd onweer.

En ja hoor, een paar avonden nadat de verhalen waren begonnen, hoorde Meredith de eerste ruzie, mama die zei dat ze een gezin waren, dat ze bij elkaar moesten blijven om de risico's gezamenlijk te dragen, dat een gezin dat uiteenviel nooit meer hetzelfde zou zijn. Daarna praatte papa rustiger op haar in, hij zei dat het was zoals de aanplakbiljetten voorspelden, dat kinderen betere kansen hadden op het platteland en dat het niet lang zou duren voordat ze weer herenigd zouden zijn. Daarna was het een tijdje stil geweest en Meredith moest haar oren spitsen om het te horen: mama lachte, maar niet van harte. Ze zei dat ze niet van gisteren was; als ze iets zeker wist, was het dat regeringen en mannen in dure pakken niet te vertrouwen waren, dat als kinderen eenmaal uit huis waren, alleen God wist wanneer ze hen terug zouden krijgen en vooral hoe, en ze riep een paar woorden waarvoor Rita regelmatig een mep kreeg wanneer ze die gebruikte. Papa suste haar en daarna huilde ze en werd er niet meer gepraat. Meredith trok het kussen over haar hoofd, vooral om Rita's gesnurk te dempen.

Daarna werd er niet meer over evacuatie gesproken, dagenlang niet, totdat Rita op een middag naar huis kwam hollen om te zeggen dat het openbare zwembad gesloten was en er grote nieuwe borden op de voorzijde hingen. 'Er is er een aan elke kant,' zei ze met opengesperde ogen van de spanning van dat onheilspellende nieuws. 'Op de eerste staat *Vrouwen Besmet* en op de tweede *Mannen Besmet*.' Mama luisterde handenwringend en papa zei alleen maar: 'Gas.' En dat was dat. De volgende dag haalde mama de enige koffer die we hadden van zolder en alle kussenslopen die ze maar kon missen, en vulde die met de spullen op de lijst van school, gewoon voor de zekerheid: schone onderbroek, kam en een gloednieuwe nachtjapon voor zowel Rita als Meredith; papa vroeg vriendelijk of die wel nodig waren en mama had ze met een woeste frons gerechtvaardigd. 'Dacht je soms dat ik mijn kinderen in vodden bij vreemden laat logeren?' Daarna hield papa zijn mond, en al besefte ze dat haar ouders tot Kerstmis de nieuwe spullen moesten afbetalen, was ze stiekem toch verrukt van haar hagelwitte nachtjapon, de eerste die ze ooit had gehad die geen aflеggertje van Rita was...

En nu wérden ze weggestuurd en Meredith zou er alles voor gegeven hebben als ze haar wens mocht terugnemen. Zij was niet moedig zoals Ed, en ze was niet luidruchtig en zelfverzekerd zoals Rita. Ze was verlegen en onhandig en totaal anders dan de rest van haar familie. Ze ging verzitten met de voeten naast elkaar op de koffer en staarde naar haar glimmende schoenen en toen moest ze het beeld van papa die ze de avond tevoren had gepoetst wegknipperen. Toen hij klaar was, had hij ze neergezet om een tijdje nutteloos te ijsberen met de handen in zijn zakken, voordat hij weer van voor af aan begon. Alsof hij door schoensmeer aan te brengen en het diep in het leer te poetsen en op te wrijven tot het blonk, op de een of andere manier de onbekende gevaren die op de loer lagen kon bezweren.

'Mammie, mammie!'

De gil kwam van de andere kant van het treinstel en toen Meredith opkeek, zag ze een jongetje, een hummel nog, die zich aan zijn zus vastklampte en tegen het raam sloeg. De tranen rolden over zijn smoezelige wangen en de huid onder zijn neus blonk van het snot. 'Ik wil bij jou blijven, mammie,' huilde hij. 'Ik wil samen met jou doodgaan!'

Meredith concentreerde zich op haar knieën en wreef over de rode plekken die de doos met het gasmasker had veroorzaakt omdat hij tegen haar benen sloeg tijdens de wandeling van school. Daarna keek ze weer naar buiten, ze kon er niets aan doen, ze tuurde omhoog naar de balustrade boven het station waar de ouders waren samengedromd. Hij stond nog steeds naar hen te kijken, met die glimlach van een vreemde op zijn gewone papagezicht en opeens vond Meredith het moeilijk om lucht te krijgen en besloeg haar bril, en zelfs toen ze wenste dat de aarde zou opensplijten om haar te verzwelgen zodat het allemaal maar achter de rug zou zijn, bleef een klein deel van haar geest een toeschouwer die zich afvroeg wat voor woorden ze zou gebruiken als haar werd gevraagd om de wijze waarop de angst haar longen dichtkneep te beschrijven. Terwijl Rita schaterde om iets wat haar vriendin Carol haar in het oor had gefluisterd, deed Meredith haar ogen dicht.

Het was de voorgaande ochtend precies om elf uur begonnen. Ze zat voor het huis op het bordes met de benen op de bovenste tree aantekeningen te maken terwijl ze Rita aan de overkant zag sjansen met die vreselijke Luke Watson met zijn grote gele tanden. De aankondiging was gekomen in verre flarden uit de radio van de buren, Neville Chamberlain die hun met die trage, plechtige stem van hem vertelde dat er geen reactie was gekomen op het ultimatum en dat het land thans in oorlog was met Duitsland. Daarna speelden ze het volkslied, waarna mevrouw Paul in de deuropening van de buren verscheen terwijl het beslag voor een yorkshirepudding nog van haar lepel droop, met mama vlak achter haar, terwijl de mensen uit de hele straat hun voorbeeld volgden. Iedereen bleef stokstijf staan en keek elkaar verbijsterd aan met de angst en de onzekerheid in grote letters op het gezicht geschreven, terwijl het gemompelde 'Het is zover' in één grote, ongelovige golf door de menigte waarde.

Acht minuten later loeide het luchtalarm en de hel brak los. De oude mevrouw Nicholson holde hysterisch de straat op en neer, en wisselde het bidden van het onzevader af met paniekerige onheilsverklaringen. Moira Seymour, het plaatselijke blokhoofd van de luchtbeschermingsdienst, raakte over haar toeren en slingerde met haar zware ratel ten teken van een gasaanval, en de mensen vlogen alle kanten op om hun gasmasker te halen; inspecteur Whitely reed op zijn fiets door de chaos met een kartonnen bord op zijn lichaam waarop stond: ZOEK DEKKING.

Meredith keek met grote ogen toe, zoog het tumult in zich op en staarde vervolgens naar de lucht in afwachting van de vijandelijke vliegtuigen en vroeg zich af hoe ze eruitzagen, wat ze zou voelen wanneer ze verschenen en of ze wel snel genoeg kon schrijven om alles op te schrijven wat er gebeurde, toen mama plotseling haar arm pakte om haar en Rita naar de schuilkelder in het park te slepen. In de haast liet Meredith haar dagboek vallen, het werd vertrapt en ze wrong haar arm los om te blijven staan en het te redden, en mama riep met een asgrauw gezicht bijna boos dat daar geen tijd voor was en Meredith wist dat ze er later van langs zou krijgen, maar ze had geen keus. Er was geen sprake van dat ze het achter zou laten. Ze holde terug, dook tussen de menigte angstige buren, greep haar dagboek – iets havelozer maar nog wel intact – en rende terug naar haar woedende moeder, die niet bleek meer was maar zo rood als tomatensaus van Heinz. Tegen de tijd dat ze bij de schuilkelder waren en beseften dat ze hun gasmaskers waren vergeten, klonk het 'alles veilig'-signaal. Meredith kreeg een mep op haar benen en mama besloot hen de volgende dag te evacueren.

'Hallo, meisje.'

Meredith deed haar ogen open en zag meneer Cavill in het gangpad staan. Haar wangen werden meteen rood en ze glimlachte terwijl ze in stilte het opdoemende beeld van Rita die met Luke Watson sjanste vervloekte.

'Mag ik even naar je naamplaatje kijken?'

Ze veegde haar tranen onder haar bril weg en boog zich naar voren zodat hij het kartonnen naamkaartje om haar hals kon lezen. Overal waren mensen die lachten, huilden, schreeuwden en maar rondkrioelden, maar heel even waren zij en meneer Cavill met elkaar alleen te midden van dat alles. Meredith hield haar adem in en was zich bewust van het bonken van haar hart, en ze keek naar zijn lippen toen die de woorden die daar stonden, haar eigen naam, vormden, en hij glimlachte toen hij had gecontroleerd dat ze allemaal klopten.

'Je hebt je koffer bij je, zie ik. Heeft je moeder er alles in gedaan wat op de lijst stond? Heb je nog iets nodig?'

Meredith knikte; daarna schudde ze haar hoofd. Ze bloosde toen er woorden in haar opkwamen die ze nooit, maar dan ook nóóit zou durven uitspreken: *Ik wil dat u op me wacht, meneer Cavill, tot ik wat ouder ben – ongeveer veertien of vijftien – en dan kunnen we met elkaar trouwen.*

Meneer Cavill schreef iets op zijn formulier en deed de dop op zijn pen. 'De treinreis kan wel een poosje duren, Merry. Heb je iets bij je om je mee bezig te houden?'

'Ik heb mijn dagboek bij me.'

Hij lachte, want hij had het aan haar gegeven, als beloning omdat ze haar proefwerken zo goed had gemaakt. 'Natuurlijk,' zei hij. 'Dat is perfect. Schrijf alles maar op. Alles wat je ziet, denkt en voelt. Dat is je eigen stem; die is belangrijk.' En hij gaf haar een reep chocola en een knipoog; ze glimlachte breed toen hij zijn weg door het gangpad vervolgde en haar hart in haar borst zwol op tot een meloen.

Dat dagboek was Meredith' kostbaarste bezit, het eerste echte dagboek dat ze ooit had bezeten. Ze had het nu al een jaar, maar had er nog geen woord in geschreven, zelfs haar naam niet. Hoe kon ze het ook? Meredith was zo dol op dat fraaie boekje met dat zachte leren omslag dat het heiligschennis leek om het te bezoedelen met haar eigen geschrijf, haar eigen duffe zinnen over haar eigen duffe leventje. Ze had het vaak tevoorschijn gehaald uit zijn bergplaats, om er alleen maar even mee op haar knie te zitten en enorm te genieten van het simpele feit dat het van haar was, voordat ze het weer opborg.

Meneer Cavill had geprobeerd haar ervan te overtuigen dat waarover ze schreef niet half zo belangrijk was als de manier waarop ze het schreef. 'Geen twee mensen zullen de dingen ooit op dezelfde manier zien of voelen, Merry. Het is een uitdaging om waarachtig te zijn wanneer je schrijft. Lever geen half werk. Neem geen genoegen met de eenvoudigste combinaties van woorden. Zoek juist naar die woorden die precíés verklaren wat je denkt. En wat je voelt.' En daarna vroeg hij of ze begreep wat hij bedoelde en zijn donkere ogen waren van zo'n intensiteit vervuld, van zo'n ernstig verlangen dat ze de dingen op zijn manier zou zien dat ze knikte, en heel even was het alsof er een deur openging naar een plek die heel anders was dan die waar ze woonde...

Meredith slaakte een hartstochtelijke zucht en wierp heimelijk een blik opzij naar Rita, die met haar vingers door haar paardenstaart kamde en deed alsof ze Billy Harris niet in de gaten had die vanaf de andere kant van het gangpad verliefd naar haar zat te kijken. Mooi, ze zat er niet op te wachten dat Rita zou gissen wat ze voor meneer Cavill voelde; gelukkig was Rita veel te zeer in beslag genomen door haar eigen wereld van jongens en lipstick om zich druk te maken over de wereld van iemand anders. Iets waar Meredith op rekende om dagelijks haar dagboek bij te houden (niet het echte natuurlijk, maar uiteindelijk had ze een compromis gesloten door losse papiertjes van her en der te verzamelen en die opgevouwen voor in het omslag van het kostbare boekje te bewaren. Daarop maakte ze haar aantekeningen terwijl ze zich voornam ooit het echte in te wijden).

Meredith riskeerde nog een steelse blik op haar vader, klaar om het gezicht af te wenden zodra ze hem zag, maar toen ze het publiek afspeurde naar zijn vertrouwde grote gestalte, eerst vluchtig, vervolgens met een brok van paniek in haar keel, ontdekte ze dat hij weg was. De gezichten waren veranderd, er waren nog steeds huilende moeders, sommige wuifden met een zakdoek, andere glimlachten grimmig en vastberaden, maar van hem was geen spoor te bekennen. Waar hij had gestaan was een leemte die zich vulde en verschoof terwijl ze keek, en toen ze de massa nogmaals afzocht, besefte ze dat hij echt was verdwenen. Dat ze hem niet had zien weggaan.

En hoewel ze haar tranen al de hele ochtend had verbeten, hoewel ze het verdriet verre van zich had gehouden, had Meredith op dat moment zo met zichzelf te doen en voelde ze zich zo klein en bang en alleen dat ze wel moest huilen. Er rees een golf van verdriet in haar op, warm en vochtig, en haar wangen waren op slag kletsnat. Het was een vreselijke gedachte dat hij daar misschien de hele tijd had staan kijken terwijl zij haar schoenen bestudeerde, met meneer Cavill sprak en aan haar dagboek dacht en dat hij graag wilde dat ze opkeek om naar hem te glimlachen en te wuiven, en dat hij het uiteindelijk moest hebben opgegeven en naar huis was gegaan in de waan dat het haar allemaal niets kon schelen...

'O, hou toch op,' zei Rita naast haar. 'Je stelt je aan, je bent net een huilbaby. Godallemachtig, dit is toch leuk!'

'Mijn moeder zegt dat je je hoofd niet uit het raam mag steken anders wordt het afgehakt door een passerende trein.' Dat zei Rita's vriendin Carol, veertien jaar en al net zo'n betweter als haar moeder. 'En je mag niemand de weg wijzen. Het kunnen makkelijk Duitse spionnen zijn die op zoek zijn naar Whitehall. Ze vermoorden kinderen, weet je wel.'

Dus verborg Meredith haar gezicht achter haar hand, snikte nog een paar keer in stilte en droogde haar tranen toen de trein met een ruk in beweging kwam. De lucht was vervuld van kreten van ouders op het perron en kinderen in de trein en stoom en rook en gefluit en Rita die naast haar zat te lachen, en vervolgens reden ze het station uit. De trein ratelde ritmisch over de rails en een groepje jongens in hun zondagse kleren, al was het maandag, kwam door de gang aan rennen en sprong van het ene raam naar het andere om erop te bonken en te schreeuwen en te wuiven, net zo lang tot meneer Cavill hun opdroeg weer te gaan zitten en de deuren niet meer te openen. Meredith leunde tegen het glas, maar in plaats van te kijken naar de treurige, grauwe gezichten langs de weg die huilden om een stad die zijn kinderen verloor, zag ze verwonderd overal grote, zilveren ballonnen langzaam opstijgen om als merkwaardige maar prachtige dieren rond te drijven op de ijle luchtstromen boven Londen.

2

Milderhurst, 4 september 1939

De fiets had twintig jaar werkloos stof vergaard in de stal en Percy twijfelde er niet aan dat ze er niet uitzag wanneer ze erop reed. Ze had haar haar met een elastiekje naar achteren gebonden, haar rok bijeengegaard en tussen haar knieën geklemd; haar kuisheid mocht de rit dan hebben overleefd, maar ze koesterde niet de illusie dat ze er smaakvol uitzag.

Ze had de ministeriële waarschuwing gehoord over het risico dat fietsen in vijandelijke handen vielen, maar ze was toch haar gang gegaan en had het oude ding opgelapt. Als er iets van waarheid school in de geruchten die de ronde deden, als de regering echt een oorlog van drie jaar voorzag, zou brandstof vast en zeker op de bon gaan en moest ze een manier zien te vinden om zich te verplaatsen. De fiets was ooit, lang geleden, van Saffy geweest, maar die gebruikte hem niet meer; Percy had hem van stal gehaald, afgestoft en er boven aan de oprijlaan net zo lang rondjes op gereden tot ze er met enig vertrouwen haar evenwicht op kon bewaren. Ze had niet verwacht dat ze er zo van zou genieten en kon zich met de beste wil van de wereld niet herinneren waarom ze er al die jaren geleden niet zelf een had gekocht, waarom ze had gewacht tot ze een vrouw van middelbare leeftijd was met haren die al grijs begonnen te worden voordat ze dat genoegen ontdekte. En een genoegen wás het, vooral in deze opmerkelijk warme zomer, om de wind langs haar warme wangen te voelen strijken terwijl ze voort zoefde langs de heg.

Percy was boven op de heuvel aangekomen en leunde voorover voor de volgende afdaling met een glimlach op haar gezicht. Het hele landschap kleurde goud, vogels kwetterden in de bomen en de zomerhitte bleef in de lucht hangen. Het was september in Kent en ze kon zichzelf bijna wijsmaken dat ze de aankondiging van de vorige dag had gedroomd. Ze nam een kortere weg door Blackberry Lane, fietste om het meer en sprong toen van haar zadel om met het rijwiel aan de hand over de smalle strook langs de beek te wandelen.

Percy kwam het eerste stel tegen toen ze de tunnel in was gereden; een jongen en een meisje die niet veel ouder waren dan Juniper, met een identiek gasmasker over hun schouder. Ze hielden elkaars hand vast terwijl ze met elkaar praatten met de hoofden zo dicht bij elkaar dat ze haar aanwezigheid amper opmerkten.

Weldra kwam er nog een soortgelijk paartje in zicht en daarna weer een. Percy knikte het laatste toe en wenste direct dat ze het niet had gedaan; het meisje glimlachte verlegen terug en leunde tegen de arm van de jongen; ze wisselden zo'n tedere en jeugdige blik dat Percy er zelf van bloosde en ze besefte meteen dat ze hen ruw had gestoord. Blackberry Lane was al een gekoesterd plekje voor jonggelieven toen zij nog een meisje was en vast al lang voor die tijd. Percy wist dat beter dan wie ook. Zelf had ze jarenlang in het grootste geheim een liefdesrelatie gehad, niet in de laatste plaats omdat er geen schijn van kans was dat die ooit in een huwelijk zou uitmonden.

Ze had eenvoudigere romantische keuzen kunnen maken, geschikte mannen op wie ze verliefd had kunnen worden en met wie ze in alle openheid verkering had kunnen hebben zonder het risico te lopen haar familie belachelijk te maken, maar liefde is niet verstandig, althans niet in Percy's ervaring: die stoorde zich niet aan maatschappelijke conventies, aan klassenverschillen, fatsoen of domweg aan gezond verstand. En al ging Percy prat op haar eigen pragmatisme, toch was ze net zomin in staat weerstand te bieden aan de roep van de liefde als ze kon stoppen met ademhalen. Dus was ze gezwicht en had ze zich neergelegd bij een leven van bedekte blikken, gesmokkelde brieven en heel af en toe een intens rendez-vous.

Al wandelend werden Percy's wangen warm; het was geen wonder dat ze zo'n bijzondere affiniteit voelde met die jonge stelletjes. Verder hield ze de blik omlaag gericht op de met bladeren bezaaide grond en schonk ze geen aandacht aan andere voorbijgangers, tot ze uitkwam bij de weg, weer opstapte en zich zonder trappen omlaag liet voeren naar het dorp. Onder het rijden vroeg ze zich af hoe het mogelijk was dat die hele oorlogsmachine draaide terwijl de wereld nog zo mooi was, terwijl het wemelde van de vogels in de bomen en de bloemen in het veld, terwijl de harten van stelletjes nog zwollen van liefde.

Meredith voelde voor het eerst de aandrang om te plassen toen ze nog tussen de grauwe, beroete gebouwen van Londen reden. Ze drukte haar benen tegen elkaar, schoof haar koffer stevig op schoot en vroeg zich af waar ze precies naartoe gingen en hoe lang ze nog moesten wachten voor ze er waren. Ze voelde zich plakkerig en moe; ze had haar hele lunchpakket van boterhammen met marmelade al op en had in de verste verte geen trek, maar ze verveelde zich en was onzeker en wist zeker dat ze mama die ochtend een pond chocoladebiscuit had zien inpakken. Ze opende de sluiting, tilde het deksel een klein stukje op, tuurde in de donkere ruimte en tastte er vervolgens in rond. Ze had het deksel natuurlijk helemaal open kunnen doen, maar ze kon Rita beter niet alarmeren met een plotselinge beweging.

Er zat een jas in waaraan mama avonden had gewerkt; meer naar links een blik Carnation-melk dat Meredith direct na aankomst aan haar gastheer moest aanbieden; daarachter een vijftal dikke badstoffen handdoekjes die ze met alle geweld van mama moest meenemen na een vreselijk gesprek dat Meredith deed krimpen van gêne. 'De kans is groot dat je vrouw wordt wanneer je weg bent, Merry,' had haar moeder gezegd. 'Rita zal je daarbij helpen, maar je moet erop voorbereid zijn.' Rita grijnsde en Meredith vroeg zich huiverend af hoe klein de kans was dat ze misschien een biologische uitzondering zou blijken. Ze streek met haar vingers over het zachte omslag van haar dagboek en toen, bingo! Daaronder vond ze de zak met koekjes. De chocola was een beetje gesmolten, maar ze kreeg er eentje los. Ze ging met haar rug naar Rita zitten en knabbelde langs de randen.

Achter haar was een van de jongens begonnen een bekend deuntje te zingen...

Under the spreading chestnut tree,
Neville Chamberlain said to me:
If you want to get your gas mask free,
Join the blinking ARP!

... en Meredith liet haar ogen op haar eigen masker vallen. Ze stopte de rest van het koekje in haar mond en veegde de kruimels van de doos. Stom ding met z'n vreselijke rubbergeur en dat akelige scheurende gevoel wanneer je het van je huid trok. Mama had hen laten beloven dat ze hun gasmasker zouden dragen zodra dat nodig was en dat ze het altijd bij zich moesten hebben, en Meredith, Ed en Rita waren schoorvoetend akkoord gegaan. Later hoorde Meredith mama tegen buurvrouw Paul bekennen dat ze liever omkwam bij een gasaanval dan het afschuwelijke gevoel van verstikking achter dat masker te moeten verdragen, dus Meredith was van plan het hare te verliezen zodra ze maar kon.

Er stonden inmiddels mensen in hun achtertuintjes naar hen te zwaaien toen de trein langsreed. Opeens kneep Rita in haar arm en Meredith slaakte een gilletje. 'Waarom doe je dat?' vroeg ze, terwijl ze furieus over de pijnlijke plek wreef.

'Al die aardige mensen daarbuiten willen alleen maar spektakel zien,' zei Rita met een hoofdbeweging naar het raam. 'Wees eens sportief, Merry, en laat ze eens wat tranen zien.'

Uiteindelijk verdween de stad achter hen en was het groen alom. De trein denderde voort en ging af en toe langzamer wanneer ze langs een station reden, maar alle bordjes waren verwijderd, dus hadden ze geen idee waar ze zich bevonden. Meredith moest een poosje hebben geslapen, want vervolgens merkte ze dat de trein knarsend tot stilstand kwam en was ze met een schok wakker. Er was niets nieuws te zien, niets anders dan nog meer groepjes groene bomen aan de horizon en af en toe vogels die langs de heldere, blauwe hemel vlogen. Eén ogenblik dacht Meredith verrukt dat ze misschien rechtsomkeert zouden maken en ze weer naar huis gingen. Dat Duitsland toch had ingezien dat er met Engeland niet te spotten viel en dat ze niet meer weg hoefden.

Maar het mocht niet zo zijn. Na weer een poos wachten, waarin Roy Stanley al weer ingeblikte ananas uit het raam kotste, kregen ze allemaal opdracht uit te stappen en in de rij te gaan staan. Iedereen kreeg een injectie, haren werden gecontroleerd op luis en daarna moesten ze weer instappen en gingen ze verder. Er was niet eens tijd om naar de wc te gaan.

Daarna was het een tijd stil in de trein; zelfs de baby's waren te uitgeput om te huilen. De reis duurde maar en duurde maar, het leek wel uren, en Meredith vroeg zich af hoe groot Engeland was, en wanneer ze ooit bij een klif zouden belanden. En ze bedacht dat de hele toestand misschien doorgestoken kaart was, dat de treinmachinist eigenlijk een Duitser was en het allemaal een onderdeel was van een doortrapt plan om er met de Engelse kinderen vandoor te gaan. Die theorie ging mank, er zaten gaten in de logica. Wat moest Hitler bijvoorbeeld in godsnaam met duizenden nieuwe burgers van wie je niet kon verwachten dat ze niet in hun bed zouden plassen? Maar inmiddels werd Meredith te zeer geteisterd door vermoeidheid en dorst en voelde ze zich te ellendig om die gaten te vullen, dus klemde ze haar benen nog dichter tegen elkaar aan, en telde in plaats daarvan de akkers en landerijen, en god mocht weten wat of waar ze naartoe zou gaan.

Elk huis heeft een hart, een hart dat heeft liefgehad, een hart dat heeft gebulkt van tevredenheid, een hart dat gebroken is. Het hart in het midden van Milderhurst was groter dan de meeste en het klopte ook krachtiger. Het bonkte en wachtte, haastte zich vooruit en vertraagde in het kamertje boven in de toren. De kamer waar een vroege voorouder van Raymond Blythe had gezweet op sonnetten voor koningin Elizabeth; vanwaar een oudtante was ontsnapt voor een heerlijk verblijf bij Lord Byron, en waar zijn moeders schoen was blijven haken achter een rand toen ze uit het schuttersraampje haar dood tegemoet sprong in de door de zon verwarmde slotgracht beneden, terwijl haar laatste gedicht achter haar aan dwarrelde.

Staand voor het grote, eikenhouten bureau stopte Raymond zijn pijp met een verse pluk tabak en daarna nog een. Na de dood van zijn jongste broertje Timothy had zijn moeder zich in die kamer teruggetrokken, omhuld door de zwarte schroeiplek van haar eigen rouw. Beneden in het park of bij het tuinhuisje of aan de rand van het bos had hij een glimp van haar bij het raam opgevangen, het donkere profiel van haar hoofd dat uitzag over de velden en het meer: het ivoren profiel dat zo veel gelijkenis vertoonde met de broche die ze droeg, geërfd van haar eigen moeder, de Franse gravin die Raymond nooit had ontmoet. Soms was hij de hele dag buiten, zigzaggend tussen de hopranken, klauterend op het dak van de schuur, in de hoop dat zij hem zou zien, zich bezorgd zou maken over hem, en iets naar hem zou roepen. Maar dat deed ze nooit. Wanneer de dag ten einde was, riep Nanny hem altijd binnen.

Maar dat was allemaal lang geleden en hij was een malle oude man die verdwaald was in verschoten herinneringen. Zijn moeder was niet meer dan een op afstand geëerde dichteres, om wie zich mythen hadden gesponnen zoals mythen dat nu eenmaal gewend zijn te doen, als de fluistering van een zomers briesje, of de belofte van het zonlicht op een witte muur... *Mammie...* Hij wist niet eens of hij zich haar stem nog kon herinneren.

De kamer was nu van hem: Raymond Blythe, de koning van het kasteel. Hij was de oudste zoon van zijn moeder, haar erfgenaam en tezamen met haar gedichten was hij haar grootste nalatenschap. Een zelfstandig schrijver die respect afdwong en – eerlijk is eerlijk, wierp hij tegen toen er een golf nederigheid dreigde – een zekere faam genoot, net zoals zij die voor hem had genoten. Hij vroeg zich dikwijls af of zij soms had geweten – toen ze hem het kasteel en haar hartstocht voor het geschreven woord naliet – dat hij aan haar verwachtingen zou beantwoorden. Dat hij ooit zijn aandeel zou leveren om de invloed van zijn familie in literaire kringen te vergroten.

Opeens ging zijn slechte knie op slot en Raymond greep hem stevig vast en strekte zijn voet voor zich uit tot de spanning verdween. Hij hobbelde naar het raam en leunde tegen de vensterbank om een lucifer af te strijken. Het was een vrijwel volmaakte dag en terwijl hij aan zijn pijp lurkte om het vuur op gang te krijgen, tuurde hij uit over de landerijen, de oprijlaan, het grasveld en de wuivende massa van Cardarker Wood, het grote, woeste woud waarvoor hij uit Londen was teruggekomen, dat hem had geroepen op de slagvelden van Frankrijk, dat zijn naam nooit was vergeten.

Wat zou er na zijn dood van dit alles worden? Raymond wist dat de dokter gelijk had; hij was niet achterlijk, alleen maar oud. En toch kon hij zich met geen mogelijkheid voorstellen dat er een tijd zou komen waarin hij niet meer voor het raam zou zitten om uit te zien over zijn landgoed, als heer en meester van al wat hij zag. Dat de naam Blythe, het erfgoed van de familie, met hem ten grave zou worden gedragen. Raymonds gedachten haperden; het was zijn verantwoordelijkheid geweest om dat te vermijden. Hij had misschien moeten hertrouwen, opnieuw moeten proberen een vrouw te vinden die zijn zoon kon baren. De kwestie van de nalatenschap hield hem de laatste tijd veel bezig.

Raymond trok aan zijn pijp en blies de rook een beetje geamuseerd uit, alsof hij bij een oude vriend was wiens gewoonten vermoeiend werden. Hij deed natuurlijk melodramatisch, sentimentele oude gek die hij was. Geloofde iedere man niet graag dat de fundamenten van het bestaan zonder zijn aanwezigheid zouden afbrokkelen? In elk geval iedere man die net zo trots was als hij. En Raymond besefte dat hij voorzichtiger te werk moest gaan, dat hoogmoed ten val komt, zoals de Bijbel waarschuwde. Bovendien had hij geen behoefte aan een zoon: hij had de keus uit opvolgers, drie dochters van wie er niet één het type was om te trouwen. En dan had je de Kerk nog. Zijn priester had hem onlangs onderhouden over de eeuwige beloning die mensen wachtte die de katholieke broederschap royaal bedachten. Die sluwe pastoor Andrews wist dat Raymond alle goddelijke goodwill kon gebruiken die hij maar kon bekokstoven.

Hij nam een mondvol rook en hield die daar even voordat hij hem weer uitblies. Pastoor Andrews had het hem uitgelegd, de reden van zijn opgejaagde gevoel en wat er moest gebeuren om Raymonds demon uit te drijven. Nu besefte hij dat hij moest boeten voor zijn zonden. Zijn zonden. Berouw, biechten en zelfs zelfkastijding hadden niet geholpen; Raymonds misdrijf was veel ernstiger.

Maar kon hij echt zijn kasteel aan vreemden uitleveren, al zou hij die verrekte demon ermee uitbannen? Wat zou er worden van al die fluisterstemmen, de vervlogen tijden die in steen waren gevangen? Hij wist wat moeder zou zeggen: het kasteel moet in handen van de familie Blythe blijven. Kon hij het echt verdragen als hij haar teleur zou stellen, vooral nu hij zo'n voortreffelijke en natuurlijke opvolger had in Persephone, zijn oudste en betrouwbaarste dochter? Hij had haar die ochtend op de fiets zien vertrekken, gezien hoe ze bij de brug was gestopt om de pijlers te controleren, zoals hij haar ooit had laten zien. Zij was de enige wier liefde voor het kasteel de zijne benaderde. Het was een zegen dat ze nooit een man had gevonden en dat het nu zeker niet meer zou gebeuren. Ze was een meubelstuk van het kasteel geworden, evenzeer zijn eigendom als de taxusbeelden; met haar kon hij erop vertrouwen dat Milderhurst nooit iets misdaan zou worden. Sterker nog, af en toe verdacht Raymond haar ervan dat zij net als hij iemand met haar blote handen zou wurgen als hij ook maar dreigde een steen te verplaatsen.

Daarna hoorde hij ergens beneden het geronk van een automotor. Het stopte even abrupt als het was begonnen; een portier sloeg dicht met een dof metaalachtig geluid en Raymond keek reikhalzend naar buiten om een blik over de natuurstenen vensterbank te werpen. Het was de grote oude Daimler; iemand had hem uit de garage naar de parkeerplaats boven aan de oprijlaan gereden en hem vervolgens in de steek gelaten. Zijn aandacht werd gevangen door een beweging. Een bleke geestverschijning, zijn jongste dochter Juniper, huppelde van het bordes naar het portier aan de chauffeurskant. Raymond glimlachte verbaasd en verrast. Het was een gek kind, dat was zeker, maar wat dat magere, slungelige meisje met de zesentwintig eenvoudige letters van het alfabet vermocht: haar combinaties waren adembenemend. Als hij jonger was geweest, was hij misschien jaloers geweest…

Weer een geluid. Dichterbij. Binnen.

Stil… Kun je hem horen?

Raymond verstijfde en spitste de oren.

De bomen horen het. Zij zijn de eerste die weten dat hij in aantocht is.

Voetstappen op de overloop beneden die zijn kant op kwamen. Hij legde zijn pijp op de vlakke steen. Zijn hart steigerde.

Luister! De bomen in het diepe donkere bos huiveren met bevende blaadjes en fluisteren dat er iets te gebeuren staat.

Hij ademde zo rustig mogelijk uit; het was tijd. De Mud Man was eindelijk gekomen om wraak te nemen. Precies zoals Raymond had verwacht.

Hij kon zijn kamer niet ontvluchten, niet met die duivel op de trap. De enige uitweg was door het raam. Raymond keek over de vensterbank. Recht als een pijl naar beneden, net als zijn moeder had gedaan.

'Meneer Blythe?' klonk een stem van de trap. Raymond bereidde zich voor. De Mud Man kon sluw zijn; hij kende allerlei trucjes. Raymond had kippenvel over zijn hele lijf; hij moest zijn best doen om nog iets boven zijn eigen raspende ademhaling uit te horen.

'Meneer Blythe?' klonk de stem van de demon weer, inmiddels dichterbij. Raymond dook achter een leunstoel en zakte bevend door zijn knieën. Een lafaard tot de laatste zucht. De voetstappen kwamen kalm op de deur af. Over het kleed, steeds dichterbij. Hij deed zijn ogen stijf dicht met de handen over zijn hoofd. Het monster boog zich over hem heen.

'O, Raymond, arme drommel. Kom op, geef Lucy maar een hand. Ik heb een kom heerlijke soep voor je.'

Aan de rand van het dorp stonden de rijen populieren aan weerskanten van High Street zoals altijd als vermoeide soldaten uit een ander tijdperk. Ze hadden hun uniform weer aan, zag Percy toen ze langs vloog, er zaten nieuwe witte strepen om hun stam, de stoepranden waren ook geverfd, net als de velgen van een heleboel auto's. Na veel vijven en zessen was vanaf de vorige dag de avondklok ingesteld: een half uur na zonsondergang waren de straatlantaarns uitgegaan, koplampen waren verboden en alle ramen waren verduisterd met dikke, zwarte doeken. Naderhand was Percy even bij papa gaan kijken; ze was tot boven in de toren geklommen om over het dorp in de richting van het Nauw van Calais te kijken. Het enige licht kwam van de maan en Percy kreeg het griezelige gevoel hoe het honderden jaren daarvoor moest zijn geweest, toen de wereld een veel donkerder plek was en legers ridders over het land denderden en de paardenhoeven over de harde aarde roffelden en de wachters van het kasteel alert klaarstonden...

Ze week scherp uit omdat de oude meneer Donaldson recht op haar af leek te rijden met de handen stijf aan het stuur en zijn ellebogen opzij en de ingespannen blik op zijn gezicht waarmee hij door zijn bril naar de weg tuurde. Zijn gezicht klaarde op toen hij zag wie hij voor zich had en hij hief zijn hand op om te zwaaien, zodat de auto nog dichter naar de kant slingerde. Percy zwaaide terug vanuit de veilige berm en keek de auto bezorgd na, die zigzaggend naar zijn huis in Bell Cottage reed. Hoe zou hij zijn als de duisternis eenmaal was gedaald? Ze zuchtte; niks bommen, het was de duisternis die de mensen hier het leven ging kosten.

In de ogen van een toevallige voorbijganger die niet op de hoogte was van de aankondiging van daags tevoren, had het kunnen lijken alsof er in het hart van Milderhurst niets was veranderd. De mensen gingen nog steeds hun gang, deden boodschappen en stonden in groepjes voor het postkantoor te praten, maar Percy wist wel beter. Er klonk geweeklaag noch het knarsen van tanden, het was subtieler en daarom misschien des te treuriger. De dreigende oorlog tekende zich af in de blikken op oneindig van de ouderen, in de schaduw op hun gezicht, niet van angst maar van verdriet. Want zij wisten het, zij hadden de vorige oorlog meegemaakt en herinnerden zich de hele generatie jongemannen die zo bereidwillig ten strijde was getrokken om nooit meer terug te keren. En ook diegenen wisten het, die net als papa wel naar huis waren teruggekeerd maar een deel van zichzelf in Frankrijk hadden achtergelaten dat ze nooit meer konden terughalen. Die zich af en toe verloren in momenten waarin er een waas voor hun ogen trok en hun lippen wit werden en hun geest zich overgaf aan beelden en geluiden die ze konden uitspreken noch uitbannen.

Percy en Saffy hadden de vorige dag samen naar de toespraak van minister Chamberlain op de radio geluisterd en waren diep in gedachten verzonken geweest toen het volkslied klonk.

'Waarschijnlijk moeten we het hem nu vertellen,' zei Saffy uiteindelijk.

'Ik denk het wel.'

'Dat doe jij, natuurlijk.'

'Natuurlijk.'

'Zul je het geschikte moment afwachten? Op een manier dat hij bij zinnen blijft?'

'Ja.'

Wekenlang hadden ze het uitgesteld om papa te vertellen dat de oorlog waarschijnlijk voor de deur stond. Zijn recentste aanval van wanen had de band die hem met de realiteit verbond nog verder gescheurd, en als de pendel in de staande klok zweefde hij tussen uitersten heen en weer. Het ene moment leek hij totaal bij zinnen, praatte hij op intelligente wijze met haar over het kasteel en zijn geschiedenis en de hoogtepunten van de literatuur, het volgende moment verstopte hij zich snikkend van angst achter zijn stoel en zag hij spoken, of giechelde hij als een brutale schooljongen en smeekte hij Percy om samen met hem pootje te baden in de beek omdat hij de beste plekken wist om kikkerdril te vinden, en dat hij die aan haar zou laten zien als ze het geheim kon houden.

Toen ze acht waren, in de zomer voor het begin van de Eerste Wereldoorlog, hadden zij en Saffy met papa samengewerkt aan een eigen vertaling van *Sir Gawain en de Groene Ridder*. Dan las hij het oorspronkelijke gedicht voor in het Middelengels en deed Percy haar ogen dicht terwijl de magische geluiden, de oeroude fluisteringen haar omringden.

'*Gawain felt etaynes that hym anelede,*' zei papa dan. 'De reuzen zaten hem op de hielen, Persephone. Weet je hoe dat voelt? Heb je ooit de stemmen van je voorouders uit de stenen voelen zuchten?' En zij knikte, kroop dichter tegen hem aan en deed haar ogen weer dicht toen hij verderging...

In die tijd waren de dingen nog zo eenvoudig, haar liefde voor papa was zo simpel. Hij was ruim twee meter lang geweest en uit staal gesmeed en voor zijn goedkeuring zou ze alles hebben gedacht of gedaan. Maar sindsdien was er zo veel gebeurd, en wanneer ze hem nu zag als hij weer die gretige, kinderlijke uitdrukkingen op zijn oude gezicht kreeg, was het voor Percy bijna niet te verdragen. Ze zou het nooit aan iemand bekennen, en zeker niet aan Saffy, maar Percy kon het amper verduren om naar papa te kijken in een van zijn 'regressieve fasen', zoals de dokter het noemde. Het probleem was het verleden. Dat wilde haar maar niet met rust laten. Nostalgie dreigde een blok aan haar been te worden, wat ironisch was, omdat sentimentaliteit niets voor Percy Blythe was.

In de greep van een ongewenste melancholische bui peddelde ze het laatste kleine stukje naar de hal van de kerk en zette ze haar fiets tegen de houten voorgevel zonder het bloemperk van de dominee geweld aan te doen.

'Goedemorgen, juffrouw Blythe.'

Percy glimlachte naar mevrouw Collins, de oude schat die door een onverklaarbare gril van de tijd al decennialang stokoud leek. Ze had een tas met breispullen aan haar arm en een versgebakken zachte cake in haar hand. 'O, maar juffrouw Blythe,' zei ze, terwijl ze mistroostig haar grijze krulletjes schudde, 'had u ooit kunnen denken dat het zover zou komen? Weer oorlog?'

'Ik had gehoopt van niet, mevrouw Collins, heus. Maar ik kan niet zeggen dat ik ervan opkijk, als ik de menselijke natuur in aanmerking neem.'

'Maar weer een oorlog.' De krulletjes trilden weer. 'Al die jonge jongens.'

Mevrouw Collins had haar beide zonen in de Eerste Wereldoorlog verloren, en hoewel Percy zelf geen kinderen had, wist ze wel hoe het voelde om zo hevig lief te hebben dat het brandde. Vriendelijk nam ze de cake uit de bevende handen van haar oude vriendin en gaf ze mevrouw Collins een arm. 'Kom op, lieverd. Laten we maar naar binnen gaan en ergens gaan zitten, goed?'

De Vrouwelijke Vrijwilligersdienst had besloten in de kerkzaal bijeen te komen voor hun naaikransje toen bepaalde uitgesproken leden van de groep het grotere dorpshuis met zijn brede houten vloer veel geschikter voor de ontvangst van de evacués hadden verklaard. Maar toen Percy de grote menigte gretige vrouwen zag die zich om de tafels verdrongen, de naaimachines opstelden en grote lappen stof uitrolden om kleren en dekens voor de evacués en verband en zwabbers voor ziekenhuizen te maken, vroeg ze zich af of het misschien een dwaze keus was geweest. Ze vroeg zich ook af hoeveel vrouwen er zouden afvallen wanneer de eerste opwinding eraf zou zijn, en daarna gaf ze zichzelf op haar kop omdat ze zo onbarmhartig en zuur was. Om niet van hypocriet te spreken, omdat Percy best wist dat zij de eerste was die zich zou verontschuldigen zodra ze een andere manier had gevonden om een bijdrage aan de oorlogsmachinerie te leveren. Ze was niet handig met naald en draad en vandaag was ze alleen gekomen omdat het weliswaar ieders plicht was om alles te doen wat in zijn of haar vermogen lag, maar het was de plicht van Raymond Blythes dochters om verdomd goed hun best te doen met wat ze niet konden.

Ze hielp mevrouw Collins aan een plaats aan de breitafel, waar het gesprek zoals verwacht ging over de zonen en broers en neven die klaar waren om te worden opgeroepen, en daarna bracht ze de zachte cake naar de keuken en omzeilde ze met zorg mevrouw Caraway die het vastberaden gezicht trok dat ze altijd had wanneer ze een bijzonder onplezierige opdracht ging uitdelen.

'Kijk eens aan, mevrouw Blythe.' Mevrouw Potts van het postkantoor nam het offer aan en hield het omhoog ter inspectie. 'En wat is hij prachtig gerezen.'

'De cake komt met de complimenten van mevrouw Collins. Ik ben slechts de koerier.' Percy probeerde er snel vandoor te gaan, maar mevrouw Potts, een door de wol geverfde expert in conversatievallen, had haar netten vlug uitgeworpen.

'We hebben u vrijdag gemist bij de training van de luchtbeschermingsdienst.'

'Ik had andere verplichtingen.'

'Wat jammer. Meneer Potts zegt altijd wat een prachtige gewonde u zou zijn.'

'Wat vriendelijk van hem.'

'En niemand hanteert de fietspomp met zoveel verve.'

Percy glimlachte vreugdeloos. Het stroop smeren was nog nooit zo vermoeiend geweest.

'En vertel eens, hoe is het met uw vader?' De vraag ging vergezeld van een dikke laag hongerig medeleven en Percy moest de aandrang onderdrukken om het heerlijke biscuitgebak van mevrouw Collins recht in haar gezicht te drukken. 'Ik hoor dat hij een aanval heeft gehad?'

'Naar omstandigheden maakt hij het goed, mevrouw Potts, dank u voor uw belangstelling.' Ze dacht aan hoe papa een paar avonden daarvoor in zijn ochtendjas door de gang holde en achter de trap wegdook, snikkend als een angstig kind dat de toren behekst was en dat de Mud Man hem kwam halen. Ze hadden dokter Bradbury erbij gehaald en die had sterkere medicijnen voor hem achtergelaten, maar papa had uren zitten sidderen en zich er uit alle macht tegen verzet tot hij uiteindelijk diep in slaap zakte.

'Zo'n steunpilaar van de gemeenschap.' Mevrouw Potts liet haar stem treurig trillen. 'Het is zo jammer wanneer hun gezondheid heuvelafwaarts gaat. Maar wat een genade dat hij iemand heeft als u om zijn liefdadige werk voort te zetten, vooral bij een nationale noodtoestand zoals nu. De mensen hier vertrouwen op het kasteel in onzekere tijden, dat is altijd zo geweest.'

'Dat is heel vriendelijk van u, mevrouw Potts. We doen allemaal ons best.'

'Ik neem aan dat we u vanmiddag in het dorpshuis zien om het evacuatiecomité te helpen?'

'Jawel.'

'Ik ben er vanmorgen al geweest om de blikjes corned beef en gecondenseerde melk in paren te zetten. Ieder kind krijgt er een van elk mee. Veel is het niet, maar zonder een greintje steun van de overheid is dat het beste wat we te bieden hebben. En alle beetjes helpen, nietwaar? Ik hoor dat u van plan bent zelf een kind in huis te nemen. Dat is heel loffelijk van u, meneer Potts en ik hebben het er natuurlijk over gehad en u kent me, ik zou dolgraag willen helpen, maar mijn arme Cedric is zo allergisch...' Ze hief verontschuldigend haar schouders. '... Nou, dat zou nooit gaan.' Mevrouw Potts boog zich naar voren en tikte tegen het puntje van haar neus. 'Alleen een kleine waarschuwing: kinderen uit East End van Londen houden er totaal andere maatstaven op na dan wij. U zou er goed aan doen wat Keating's en een goed desinfecteermiddel in huis te halen voordat u zo'n kind een voet in het kasteel laat zetten.'

Hoewel Percy zo haar eigen bange voorgevoelens had over het karakter van de logé die ze eerdaags over de vloer zouden krijgen, was mevrouw Potts' suggestie zo smakeloos dat ze een sigaret uit haar handtasje viste en opstak, alleen om haar geen antwoord te hoeven geven.

Mevrouw Potts vervolgde onverdroten: 'En ik neem aan dat u al van het andere opwindende nieuws op de hoogte bent?'

Percy schuifelde met haar voeten; ze wilde graag iets anders doen. 'Welk nieuws, mevrouw Potts?'

'Nou, jullie moeten er alles van weten op het kasteel. U beschikt vast over veel meer bijzonderheden dan wie ook van ons.'

Vanzelfsprekend viel er op dat moment een stilte en de hele groep wendde zich naar Percy. Ze deed haar best om de blikken te negeren. 'De bijzonderheden waarvan, mevrouw Potts?' De ergernis maakte haar ruggengraat een paar centimeter langer. 'Ik heb geen idee wat u bedoelt.'

'Nou.' De ogen van de roddelkous werden groot en haar gezicht lichtte op door het besef dat zij de ster van een nieuw publiek was. 'Het nieuws over Lucy Middleton, natuurlijk.'

3

Milderhurst Castle, 4 september 1939

Kennelijk vergde het aanbrengen van de lijm en het vastzetten van de strook stof zonder het glas te vertroebelen een handigheidje. De kittige vrouw in de geïllustreerde gids leek er geen enkele moeite mee te hebben om haar ramen te verstevigen; sterker nog, ze zag er zonder meer kwiek uit bij het hele vooruitzicht: smalle taille, keurig kapsel en een wezenloze glimlach. Ongetwijfeld was ze ook opgewassen tegen de bommen. Saffy daarentegen was van haar stuk gebracht. Ze was al in juli, na de komst van de eerste pamfletten met de ramen achter begonnen, maar ondanks de verstandige raad in pamflet nummer twee van het ministerie – *Wacht niet tot het laatste moment!* – was de klad er een beetje in gekomen toen het leek alsof de oorlog toch nog kon worden afgewend. Maar na Chamberlains verschrikkelijke nieuws was ze weer aan het werk gegaan. Tweeëndertig ramen waren beplakt, nog maar honderd te gaan. Waarom ze niet gewoon plakband gebruikte zou ze nooit weten.

Ze plakte het laatste hoekje stof op zijn plek, klom van de stoel en deed een stap naar achteren om haar handwerk te bekijken. O, hemeltje. Ze hield haar hoofd een beetje schuin en keek fronsend naar het scheve kruis. Het zou net houden, maar een kunstwerk was het niet.

'Bravo,' zei Lucy, die net op dat moment binnenkwam met een dienblad thee. 'De X duidt de plaats aan, zeggen ze dat niet?'

'Ik mag hopen van niet. Meneer Hitler krijgt met Percy te maken als zijn bommen ook maar een krasje op het kasteel maken.' Saffy veegde haar plakkerige handen aan de handdoek af. 'Ik vrees dat die lijm zich tegen me heeft gekeerd; ik heb geen idee wat ik heb gedaan om hem te beledigen, maar dat is wel gebeurd.'

'Humeurige lijm. Wat angstaanjagend!'

'Dat is niet het enige. Vergeet die bommen maar, wanneer ik klaar ben met die ramen heb ik iets tegen de zenuwen nodig.'

'Weet u wat...' Lucy schonk thee in en liet haar woorden even in de lucht hangen tot ze het tweede kopje had ingeschonken. 'Ik heb uw vader z'n lunch al gebracht; zal ik hier een handje helpen?'

'O, Lucy, wil je dat doen, lieverd? Wat fantastisch! Ik kan wel huilen van dankbaarheid.'

'Dat is helemaal niet nodig.' Lucy onderdrukte een blije glimlach. 'Ik ben net klaar met mijn eigen huis en ik blijk handig met lijm. Zal ik plakken terwijl u knipt?'

'Perfect!' Saffy gooide de handdoek weer op de stoel. Haar handen kleefden nog wel, maar het moest maar. Dankbaar nam ze een kop thee van Lucy aan. Er volgde een aangename stilte terwijl ze een eerste slok namen. Het was min of meer een gewoonte geworden, zo theedrinken samen. Niets officieels, ze staakten hun dagelijkse bezigheden er niet voor en haalden er evenmin het beste zilver voor tevoorschijn; het lukte gewoon om samen bezig te zijn op dezelfde plek op het juiste tijdstip van de dag. Het zou Percy van afgrijzen vervullen als ze het wist; die zou boos fronsend haar lippen tuiten en dingen zeggen als: 'Dat hoort toch niet' en 'Normen zijn er om gehandhaafd te worden'. Maar Saffy was op Lucy gesteld, ze waren min of meer vriendinnen en ze zag niet in hoe samen theedrinken kwaad kon. Bovendien, wat niet wist, wat niet deerde.

'En vertel eens, Lucy,' zei Saffy, die de stilte verbrak en daarmee aangaf dat ze allebei weer aan het werk konden, 'hoe gaat het met je huis?'

'Heel goed, juffrouw Saffy.'

'Is het niet te eenzaam voor jou alleen?' Lucy en haar moeder hadden altijd bij elkaar gewoond in het huisje aan de rand van het dorp. Saffy kon zich alleen maar voorstellen wat een leegte de dood van haar moeder moest hebben nagelaten.

'Ik hou mezelf gewoon steeds bezig.' Lucy had haar kopje op de vensterbank gezet, terwijl ze een kwast vol lijm diagonaal over het glas smeerde. Even meende Saffy iets treurigs te bespeuren op het gezicht van haar werkster, alsof ze op het punt had gestaan een hartsgeheim op te biechten maar zich had bedacht.

'Wat is er, Lucy?'

'O, niets.' Ze aarzelde. 'Alleen dat ik mijn moeder mis, natuurlijk...'

'Natuurlijk.' Lucy was discreet (op het ergerlijke af, vond het nieuwsgierige deel van Saffy wel eens) maar in de loop der jaren had Saffy voldoende gehoord om te weten dat mevrouw Middleton geen makkelijk mens was geweest. 'Maar?'

'Maar ik ben wel erg gesteld op mijn eigen gezelschap.' Ze keek Saffy even van opzij aan. 'Als dat niet al te akelig klinkt?'

'Helemaal niet,' zei Saffy met een glimlach. In werkelijkheid vond ze dat het prachtig klonk. Ze haalde zich haar eigen droomappartementje in Londen voor de geest, maar hield daar meteen mee op. Op een dag zo tjokvol klussen was het dwaas om weg te dromen. Ze ging op de vloer zitten en knipte stroken stof. 'Alles boven in orde, Lucy?'

'De kamer ziet er prachtig uit. Ik heb hem gelucht en het linnengoed ververst, en ik hoop dat u het niet erg vindt...' Ze streek een stuk stof glad. '... maar ik heb de porseleinen vaas van uw grootmoeder opgeborgen. Ik begrijp niet dat ik die over het hoofd heb gezien toen we vorige week de kostbaarheden inpakten en wegborgen. Hij zit nu veilig en wel opgeborgen bij de andere in de wapenkamer.'

'O.' Saffy zette grote ogen op en speurde Lucy's gezicht af. 'Maar je denkt toch niet dat we een klein loeder krijgen? Die de boel wil afbreken en er een bende van zal maken?'

'Helemaal niet. Ik dacht alleen, beter ten halve gekeerd dan ten hele gedwaald.'

'Ja,' knikte Saffy terwijl de werkster een nieuw stuk stof pakte. 'Heel verstandig, Lucy, en natuurlijk heb je gelijk. Ik had er zelf aan moeten denken. Percy kan tevreden zijn.' Ze zuchtte. 'Toch vind ik dat we een bosje verse bloemen op haar nachtkastje moeten zetten. Om dat arme kind een beetje op te beuren. Misschien in een glazen vaasje uit de keuken?'

'Die zijn veel beter. Zal ik er een zoeken?'

Saffy knikte glimlachend, maar toen ze zich de aankomst van het kind voorstelde, haperde die glimlach en zei ze hoofdschuddend: 'O, maar is het niet vreselijk, Lucy?'

'Ik weet zeker dat er niet van u wordt verwacht dat u uw beste kristal tevoorschijn haalt.'

'Nee, ik bedoel die hele toestand. Het hele idee. Al die bange kinderen en hun arme moeders helemaal in Londen die hun kleintjes met een lach op het gezicht moeten nawuiven terwijl die in het grote onbekende verdwijnen. En waarvoor? Dat is allemaal om het oorlogstoneel vrij te maken. In een ver land waar jongemannen kunnen worden gedwongen andere jongemannen te doden.'

Lucy keek Saffy aan met een mengeling van verbazing en bezorgdheid. 'U moet zich daar niet zo door van uw stuk laten brengen.'

'Dat weet ik, dat weet ik. Doe ik ook niet.'

'Wij moeten het moreel juist hooghouden.'

'Natuurlijk.'

'Het is maar goed dat er mensen zijn als u die bereid zijn die arme drommels in huis te nemen. Hoe laat verwacht u het kind?'

Saffy zette haar lege theekop neer en pakte haar schaar weer op. 'Volgens Percy komen de bussen ergens tussen drie en zes aan; specifieker kon ze niet zijn.'

'Dus zij doet de selectie?' Lucy's stem haperde een beetje en Saffy wist wat ze dacht: Percy was niet de voor de hand liggende keus als het op moederlijke zaken aankwam.

Terwijl Lucy de stoel bij het volgende raam zette, scharrelde Saffy over de vloer om haar bij te houden. 'Het was de enige manier waarop ik haar medewerking kon krijgen. Je weet hoe ze is met het kasteel; ze heeft nachtmerries over de een of andere losgeslagen terrorist die de sierkrullen van de trapleuning breekt, tekeningen maakt op het behang en de gordijnen in brand steekt. Ik moet haar eraan blijven herinneren dat die muren al honderden jaren hebben overleefd, dat ze invasies hebben doorstaan van Noormannen, Kelten en van Juniper. Eén zielig kind uit Londen zal niet uitmaken.'

Lucy lachte. 'Over juffrouw Juniper gesproken. Is zij er wel voor de lunch? Volgens mij zag ik haar daarnet in uw vaders auto vertrekken.'

Saffy zwaaide met haar schaar. 'Weet jij het, weet ik het. De laatste keer dat ik wist wat Juniper van plan was, was in...' Ze dacht even na met haar kin op haar knokkels en daarna hief ze haar armen theatraal omhoog. 'Weet je, ik kan me geen enkele keer herinneren.'

'Juffrouw Juniper heeft andere talenten dan voorspelbaarheid.'

'Ja,' zei Saffy met een warme glimlach. 'Dat mag je wel zeggen.'

Lucy aarzelde even, klom weer van de stoel en streek met haar slanke vingers over haar voorhoofd. Het was een grappig, ouderwets gebaar, een beetje als een chique dame die een appelflauwte overweegt; het amuseerde Saffy en ze vroeg zich af of ze het innemende gebaar kon gebruiken in haar roman, het leek haar precies het soort gebaar dat Adèle zou gebruiken wanneer ze nerveus werd van een man...

'Juffrouw Saffy?'

'Mm?'

'Er is iets ernstigs waarover ik het met u zou willen hebben.'

Lucy ademde uit maar ging niet verder en Saffy vroeg zich één verschrikkelijk moment af of ze misschien ziek was. Of ze misschien slecht nieuws had gehad van de dokter; dat zou Lucy's terughoudendheid verklaren en ook, nu ze erbij stilstond, haar afwezigheid van de laatste tijd. Een paar ochtenden geleden was Saffy nog de keuken in gekomen en had ze Lucy uit de achterdeur in het niets zien staren over de moestuin en verder, terwijl papa's eieren veel te hard naar zijn smaak werden gekookt.

'Wat is er, Lucy?' Saffy stond op en gebaarde dat Lucy haar naar de zithoek moest volgen. 'Is alles wel goed met je? Je ziet pips. Zal ik een glaasje water halen?'

Lucy schudde haar hoofd, maar keek om zich heen naar iets om op te steunen en koos de rugleuning van een leunstoel vlakbij.

Saffy nam plaats op de chaise longue en wachtte af; en toen Lucy eindelijk haar hart luchtte, was ze blij dat ze was gaan zitten.

'Ik ga trouwen,' zei Lucy. 'Althans, ik ben ten huwelijk gevraagd en ik heb ja gezegd.'

Even vroeg Saffy zich af of haar werkster aan waandenkbeelden leed, of haar op zijn minst voor de gek hield. Het sloeg domweg nergens op: Lucy, die lieve betrouwbare Lucy, die nog nooit in al die jaren dat ze op Milderhurst werkte ook maar had gerept van een mannelijke metgezel, laat staan met een vent uit was gegaan, zou gaan trouwen? Nu, zomaar uit het niets en op haar leeftijd? Ze was zelfs een paar jaar ouder dan Saffy, ze moest tegen de veertig lopen.

Lucy schuifelde een beetje met haar voeten en Saffy besefte dat er een nogal beladen stilte tussen hen was gevallen en dat het haar beurt was om iets te zeggen. Haar tong proefde een aantal woorden maar ze leek ze niet over haar lippen te kunnen krijgen.

'Ik ga trouwen,' herhaalde Lucy, langzamer deze keer en op de behoedzame wijze van iemand die zelf nog aan het idee moet wennen.

'Maar Lucy, dat is schitterend nieuws,' zei Saffy in één adem. 'En wie is de gelukkige? Waar heb je hem leren kennen?'

'Eigenlijk,' zei Lucy blozend, 'hebben we elkaar hier op Milderhurst leren kennen.'

'O?'

'Het is Harry Rogers. Ik ga met Harry Rogers trouwen. Hij heeft me een aanzoek gedaan en ik heb ja gezegd.'

Harry Rogers. De naam klonk vaag bekend; Saffy wist zeker dat ze hem moest kennen, maar vond geen gezicht bij de naam. Maar wat gênant! Saffy voelde haar wangen rood kleuren en ze verdoezelde haar dilemma met een brede glimlach in de hoop dat ze Lucy daarmee van haar blijdschap zou overtuigen.

'We kenden elkaar natuurlijk al jaren omdat hij regelmatig langskwam op het kasteel, maar pas een paar maanden geleden zijn we buiten wandelingen gaan maken. Vlak nadat de staande klok in het voorjaar kuren kreeg.'

Harry Rogers. Maar toch niet dat harige klokkenmakertje? Die was knap noch galant noch, in de verste verte, humoristisch, voor zover Saffy het had kunnen bekijken. Hij was een gewone man, die alleen maar met Percy kon praten over de toestand van het kasteel en het binnenwerk van een klok. Hij was tamelijk voorkomend voor zover Saffy het kon bepalen, en Percy had altijd wel iets aardigs over hem te zeggen (tot Saffy klaagde dat hij verliefd op Percy zou worden als ze niet uitkeek). Niettemin was hij helemaal niet de geschikte man voor Lucy met haar knappe gezicht en vlotte lach.

'Maar hoe is dat zo gekomen?' De vraag was eruit voordat Saffy hem kon onderdrukken. Lucy leek niet beledigd en gaf direct antwoord, bijna te vlug, dacht Saffy, alsof ze zelf de woorden hardop wilde horen om te begrijpen hoe zoiets had kunnen gebeuren.

'Hij was naar de klok komen kijken en ik ging vroeg naar huis omdat mama niet lekker was, en op weg naar buiten liepen we elkaar toevallig tegen het lijf. Hij bood me een lift aan naar huis en die nam ik aan. We sloten vriendschap en daarna, nadat mama was overleden... Nou, toen was hij heel aardig. Echt een heer.'

Vervolgens viel er een stilte waarin het scenario zich bij ieder van de twee vrouwen anders ontrolde. Saffy was wel verrast maar ook nieuwsgierig. Ze nam aan dat het de schrijfster in haar was; ze vroeg zich af waarover het tweetal had gepraat in het autootje van meneer Rogers, en hoe, om precies te zijn, een attente lift naar huis was opgebloeid tot een liefdesaffaire. 'En ben je gelukkig?'

'O ja,' zei Lucy met een glimlach. 'Ja, ik ben heel gelukkig.'

Saffy dwong zichzelf hartelijk te glimlachen. 'Nou, dan ben ik geweldig blij voor je. En je moet hem eens meenemen om te komen eten. Om het te vieren!'

'O, nee...' Lucy schudde haar hoofd. 'Nee. Dat is erg aardig van u, juffrouw Saffy, maar ik denk niet dat dat verstandig is.'

'Waarom niet?' zei Saffy, al wist ze heel goed waarom niet, en ze voelde een golfje gêne omdat ze de uitnodiging niet gewiekster had geformuleerd. Lucy was veel te fatsoenlijk voor het idee om bij haar werkgever te gaan eten; vooral niet met Percy in de buurt.

'We maken liever geen heisa,' zei ze. 'We zijn allebei de jongsten niet meer. Er zal geen sprake van een lange verloving zijn en nu het oorlog is, is het onnodig ermee te wachten.'

'Maar op zijn leeftijd hoeft Harry toch zeker niet...'

'O, nee, dat is het helemaal niet. Hij draagt wel zijn steentje bij in de ploeg van meneer Potts. Hij heeft in de vorige oorlog meegevochten, weet u; in Passchendaele. Zij aan zij met mijn broer Michael.'

Er verscheen een nieuwe uitdrukking op Lucy's gezicht; een soort trots, besefte Saffy, een aarzelend genoegen met een vleugje verlegenheid. Het was natuurlijk iets nieuws, die recente verschuiving van omstandigheden. Lucy moest nog wennen aan dat nieuwe personage, dat van een vrouw die op het punt stond te trouwen, een vrouw die deel uitmaakte van een paar, die een mannelijke partner had, door wie zij zich in een ander soort glorie kon hullen. Saffy ervoer wat plaatsvervangende warmte; ze kende niemand die ze het zo gunde om gelukkig te zijn als Lucy.

'Nou, dat is natuurlijk heel logisch,' zei ze. 'En je moet zeker een paar dagen voor en na de bruiloft vakantie nemen. Misschien kan ik...'

'Eigenlijk...' Lucy klemde haar lippen op elkaar en concentreerde zich op een plekje boven Saffy's linkerschouder, '... is dat juist waar ik het met u over wil hebben.'

'O?'

'Ja,' zei Lucy met een glimlach, maar het ging niet vanzelf en het was niet blij, en daarna week de glimlach van haar lippen en zuchtte ze een beetje. 'Het is nogal penibel, ziet u, maar Harry zou liever zien... Dat wil zeggen, hij vindt dat ik, als we eenmaal getrouwd zijn, maar beter thuis kan blijven om voor zíjn huishouden te zorgen en mijn bijdrage aan de oorlogsinspanningen te leveren.' Misschien had Lucy net zo sterk het gevoel dat nadere toelichting geboden was als Saffy, want haastig vervolgde ze: 'Ook voor het geval we gezegend worden met kinderen.'

En toen begreep Saffy het; het was net alsof er een dikke sluier was weggetrokken. Alles wat mistig was geweest, kwam helder in beeld: Lucy was net zomin verliefd op Harry Rogers als Saffy dat was, ze hunkerde domweg naar een kind. Het was een wonder dat Saffy dat niet direct had begrepen; nu ze het wist, lag het zo voor de hand. Het was in feite de enige verklaring. Harry had haar die laatste kans geboden; welke vrouw in Lucy's positie zou die niet aangrijpen? Saffy betastte haar medaillon, streek met haar duim over de sluiting en voelde een golf van verwantschap met Lucy, een opwelling van zusterlijke genegenheid en begrip, zo sterk dat ze opeens werd overvallen door het verlangen om haar hart bij Lucy uit te storten en uit te leggen dat zij, Saffy, precies wist hoe dat voelde.

Ze opende haar mond om dat te doen, maar de woorden wilden niet komen. Ze glimlachte flauwtjes, knipperde met haar ogen en voelde tot haar verbazing een golf tranen opkomen die dreigde over te lopen. Intussen had

Lucy zich afgewend om iets in haar zakken te zoeken. Saffy herstelde zich zo goed en zo kwaad als het ging, wierp een steelse blik op het raam en zag een zwarte vogel op een onzichtbare warme luchtstroom zeilen.

Ze knipperde weer met haar ogen en alles werd mistig. Maar het was toch bespottelijk om te huilen! Het kwam natuurlijk door de oorlog, door de onzekerheid en die verrekte, akelige ramen!

'Ik zal u missen, juffrouw Saffy. U allemaal. Ik heb meer dan de helft van mijn leven hier op Milderhurst doorgebracht en altijd gedacht dat ik hier ook mijn laatste dagen zou slijten.' Ze aarzelde even. 'Als dat niet te morbide klinkt.'

'Vreselijk morbide.' Saffy glimlachte door haar tranen heen en kneep het medaillon weer tussen haar vingers. Ze zouden Lucy erg missen, maar dat was niet de enige reden dat Saffy huilde. Ze deed het medaillon niet meer open; ze had het fotootje niet nodig om zich zijn gezicht voor de geest te halen. De jongeman op wie ze verliefd was geweest; en die verliefd op haar was geweest. De toekomst had zich voor hen uitgestrekt en alles had mogelijk geleken. Voordat het haar allemaal werd ontstolen...

Maar daar wist Lucy helemaal niets van en als dat wel zo was, als ze in de loop der jaren af en toe zo hier en daar een woordje had opgepikt en die woorden had gecombineerd tot een melancholiek beeld, was ze discreet genoeg om er nooit over te reppen. Zelfs op dat moment. 'De bruiloft is in april,' vervolgde ze zacht, terwijl ze Saffy een envelop gaf die ze uit haar zak had gehaald. Haar ontslagbrief, besefte Saffy. 'In het voorjaar. In de dorpskerk, gewoon een kleine plechtigheid. Niets groots. Ik zal met alle liefde tot die tijd aanblijven, maar ik begrijp het best als...' Nu stonden de tranen in haar ogen. 'Het spijt me dat ik u geen langere opzegtermijn kan bieden, juffrouw Saffy. Vooral in een tijd als deze nu hulp in de huishouding zo moeilijk te vinden is.'

'Onzin,' zei Saffy. Ze huiverde, opeens was ze zich bewust van de tocht die langs haar vochtige wangen streek. Ze haalde haar zakdoek tevoorschijn, depte haar gezicht en zag de poedervlekken op de stof. 'Hemeltje,' zei ze met gespeeld afgrijzen, 'wat zal ik er vreselijk uitzien.' Ze glimlachte naar Lucy. 'En nu geen excuses meer, daar mag je geen moment meer aan denken en je mag zeker niet huilen. Liefde is iets wat gevierd moet worden en niet beweend.'

'Ja,' zei Lucy die er allesbehalve uitzag als een verliefde vrouw. 'Welaan.'

'Welaan.'

'Ik moest maar eens gaan.'

'Ja.' Saffy rookte niet, ze kon de geur en de smaak van tabak niet uitstaan, maar op dat ogenblik wenste ze dat ze wel rookte. Iets kalmerends doen met haar handen. Ze slikte, rechtte haar schouders een beetje en putte kracht uit de fantasie dat ze Percy was, wat ze dikwijls deed.

O, hemeltje. Percy.

'Lucy?'

De werkster was bezig de lege theekopjes te pakken en draaide zich om.

'Hoe zit het met Percy? Weet zij van Harry? Dat je bij ons weggaat?'

De huishoudster verbleekte en schudde haar hoofd.

De onrust nam zijn intrek in Saffy's maag. 'Misschien moet ik...?'

'Nee,' zei Lucy met een dapper lachje. 'Nee, dat is iets wat ik zelf moet doen.'

4

Percy ging niet naar huis. Ze ging ook niet door naar het dorpshuis om te helpen met het sorteren van de blikjes corned beef. Later zou Saffy haar verwijten dat ze met opzet was vergeten een evacué op te halen, dat ze er überhaupt nooit een in huis had willen hebben, maar hoewel die laatste beschuldiging een element van waarheid bevatte, had het feit dat Percy niet naar het dorpshuis was gegaan niets met Saffy en alles met de roddels van mevrouw Potts te maken. Bovendien was alles uiteindelijk toch nog goed gekomen, zoals ze haar tweelingzus voorhield: Juniper, die onvoorspelbare, lieve Juniper, was heel toevallig langs het dorpshuis gekomen en zo was Meredith uitgekozen voor het kasteel. Percy was intussen enigszins versuft bij de bijeenkomst van de vrouwelijke vrijwilligers weggegaan. Ze vergat haar fiets en liep met geheven hoofd zelfverzekerd door High Street en zag eruit als een vrouw die een lijst op zak heeft met honderd dingen die nog voor het avondeten gedaan moesten worden, en aan niets was te merken dat ze een wandelende gewonde was, een spookachtige echo van haar vroegere zelf. Hoe ze in de kapsalon belandde, zou ze nooit weten, maar dat was precies waar haar verkleumde voeten haar naartoe brachten.

Percy had altijd lang blond haar gehad, al was dat nooit zo lang geweest als dat van Juniper noch zo goudgeel als dat van Saffy. Percy vond geen van beide erg; ze had nooit veel aandacht voor de kroon op haar wezen gehad. Saffy liet haar haren lang groeien omdat ze ijdel was en Juniper omdat ze het niet was. Percy hield het zo om de eenvoudige reden dat papa dat het mooist had gevonden. Hij geloofde dat meisjes knap moesten zijn, dat vooral zijn dochters lang blond haar moesten hebben dat over hun schouders golfde.

Percy kromp ineen toen de kapster haar haren nat maakte en kamde tot het sluik en zo donker als afwaswater was. Een metalen schaar fluisterde koel tegen haar nek en de eerste pluk viel op de grond, waar hij stil bleef liggen, als iets doods. Ze voelde zich licht.

De kapster was geschrokken toen Percy zei wat ze wilde en moest herhaaldelijk vragen of ze het wel zeker wist. 'Maar uw krullen zijn juist zo mooi,' had ze treurig gezegd. 'Wilt u ze er echt allemaal af hebben?'

'Allemaal.'

'Maar u zult zichzelf niet meer herkennen.'

Nee, dacht Percy en het idee sprak haar wel aan. Toen ze in die stoel zat, nog altijd als in een soort droom, keek ze naar haar gezicht in de spiegel en betrapte zich op een introspectief moment. Wat ze zag, verontrustte haar. Een vrouw van gevorderde leeftijd die 's avonds haar hoofd nog in lappen verpakte om meisjesachtige krullen te veinzen die door de natuur waren vergeten. Dat gedoe was allemaal goed en wel voor Saffy met haar romantische inborst die nog steeds haar oude dromen niet wilde laten vieren om te aanvaarden dat haar prins op het witte paard niet zou komen, dat haar plek op Milderhurst was en altijd zou blijven; maar bij Percy was het bespottelijk. Percy de pragmatische, Percy de plannenmaker, Percy de hoedster.

Ze had het haar jaren geleden al kunnen afknippen. De moderne stijl was kort en spaarzaam, en al kon ze niet beweren dat ze er beter uitzag, het was voldoende om te weten dat ze er ánders uitzag. Met elke hap van de schaar werd er iets in haar bevrijd, een oud idee waaraan ze zich onbewust had vastgeklampt, zodat Percy, toen de jonge kapster eindelijk de schaar neerlegde en een beetje bleek zei: 'Ziezo. Is het niet keurig, mevrouw?' geen acht sloeg op de razend makende neerbuigendheid en enigszins verbaasd knikte: ze zag er inderdaad keurig uit.

Meredith had uren gewacht, eerst staand en daarna zittend en nu ineengezakt op de vloer van het dorpshuis van Milderhurst. Naarmate de tijd zich uitrekte en de stroom boeren en dames uit de omgeving helemaal opdroogde, durfde Meredith zich af te vragen welk vreselijk lot haar boven het hoofd hing als ze helemaal niet werd uitgekozen, als níémand haar wilde. Zou ze dan de komende weken in haar eentje hier in die tochtige zaal moeten bivakkeren? Van de gedachte alleen al besloegen haar brillenglazen zodat de wereld een waas werd.

Precies op dat ogenblik kwam zij binnen. Ze stevende als een stralende engel het dorpshuis in, als iets uit een verzonnen verhaal, om Meredith van die koude, harde vloer te verlossen. Alsof ze op de een of andere manier, dankzij een soort magisch vermogen of zesde zintuig – iets wat de wetenschap vooralsnog moest verklaren – had geweten dat ze nodig was.

Meredith had haar entree gemist – ze had het te druk met het schoonpoetsen van haar bril met de zoom van haar rok – maar voelde wel iets knetteren in de lucht en was zich bewust van de onnatuurlijke stilte die er opeens onder de kakelende dames viel.

'Kijk eens aan, juffrouw Juniper,' zei een van hen terwijl Meredith haar bril weer haastig op haar neus zette en met haar ogen knipperde in de richting van de tafel met hapjes en drankjes. 'Wat een verrassing. En waarmee kunnen wij u van dienst zijn? Zoekt u soms uw zus? Dat is namelijk het rare, maar we hebben haar sinds lunchtijd al niet meer gezien...'

'Ik kom mijn evacué ophalen,' zei het meisje dat juffrouw Juniper was genoemd met een achteloos gebaar. 'Blijf maar zitten, ik zie haar al.'

En ze liep langs de kinderen op de eerste rij. Meredith knipperde nog een paar keer met haar ogen, keek over haar schouder en besefte dat daar niemand anders zat. Ze draaide zich net op tijd om en zag die luisterrijke vrouw recht boven haar uittorenen.

'Klaar?' vroeg de vreemde langs haar neus weg, alsof ze oude vriendinnen waren en alles van tevoren was geregeld.

Later, toen Percy op de een of andere manier uren had verdaan aan de oever van de beek, nadat ze met gekruiste benen op een glad gepolijste steen had gezeten en kinderlijke bootjes had gebouwd van alles wat ze maar onder handen kreeg, was ze naar het zaaltje van de kerk teruggelopen om haar fiets op te halen. Na die warme dag was de avond koel ingezet en tegen de tijd dat Percy terugging naar het kasteel, had de schemer zijn schaduwen al over de heuvels gelegd.

De wanhoop had een knoop in Percy's gedachten gelegd en onderweg probeerde ze die te ontwarren. De verloving was op zich al een ramp, maar de achterbaksheid deed het meeste pijn. Al die tijd – want er moest toch iets aan het aanzoek zijn voorafgegaan – hadden Harry en Lucy achter haar rug om rondgeslopen en onder haar neus een verhouding gehad alsof ze niets voor hen betekende, liefhebster noch werkgeefster. Het verraad voelde als een roodgloeiend ijzer in haar borst; ze kon wel gillen, haar eigen gezicht openkrabben en het zijne en het hare, ze wilde hen allebei krabben en beschadigen zoals ze haar hadden beschadigd. Ze wilde brullen tot haar stem het begaf, net zo lang worden geslagen tot ze de pijn niet langer voelde, haar ogen sluiten om ze nooit meer te hoeven openen.

Maar dat zou ze allemaal niet doen. Percy Blythe deed zulke dingen niet.

Boven de kruinen van de bomen bleef de naderende duisternis vlekken werpen op de landerijen in de verte en een zwerm zwarte vogels koos het luchtruim in de richting van het Nauw van Calais. De bleke lampion van de maan, nog niet ontstoken, hing levenloos in de schaduw. Terloops vroeg Percy zich af of er vanavond bommenwerpers zouden komen.

Met een korte zucht hief ze een hand om die op de nieuwe, onbedekte plek van haar nek te leggen; daarna, terwijl de ademtocht van de avond langs haar wangen streek, trapte ze iets harder. Harry en Lucy gingen trouwen en niets van wat Percy zei of deed zou daar iets aan veranderen. Huilen zou niet helpen en verwijten evenmin. Gedane zaken namen geen keer. Het enige wat Percy nog restte, was het uitstippelen en uitvoeren van een nieuw plan. Om te doen wat er gedaan moest worden, net als ze altijd al had gedaan.

Toen ze eindelijk bij de poort van Milderhurst was, slingerde ze over de weg en de gammele loopbrug en sprong ze van haar fiets. Hoewel ze die dag weinig anders had gedaan dan zitten, was ze merkwaardig moe. Moe tot in haar vingertoppen. Haar botten, haar ogen, haar armen, alles voelde broos alsof ze van korrels waren gemaakt. Als een elastiekje dat te strak om iets heen heeft gezeten en nu, afgewikkeld, merkt dat het uitgerekt, gerafeld, slap en vormloos is geworden. Ze scharrelde in haar handtas naar een sigaret.

Percy legde de laatste kilometer lopend af, duwde al rokend haar fiets aan de hand mee en bleef pas staan toen het huis in zicht kwam. Amper zichtbaar als een zwart harnas tegen de donkerblauwe lucht; geen spatje licht te zien. De gordijnen en luiken waren dicht, de verduistering werd letterlijk genomen. Mooi. Ze zat er niet op te wachten dat Hitler zijn vizier op haar kasteel richtte.

Ze legde haar fiets neer en ging ernaast op het koele gras liggen om nog een sigaret te roken. En daarna weer een, haar laatste. Percy krulde zich op haar zij en drukte haar oor tegen de grond en luisterde zoals papa haar had voorgedaan. Haar familie, haar thuis, was gegrondvest op woorden, had hij telkens weer beweerd; de stamboom werd bijeengehouden door zinnen in plaats van takken. Lagen tot uitdrukking gebrachte woorden waren in de grond van de kasteeltuin getrokken, zodat gedichten en toneelstukken, proza en politieke essays altijd tegen haar zouden fluisteren als ze erom verlegen zat. Voorouders die ze nooit had gekend, die voor haar geboorte hadden geleefd en waren gestorven, hadden woorden, woorden en nog eens woorden achtergelaten, kletsend met elkaar, tegen haar van gene zijde van het graf, dus was ze nooit eenzaam, nooit echt alleen.

Na een tijdje stond Percy op, raapte haar spullen bijeen en vervolgde in stilte haar weg naar het kasteel. De schemering was opgeslokt door de duisternis en de maan was verschenen, die prachtige, verraderlijke maan die haar bleke vingers naar het landschap uitstrekte. Een dappere spitsmuis vluchtte over een zilveren lichtvlek op het gazon, fijn gras trilde op de glooiingen en daarachter haalden de bossen hun duistere schouders op.

Toen ze dichterbij kwam, hoorde ze binnen stemmen: die van Saffy en Juniper, plus een kinderstem, die van een meisje. Percy aarzelde even en liep de eerste trede van het bordes op, daarna de volgende en toen de derde, en ze moest denken aan de duizenden keren dat ze naar de deur was gerend, op een holletje naar de toekomst, naar wat er ook maar te gebeuren stond, naar dit ogenblik.

Terwijl ze daar zo stond met haar hand op de knop, klaar om de voordeur van haar huis te openen, en de hoogste bomen van Cardarker Wood getuige waren, legde ze een gelofte af. Zij was Persephone Blythe van Milderhurst Castle. Er waren nog meer dingen in het leven waar ze van hield, niet veel, maar ze waren er wel: haar zussen, haar vader en hun kasteel natuurlijk. Zij was de oudste – al was het maar een kwestie van minuten – en zij was papa's erfgename, de enige van zijn kinderen die zijn liefde voor de stenen, de ziel en de geheimen van hun huis deelde. Ze zou moed vatten en doorgaan. En vanaf dat moment was het haar plicht om ervoor te zorgen dat hun niets zou overkomen; dat ze al het nodige zou doen om hen allemaal te beschermen.

DEEL III

Ontvoeringen en verwijten

1992

In 1952 waren de gezusters Blythe Milderhurst Castle bijna kwijtgeraakt. Het kasteel moest hoognodig worden gerenoveerd, de financiën van de familie Blythe waren niet toereikend, en monumentenzorg wilde het landgoed graag kopen om met de restauratiewerkzaamheden te beginnen. De gezusters leken geen andere keus te hebben dan kleiner te gaan wonen, het landgoed aan vreemden over te doen, of het aan monumentenzorg te verkopen, zodat die aan de slag kon met 'het conserveren van de pronkstukken van gebouwen en tuinen'. Alleen deden ze niets van dat al. In plaats daarvan stelde Percy Blythe het kasteel open voor belangstellenden, verkocht ze een paar percelen omringend bouwland en op de een of andere manier slaagde ze erin om voldoende geld bijeen te schrapen om het kasteel overeind te houden.

Dat weet ik omdat ik het grootste deel van een zonnig weekeinde in augustus heb doorgebracht tussen de microfiches van de *Milderhurst Mercury* in de plaatselijke bibliotheek. Terugkijkend was de onthulling aan mijn vader dat de oorsprong van *The True History of the Mud Man* een groot literair mysterie was, zoiets als een doos met chocolaatjes aan een kleuter geven en verwachten dat hij ervan afblijft. Mijn vader is nogal resultaatgericht, en hij viel voor het idee dat hij misschien een mysterie kon oplossen dat onderzoekers decennialang voor een raadsel had gesteld. Hij had ook een theorie: de echte ontvoering van een kind van heel lang geleden moest aan de basis van het horrorverhaal liggen. Hij hoefde dat alleen maar te bewijzen en de roem, de glorie en de persoonlijke bevrediging zouden zijn deel zijn. Maar bedlegerigheid strookt niet met speurwerk, dus werd er uit nood een handlanger in de arm genomen en in plaats van hem op pad gestuurd. Dat was mijn taak. Ik gehoorzaamde om drie redenen: omdat hij herstelde van een hartaanval, omdat zijn theorie volslagen belachelijk was, maar vooral omdat mijn fascinatie voor Milderhurst na het lezen van mijn moeders brieven pathologische proporties had aangenomen.

Ik begon mijn onderzoek zoals gewoonlijk door aan Herbert te vragen of hij iets wist van onopgeloste ontvoeringszaken aan het begin van de eeuw.

Een van Herberts allerheerlijkste eigenschappen – en de lijst is lang – is zijn vermogen om in een ogenschijnlijke chaos precies de juiste informatie te vinden die hij nodig heeft. Om te beginnen is zijn huis hoog en smal, vier voormalige appartementjes die bijeengetrokken zijn: ons kantoor en de drukpers nemen de eerste etages in beslag, de zolder is aan opslag gewijd en in het kelderappartement woont hij met Jess. Elke muur van elke kamer is bedekt met boekenplanken: oude boeken, nieuwe boeken, eerste drukken, gesigneerde edities en drieëntwintigste drukken, opgestapeld op ongelijke, geïmproviseerde planken met een glorieuze en gezonde minachting voor decorum. En toch heeft hij de hele catalogus in zijn brein, in zijn eigen verwijssysteem, zodat hij elke leeservaring van zijn leven binnen handbereik heeft. Hem zien inzoomen op een doelwit is iets moois: eerst fronst hij zijn indrukwekkende voorhoofd terwijl hij de vraag absorbeert, daarna heft hij één vinger die zo broos en glad is als een kaars en hobbelt hij zonder iets te zeggen naar een verre wand met boeken, waar hij de vinger de vrije teugel geeft om als het ware gemagnetiseerd boven de ruggen te zweven tot hij uiteindelijk het perfecte boek van de plank trekt.

Ik wist dat Herbert gemakzuchtig naar ontvoeringszaken vragen geen grote kans op succes bood, dus keek ik er niet van op toen dat weinig bruikbaars opleverde. Ik zei dat hij zich geen zorgen hoefde te maken en ging naar de bibliotheek waar ik in de kelder vriendschap sloot met een alleraardigste oude dame die daar kennelijk haar hele leven had zitten wachten op de geringe kans dat ik zou komen. 'Daar even een krabbeltje zetten, lieverd,' zei ze gretig, wijzend op een klembord met een balpen, en ze volgde me nauwlettend toen ik de verplichte kolommen invulde. 'O, Billing & Brown, wat leuk. Mijn dierbare oude vriend zaliger heeft ongeveer dertig jaar geleden zijn memoires bij B&B uitgegeven.'

Er waren weinig andere mensen die deze verrukkelijke zomerdag doorbrachten in de ingewanden van de bibliotheek, dus kon ik mevrouw Yeats makkelijk voor mijn karretje spannen. Speurend door de archieven brachten we een heerlijke tijd samen door en doken drie onopgeloste ontvoeringszaken in het victoriaanse en edwardiaanse tijdperk op, plus een heleboel krantenverslagen over de familie Blythe van Milderhurst Castle; ik trof een charmante, min of meer regelmatige column over huishoudelijke adviezen die Saffy Blythe gedurende de jaren vijftig en zestig had geschreven; talrijke artikelen over het literaire succes van Raymond Blythe, en een paar verslagen met grote koppen uit 1952, over het feit dat de familie Milderhurst Castle bijna kwijtraakte. In die tijd had Percy Blythe een interview gegeven waarin ze nadrukkelijk haar visie op de zaak bepleitte: *Een huis is meer dan de som van zijn tastbare onderdelen; het is een opslagplaats van herinneringen, een archief en hoeder van alles wat er binnen zijn perceelgrenzen is gebeurd. Het was al eeuwen voor mijn geboorte van mijn voorouders en ik wil het niet zien overgaan in de handen van mensen die coniferen in zijn oude bossen willen planten.*

Voor het artikel was ook een nogal muggenzifterige woordvoerder van de monumentenzorg aan het woord gelaten, die de gemiste kans betreurde om het tuinproject uit te voeren waarmee het landgoed in zijn vroegere glorie zou zijn hersteld: *Het is een tragedie*, begon hij, *om te bedenken dat roemrijke landgoederen de komende decennia voor ons verloren zullen gaan dankzij de pure dwarsigheid van mensen die niet inzien dat het in deze magere en spartaanse tijden zo goed als heiligschennis is om zulke nationale schatten voor individuele bewoning te gebruiken.* Gevraagd naar de plannen van de monumentenzorg voor Milderhurst Castle, schetste hij een project van aanpak, de structurele restauratie van het kasteel zelf en een complete renovatie van de tuinen incluis. In mijn ogen een doel dat erg overeenstemde met de wensen van Percy Blythe voor het landgoed van haar familie.

'Er was in die tijd een hoop ambivalentie jegens monumentenzorg,' zei mevrouw Yeats, toen ik er een opmerking over maakte. 'De jaren vijftig waren een moeilijke tijd: op Hidcote hebben ze de kersenbomen neergehaald, de bomen langs de avenue op Wimpole zijn omgezaagd, alles met het oog op een soort doorsnee-historische snoezigheid.'

De twee voorbeelden zeiden me niet veel, maar 'doorsnee-historische snoezigheid' klonk zeker niet als een goede partij voor de Percy Blythe die ik kende. Toen ik verder las, werd de zaak nog duidelijker. 'Hier staat dat monumentenzorg de slotgracht in ere wilde herstellen.' Ik keek naar mevrouw Yeats, die het hoofd neeg in afwachting van een verklaring. 'Raymond Blythe had de slotgracht na de dood van zijn moeder laten dempen: als een soort symbolisch gedenkteken. Ze zouden niet blij zijn geweest met de plannen van monumentenzorg om hem weer uit te graven.' Ik leunde achterover in mijn stoel en strekte mijn onderrug. 'Wat ik niet begrijp, is waarom ze het financieel überhaupt zo moeilijk kregen. De *Mud Man* is een klassieker, een bestseller, zelfs tegenwoordig nog. De royalty's waren toch wel voldoende om ze uit de rode cijfers te houden?'

'Dat zou je wel denken,' beaamde mevrouw Yeats. Daarna richtte ze fronsend haar aandacht op een vrij grote stapel uitdraaien op de tafel voor ons. 'Weet u, ik ben er zeker van dat...' Ze schuifelde heen en weer met de pagina's tot ze er een uit had gehaald en die voor mijn neus hield. 'Bingo! Hier heb ik het.' Ze gaf me een krantenartikel gedateerd 13 mei 1941 en tuurde over de rand van haar halvemaanvormige brillenglazen. 'Blijkbaar heeft Raymond Blythe vlak voor zijn dood een paar grote schenkingen gedaan.'

Boven het artikel stond GULLE SCHENKING VAN LITERAIRE MECENAS REDT INSTITUUT en het ging vergezeld van een lachende vrouw in een overall met een exemplaar van de *Mud Man* in haar hand. Mijn blik dwaalde over de tekst en ik zag dat mevrouw Yeats gelijk had: de meerderheid van de royalty's werd na de dood van Raymond Blythe verdeeld tussen de katholieke kerk en een andere groep. 'Het Pembroke Farm Instituut,' las ik langzaam. 'Hier staat dat ze een groepering voor natuurbehoud in Sussex zijn, gewijd aan de promotie van degelijke ecologische praktijken.'

'Hun tijd nogal vooruit,' zei mevrouw Yeats.

Ik knikte.

'Zullen we boven het naslagarchief eens controleren om te zien wat we nog meer kunnen opduikelen?'

Mevrouw Yeats was zo opgewonden bij het vooruitzicht van een nieuwe onderzoekshoek dat haar wangen een roze glans hadden aangenomen, en ik voelde me nogal wreed toen ik zei: 'Nee, niet vandaag. Ik ben bang dat ik geen tijd heb.' Ze keek beteuterd, dus voegde ik eraan toe: 'Het spijt me, maar mijn vader verwacht een tussentijds rapport.'

Wat inderdaad zo was, en toch ging ik niet rechtstreeks naar huis. Toen ik zei dat ik drie redenen had om mijn weekeinde op te offeren aan mijn vaders bibliotheekopdracht, was ik een beetje onoprecht, vrees ik. Ik heb niet gelogen, het was allemaal waar, maar er was nog een vierde en dwingender reden: ik ontliep mijn moeder. Het lag allemaal aan die brieven, of liever gezegd aan mijn onvermogen om die verrekte pantoffeldoos dicht te laten toen Rita me die eenmaal had gegeven.

Ik heb ze allemaal gelezen, namelijk. De avond van Sams vriendinnenfuif heb ik ze mee naar huis genomen en verslonden, een voor een, om te beginnen met mama's aankomst op het kasteel. Ik trotseerde samen met haar de ijskoude eerste maanden van 1940, was getuige van de Battle of Britain die zich boven mijn hoofd afspeelde en de nachten die ze bibberend in de schuilkelder doorbracht. In de loop van anderhalf jaar werd haar handschrift netter en de woordkeus volwassener, tot ik eindelijk in de kleine uurtjes bij de laatste brief was aanbeland, de brief die ze naar huis stuurde vlak voordat haar vader haar weer naar Londen haalde. De datum was 17 februari 1941 en hij ging als volgt:

Lieve mama en papa,

Het spijt me van de ruzie aan de telefoon. Ik was zo blij iets van jullie te horen en ik heb een heel akelig gevoel over de manier waarop het eindigde. Ik geloof niet dat ik erg duidelijk ben geweest. Wat ik bedoelde, is dat ik begrijp dat jullie alleen maar het beste met me voor hebben en papa, ik ben dankbaar dat je een goed woordje voor me hebt gedaan bij meneer Solley. Maar ik vind niet dat thuiskomen en typewerk zoeken 'het beste' voor me is.
Rita is anders dan ik. Zij had de pest aan het leven op het platteland en heeft altijd geweten wat ze wilde doen en zijn. Ik heb al mijn hele leven het gevoel dat er iets mis is met me, dat ik 'anders' was op een bepaalde manier die belangrijk was maar ik niet kon uitleggen, en die ik zelf niet eens begreep. Ik ben dol op boeken, ik vind het heerlijk om mensen gade te slaan, en om de dingen die ik zie en voel in woorden op papier te vatten. Ik weet het, het is belachelijk! Kunnen jullie je voorstellen wat een zwart schaap ik me altijd heb gevoeld?
Maar hier heb ik mensen leren kennen die daar ook van houden, en ik besef dat er anderen zijn die de wereld zien zoals ik. Volgens Saffy maak ik een goede kans om een plek op een gymnasium te krijgen als de oorlog is afgelopen, en dat moet gauw gebeuren. En daarna? Wie weet? Misschien zelfs studeren? Maar ik moet mijn schoolwerk wel bijhouden als ik een kans op het gymnasium wil maken.
Dus ik smeek jullie: laat me niet naar huis komen! De gezusters Blythe vinden het prima als ik blijf en jullie weten dat ik hier goed word verzorgd. U bent me niet kwijt, mama; ik wilde dat u het niet zo stelde. Ik ben uw dochter; u kunt me niet kwijtraken, al zou u het willen. Maar laat me alstublieft, alstublieft, hier blijven.

Heel veel liefs en bergen hoop,
jullie dochter Meredith

Die nacht droomde ik van Milderhurst. Ik was weer een meisje, droeg een schooluniform dat ik niet herkende en stond voor de hoge, smeedijzeren poort aan het begin van de oprijlaan. De hekken zaten op slot en waren veel te hoog om overheen te klimmen; zo hoog dat ik, toen ik mijn blik ophief, zag dat ze in de onstuimige wolken boven me verdwenen. Ik probeerde omhoog te klimmen maar gleed telkens uit, mijn voeten waren helemaal van rubber geworden zoals dikwijls in dromen gebeurt; het ijzer voelde ijzig aan en toch was ik vervuld van een diep verlangen, een wilde hunkering om te zien wat erachter lag.

Ik keek omlaag en zag een grote, roestige sleutel in mijn hand liggen. Even later was ik binnen en zat ik in een rijtuig aan de andere kant. In een tafereel dat zo uit de *Mud Man* gehaald kon zijn, reed ik de lange, slingerende oprijlaan op, langs de donkere, trillende bossen, over de bruggen totdat het kasteel op de heuvel eindelijk boven me opdoemde.

En toen was ik op de een of andere manier binnen. Het hele kasteel leek verlaten. Er lag een laag stof op de vloer van de gangen, de schilderijen hingen scheef, alle gordijnen waren verschoten, maar het was meer dan alleen het uiterlijk. Het rook er bedompt en wee, en ik had het gevoel dat ik opgesloten zat in een kist op een muffe, stoffige zolder.

Toen klonk er een geluid, een fluisterend geritsel en er leek zich iets te bewegen. Aan het einde van de gang stond Juniper, gekleed in dezelfde zijden jurk die ze bij mijn bezoek aan het kasteel had gedragen. Ik was me bewust van een merkwaardig gevoel vanbinnen, de sterke en allesoverheersende stemming van getroebleerd verlangen in die droom. Ik wist, al zei ze geen woord, dat het oktober 1941 was en dat ze wachtte op de komst van Thomas Cavill. Achter haar verscheen een deur, de ingang van de nette salon. Er klonk muziek, een melodietje dat ik vaag herkende. Ik volgde haar een vertrek met een gedekte tafel in. Er hing een verwachtingsvolle sfeer in de kamer en ik wandelde om de tafel heen, telde de stoelen en wist op onverklaarbare wijze dat er ook was gedekt voor mijn moeder en mij. Op dat moment zei Juniper iets; althans, haar lippen bewogen, maar ik kon de woorden niet verstaan.

Vervolgens stond ik opeens voor het raam van de salon, maar door een grillige draai die dromen eigen is, was het ook het keukenraam van mijn moeder en ik keek naar het vensterglas. Ik keek naar buiten en daar stormde het, en ik besefte dat er een glinsterende zwarte slotgracht was. Ik zag iets bewegen en er maakte zich een duistere gestalte los; mijn hart maakte een salto. Ik wist dat het de Mud Man was en ik verstijfde ter plaatse. Mijn voeten waren vergroeid met de vloer, maar net toen ik wilde gillen, loste mijn angst opeens op. In plaats daarvan werd ik overspoeld door een knagend gevoel van verlangen, verdriet, en heel onverwacht, begeerte.

Ik schrok wakker en wist mijn droom te pakken voordat hij oploste. In de hoeken van de kamer hingen gehavende fantasiebeelden. Een hele poos bleef ik roerloos liggen en ik dwong ze niet te verdwijnen. Ik had het gevoel dat de beelden door de geringste beweging of het eerste spoortje ochtendlicht als mistflarden zouden optrekken, en ik wilde ze nog niet kwijt. Het was zo'n levendige droom geweest en de druk van het verlangen zo echt dat ik, toen ik mijn hand op mijn borst legde, half en half een blauwe plek verwachtte.

Na een tijdje was de zon hoog genoeg gerezen om over het dak van Singer & Sons uit te kijken en door de kieren in mijn gordijnen te gluren. De betovering van de droom was verbroken. Ik ging met een zucht rechtop zitten en zag oma's pantoffeldoos op het voeteneinde staan. Bij de aanblik van al die enveloppen geadresseerd aan Elephant and Castle werd ik weer bestormd door de bijzonderheden van de avond tevoren. Opeens werd ik getroffen door het duidelijke schuldgevoel van iemand die zich te goed heeft gedaan aan een dieet van vet en suiker en andermans geheimen. Hoe blij ik ook was dat ik in het bezit was van de stem en de beelden van mijn moeder en daarmee iets van inzicht in haar karakter had verworven, en hoe overtuigend mijn rechtvaardiging ook klonk (de brieven waren van lang geleden; ze waren bedoeld voor publieke consumptie; wat niet weet, wat niet deert), ik kon de uitdrukking op Rita's gezicht toen ze me de doos overhandigde met het advies maar eens lekker te gaan lezen niet vergeten; die zweem van triomf, alsof wij tweeën nu een geheim, een verbond hadden waarin haar zus niet werd betrokken. Het warme gevoel van toen ik het meisje bij de hand had, was weg en had plaatsgemaakt voor niets anders dan het berouw van een stiekemerd.

Ik zou mijn misdrijf moeten opbiechten, dat stond vast, maar ik maakte een deal met mezelf. Als het me lukte het huis uit te komen zonder mama tegen het lijf te lopen, had ik een dag uitstel waarin ik kon bedenken hoe ik dat het beste kon aanpakken. Maar als ik haar tegenkwam voordat ik bij de voordeur was, zou ik alles ter plekke bekennen. Ik kleedde me vlug en stilletjes aan, verzorgde me geruisloos, redde mijn tas uit de huiskamer... Alles ging van een leien dakje tot ik in de keuken kwam. Mama stond bij de waterkoker in haar ochtendjas met een ceintuur om haar middel, iets hoger dan het hoorde, wat haar een merkwaardige sneeuwpopvorm gaf.

'Goedemorgen, Edie,' zei ze met een blik over haar schouder.

Te laat om rechtsomkeert te maken. 'Morgen, mama.'

'Goed geslapen?'

'Ja, dank je.'

Ik bedacht een excuus om het ontbijt over te slaan, toen ze een kop thee voor mijn neus op tafel zette en vroeg: 'Hoe was Samantha's feestje?'

'Kleurrijk. Lawaaiig.' Ik glimlachte even. 'Je weet hoe Sam is.'

'Ik heb je vannacht niet horen thuiskomen. Ik had nog wat te eten klaargezet.'

'O...'

'Ik wist het niet zeker, maar ik zie dat je het...'

'Ik was nogal moe...'

'Natuurlijk.'

O, wat voelde ik me een gluiperd! En het ongelukkige puddingeffect van haar badjas deed haar kwetsbaarder dan ooit lijken, waardoor ik me nog belabberder voelde. Ik ging zitten waar ze de kop thee had neergezet, haalde vastbesloten diep adem en zei: 'Mama, ik moet je iets...'

'Aaai!' Haar gezicht vertrok, ze zoog op haar vinger en schudde er hard mee. 'De stoom,' zei ze en ze blies licht op haar vingertop. 'Het komt door die rare nieuwe waterkoker.'

'Moet ik wat ijsblokjes pakken?'

'Ik houd hem wel onder de koude kraan.' Ze draaide die open. 'Het heeft iets te maken met de vorm van de tuit, ik begrijp niet waarom ze maar nieuwe ontwerpen blijven maken van dingen die al goed werken.'

Ik haalde weer diep adem, maar liet hem weer gaan toen ze doorging met praten.

'Ik wilde dat ze hun aandacht op iets nuttigs richtten. Een geneesmiddel voor kanker of zo.' Ze draaide de kraan dicht.

'Mam, ik moet je echt iets...'

'Ik ben zo terug, Edie. Ik ga even je vader zijn thee brengen voordat hij zijn klok gaat luiden.'

Ze verdween naar boven en ik wachtte en vroeg me af wat ik ging zeggen, hoe ik het ging zeggen, of het mogelijk was mijn zonde zo te verwoorden dat ze het zou begrijpen. Een mooie gedachte, maar ik schoof hem snel terzijde. Er was geen aardige manier om haar te vertellen dat ik haar door het sleutelgat had begluurd.

Ik hoorde vaag het geroezemoes van het gesprek tussen papa en mama, toen zijn deur die dichtging en daarna voetstappen. Ik stond vlug op. Wat bezielde me? Ik had meer tijd nodig, het was dwaasheid om overijld te werk te gaan, een beetje bedenktijd zou een heleboel schelen ... Maar toen was ze alweer in de keuken met de woorden: 'Nu hoort zijne hoogheid zich het komende kwartier koest te houden,' en ik stond nog enigszins wankel achter mijn stoel, zo natuurlijk als een slecht acteur in een toneelstuk.

'Ga je al?' vroeg ze verrast. 'Je hebt je thee nog niet eens op.'

'Ik... Eh...'

'Je ging me toch iets vertellen?'

Ik pakte het theekopje op en bestudeerde de inhoud aandachtig. 'Ik...'

'Nou?' Ze trok haar ceintuur aan en keek me afwachtend aan met een zweempje zorgelijkheid in haar ogen. 'Wat is er?'

Wie hield ik nou voor de gek? Meer bedenktijd, nog een paar uur: dat veranderde niets aan de feiten. Ik slaakte een berustende zucht. 'Ik heb iets voor je.'

Ik ging weer naar mijn kamer en pakte de doos met brieven vanonder mijn bed.

Toen ik terugkwam, keek mama me met een lichte frons aan en ik zette de pantoffeldoos tussen ons in op tafel.

'Pantoffels?' Haar frons werd dieper, en ze keek eerst naar de pantoffels aan haar voeten, daarna naar mij. 'Nou, dank je wel, Edie. Een extra paar pantoffels komt altijd wel van pas.'

'Nee, maar weet je, het zijn geen...'

'Je oma...' zei ze opeens met een glimlach, omdat er een oude herinnering oplichtte, 'je oma droeg die altijd.' En de blik die ze me toewierp was zo argeloos, zo onverwacht blij dat ik bijna het deksel van de doos had gerukt om mezelf uit te roepen tot de verraadster die ik was. 'Wist je dat, Edie? Heb je ze daarom gekocht? Het is een wonder dat dit oude merk nog steeds...'

'Het zijn geen pantoffels, mama. Maak die doos nou maar open, alsjeblieft.'

'Edie?' Er verscheen een onzekere glimlach op haar gezicht toen ze op de dichtstbijzijnde stoel ging zitten en de doos naar zich toe trok. Ze wierp me een laatste aarzelende blik toe voordat ze haar aandacht op het deksel richtte. Ze tilde het op en keek fronsend naar de stapel verkleurde enveloppen.

Mijn bloed leek wel heet en dun te worden, als benzine onder mijn huid, toen ik de emoties elkaar zag afwisselen op haar gezicht. Verwarring, argwaan en daarna een stokkende adem die herkenning inluidde. Toen ik het tafereel later in mijn herinnering nog eens afdraaide, kon ik precies de vinger leggen op het ogenblik waarop de hanenpoten op de bovenste envelop bij haar een licht deden opgaan. Ik zag haar gezicht veranderen, haar trekken werden weer die van dat bijna dertienjarige meisje dat de eerste brief aan haar ouders had geschreven, waarin ze hun vertelde over het kasteel waar ze zich bevond; ze was er weer, gevangen in het oorspronkelijke moment van schrijven.

Mama's vingers rustten op haar lippen, haar wang en bleven vervolgens boven het zachte kuiltje onder in haar hals zweven tot ze eindelijk haar hand aarzelend in de doos stak, de stapel enveloppen eruit haalde en ermee in beide handen bleef zitten. Handen die beefden. Ze sprak zonder me aan te kijken. 'Hoe ben je hieraan…?'

'Rita.'

Ze slaakte een kleine zucht en knikte alsof ze antwoord had gekregen op iets wat ze wel had kunnen raden. 'Heeft ze nog verteld hoe zij eraan is gekomen?'

'Ze zaten tussen oma's spullen toen ze was overleden.'

Ze stiet een geluid uit dat het begin van een lachje had kunnen zijn, melancholisch en verrast, en ook een tikje treurig. 'Ongelooflijk dat ze die had bewaard.'

'Jij hebt ze geschreven,' zei ik zacht. 'Natuurlijk heeft ze ze bewaard.'

Mama schudde haar hoofd. 'Maar zo was het niet… Mijn moeder en ik, wij waren niet zo.'

Ik moest aan *Het boek van de magische, natte dieren* denken. Mijn moeder en ik waren ook niet zo, althans dat dacht ik. 'Ik denk dat ouders dat nu eenmaal doen.'

Mama haalde wat enveloppen van de stapel en waaierde ze uit in haar hand. 'Dingen van het verleden,' zei ze meer tot zichzelf dan tegen mij. 'En ik heb nog wel zo mijn best gedaan ze achter me te laten.' Ze streek licht met haar vingers over de waaier enveloppen. 'Nu lijkt het wel of ik, hoe ik me ook wend of keer…'

Mijn hart ging sneller kloppen door de belofte van openbaring. 'Waarom wil je het verleden vergeten, mam?'

Maar ze gaf geen antwoord, althans niet direct. De foto, die kleiner was dan de brieven, was net als de avond tevoren uit de stapel gegleden, en viel op tafel. Ze haalde diep adem voordat ze hem naar haar ogen bracht en met haar duim over de oppervlakte streek; haar gezicht stond kwetsbaar en gepijnigd. 'Zo lang geleden, en toch, zo nu en dan…'

Toen leek ze zich te herinneren dat ik er was. Met veel vertoon stopte ze de foto terug tussen de brieven, achteloos, alsof hij haar niets zei. Ze keek me recht aan. 'Je oma en ik… Het ging nooit vanzelf. We waren heel verschillende mensen, dat waren we altijd geweest, maar door mijn evacuatie zijn er een paar dingen op de voorgrond getreden. We kregen ruzie en dat heeft ze me nooit vergeven.'

'Omdat je naar het gymnasium wilde?'

Op dat ogenblik leek alles te bevriezen, zelfs de gewone luchtcirculatie in de keuken tot stilstand te komen.

Mama keek alsof ik haar geslagen had. Zacht, maar met een lichte trilling in haar stem, zei ze: 'Heb je ze gelezen? Heb je mijn brieven gelezen?'

Ik slikte en knikte schoksgewijs.

'Hoe kón je, Edith? Ze zijn privé.'

Al mijn eerdere rechtvaardigingen losten op als snippers wc-papier in de regen. Van schaamte stonden de tranen me zo in de ogen dat alles er gebleekt uitzag, mama's gezicht incluis. De kleur was uit haar gezicht geweken, waardoor er alleen een aantal sproetjes op haar neus te zien bleef, zodat ze weer op haar dertienjarige zelf leek. 'Ik... Ik wilde het gewoon weten.'

'Het gaat jou helemaal niets aan,' siste mama. 'Het heeft niets met jou te maken.' Ze greep de doos en drukte hem stevig aan haar borst, en na een korte aarzeling haastte ze zich naar de deur.

'Maar dat heeft het wel,' zei ik tegen mezelf, en daarna harder, met trillende stem. 'Je hebt tegen me gelogen.'

Ze struikelde bijna...

'Over Junipers brief, over Milderhurst, over álles; we zijn er wél terug geweest...'

Er was een zweem van aarzeling in de deuropening, maar ze draaide zich niet om en bleef niet staan.

'... Ik kan het me nog herinneren.'

En ik was weer alleen, omringd door die merkwaardige, broze stilte die valt wanneer er iets breekbaars is gebroken. Boven aan de trap werd weer een deur dichtgeslagen.

Er gingen vervolgens twee weken voorbij en de betrekkingen waren zelfs naar onze maatstaven ijzig. We waren afschuwelijk beleefd gebleven, evenzeer omwille van papa als om het feit dat het niet onze stijl was om iets te zeggen wat het stramien ontsteeg van: 'Wil je mij het zout even aangeven?' Ik voelde me beurtelings schuldig en in mijn recht; trots op en nieuwsgierig naar het meisje dat net zo dol op boeken was als ik, boos op en gekwetst door de vrouw die weigerde ook maar het geringste van zichzelf met me te delen.

Het speet me het meest dat ik haar over de brieven had verteld. Ik vervloekte degene die had bedacht dat eerlijkheid het langst duurde. Ik stortte me met hernieuwde ijver op de TE HUUR-advertenties en voedde onze koude oorlog door amper thuis te zijn. Dat was geen opgaaf: de drukproeven van *Ghosts of Romney Marsh* waren onderweg, dus had ik een volmaakt geldige reden om veel over te werken. Herbert was op zijn beurt in zijn sas met mijn gezelschap. Mijn ijver herinnerde hem aan de 'goede oude tijd' toen de oorlog eindelijk achter de rug was, Engeland weer overeind krabbelde en hij en meneer Brown het ene manuscript na het andere aankochten en ijverig bestellingen verstuurden.

Zo kwam het dat ik na mijn zaterdagse bezoek aan de bibliotheek – toen ik de stapel krantenuitdraaien onder mijn arm nam, op mijn horloge keek en besefte dat het pas even na enen was – niet naar huis ging. Papa was druk bezig met zijn ontvoeringonderzoek, maar hij zou wel wachten tot onze *Mud Man*-sessie van vanavond. In plaats daarvan koerste ik naar Notting Hill, aangevuurd door de belofte van goed gezelschap en welkome afleiding, en misschien konden we wel een hapje gaan eten voor de lunch.

De intrige wordt nogal troebel

Ik was vergeten dat Herbert het weekeinde weg was om de thematoespraak te houden op de jaarvergadering van de Book Binders Association. De blinden van Billing & Brown waren omlaag en het kantoor lag er somber en levenloos bij. Toen ik over de drempel stapte, werd ik door een buitenproportionele moedeloosheid getroffen.

'Jess?' riep ik hoopvol. 'Jessie, meisje?'

Er klonken geen dankbare hondenpoten, geen zwoegende beklimming van de keldertrap, ik werd alleen begroet door rimpels van stilte. Een geliefd huis dat ontdaan is van zijn rechtmatige bewoners heeft iets heel verontrustends, en ik had nog nooit zo graag mijn plek op de sofa met Jess willen bevechten als op dat moment.

'Jessie?' Nog altijd niets.

Dat betekende dat zij ook naar Shrewsbury was gegaan en dat ik echt op mezelf was aangewezen.

Maakt niet uit, zei ik opbeurend tegen mezelf, er was meer dan genoeg werk om de hele middag van de straat te zijn. Van *Ghosts of Romney Marsh* werd maandag een drukproef gemaakt, en al had ik het manuscript door omstandigheden al aan een nauwkeurige inspectie onderworpen, er was altijd ruimte voor verbetering. Ik haalde de blinden op, deed mijn bureaulamp aan, maakte zo veel mogelijk nevengeluid en ging zitten om het manuscript door te bladeren. Ik verplaatste komma's en zette ze weer terug. Ik aarzelde over de voordelen van 'echter' boven 'maar' zonder tot een conclusie te komen en zette een tekentje in de kantlijn ter nadere beschouwing. Ik kwam bij de volgende vijf stilistische vraagstukken evenmin tot een slotsom voordat ik besloot dat het waanzin was om te proberen me te concentreren met een lege maag.

Herbert had gekookt en in de koelkast stond verse pompoenlasagne. Ik haalde er een stuk uit, warmde het op en nam mijn bord mee terug naar mijn bureau. Het voelde niet correct om te eten bij het manuscript van de spokenfluisteraar, dus haalde ik mijn dossier met uitdraaien van de *Milderhurst*

Mercury erbij. Ik las hier en daar een stukje, maar keek vooral naar de foto's. Zwart-witfoto's hebben iets heel nostalgisch, de afwezigheid van kleur is een zichtbare weergave van de steeds dieper wordende trechter van de tijd. Er waren een heleboel foto's van het kasteel in diverse tijdperken, een aantal van het landgoed, een heel oude van Raymond Blythe en zijn tweelingdochters ter gelegenheid van de publicatie van de *Mud Man*. Op de foto's van de bruiloft van een plaatselijk stel genaamd Harold en Lucy Rogers zag Percy Blythe er stijf en ongemakkelijk uit, Percy Blythe die het lint doorknipte bij de opening van het gemeenschapscentrum, Percy Blythe die een gesigneerd exemplaar van de *Mud Man* overhandigde aan de winnaar van een dichtwedstrijd.

Ik bladerde terug: Saffy was nergens te bekennen en dat trof me als vrij ongewoon. Junipers afwezigheid begreep ik wel, maar die van Saffy? Ik pakte een artikel waarin het eind van de Tweede Wereldoorlog werd gevierd, en waarin de nadruk lag op de betrokkenheid van diverse dorpelingen. Weer een foto van Percy Blythe, dit keer in het uniform van de ambulancedienst. Ik keek er peinzend naar. Het kon natuurlijk zijn dat Saffy het niet prettig vond om op de foto te moeten. Het kon ook zijn dat ze een hardnekkig tegenstander was van maatschappelijke betrokkenheid in een groter verband. Maar het was waarschijnlijker dat ze een tweelingzus was die haar plaats wist; ik was daar vrij zeker van omdat ik de gezusters in actie had gezien. Wat voor hoop had Saffy met een zus als Percy – die gezegend was met een ijzeren wil en een hartstochtelijke toewijding aan de reputatie van de familie – om haar glimlach in de krant te zien?

Het was geen mooie foto, heel onflatteus zelfs. Percy stond op de voorgrond en de foto was van een laag standpunt genomen, natuurlijk om het kasteel achter haar ook op de foto te krijgen. De hoek was lelijk, wat Percy iets dreigends en nogal strengs gaf; het feit dat ze niet glimlachte hielp ook niet mee.

Ik keek iets beter. Er was iets op de achtergrond wat ik nog niet eerder had opgemerkt, vlak achter Percy's kortgeknipte hoofd. Ik vond een loep in Herberts lade, hield hem boven de foto en kneep mijn ogen samen. Verbaasd ging ik rechtop zitten. Het was net wat ik dacht. Op een rand bij een van de nokken zat een figuur in een lange witte jurk. Ik wist meteen dat het Juniper moest zijn. Arme, treurige, gekke Juniper.

Terwijl ik zo naar het witte vlekje bij het zolderraam keek, werd ik overspoeld door een golf van verontwaardigd verdriet, en ik was ook boos. Mijn gevoel dat Thomas Cavill de wortel van alle kwaad was werd weer wakker en ik verzonk in mijn fantasiebeelden over die noodlottige oktoberavond waarop hij Junipers hart brak en haar leven verwoestte. Ik ben bang dat die fantasie zich degelijk had ontwikkeld; hij had al talrijke malen door mijn hoofd gespeeld en nu draaide hij zich af als een bekende film, sombere soundtrack incluis. Ik bevond me bij de gezusters in die onberispelijke salon, hoorde hoe ze zich afvroegen waar hij toch bleef en zag hoe Juniper ten prooi viel aan de waanzin die haar zou verteren, toen er iets gebeurde. Iets wat nog nooit eerder was gebeurd.

Ik weet niet hoe of waarom, alleen dat het heldere inzicht opeens koortsachtig toesloeg. De soundtrack van de droom kwam krakend tot een einde en het visioen verdween, waardoor er maar één zekerheid overbleef: er zat meer achter dit verhaal dan op het eerste gezicht leek. Dat kon niet anders. Want mensen werden niet zomaar gek omdat hun minnaar hen liet zitten, toch? Ook al had ze een geschiedenis van angst en depressie, of wat mevrouw Bird ook bedoelde toen ze het over Junipers aanvallen had.

Ik liet de *Mercury* vallen en ging rechtop zitten. Ik had het trieste verhaal van Juniper Blythe letterlijk genomen omdat mama gelijk heeft: ik heb vreselijk veel fantasie en tragische verhalen spannen de kroon. Maar dit was geen roman, dit was het echte leven en ik moest de situatie kritischer bekijken. Ik ben redactrice, het is mijn vak om verhalen op plausibiliteit te controleren en die was hier op de een of andere manier ver te zoeken. Het was te simpel. Liefdesrelaties vallen uiteen, mensen verraden elkaar, stellen gaan uit elkaar. De mensheid wemelt van die persoonlijke tragedies; verschrikkelijk, natuurlijk, maar in het grotere geheel toch te verwaarlozen? Ze is gek geworden: de woorden rolden er makkelijk uit, maar de werkelijkheid leek maar dun, als iets uit een goedkope thriller. Ik was onlangs zelf op soortgelijke wijze vervangen zonder gek te worden. Ik was zelfs niet in de buurt gekomen.

Mijn hart ging nogal tekeer en ik pakte mijn tas. Ik schoof het krantendossier erin en bracht mijn vuile bord naar de keuken. Ik moest die Thomas Cavill zien te vinden. Waarom had ik daar nog niet aan gedacht? Mama wilde niet met me praten en Juniper kon het niet; hij was de sleutel, het antwoord op alle vragen lag aan zijn voeten en ik moest meer over hem te weten zien te komen.

Ik deed de lamp uit, liet de blinden weer zakken en deed de voordeur achter me op slot. Ik ben meer een boekenmens dan een mensenmens, dus kwam het niet in me op om het anders te doen, en met verende tred haastte ik me weer naar de bibliotheek.

Mevrouw Yeats was verrukt me weer te zien. 'Zo gauw alweer terug,' zei ze met het soort enthousiasme dat je van een lang verloren gewaande vriendin zou verwachten. 'Maar je bent doorweekt! Je gaat me toch niet vertellen dat het al weer is gaan regenen.'

Het was me niet eens opgevallen. 'Ik heb geen paraplu,' zei ik.

'Nou ja, je zult gauw genoeg weer droog zijn en ik ben heel blij dat je bent gekomen.' Ze pakte een stapeltje paperassen van haar bureau en gaf ze aan mij met de eerbied die paste bij het vervoer van de Heilige Graal zelve. 'Ik weet dat je zei dat je er zelf geen tijd voor had, maar ik heb toch wat speurwerk gedaan... Het Pembroke Farm Institute,' zei ze, misschien omdat ze zag dat ik geen idee had waarover ze het had. 'De nalatenschap van Raymond Blythe?'

'O,' zei ik. Ik wist het weer. De ochtend leek alweer vreselijk lang geleden. 'Geweldig, bedankt.'

'Ik heb alles uitgedraaid wat ik maar kon vinden. Ik wilde je bellen op je werk om het te zeggen, maar nu ben je er zelf!'

Ik bedankte haar opnieuw en wierp een plichtmatige blik op de documentatie. Ik bladerde door bladzijden met informatie over de geschiedenis van het natuurbehoud van het instituut en deed alsof ik de inhoud ernstig bestudeerde voordat ik de papieren in mijn tas stak. 'Ik verheug me er erg op dit eens degelijk te bestuderen,' zei ik, 'maar eerst moet ik iets anders doen.' Daarna legde ik uit dat ik op zoek was naar informatie over een man. 'Hij heet Thomas Cavill. Hij heeft gevochten in de Tweede Wereldoorlog en daarvoor was hij leraar. Hij woonde en werkte in Elephant and Castle.'

Ze knikte. 'Is er iets specifieks wat je wilt weten?'

Waarom hij in oktober 1941 niet voor het diner op Milderhurst Castle kwam opdagen, waarom Juniper Blythe ten prooi viel aan waanzin waarvan ze nooit meer zou herstellen, waarom mijn moeder weigerde met mij te praten over welk aspect van vroeger ook. 'Niet echt,' zei ik. 'Wat ik maar kan vinden.'

Mevrouw Yeats kon toveren. Terwijl ik in mijn eentje worstelde met het microficheapparaat en de knop vervloekte die weigerde kleine sprongetjes te maken maar per keer perioden van weken oversloeg, schoot zij heen en weer in de bibliotheek om van overal en nergens stukjes papier te verzamelen. Toen we na een half uur weer bij elkaar gingen zitten, had ik een sleets bioscoopjournaal en een knallende hoofdpijn, terwijl zij een klein maar fatsoenlijk informatiedossier had aangelegd.

Veel was het niet, zeker niet vergeleken met de stapels informatie uit de plaatselijke pers over de familie Blythe en hun kasteel, maar het was een begin. Er was een kleine geboorteaankondiging uit de *Bermondsey Gazette* uit 1916 waarin stond: 'CAVILL.- 22 febr, in Henshaw Street, de vrouw van Thomas Cavill, bevallen van een zoon'; een uitbundig bericht in de *Southwark Star* onder de kop 'Plaatselijke leraar wint poëzieprijs' en nog een uit 1939 met een even eenduidige kop: 'Plaatselijke leraar meldt zich aan voor actieve dienst'. Bij het tweede bericht stond een fotootje met 'Thomas Cavill' als onderschrift, maar de kopie was zo slecht dat ik weinig meer van hem kon zeggen dan dat hij een jongeman was met een hoofd, schouders en een Brits legeruniform. Het leek me een nogal armoedige verzameling publieke informatie om te getuigen van het feit dat je bestond, en het stelde me uitermate teleur dat er niets meer van na 1939 was.

'Dat is het dus,' zei ik in een poging filosofisch in plaats van ondankbaar te klinken.

'Niet helemaal.' Mevrouw Yeats gaf me nog een bundeltje papieren.

Het waren advertenties, allemaal van maart 1981, allemaal uit de onderste hoek van *The Times*, *Guardian* en *Daily Telegraph* geknipt. Ze bevatten dezelfde tekst: *Zou Thomas Cavill, die vroeger in Elephant en Castle woonde, aub dringend Theo willen bellen: (01) 394 7521.*

'Kijk eens aan,' zei ik.

'Inderdáád,' beaamde mevrouw Yeats. 'Nogal curieus, vind je niet? Wat zouden ze daarmee bedoelen?'

Ik schudde mijn hoofd. Ik had geen idee. 'Eén ding is zeker: deze Theo, wie het ook mag zijn, wilde Thomas heel graag spreken.'

'Ik wil absoluut mijn neus niet in jouw zaken steken, lieverd, maar mag ik vragen of hier iets bij zit wat je met je project kan helpen?'

Ik wierp nog een blik op de advertenties en duwde een verregende lok achter mijn oor. 'Misschien wel.'

'Want als je belangstelling hebt voor zijn dienstverleden, heeft het Imperial War Museum een schitterend archief. Of anders heb je ook nog het General Register Office voor geboorte-, overlijdens- en huwelijksakten. En als ik iets meer tijd had, weet ik zeker dat ik... O lieve hemel,' zei ze. Ze liep rood aan toen ze op haar horloge keek. 'Wat jammer! Het is bijna sluitingstijd. En net nu we op dreef komen. Waarschijnlijk kan ik niets meer voor je doen voordat ze ons insluiten, hè?'

'Eigenlijk wel,' zei ik. 'Eén klein dingetje. Denkt u dat ik uw telefoon even mag gebruiken?'

De advertenties waren elf jaar geleden geplaatst, dus ik weet niet precies wat ik verwachtte, alleen wat ik hoopte: dat een man die Theo heette zou opnemen en dat hij me met alle plezier alles wilde vertellen over de laatste vijftig jaar van Thomas Cavills leven. Het behoeft geen betoog dat dit niet gebeurde. Mijn eerste poging werd beloond met de onbeleefde opdringerigheid van een opgeheven verbinding en ik was zo gefrustreerd dat ik me niet kon bedwingen en als een verwend kind uit de victoriaanse tijd stampvoette. Mevrouw Yeats was zo vriendelijk geen acht op mijn driftaanval te slaan en herinnerde me er vriendelijk aan het kengetal te veranderen in 071, in overeenstemming met de recente veranderingen, en vervolgens bleef ze vlak bij me rondhangen toen ik het nummer intoetste. Zo bekeken worden maakte me onhandig en ik moest het nog een keer proberen, maar uiteindelijk... bingo!

Ik gaf een tikje op de hoorn ten teken dat hij overging en greep mevrouw Yeats opgewonden bij de schouder toen er werd opgenomen door een vriendelijke dame die me, toen ik naar Theo vroeg, vertelde dat ze het huis een jaar daarvoor had gekocht van een man die zo heette. 'Theodore Cavill moet je zeker hebben, hè?'

Ik kon mezelf amper beheersen. Théodore Cavill. Een familielid dus. 'Dat is hem.'

Onder mijn neus sloeg mevrouw Yeats als een zeehond de handen ineen.

'Hij is verhuisd naar een verzorgingstehuis in Putney,' zei de dame aan de andere kant van de lijn. 'Aan de rivier. Hij was daar heel blij mee, kan ik me nog herinneren. Hij vertelde dat hij vroeger lesgaf in de school aan de overkant.'

Ik zocht hem op. Diezelfde avond nog.

Er waren vijf verzorgingstehuizen in Putney, waarvan er maar één aan de rivier stond en ik had het zo gevonden. De motregen was overgewaaid en het was een warme, heldere avond; ik stond voor het tehuis als iemand in een droom, en vergeleek het adres van het onopvallende, bakstenen gebouw met dat in mijn notitieboekje.

Zodra ik in de hal stond, werd ik aangesproken door een dienstdoende zuster, een jonge vrouw met een bobbykopje en een glimlach waarbij één mondhoek hoger werd opgetrokken dan de andere. Ik zei voor wie ik kwam en ze grijnsde.

'O, wat heerlijk! Hij is een van onze liefste, Theo.'

Ik voelde een eerste steek van twijfel en glimlachte ietwat ongerust terug. Het had zo'n goed idee geleken, maar nu in het grimmige tl-licht van de gang waar we snel doorheen liepen, wist ik het niet meer zo zeker. Er was iets onaangenaams aan iemand die bereid was een nietsvermoedende oude heer lastig te vallen, een van de liefste bewoners nog wel. Een volslagen vreemde die het voorzien had op 's mans familiegeschiedenis. Ik overwoog rechtsomkeert te maken, maar mijn gids was verrassend verheugd over mijn bezoek en had me al adembenemend efficiënt door de hal geloodst.

'Het wordt eenzaam voor ze tegen het einde,' zei ze. 'Vooral als ze nooit getrouwd zijn geweest. Geen kinderen of kleinkinderen om aan te denken.'

Ik beaamde het glimlachend en haastte me achter haar aan door een brede, witte gang. Deur na deur waarvan de tussenliggende muren werden geaccentueerd door wandvazen. Paarse bloemen, nog net vers, staken hun hoofd boven de rand en ik vroeg me terloops af wiens taak het was ze te verversen. Maar ik vroeg het niet, we liepen de hele gang door tot we bij een deur aan het andere eind kwamen. Door het glas zag ik dat er een keurige tuin aan de andere kant lag. De zuster hield de deur voor me open en het hoofd schuin om aan te geven dat ze me voor liet gaan en daarna volgde ze me op de voet.

'Theo,' zei ze harder dan normaal, al zag ik niet tegen wie ze het had. 'Er is hier iemand voor je... Sorry,' ze draaide zich naar me om, 'ik ben uw naam vergeten.'

'Edie. Edie Burchill.'

'Edie Burchill moet jou hebben, Theo.'

Toen zag ik een smeedijzeren bank vlak achter een lage haag en een oude man die stond. Door de manier waarop hij gebogen stond en de rugleuning vasthield, was duidelijk dat hij daar tot onze komst had gezeten, dat hij uit gewoonte was opgestaan, een spoortje ouderwetse hoffelijkheid die hem ongetwijfeld al zijn hele leven sierde. Hij knipperde met zijn ogen achter een bril met dikke borrelglaasjes. 'Hallo,' zei hij. 'Wilt u hier komen zitten?'

'Ik zal u alleen laten,' zei de zuster. 'Ik ben gewoon binnen. Geeft u maar een gil als u iets nodig hebt.' Ze gaf een knikje, sloeg de armen over elkaar en verdween kwiek over het pad van rode baksteen. De deur ging achter haar dicht en Theo en ik waren alleen met elkaar in de tuin.

Hij was heel klein, niet groter dan anderhalve meter, met het soort welgedane lichaam dat je zou tekenen, als je die neiging had, door met een ruwe auberginevorm te beginnen om vervolgens een riem om het breedste stuk te doen. Hij maakte een gebaar met zijn hoofd waarop wat plukjes haar zaten. 'Ik zat naar de rivier te kijken. Die houdt nooit op met stromen, weet u.'

Hij had een prettige stem. Iets in het warme timbre deed me denken aan toen ik heel klein was en met gekruiste benen op een kleed zat en ik de stem van een volwassene met een vaag gezicht geruststellende klanken hoorde uiten, en ik was even afgeleid. Opeens werd ik me ervan bewust dat ik geen idee had hoe ik tegenover deze oude man moest beginnen. Dat hiernaartoe komen een kolossale vergissing was geweest en ik direct weer weg moest. Ik stond op het punt om dat te zeggen, toen hij zei: 'Ik probeer tijd te rekken. Ik vrees dat ik u niet kan plaatsen. Vergeef me, mijn geheugen is niet meer zo...'

'Dat is helemaal niet erg, want we hebben elkaar nog niet eerder ontmoet.'

'O, nee?' Hij zweeg en zijn lippen bewogen zich geluidloos om zijn gedachten heen. 'Aha... Nou, dat geeft niet, u bent hier nu toch en ik krijg maar weinig bezoek. Ik weet dat Jean het heeft gezegd, maar...'

Wegwezen, zei mijn verstand. 'Ik ben Edie,' zei mijn mond. 'En ik kom in verband met uw advertenties.'

'Mijn...?' Hij legde de hand achter zijn oor alsof hij het verkeerd had verstaan. 'Advertenties, zei u? Het spijt me, maar ik denk dat u me misschien met iemand anders verwart.'

Ik haalde de kopie van *The Times* uit mijn tas. 'Ik kom in verband met Thomas Cavill,' zei ik, terwijl ik hem de advertentie voorhield zodat hij hem kon zien.

Maar hij keek niet naar het papier. Ik had hem laten schrikken en zijn hele gezicht veranderde: de verwarring maakte op slag plaats voor blijdschap. 'Ik heb lang op u gewacht,' zei hij gretig. 'Kom, gaat u zitten. Waar bent u van, de politie soms? De militaire politie?'

De polítie? Nu was het mijn beurt om verrast te zijn. Ik schudde mijn hoofd.

Hij was nerveus geworden, sloeg zijn kleine handen in elkaar en sprak heel snel: 'Ik wist, als ik het maar lang genoeg volhield, dat iemand ooit belangstelling voor mijn broer zou tonen... Kom.' Hij gebaarde ongeduldig. 'Neemt u alstublieft plaats. Vertel eens, wat is het? Wat bent u te weten gekomen?'

Ik stond perplex. Ik had geen idee wat hij bedoelde. Ik ging wat dichter bij hem staan en zei vriendelijk: 'Ik denk dat er een misverstand in het spel is, meneer Cavill, ik heb niets gevonden en ik ben niet van de politie, en trouwens ook niet van Defensie. Ik ben hier omdat ik uw broer zoek – Thomas – en ik dacht dat u mij zou kunnen helpen.'

Hij neeg het hoofd. 'U dacht dat ik...? Dat ik ú kon...' Het besef deed het bloed uit zijn wangen trekken. Hij hield zich aan de rugleuning vast en knikte met een bitter soort waardigheid dat pijn deed vermoeden, al wist ik niet wat erachter zat. 'Aha...' Een flauwe glimlach. 'Aha...'

Ik had hem van zijn stuk gebracht, en al had ik geen idee waarom, of wat de politie met Thomas Cavill te maken zou hebben, ik moest iets zeggen om mijn aanwezigheid te verklaren. 'Uw broer was voor de oorlog mijn moeders onderwijzer. Zij en ik hadden het er pas nog over en ze vertelde me wat een inspirerende man hij voor haar is geweest. En dat het haar speet dat ze het contact met hem is kwijtgeraakt.' Ik slikte verrast en onthutst omdat ik zo makkelijk kon liegen. 'Ze vroeg zich af wat er van hem geworden was, of hij na de oorlog leraar is gebleven, of hij getrouwd was.'

Terwijl ik sprak, was zijn aandacht weer naar de rivier afgedwaald, maar ik zag aan zijn vage blik dat hij niets zag. Althans niets wat daar was, niet de mensen die over de brug liepen, noch de bootjes die aan de overkant dobberden, noch de veerboot vol mensen met camera's. 'Ik ben bang dat ik u moet teleurstellen,' zei hij. 'Ik heb geen flauw idee wat er met Tom is gebeurd.'

Theo ging zitten, leunde achterover tegen de ijzeren reling en hervatte zijn relaas. 'Mijn broer is in 1941 verdwenen. Midden in de oorlog. Het eerste wat we ervan merkten, was dat er werd geklopt en er een plaatselijke politieagent voor de deur stond. Hij was een reservist, een vriend van mijn vader toen die nog leefde, in de Eerste Wereldoorlog waren ze wapenbroeders geweest.' Theo wapperde met zijn hand alsof hij een vlieg wegsloeg. 'Ach, hij geneerde zich, die arme man. Hij moet het vreselijk hebben gevonden zulk nieuws te moeten brengen.'

'Wat voor nieuws?'

'Tom had zich niet gemeld voor dienst en de politieman moest hem komen halen.' Theo zuchtte bij de herinnering. 'M'n arme moeder. Wat kon ze doen? Ze vertelde de man de waarheid, dat Tom er niet was en dat ze geen idee had waar hij uithing, dat hij na zijn verwonding alleen was gaan wonen. Na Duinkerken kon hij het thuis niet meer vinden.'

'Was hij geëvacueerd?'

Theo knikte. 'Hij had het bijna niet gehaald. Hij heeft weken in het ziekenhuis gelegen. Zijn been genas goed, maar volgens mijn zussen was hij veranderd. Hij lachte bijvoorbeeld op de juiste momenten, maar nu liet hij van tevoren even een stilte vallen, alsof hij een script voorlas.'

Vlakbij was een kind gaan huilen en Theo's aandacht ging naar het pad langs de rivier. Hij glimlachte flauw. 'IJsje gevallen,' zei hij. 'Het zou geen zaterdag in Putney zijn als een of ander arm kind zijn ijsje niet op dat pad verloor.'

Ik wachtte tot hij verder zou vertellen en toen dat niet gebeurde, spoorde ik hem zo vriendelijk mogelijk aan. 'Wat gebeurde er toen? Wat heeft uw moeder gedaan?'

Zijn blik was nog op het pad gericht, maar hij trommelde met zijn vingers op de rugleuning en zei zacht: 'Tom was zonder toestemming met verlof. De politieman moest zijn plicht doen. Maar hij was een goed mens en uit respect voor mijn vader was hij clement; hij gaf mama vierentwintig uur om Tom te vinden voordat het een officiële zaak werd.'

'Maar dat is haar dus niet gelukt? Ze heeft hem niet gevonden.'

Hij schudde zijn hoofd. 'Een naald in een hooiberg. Mama en mijn zussen waren er kapot van. Ze hebben gezocht waar ze konden, maar...' Hij haalde zwakjes zijn schouders op. 'Aan mij hadden ze niets. Ik was er toen niet. Dat heb ik mezelf nooit vergeven. Ik zat in het noorden voor oefeningen met mijn regiment. Ik wist er pas van toen ik een brief van mijn moeder kreeg, maar toen was het al te laat. Tom stond op de lijst van deserteurs.'

'Wat vreselijk.'

'Hij staat er nog op.' Hij keek me aan en tot mijn ontsteltenis zag ik dat zijn ogen vol tranen stonden. Hij zette zijn dikke bril recht en haakte zijn armen achter zijn hoofd. 'Sindsdien controleer ik het elk jaar omdat ze me ooit hebben verteld dat sommige van die knapen decennia later nog opduiken. Met de staart tussen de benen bij het wachthuisje van een kazerne en een hele reeks verkeerde beslissingen achter ze. Dan geven ze zich over aan de genade van de wachtcommandant.' Hij tilde zijn hand op en liet hem hulpeloos weer op zijn knie vallen. 'Ik controleer het alleen nog omdat ik radeloos ben. Diep vanbinnen weet ik heus wel dat Tom zich niet bij een of ander wachthuisje zal melden.' Hij zag mijn bezorgdheid, keek me in de ogen en zei: 'Oneervol ontslag, verdomme.'

Achter ons klonken stemmen en toen ik over mijn schouder keek, zag ik een jongeman een oudere dame door de deur en de tuin in loodsen. De vrouw lachte om iets wat hij had gezegd terwijl ze met een trage gang naar de rozen gingen kijken.

Theo had ze ook gezien en zei met gedempte stem: 'Tom was een éérzaam mens.' Elk woord was een worsteling. Hij klemde zijn lippen opeen om de sterke emoties de baas te kunnen, en ik kon wel zien hoezeer hij mij het beste van zijn broer wilde laten geloven. 'Hij zou nooit hebben gedaan wat ze zeggen, op die manier deserteren, nooit. Dat heb ik ook tegen de militaire politie gezegd. Niemand wilde luisteren. Mijn moeders hart brak. De schande, de zorgen en de vraag wat er echt met hem was gebeurd. Of hij nog ergens verdwaald en alleen rondliep, vergeten wie hij was en waar hij thuishoorde...' Hij viel stil, wreef over zijn voorhoofd alsof hij zich schaamde en ik begreep dat hij zichzelf al die tijd met hartverscheurende theorieën had gekweld.

'Hoe het ook zij,' zei hij, 'ze is er nooit meer overheen gekomen. Hij was haar lieveling, al zou ze dat nooit hebben toegegeven. Dat hoefde ze ook niet. Tom was ieders lieveling.'

Er viel weer een stilte, en in de lucht zag ik twee roeken om elkaar heen cirkelen. Het wandelende tweetal dat de rozen bekeek, kwam in de buurt en ik wachtte tot ze bij de rand van het water waren voordat ik me tot Theo wendde en vroeg: 'Waarom wilde de politie niet luisteren? Waarom wisten ze zo zeker dat Tom was gedeserteerd?'

'Er was een brief.' Er trok een spiertje in zijn kaak. 'Die arriveerde begin 1942, een paar maanden na Toms verdwijning. Een kort getypt briefje waarin alleen stond dat hij iemand had leren kennen en was weggelopen om te trouwen. Dat hij ging onderduiken en later contact zou opnemen. Toen de politie die brief eenmaal had gezien, verloren ze de belangstelling voor Tom en ons. Wisten we dan niet dat het oorlog was? Ze hadden geen tijd om een knaap te zoeken die zijn land in de steek had gelaten.'

De pijn was na een halve eeuw nog zo rauw dat ik me alleen maar kon voorstellen hoe het destijds moest zijn geweest. Om een naaste te missen en niemand te kunnen overtuigen om te helpen zoeken. En toch, in het dorp Milderhurst hadden ze me verteld dat Thomas Cavill niet was komen opdagen omdat hij er met een ander vandoor was gegaan. Lag het alleen maar aan de familietrots en loyaliteit dat Theo zo zeker wist dat die desertie een leugen was? 'Geloofde u die brief niet?'

'Geen moment.' Zijn heftigheid leek wel een dolkstoot. 'Het klopt wel dat hij een meisje had leren kennen en verliefd was geworden. Dat had hij me zelf verteld, hij schreef lange brieven over haar, hoe mooi ze was, hoe ze zijn hele wereld goed maakte en dat hij met haar ging trouwen. Maar ervandoor gaan zou hij nooit doen, hij kon niet wachten tot hij haar aan de familie kon voorstellen.'

'Hebt u haar nooit ontmoet?'

Hij schudde zijn hoofd. 'Niemand van ons. Het had iets met haar familie te maken en dat ze het geheim moesten houden tot ze hun het nieuws hadden verteld. Ik had de indruk dat het een nogal chique familie was.'

Mijn hart begon sneller te kloppen toen Theo's verhaal zo bleek aan te sluiten bij het mijne. 'Weet u nog hoe dat meisje heette?'

'Dat heeft hij nooit gezegd.'

De frustratie benam me de adem.

'Hij wilde met alle geweld eerst met haar familie kennismaken. Ik kan u niet vertellen hoe me dat al die jaren heeft gekweld,' zei hij. 'Had ik maar geweten wie ze was, dan had ik misschien geweten waar ik met mijn speurtocht kon beginnen. Stel dat ook zij werd vermist; stel dat ze met z'n tweeën bij een ongeluk betrokken waren? Stel dat haar familie over nuttige informatie beschikt?'

Op dat moment lag het op het puntje van mijn tong om hem over Juniper te vertellen, maar op het laatste moment bedacht ik me. Ik zag er het nut niet van in hem blij te maken met een dooie mus als de gezusters Blythe toch niets over de verblijfplaats van Thomas Cavill konden zeggen, als die er net zo van overtuigd waren als de politie dat hij er met een andere vrouw vandoor was gegaan. 'Die brief,' zei ik opeens. 'Wie heeft die gestuurd als het Tom niet was? En waarom? Waarom zou iemand anders zoiets doen?'

'Ik weet het niet, maar ik kan u één ding vertellen. Tom is niet getrouwd. Ik heb het nagetrokken bij de burgerlijke stand. Ik heb ook de overlijdensakten gecontroleerd. Dat doe ik nog steeds. Elk jaar ongeveer, voor de zekerheid. Niets. Na 1941 is er niets officieels over hem te vinden. Het is net alsof hij van de aardbodem is verdwenen.'

'Maar mensen verdwijnen toch niet zomaar?'

'Nee,' zei hij met een vermoeide glimlach. 'Nee, inderdaad. En ik heb mijn hele leven geprobeerd hem te vinden. Een paar decennia geleden heb ik zelfs een privédetective in de arm genomen. Dat was weggegooid geld. Duizenden ponden om me door iemand te laten vertellen dat als je in de oorlog vermist wilde worden, Londen daar bij uitstek de plek voor was.' Hij slaakte een ruwe zucht. 'Niemand schijnt het iets te kunnen schelen dat Tom helemaal niet vermist wílde worden.'

'En die advertenties?' Ik gebaarde naar de kopie die nog tussen ons in op de bank lag.

'Die heb ik geplaatst toen het slecht ging met onze jongste broer Joey. Ik vond het de moeite waard een poging te wagen, gewoon voor het geval ik het mis had en Tom nog ergens leefde en een reden zocht om terug te komen. Joey was een beetje simpel, de arme jongen, maar hij aanbad Tom. Het zou alles voor hem hebben betekend om hem nog één laatste keer te zien.'

'Maar u hebt geen reactie gekregen.'

'Niets, behalve een paar kwajongens die voor de grap belden.'

De zon was uit de hemel gegleden en de vroege schemering was transparant roze. Er streek een briesje langs mijn arm en ik besefte dat we weer alleen waren in de tuin; ik herinnerde me dat Theo een oude man was die binnen hoorde te zitten met een biefstuk voor zijn neus en niet met de zorgen van het verleden. 'Het wordt fris,' zei ik. 'Zullen we maar naar binnen gaan?'

Hij knikte en deed een poging te glimlachen, maar toen we overeind kwamen, zag ik wel dat de wind uit zijn zeilen was. 'Ik ben niet van gisteren, Edie,' zei hij toen we bij de deur waren. Ik trok hem open maar hij wilde me met alle geweld voor laten gaan. 'Ik weet dat ik Tom niet meer zal zien. Die advertenties, die jaarlijkse gang naar de burgerlijke stand, de stapel familiealbums en andere dingen die ik bewaar om aan hem te laten zien, voor het geval... Dat doe ik allemaal uit gewoonte en omdat het helpt de leegte te vullen.'

Ik wist precies wat hij bedoelde.

Er kwam lawaai uit de eetzaal. Stoelen die verschoven werden, rinkelend bestek, het geroezemoes van gezellige gesprekken, maar halverwege de gang bleef hij staan. Achter hem hing een verlepte paarse bloem, de tl-buis boven zijn hoofd zoemde en ik zag wat me buiten was ontgaan: zijn wangen waren nat van de tranen. 'Dank je wel,' zei hij zacht. 'Ik weet niet hoe het komt dat je vandaag hebt uitgekozen om op bezoek te komen, Edie, maar ik ben blij dat je het hebt gedaan. Ik ben de hele dag al melancholisch; je hebt van die dagen. Het is goed om over hem te praten. Ik ben de enige die nu nog over is; mijn broers en zussen zitten allemaal hier.' Hij drukte zijn hand op zijn hart. 'Ik mis ze allemaal, maar het verlies van Tom is niet te beschrijven. Het schuldgevoel...' Zijn onderlip trilde en hij moest zijn uiterste best doen zich te beheersen. 'Wetend dat ik tekortgeschoten ben. Dat er iets vreselijks is gebeurd en niemand ervan weet; de wereld, de geschiedenis, beschouwt hem als een verrader omdat ik niet kon bewijzen dat ze ongelijk hadden.'

Elke cel van mijn lichaam hunkerde ernaar om hem te troosten. 'Het spijt me dat ik u geen nieuws van Tom heb gebracht.'

Hij schudde zijn hoofd en glimlachte een beetje. 'Dat geeft niet. Hopen is één ding, verwachten iets heel anders. Ik ben niet gek. Diep vanbinnen weet ik best dat ik straks word begraven zonder dat ik het vraagstuk Tom heb opgelost.'

'Ik wilde dat ik iets kon doen.'

'Kom op een middag maar weer eens op bezoek,' zei hij. 'Dat zou ik heerlijk vinden. Dan vertel ik je wat meer over Tom. Over gelukkiger tijden, dat beloof ik je.'

1

De tuin van Milderhurst Castle, 14 september 1939

Het was oorlog en hij moest een klus klaren, maar de zon brandde aan de hemel, op het water lag een zilveren glans en boven hem strekten boomtakken zich loom uit. Op een manier die zich niet in woorden liet vatten, was het volgens hem verkeerd om niet even te stoppen voor een frisse duik. De vijver was rond en fraai aangelegd met stenen rondom en een houten schommel aan een dikke boomtak. Lachend liet hij zijn pukkel op de grond vallen. Wat een vondst! Hij deed zijn horloge af en legde het voorzichtig op de zachte leren rugzak die hij het jaar daarvoor had gekocht en waarop hij trots was. Hij schopte zijn schoenen uit en knoopte zijn overhemd los.

Wanneer had hij voor het laatst gezwommen? Die zomer nog helemaal niet, dat was zeker. Een groepje vrienden had een auto geleend en was tijdens de warmste augustusmaand die men zich kon heugen voor een week naar het strand in Devon vertrokken. Hij stond op het punt om mee te gaan toen Joey ten val kwam, de nachtmerries begonnen en het arme joch niet kon slapen als Tom niet naast zijn bed zat en verhalen over de metro verzon. Naderhand had hij op zijn eigen smalle bed liggen dromen van de zee, terwijl de hitte zich in de hoeken van de kamer samenpakte, maar dat vond hij niet erg, althans niet lang. Er was weinig wat hij niet voor Joey overhad, die arme drommel met dat grote mannenlichaam dat papperig werd, en met de lach van een kleine jongen. De wrede muziek van die lach kneep als een vuist om zijn hart: om de jongen die Joey was geweest en de man die hij had moeten worden.

Hij schudde zijn overhemd uit en gespte zijn riem los, zette de trieste gedachten van zich af en trok zijn broek uit. Boven hem kuchte een grote zwarte vogel. Tom bleef een ogenblik staan en keek reikhalzend naar de helderblauwe lucht. De zon brandde en hij tuurde het silhouet van de vogel na die sierlijk naar een bos in de verte wiekte. Hij rook iets wat hij niet kende maar wel lekker vond. Bloemen, vogels, in de verte het geklater van water op steen; landelijke geuren en geluiden die zo konden opstijgen uit de bladzijden van Hardy, en Tom werd beneveld van de gedachte dat ze echt waren en hij ermiddenin zat. Dat dit leven heette en hij daarbij hoorde. Hij legde een hand met gespreide vingers plat op zijn borst; de zon scheen warm op zijn blote huid. Zijn hele bestaan lag voor zich en het voelde goed om jong en sterk en hier en nu te zijn. Hij was niet religieus, maar dat was dit ogenblik wel.

Tom wierp een blik over zijn schouder, maar loom en zonder verwachting. Het lag niet in zijn aard om regels te overtreden; hij was onderwijzer, hij moest zijn leerlingen het goede voorbeeld geven en nam zichzelf serieus genoeg om dat te doen. Maar die dag, het weer, de oorlog die net was begonnen, de onbekende geur op de wind: alles maakte hem overmoedig. Hij was tenslotte een jongeman, en een jong iemand kostte het weinig moeite zich het heerlijk vrije gevoel voor te stellen dat de wereld en zijn geneugten wanneer ook maar genoten moesten worden; dat regels van eigendom en preventie, hoe goedbedoeld ook, theoretische voorschriften waren die alleen thuishoorden in boeken en leggers, en in de gesprekken van advocaten met witte baarden in Lincoln's Inn Fields.

De open plek werd omringd door bomen, vlakbij stond een zwijgzame kleedkamer en hij ving een glimp op van een stenen trap die ergens naartoe voerde. Overal lag een deken van zonlicht en vogelgeluiden overheen. Met een diepe, tevreden zucht stelde Tom vast dat de tijd aan hem was. Er was een duikplank en de zon had het hout zo verwarmd dat hij zijn voeten brandde zodra hij hem betrad; hij bleef een ogenblik staan, genoot van de pijn, liet zijn schouders stoven in de zon tot hij het niet langer hield en grijnzend van het uiteinde dook. Hij trok zijn armen naar achteren en kliefde als een pijl door het water. De kou voelde als een bankschroef om zijn borst en hij hapte naar lucht toen hij weer bovenkwam, dankbaar voor de lucht in zijn longen als een baby na zijn eerste ademtocht.

Hij zwom een poosje rond, dook diep omlaag, kwam steeds weer boven en vervolgens bleef hij ruggelings drijven met zijn armen en benen wijd. Dit is volmaakt, dacht hij. Het ogenblik waarover Wordsworth, Coleridge en Shelly de mond vol hadden: het verhevene. Tom wist zeker dat hij tevreden zou sterven als de dood hem nu kwam halen. Niet dat hij dood wilde, althans de eerste zeventig jaar nog niet. Tom maakte snel een berekening: 2009 zou mooi zijn. Een oude man op de maan. Hij lachte, maakte een paar lome slagen op zijn rug, hervatte zijn gedobber en deed zijn ogen zo dicht dat zijn oogleden warm werden. De wereld was oranje en vergeven van sterren en daarna zag hij zijn toekomst schitteren.

Eerdaags zou hij een uniform dragen; de oorlog stond voor de deur en Thomas Cavill kon niet wachten. Hij was niet naïef; zijn eigen vader had in Frankrijk zijn been en een deel van zijn verstand verloren en hij maakte zich geen illusies over heldhaftigheid of glorie; hij wist dat oorlog een ernstige en gevaarlijke aangelegenheid was. Hij hoorde ook niet tot de mannen die graag aan hun huidige omstandigheden wilden ontsnappen, integendeel: voor zover Tom het kon bepalen, was de oorlog de perfecte kans tot bijscholing, als man en als leraar.

Hij wilde al leraar worden vanaf het moment dat hij besefte dat hij ooit volwassen zou zijn, en hij droomde ervan les te geven in zijn eigen buurt in Londen. Tom geloofde dat hij de ogen en harten kon openen van kinderen zoals hij ooit zelf was geweest, voor een wereld die veel grootser was dan de groezelige baksteen en afgeladen waslijnen van hun dagelijks leven. Dat doel had hem gaande gehouden tijdens de onderwijzersopleiding en gedurende de eerste praktijkjaren tot hij uiteindelijk dankzij zijn welsprekendheid en wat ouderwets geluk precies belandde waar hij wilde zijn.

Zodra duidelijk werd dat het oorlog zou worden, wist Tom dat hij zich zou aanmelden. Onderwijzers waren nodig aan het thuisfront, het was een vrijgesteld beroep, maar wat voor voorbeeld zou hij daarmee stellen? En zijn redenering had ook een egoïstische kant. Volgens John Keats was niets echt tot het was ervaren, en Tom wist dat het waar was. Bovendien wist hij precies wat hem ontbrak. Empathie was allemaal goed en wel, maar wanneer Tom doceerde over geschiedenis en opoffering en volksaard, wanneer hij zijn leerlingen de strijdkreet van Hendrik V voorlas, krabde hij over de ondiepe bodem van zijn beperkte levenservaring. Hij wist dat oorlog hem het diepgaande inzicht zou bezorgen waarnaar hij hunkerde. Daarom wilde hij naar Londen terugkeren zodra hij wist dat zijn evacués veilig en wel waren ondergebracht. Hij had zich aangemeld bij het First Battalion van het regiment East Surrey en met een beetje geluk zat hij in oktober in Frankrijk.

Hij woelde lui met zijn vingers door het warme water aan de oppervlakte en slaakte zo'n diepe zucht dat hij iets naar beneden zonk. Misschien kwam het door het bewustzijn dat hij volgende week een uniform zou dragen dat deze dag op de een of andere manier levendiger en echter was dan de dag van morgen en gisteren, want er was wel degelijk een bepaalde, onwerkelijke kracht aan het werk. Het was niet gewoon een kwestie van de warmte of het briesje of de geur die hij niet kon plaatsen, maar een curieuze combinatie van omstandigheden en het weer. Hoewel zijn handen jeukten en zijn benen 's nachts wel eens pijn deden van ongeduld, nu, op dit moment wenste hij alleen maar dat de tijd zou vertragen en hij zo eeuwig kon blijven dobberen...

'Hoe is het water?' De stem deed hem opschrikken. Dat volmaakte gevoel van alleenheid brak als een gouden eierschaal.

Toen hij later bij talrijke gelegenheden de herinneringen aan hun eerste ontmoeting afspeelde, herinnerde hij zich haar ogen het duidelijkst. En eerlijk is eerlijk, de manier waarop ze zich bewoog, het lange haar dat slordig over haar schouders hing, de welving van haar kleine borsten, de vorm van haar benen... o god, die benen. Maar het was vooral het licht in die ogen, die kattenogen. Ogen die dingen wisten en dachten die er niet thuishoorden. Gedurende de lange dagen en nachten die nog zouden volgen, en toen hij ten slotte aan het eindpunt kwam, waren het haar ogen die hij zag wanneer hij de zijne dichtdeed.

Ze zat op de schommel met haar blote voeten op de grond naar hem te kijken. Een meisje, een vrouw? Hij wist het eerst niet goed; ze droeg een eenvoudige witte zomerjurk en keek naar hem terwijl hij in het zwembad dreef. Er kwamen allerlei achteloze replieken in hem op, maar iets in haar gezicht zorgde ervoor dat hij met zijn mond vol tanden lag en alleen maar uitbracht: 'Warm. Perfect. Blauw.' Ze had blauwe, amandelvormige ogen die iets te ver uiteenstonden en ze werden iets groter toen hij zijn drie woorden uitsprak. Ongetwijfeld vroeg ze zich af wat voor sukkel ze in haar zwembad had betrapt.

Onhandig zwom hij een paar slagen en wachtte af tot ze hem zou vragen wie hij was, wat hij daar deed, waarom hij daar überhaupt zwom, maar dat deed ze niet, ze vroeg niets van dat al. Ze zette zich alleen maar lui af zodat de schommel een lome boog tot net boven het water en terug beschreef. Hij wilde zich graag laten kennen als een man van meer dan drie woorden, dus beantwoordde hij ze toch: 'Ik ben Thomas,' zei hij. 'Thomas Cavill. Het spijt me dat ik je zwembad gebruik, maar het is ook zo warm. Ik kon de verleiding niet weerstaan.' Hij lachte naar haar en ze liet haar hoofd tegen het touw rusten. Half en half vroeg hij zich af of zij zich soms ook op verboden terrein bevond. Iets in de manier waarop ze naar hem keek en een hoedanigheid alsof zij en de omgeving waarin hij haar aantrof geen natuurlijke metgezellen waren. Vaag vroeg hij zich af waar ze wel zou thuishoren, zo'n meisje, maar hij had geen idee.

Zonder iets te zeggen hield ze op met schommelen, stapte eraf en liet het speeltuig los. De touwen verslapten en het zwaaide heen en weer. Hij zag dat ze vrij lang was. Daarna ging ze op de stenen rand zitten, trok haar knieën op naar haar borst zodat haar jurk hoog om haar dijen gepropt zat, doopte haar tenen in het water en staarde over haar knieën naar de rimpels die zich van haar verwijderden.

Tom voelde de verontwaardiging in zijn borstkas oprijzen. Hij was in overtreding, maar had niemand iets aangedaan; in elk geval niets om op zwijgzaamheid te worden getrakteerd. Nu gedroeg ze zich alsof hij er helemaal niet was; al zat ze vlak bij hem, op haar gezicht lag een uitdrukking alsof ze diep en afwezig in gedachten verzonken was. Waarschijnlijk speelde ze een soort spelletje, zo'n spelletje dat meisjes – vrouwen – leuk vinden, het soort dat mannen in de war brengt en daardoor op een curieuze, tegendraadse manier laat gehoorzamen. Waarom zou ze hem anders negeren? Tenzij ze verlegen was. Misschien was dat het wel; ze was jong, de kans was groot dat ze zijn brutaliteit, zijn mannelijkheid, het feit dat hij, laten we wel wezen, bijna naakt was, confronterend vond. Het speet hem, want dat was helemaal zijn bedoeling niet geweest, hij had tenslotte alleen maar even willen zwemmen, en hij zei zo nonchalant en vriendelijk mogelijk: 'Hoor eens, het spijt me dat ik je zo heb verrast. Ik heb geen kwaad in de zin. Mijn naam is Thomas Cavill. Ik ben hier om...'

'Ja,' zei ze. 'Dat zei je al.' Ze bekeek hem alsof hij een muskiet was. Vermoeid, een beetje geërgerd, naar verder onaangedaan. 'Je hoeft er niet zo over door te mekkeren.'

'Nou zeg. Ik wilde je alleen maar geruststellen dat...'

Maar Tom slikte de rest van zijn woorden in. In de eerste plaats was het duidelijk dat deze vreemde persoon niet meer luisterde. In de tweede plaats stond hij veel te perplex. Terwijl hij sprak, was ze opgestaan en nu hees ze haar jurk omhoog, waaronder hij een badpak zag zitten. Zomaar. Nog geen blik zijn kant op, ze gluurde niet vanonder haar wimpers en giechelde evenmin over haar eigen rechtstreekse manier van doen. Ze gooide de jurk achter haar op de grond, een klein bergje afgedankt katoen, en rekte zich uit als een door de zon verwarmde kat, geeuwde even zonder zichzelf te bekommeren om vrouwelijke maniertjes zoals haar hand voor haar mond houden of zijn kant op blozen.

Zonder enige poeha dook ze het zwembad in en toen ze het water raakte, klom Tom haastig op het droge. Haar overmoed – als dat het tenminste was – had hem op de een of andere manier van zijn stuk gebracht. Zijn schrik joeg hem angst aan en die vrees was onweerstaanbaar. Het maakte háár onweerstaanbaar.

Tom had natuurlijk geen handdoek bij zich en ook geen ander middel om zich vlug af te drogen en aan te kleden, dus ging hij maar op een plek in de zon staan doen alsof hij dat in alle rust deed. Het was geen geringe prestatie. Zijn ongedwongenheid had hem verlaten en nu wist hij hoe het voelde om een van zijn stuntelende vrienden te zijn die, geconfronteerd met een knappe vrouw, schuifelend met hun voeten gingen stotteren. Een knappe vrouw die naar de oppervlakte van het zwemwater was gekomen en loom op haar rug dreef terwijl haar lange haren om haar gezicht als zeewier uitwaaierden; ze was geschrokken noch aangedaan en zo te zien was ze zich niet bewust van zijn inbreuk op haar privacy.

Tom probeerde iets van waardigheid te zoeken, besloot dat zijn lange broek wel zou helpen en trok die over zijn natte onderbroek aan. Hij wilde gezag uitstralen en deed zijn best om van de zenuwen niet arrogant te gaan doen. Hij was verdorie onderwijzer van beroep, en eerdaags zou hij soldaat zijn; zo moeilijk kon dat niet zijn. Maar professionaliteit was lastig uit te stralen als je halfnaakt op je blote voeten in andermans tuin staat. Alle eerdere openbaringen ten aanzien van de dwaasheid van eigendomsrecht bleken nu grof, als niet misleidend, en hij moest slikken voordat hij zo bedaard mogelijk zei: 'Ik ben Thomas Cavill en ik ben onderwijzer van beroep. Ik ben hier gekomen om een kijkje te nemen bij een leerling van me die hier volgens mijn informatie als evacué is opgenomen.' Hij droop van het water, er stroomde een beekje warm vocht over het midden van zijn buik en met kromme tenen voegde hij eraan toe: 'Ik ben haar onderwijzer.' Wat hij natuurlijk al had gezegd.

Ze had zich op haar zij gedraaid en bestudeerde hem nu vanuit het midden van de zwemvijver alsof ze vanbinnen aantekeningen maakte. Ze zwom onder water als een zilveren streep en dook op aan de kant, drukte haar armen plat op de stenen met de ene hand op de andere en liet haar kin daarop rusten. 'Meredith.'

'Ja.' Een zucht van verlichting. Eindelijk. 'Ja, Meredith Baker. Ik wil graag kijken hoe ze het maakt.'

Die wijduiteenstaande ogen keken hem aan en haar gevoelens waren er onmogelijk in af te lezen. Daarna glimlachte ze, haar gezicht onderging op de een of andere buitengewone manier een metamorfose en met ingehouden adem hoorde hij haar zeggen: 'Dat kunt u misschien beter rechtstreeks aan haar vragen, want ze komt zo. Mijn zus neemt haar maten voor jurken op.'

'Mooi zo, dat is goed.' Het hebben van een doel was zijn reddingsvlot en hij klampte zich er dankbaar en zonder een spoortje van gêne aan vast. Hij trok zijn overhemd weer aan, zette zich op het voeteneind van een ligstoel die vlakbij stond en haalde de map en zijn checklist uit zijn rugzak. Met een schijn van waardigheid veinsde hij grote belangstelling voor de inhoud te hebben, al kon hij die wel uit zijn hoofd opzeggen als het moest. Maar hij kon een en ander net zo goed nog eens doornemen: hij wilde zich ervan verzekeren dat hij eerlijk en goed ingelicht op eventuele vragen van ouders kon antwoorden wanneer hij weer terug was in Londen. De meeste van zijn leerlingen waren ondergebracht in het dorp, twee bij de dominee in de pastorie en nog een in een boerderij een stukje verderop; maar Meredith, bedacht hij met een blik over zijn schouder op het legertje schoorstenen dat in de verte boven de boomkruinen uitstak, was het verst afgedwaald. Een kasteel, volgens het adres op zijn checklist. Hij had gehoopt dat hij er een kijkje in kon nemen en niet alleen kijken, maar ook een beetje verkennen; tot nu toe waren de dames van het dorp heel voorkomend geweest; ze hadden hem op thee en gebak getrakteerd en vroegen steeds of hij wel genoeg had.

Hij riskeerde nog een blik op het schepsel in het water en veronderstelde dat zo'n uitnodiging uiterst onwaarschijnlijk zou zijn. Haar aandacht was elders, dus liet hij zijn ogen op haar rusten. Het was een onthutsend meisje: ze leek geen oog voor hem te hebben en ongevoelig voor zijn charme te zijn. Naast haar voelde hij zich maar gewoontjes, en daar was hij niet aan gewend. Maar van deze afstand kon hij, nu zijn trots enigszins was gladgestreken, die ijdele gedachten lang genoeg van zich afzetten om zich af te vragen wie zij was. De opdringerige dame van de lokale vrouwelijke vrijwilligers had hem verteld dat het kasteel het eigendom was van de schrijver Raymond Blythe, ('*The True History of the Mud Man*, dat hebt u toch wel gelezen?') die inmiddels oud en ziekelijk was, maar dat Meredith nu in goede handen was bij zijn tweelingdochters, een stel oude vrijsters dat uitermate geschikt was voor een arm dakloos kind. Ze had het niet over nog een bewoner gehad en hij was ervan uitgegaan, als hij er al bij stil had gestaan, dat de heer Blythe en de tweeling de enige bewoners van het kasteel waren. Hij had in elk geval niet op dit meisje – deze vrouw, deze jonge en ondoorgrondelijke vrouw die bepaald geen oude vrijster was – gerekend. Hij wist niet goed waarom, maar opeens moest hij heel dringend meer van haar weten.

Ze spetterde wat en hij keek de andere kant op en schudde glimlachend zijn hoofd om zijn eigen betreurenswaardige verwaandheid. Tom kende zichzelf goed genoeg om te beseffen dat zijn belangstelling voor haar omgekeerd evenredig was aan de hare voor hem. Zelfs als kind was al hij al voortgestuwd door de meest zinledige van alle drijfveren: het verlangen om nou juist datgene te bezitten wat hij niet kon krijgen. Hij moest het loslaten. Ze was maar een meisje. En nog wel een excentriek meisje.

Er klonk wat geritsel en vervolgens stoof er een goudgele labrador door de struiken achter zijn zwabberende tong aan; vlak daarna volgde Meredith met een glimlach op haar gezicht die hem alles vertelde wat hij over haar situatie moest weten. Tom was zo blij haar te zien, dat kleine, gebrilde stukje gewoonheid, dat hij grijnzend overeind kwam en bijna over zijn eigen voeten struikelde toen hij haar wilde begroeten. 'Hé, meisje, alles goed met jou?'

Ze bleef met een ruk staan en keek hem met knipperende ogen aan. Hij besefte dat het haar verwarde om hem zo totaal buiten zijn gewoonlijke context te zien. Terwijl de hond in kringetjes om haar heen holde en de blos op haar wangen zich naar haar hals verspreidde, schuifelde ze met haar gymschoenen en zei: 'Dag, meneer Cavill.'

'Ik kom eens kijken hoe het gaat.'

'Goed, meneer Cavill. Ik logeer in een kasteel.'

Hij glimlachte. Het was een lief kind, een beetje timide maar wel intelligent. Ze had een soepele geest en een uitstekend waarnemingsvermogen; ze had de gewoonte om verborgen bijzonderheden te ontdekken die voor verrassend originele beschrijvingen zorgden. Ze had helaas weinig of geen zelfvertrouwen en je zag zo waarom: haar ouders hadden Tom aangekeken alsof hij niet goed bij zijn hoofd was toen hij een jaar of wat geleden had geopperd dat ze misschien wel toelatingsexamen voor het gymnasium kon doen. Maar daar werkte Tom aan. 'Een kasteel! Dat is nog eens boffen. Volgens mij ben ik nog nooit in een kasteel geweest.'

'Het is erg groot en heel donker, er hangt een rare modderlucht en er zijn ontzettend veel trappen.'

'Heb je ze allemaal al beklommen?'

'Een paar, maar niet de trap naar de torenkamer.'

'Nee?'

'Daar mag ik niet komen. Daar werkt meneer Blythe. Hij is schrijver, een echte.'

'Een echte schrijver. Misschien kan hij je wel wat tips geven als je geluk hebt.' Tom gaf haar een speels klopje op haar schouder.

Ze glimlachte verlegen, maar wel verheugd. 'Ja, misschien wel.'

'Schrijf je nog in je dagboek?'

'Elke dag. Er is een heleboel om over te schrijven.' Ze wierp stiekem een blik op de zwemvijver en Tom volgde haar voorbeeld. Lange benen dreven achter het meisje dat zich aan de kant vasthield. Plotseling schoot hem een citaat van Dostojevski te binnen. Schoonheid is zowel mysterieus als verschrikkelijk. Tom schraapte zijn keel. 'Mooi,' zei hij. 'Hoe meer je oefent, hoe beter je wordt. Neem nooit met minder genoegen dan je best.'

'Oké.'

Hij glimlachte naar haar en knikte naar zijn klembord. 'Dus kan ik opschrijven dat je gelukkig bent? Is alles goed met je?'

'O, ja hoor.'

'Mis je je vader en moeder niet te erg?'

'Ik schrijf brieven,' zei Meredith. 'Ik weet waar het postkantoor is en ik heb ze al een ansichtkaart met mijn nieuwe adres gestuurd. De dichtstbijzijnde school is in Tenterden, maar daar gaat een bus naartoe.'

'En je broer en zus zitten ook in de buurt van het dorp, hè?'

Meredith knikte.

Hij legde zijn hand op haar hoofd; het haar op haar kruin was warm van de zon. 'Het komt wel goed met jou, meisje.'

'Meneer Cavill?'

'Ja?'

'Binnen zou u de boeken eens moeten zien. Er is een kamer met alleen maar volle boekenplanken aan de wand, helemaal tot aan het plafond.'

Hij glimlachte breed. 'Nou, ik voel me al een stuk beter nu ik dat weet.'

'Ik ook.' Ze knikte naar het meisje in het water. 'Juniper heeft gezegd dat ik mag lezen wat ik wil.'

Juniper. Ze heette Juniper.

'Ik heb al drie kwart van *The Woman in White* gelezen en daarna begin ik aan *Wuthering Heights*.'

'Kom je erin, Merry?' Juniper was weer naar de andere kant van het zwembad gezwommen en wenkte het jongere meisje. 'Het water is heerlijk. Warm. Perfect. Blauw.'

Tom moest onwillekeurig huiveren bij het horen van zijn woorden uit haar mond. Naast hem schudde Meredith haar hoofd alsof de vraag haar had overvallen. 'Ik kan niet zwemmen.'

Juniper klom het zwembad uit en trok haar witte jurk zo over haar hoofd dat die aan haar natte benen bleef plakken. 'Daar zullen we iets aan moeten doen zolang je bij ons bent.' Ze bond haar natte haren in een slordige paardenstaart vast en wierp die over haar schouder. 'Is er nog iets?' vroeg ze aan hem.

'Nou, ik dacht, misschien...' Hij ademde uit, herstelde zich en begon opnieuw. 'Misschien is het een idee als ik even met jullie meeloop om kennis te maken met de andere leden van het huishouden.'

'Nee,' zei Juniper zonder blikken of blozen. 'Dat is geen goed idee.'

Hij voelde zich onredelijk op zijn tenen getrapt.

'Mijn zuster houdt niet van vreemden, vooral niet van vreemde mannen.'

'Ik ben toch geen vreemde, Merry?'

Meredith glimlachte. Juniper niet. Ze zei: 'Het is niets persoonlijks. Ze is een rare.'

'Aha.'

Ze stond vlak bij hem. Er gleden druppels water van haar wimpers toen haar blik de zijne kruiste; hij las geen belangstelling in haar ogen, maar zijn hart ging wel sneller kloppen. 'Welaan dan,' zei ze.

'Welaan dan.'

'Is dat alles?'

'Dat is alles.'

Ze stak haar kin in de lucht en bekeek hem nog even voordat ze een knikje gaf. Een bruuske beweging die het absolute einde van het gesprek betekende.

'Dag, meneer Cavill,' zei Meredith.

Glimlachend gaf hij haar een hand. 'Dag, meiske. Zorg goed voor jezelf. En blijf schrijven.'

Hij keek hen na toen ze in het groen verdwenen in de richting van het kasteel. Haar lange, blonde haar droop op haar rug en schouderbladen die als aarzelende vleugels aan weerskanten uitstaken. Ze legde een arm om Meredith' schouders en hoewel ze uit het gezicht verdwenen waren, meende Tom ze te horen giechelen toen ze de helling opliepen.

Er zou ruim een jaar verstrijken voordat hij haar weer zou zien, voordat ze elkaar stomtoevallig in Londen op straat tegen het lijf zouden lopen. Hij zou dan een ander mens zijn geworden, onherroepelijk veranderd, rustiger, minder zelfverzekerd en net zo beschadigd als de stad om hem heen. Frankrijk zou hij hebben overleefd, zijn gewonde been zou hij naar Bray Dune hebben gesleept, hij zou geëvacueerd zijn uit Duinkerken; hij zou vrienden in zijn armen hebben zien sterven, hij zou een aanval van dysenterie hebben overleefd en hij zou weten dat John Keats weliswaar gelijk had, dat ervaring inderdaad waarheid was, maar dat je sommige waarheden maar beter niet uit de eerste hand kon weten.

En de nieuwe Thomas Cavill zou verliefd worden op Juniper Blythe om precies dezelfde redenen waarom hij haar zo merkwaardig vond op die open plek, in die zwemvijver. In een wereld grauw van as en verdriet zou ze hem dan voorkomen als een mirakel; die magische, niet-specifieke aspecten die helemaal los bleven van de werkelijkheid zouden hem betoveren en ze zou hem in één klap redden. Hij zou haar liefhebben met een hartstocht die hem zowel angst aanjoeg als opbeurde, met een radeloosheid die de spot dreef met zijn keurige toekomstdromen.

Maar toen wist hij daar niets van. Hij wist alleen dat hij zijn laatste leerling op de lijst kon afvinken, dat Meredith Baker in goede handen was, dat ze gelukkig was en goed werd verzorgd, dat hij nu vrij was om terug naar Londen te liften om de draad van zijn opleiding en zijn levensplan weer op te vatten. En hoewel hij nog niet droog was, knoopte hij zijn overhemd dicht, ging hij zitten om zijn veters te strikken, en floot hij een wijsje toen hij de zwemvijver achter zich liet waar de waterlelies nog deinden op de rimpels die ze had gemaakt, dat vreemde meisje met die onaardse ogen. Hij liep heuvelafwaarts langs het smalle stroompje dat hem naar de weg zou brengen, weg van Juniper Blythe en Milderhurst Castle die hij geen van beide ooit weer zou zien, althans dat dacht hij.

2

O, maar het leven zou nooit meer hetzelfde zijn! Hoe kon het ook? Niets in de duizenden boeken die ze had gelezen, niets van wat ze had gedroomd, geschreven of zich had verbeeld, kon Juniper Blythe hebben voorbereid op de ontmoeting met Thomas Cavill bij de vijver. Toen ze de eerste glimp van hem op de open plek had opgevangen, drijvend op het water, veronderstelde ze dat ze hem zelf had opgeroepen. Het was al een tijdje geleden dat ze haar laatste 'bezoeker' had gehad en weliswaar had haar hoofd niet gebonkt en had ze geen last van een misplaatste oceaan die waarschuwend in haar oren ruiste, maar het zonlicht had een vertrouwd aspect, een kunstmatige, glinsterende hoedanigheid die het tafereel minder werkelijk maakte dan wat ze net achter zich had gelaten. Ze keek omhoog naar de kruinen van de bomen en toen de hoogste bladeren bewogen op de wind, leek het of er gouden vlokken op de grond vielen.

Ze ging op de schommel zitten omdat dit het veiligste was om te doen als ze bezoek had. Ze dacht: *Ga op een rustige plek zitten, houd je stevig aan iets vast en wacht tot het overgaat*; de drie gouden regels die Saffy had bedacht toen Juniper klein was. Ze had Juniper op de keukentafel getild om haar bloedende knie te verzorgen en zei heel zacht dat de bezoekers inderdaad een geschenk waren, precies zoals papa had gezegd, maar dat ze toch moest leren voorzichtig te zijn.

'Maar ik vind het heerlijk om met ze te spelen,' zei Juniper. 'Het zijn mijn vrienden. En ze vertellen zulke interessante dingen.'

'Ik weet het, lieverd, en dat is prachtig. Vergeet alleen niet dat je niet een van hen bent. Je bent een klein meisje met een huid met bloed daaronder en botten die kunnen breken, en twee grote zussen die je heel graag volwassen willen zien worden!'

'En een papa.'

'Natuurlijk. En een papa.'

'Maar geen moeder.'

'Nee.'

'Maar wel een pup.'

'Emerson, ja.'

'En een pleister op mijn knie.'

Saffy moest lachen en gaf haar een knuffel die naar talkpoeder, jasmijn en inkt rook en zette haar weer op de keukentegels. En Juniper deed heel erg haar best om geen oogcontact te maken met het wezen voor het raam dat haar wenkte om buiten te komen spelen.

Juniper wist niet waar de bezoekers vandaan kwamen. Het enige wat ze wist, was dat haar vroegste herinneringen gingen over gestalten in de banen van licht om haar wiegje. Ze was pas drie voordat ze begreep dat anderen ze niet zagen. Ze hadden haar helderziend en gek genoemd, boosaardig en begaafd; ze had talloze kindermeisjes verjaagd die het niet begrepen hadden op ingebeelde vriendjes. 'Ze zíjn niet ingebeeld,' had Juniper uitgelegd, tot vervelens toe, op zo redelijk mogelijke toon. Maar klaarblijkelijk waren er geen Britse nanny's die bereid waren zo'n bewering voor lief te nemen. Een voor een pakten ze hun spullen en eisten ze een onderhoud met papa; vanuit haar verborgen plekje in de slagaderen van het kasteel, het hoekje bij de opening in de stenen, hoorde Juniper zichzelf omhangen met een fonkelnieuwe serie beschrijvingen: 'Ze is impertinent...' 'Ze is obstinaat...' en zelfs een keer: 'Bezeten!'

Iedereen had wel een theorie over de bezoekers. Dokter Finley geloofde dat ze 'vezels van verlangen en nieuwsgierigheid' waren, die werden geprojecteerd door haar eigen geest en op de een of andere manier in verband stonden met haar gebrekkige hart; dokter Heinstein voerde aan dat het symptomen van een psychose waren en voorzag haar van een hele batterij pillen die daar zeker een einde aan zouden maken; papa zei dat het de stemmen van haar voorouders waren en dat zij specifiek was uitverkoren om die te horen; Saffy hield vol dat ze perfect was zoals ze was en Percy kon het weinig schelen. Die zei dat iedereen op aarde anders was, en waarom moesten de mensen in 's hemelsnaam in categorieën worden ondergebracht, waarom moesten mensen het etiket normaal of anders krijgen?

Enfin. Juniper was niet echt op de schommel gaan zitten omdat dat het veiligst was. Ze was er gaan zitten omdat ze de verschijning in het zwembad zo het best kon zien. Zij was nieuwsgierig en hij beeldschoon. Zijn zachte huid, het rijzen en dalen van de spieren van zijn blote borst bij het ademen, zijn armen. Als zij hem eigenhandig had opgeroepen, had ze verdomd goed werk geleverd; hij was exotisch en heerlijk en ze wilde net zo lang naar hem kijken tot hij was teruggekeerd in het gevlekte zonlicht en de gevallen bladeren voor haar neus.

Alleen was dat niet wat er gebeurde. Terwijl ze haar hoofd tegen het touw van de schommel liet rusten, opende hij zijn ogen, keek hij in de hare en ging hij praten.

Dat op zich was niet nieuw; de bezoekers hadden al vaak tegen Juniper gesproken, maar dit was voor het eerst dat ze de vorm van een jongeman hadden aangenomen. Een jongeman met heel weinig kleren aan.

Ze gaf antwoord, maar beknopt. In werkelijkheid was ze geïrriteerd, ze wilde niet dat hij iets zei, ze wilde dat hij gewoon zijn ogen weer dichtdeed om op de glinsterende oppervlakte te dobberen, zodat zij de voyeur kon uithangen. Zodat zij de dans van het zonlicht op zijn ledematen, zijn lange, lange ledematen en op zijn prachtige gezicht kon volgen, en zich kon concentreren op die curieuze sensatie, als het nagonzen van een bespeelde snaar, heel diep in haar buik.

Ze kende niet veel mannen. Je had natuurlijk papa, maar die telde amper mee; haar peetvader Stephen; een paar stokoude hoveniers die in de loop der jaren op het landgoed hadden gewerkt; en Davies die de Daimler had onderhouden.

Maar dit was anders.

Juniper had geprobeerd hem te negeren in de hoop dat hij de boodschap zou begrijpen en zijn pogingen om een gesprek te voeren zou staken, maar hij was een volhouder. Hij had zijn naam genoemd, Thomas Cavill. Doorgaans hadden ze geen naam. Niet de gewone.

Ze was zelf in het water gedoken en hij was er haastig uit geklommen. Toen zag ze dat er kleren op de ligstoel lagen; zijn kleren, wat wel heel merkwaardig was.

En toen gebeurde het eigenaardigste. Meredith was gekomen – ten langen leste ontslagen uit Saffy's naaikamer – en zij en de man raakten in gesprek.

Juniper sloeg hen gade vanuit het water en verdronk bijna van schrik, want één ding was zeker, haar bezoekers waren onzichtbaar voor anderen.

Juniper woonde al haar hele leven op Milderhurst Castle. Net als haar vader en haar zussen was ze geboren in een vertrek op de tweede verdieping. Ze kende het kasteel en de bossen zoals je kon verwachten van iemand die geen andere wereld kende. Ze was veilig en geliefd en verwend. Ze las en ze schreef en ze speelde en droomde. Het enige wat van haar werd verwacht, was dat ze precies was hoe en wie ze was. Soms zelfs meer dan dat.

'Jij, kleine meid van me, bent een schepsel van het kasteel,' zei papa dikwijls tegen haar. 'Wij zijn hetzelfde, jij en ik.' En heel lang was Juniper volmaakt tevreden met die beschrijving.

Maar de laatste tijd was er van alles aan het veranderen op een manier die ze niet goed kon verklaren. Af en toe werd ze 's nachts wakker met een onverklaarbare zucht in haar ziel, een smachten, zoals honger, maar waarnaar wist ze niet. Onvrede, verlangen, een diepe, gapende kloof van afwezigheid en geen idee waar ze die mee moest vullen, geen idee wat ze precies miste. Ze had gelopen en gehold; ze had met furieuze snelheid geschreven. Woorden, geluiden hadden vanbinnen tegen de wand van haar schedel geduwd met de eis te worden verlost, en het was een opluchting om ze op schrift te stellen; ze voelde zich niet rampzalig, ze piekerde niet, ze herlas nooit iets. Het was al voldoende om de woorden te bevrijden zodat de stemmen in haar hoofd tot zwijgen werden gebracht.

Toen was ze op een dag op een ingeving naar het dorp gegaan. Juniper reed niet vaak auto, maar ze stuurde de grote oude Daimler High Street in. Als in een droom, als een personage in andermans verhaal, had ze de auto geparkeerd en was ze de zaal in gelopen. Een vrouw zei iets tegen haar, maar inmiddels had ze Meredith al gezien.

Later zou Saffy haar vragen hoe ze haar had uitgekozen, waarop Juniper antwoordde: 'Ik heb niet gekozen.'

'Ik ben het niet graag met je oneens, lieverd, maar ik weet heel zeker dat jij haar mee naar huis hebt genomen.'

'Ja, natuurlijk, maar ik heb haar niet úítgekozen, ik wist het gewoon.'

Juniper had nog nooit een vriendin gehad. Andere mensen, papa's pompeuze vrienden, bezoekers van het kasteel, leken alleen maar meer lucht te verbruiken dan betamelijk was, je werd gewoon verpletterd door hun poeha, ijdeltuiterij en constante gepraat. Maar Meredith was anders. Zij was grappig en zag de dingen op haar eigen manier. Ze was een boekenwurm die nog nooit met boeken was geconfronteerd, ze was gezegend met een scherpe opmerkingsgave, maar haar gedachten en gevoelens werden niet gefilterd door wat ze had gelezen en al eerder was geschreven. Ze bekeek de wereld met andere ogen en drukte zich op een unieke manier uit, die Juniper verraste en liet lachen, zodat ze de dingen anders ging zien en voelen. Maar het mooiste van alles was dat Meredith vol verhalen over de buitenwereld zat. Haar komst had een scheurtje veroorzaakt in de stof van Milderhurst. Een klein, helder venster waar Juniper haar oog tegenaan kon houden om te zien wat daarachter lag.

En nu, moest je kijken wat ze had meegenomen! Een man, een echte man van vlees en bloed. Een jongeman uit de buitenwereld, de echte wereld, was in de zwemvijver verschenen. Licht uit de buitenwereld was door de sluier gaan schijnen en nu nog feller omdat er een tweede scheur was gemaakt, en Juniper wist dat ze op de een of andere manier meer wilde zien.

Hij had willen blijven, met ze mee naar het kasteel willen gaan, maar Juniper had nee gezegd. Het kasteel was helemaal verkeerd, ze wilde hem gadeslaan, beloeren als een kat, behoedzaam, langzaam, ongezien terwijl ze langs zijn huid streek; als dat niet kon, dan maar liever niets. Op die manier zou hij een door de zon beschenen, verstild moment blijven; een briesje dat over haar wang streek terwijl de schommel heen en weer bewoog over de vijver die steeds warmer werd, en een nieuw, zuigend gevoel onder in haar buik.

Hij ging. En zij bleven. En zij sloeg een arm om Meredith' schouders en lachend gingen ze weer heuvelopwaarts; ze maakten grapjes over Saffy's gewoonte om spelden niet alleen in de stof maar ook in je benen te steken, wezen op de antieke fontein die niet meer werkte, bleven even staan om naar het stilstaande algenwater erin te kijken terwijl libelles grillig boven de rand vlogen. Maar al die tijd regen haar gedachten zich achter haar aan als de draad van een spin, die de man volgde die naar de weg afdaalde.

Ze liep weer verder en nu wat sneller. Het was warm, zo warm, haar haar was al bijna droog en plakte tegen haar wangen, haar huid leek strakker dan anders. Ze voelde zich merkwaardig geanimeerd. Meredith kon vast haar hart horen bonken tegen haar ribbenkast.

'Ik heb een geweldig idee,' zei ze. 'Heb je je ooit afgevraagd hoe Frankrijk eruitziet?' En ze nam haar kleine vriendin bij de hand en samen holden ze de trap op, door de doornstruiken, door de lange tunnel van bomen. Vliedend, dat woord kwam in haar op en het gaf haar een lichter gevoel, als van een hert. Sneller, steeds sneller, allebei lachten ze en de wind trok aan Junipers haar en haar voeten liepen juichend over de warme, harde grond en de blijdschap holde met haar mee. Uiteindelijk waren ze bij het voorportaal, stommelden ze hijgend, allebei, naar boven, door de openstaande terrasdeuren de stille koelte van de bibliotheek in.

'June? Ben jij dat?'

Het was Saffy, die aan haar schrijfbureau zat. Die lieve Saffy keek op van haar schrijfmachine zoals altijd: een beetje verbijsterd, alsof ze midden in een droom over rozenblaadjes en dauwdruppels was betrapt en de werkelijkheid een enigszins stoffige verrassing was.

Of het nu kwam door de zon, de vijver, de man, of de felblauwe lucht, Juniper kon de verleiding niet weerstaan om in het voorbijgaan snel een kus op de kruin van haar zus te drukken.

Saffy straalde. 'Heeft Meredith... O, ja, ik zie het al. Mooi. O, ik zie dat je gezwommen hebt; kijk maar uit dat papa...'

Maar hoe de waarschuwing ook luidde, Juniper en Meredith waren alweer weg voordat ze was uitgesproken. Ze holden door hoge gangen van zandsteen, langs smalle trappen omhoog, de ene verdieping na de andere, tot ze uiteindelijk op de zolder helemaal boven in het kasteel waren. Juniper liep snel naar het open raam, hees zich voorzichtig op de boekenkast en draaide zich zo om dat haar voeten op het dak buiten rustten. 'Kom maar,' zei ze tegen Meredith, die nog in de deuropening stond met een merkwaardige uitdrukking op haar gezicht. 'Schiet op.'

Meredith slaakte een aarzelende zucht, duwde haar bril terug op haar neus en volgde haar voorbeeld. Ze deed precies wat Juniper had gedaan. Ze schoof langzaam over het steile dak tot ze bij de rand kwamen die zo steil omlaag liep als de boeg van een groot schip.

'Kijk, daar,' zei Juniper, toen ze naast elkaar zaten op het platje achter de randtegels. Ze wees naar een krabbel aan de horizon. 'Ik zei het toch? Je kunt helemaal naar Frankrijk kijken.'

'Echt? Is dat Frankrijk?'

Juniper knikte, maar lette verder niet meer op de kustlijn. In plaats daarvan tuurde ze naar het brede weiland met lang, dor gras om Cardarker Wood; ze tuurde en tuurde, hopend op een laatste glimp...

Een schok. Daar zag ze hem, een nietig figuurtje dat het weiland voor de eerste brug overstak. Hij had zijn hemdsmouwen tot zijn ellebogen opgerold, dat kon ze nog zien, en hij hield zijn armen naast zich uitgestrekt en streek met zijn handpalmen over de toppen van de hoge grasstengels. Ze keek toe en zag hoe hij zijn handen naar zijn achterhoofd bracht, hij leek de hemel wel te omhelzen. Ze besefte dat hij zich omdraaide, zich hád omgedraaid. Dat hij terugkeek naar het kasteel. Ze hield de adem in en vroeg zich af hoe het mogelijk was dat het leven in een half uur zo kon veranderen, terwijl er eigenlijk helemaal niet zoveel was veranderd.

'Het kasteel draagt een rok,' zei Meredith, wijzend op de grond beneden.

Hij was weer doorgelopen en daarna verdween hij achter een plooi van de heuvel en werd alles stil. Thomas Cavill was door een kier naar de buitenwereld geglipt. De lucht om het kasteel leek er weet van te hebben.

'Kijk maar,' zei Meredith. 'Hier recht beneden.'

Juniper haalde haar sigaretten uit haar zak. 'Vroeger lag daar een slotgracht. Die heeft papa na de dood van zijn eerste vrouw laten dempen. We mogen eigenlijk ook niet in de vijver zwemmen.' Ze glimlachte toen Meredith' gezicht betrok. 'Kijk maar niet zo bezorgd, kleine Merry. Niemand zal boos worden als ik je leer zwemmen. Papa komt zijn toren toch niet meer uit, dus hij zal niet weten of we de zwemvijver gebruiken of niet. Bovendien is het misdadig om niet te zwemmen als het zo warm is als vandaag.'

Warm, perfect, blauw.

Juniper streek de lucifer hard af. Na een lange haal steunde ze met haar hand op het hellende dak en tuurde ze naar de helderblauwe lucht. Het plafond van haar koepel. En er klonken woorden in haar hoofd die niet van haar waren.

Ik, een oude schildpad
zal mij op vleugels naar een verwelkte tak voeren; en daar
mijn gezel, die ik nooit meer zal vinden,
bewenen tot ik verloren ben.

Bespottelijk, natuurlijk. Volkomen bespottelijk. Die man was haar metgezel niet; zij hoefde hem helemaal niet te bewenen tot ze verloren was. En toch waren de woorden in haar opgekomen.

'Vind jij meneer Cavill aardig?'

Junipers hart sloeg over. De vlammen sloegen haar uit. Ze was betrapt! Meredith had de geheime mechanismen van haar gedachten aangevoeld. Ze duwde haar afgezakte schouderbandje weer terug om tijd te rekken en stak net haar lucifers weer in haar zak toen Meredith zei: 'Ik wel.'

En aan de roze gloed op haar wangen kon Juniper zien dat Meredith wel heel erg dol op haar leraar was. Ze werd verscheurd tussen opluchting omdat haar eigen gedachten nog van haar waren en een woeste, verpletterende afgunst omdat iemand dezelfde gevoelens koesterde. Ze keek Meredith aan en de laatste emotie verdween even snel als ze was opgelaaid. Ze probeerde nonchalant over te komen. 'Hoezo? Wat vind je zo leuk aan hem?'

Meredith gaf eerst geen antwoord. Juniper nam een trek en staarde naar de plek waar de man uit de koepel van Milderhurst was gebroken.

'Hij is heel slim,' zei ze uiteindelijk. 'En knap. En hij is aardig, zelfs tegen mensen die moeilijk in de omgang zijn. Hij heeft een zwakbegaafde broer, een heel grote vent die zich als een baby gedraagt, gauw huilt en soms een keel opzet op straat, maar je moet eens zien hoe geduldig meneer Cavill met hem is. Als je hen samen zou zien, zou je zeggen dat hij de tijd van zijn leven heeft, en niet op die overdreven manier van mensen die weten dat er naar ze wordt gekeken. Hij is de beste onderwijzer die ik ooit heb gehad. Hij heeft me een dagboek gegeven, een echte met een leren omslag. Hij zegt dat ik langer naar school kan gaan als ik hard werk, ik kan misschien zelfs naar het gymnasium of studeren en ooit goed leren schrijven: verhalen, gedichten of krantenartikelen...' Ze viel even stil om op adem te komen en zei toen: 'Niemand heeft ooit eerder gedacht dat ik ergens goed in was.'

Juniper leunde opzij zodat haar schouder tegen die van de magere spriet naast haar drukte. 'Nou, dat is gewoon flauwekul, Merry,' zei ze. 'Meneer Cavill heeft natuurlijk gelijk, je bent goed in een heleboel dingen. Ik ken je pas een paar dagen en dat zie ik ook wel...'

Ze hoestte op de rug van haar hand, niet in staat om verder te praten. Ze was overvallen door een onbekende sensatie toen ze Meredith haar onderwijzers eigenschappen hoorde beschrijven en over zijn vriendelijkheid toen het meisje nerveus over haar eigen aspiraties praatte. In haar borst zwol een warme plek die steeds groter werd tot ze hem niet meer kon beheersen en de hitte zich als stroop onder haar huid verspreidde. Toen hij haar ogen had bereikt waren er stekels aan gegroeid die dreigden haar tot tranen toe te prikken. Ze voelde zich teder en beschermend en kwetsbaar en toen ze het begin van een hoopvolle glimlach om de rand van haar lippen zag, kon ze zich niet bedwingen, sloeg ze haar armen om Merry heen en drukte ze haar hard tegen zich aan. Het meisje verstijfde door de omhelzing en greep zich stevig vast aan de dakspanen.

Juniper trok zich terug. 'Wat is er? Voel je je wel goed?'

'Alleen een beetje hoogtevrees, meer niet.'

'Waarom... heb je daar niets over gezegd?'

Meredith haalde haar schouders op en concentreerde zich op haar blote voeten. 'Ik ben voor een heleboel dingen bang.'

'Echt?'

Ze knikte.

'Nou. Volgens mij is dat vrij normaal.'

Meredith keek haar abrupt aan. 'Ben jij wel eens bang?'

'Ja hoor. Wie niet?'

'Waarvoor?'

Juniper keek omlaag, en nam een flinke haal van haar sigaret. 'Dat weet ik niet.'

'Niet van spoken en enge dingen in het kasteel?'

'Nee.'

'Geen hoogtevrees?'
'Nee.'
'Bang om te verdrinken?'
'Nee.'
'Om voor eeuwig onbemind en alleen te blijven?'
'Nee.'
'Om iets te moeten doen waar je de rest van je leven vreselijk spijt van hebt?'

Juniper trok een grimas. 'Eh... nee.'

En toen keek Meredith zo mistroostig dat ze onwillekeurig zei: 'Er is één ding.' Haar hart ging als een razende tekeer, ook al was ze helemaal niet van plan Meredith haar diepe, zwarte angst te verklappen. Juniper had weinig ervaring met vriendschap, maar ze wist vrij zeker dat het niet raadzaam was om aan een nieuwe en gekoesterde vriendin te vertellen dat je bang was omdat je jezelf tot ernstig geweld in staat acht. In plaats daarvan nam ze een trek van haar sigaret en moest ze denken aan die golf woeste hartstocht, de razernij die had gedreigd haar vanbinnen te verscheuren, de manier waarop ze op hem af was gestormd en zonder aarzelen de spade had gegrepen en vervolgens...

... wakker werd in bed, haar bed, met Saffy aan haar zijde en Percy bij het venster.

Percy had geglimlacht, maar er was een ogenblik geweest voordat ze zag dat Juniper wakker was, dat haar gezicht andere taal sprak. Er lag een gekwelde uitdrukking op, haar lippen stonden strak, haar voorhoofd was gefronst, wat zich allemaal niet liet rijmen met haar latere bewering dat alles in orde was. Dat er niets onbetamelijks was voorgevallen. Natuurlijk niet, schat! Gewoon een klein geval van verloren tijd, niet anders dan anders.

Ze hielden het uit liefde voor haar verzwegen en dat bleven ze doen. Eerst geloofde ze hen, voorzichtig en hoopvol. Natuurlijk geloofde ze hen. Waarom zouden ze tenslotte tegen haar liegen? Ze had al eerder verloren tijd geleden. Waarom zou het nu anders zijn?

Alleen was dat het wel. Juniper was erachter gekomen wat ze deden. Ze wisten nog altijd niet dat zij het wist. Uiteindelijk was het een kwestie van puur toeval geweest. Mevrouw Simpson was bij papa op bezoek gekomen en Juniper liep langs de beek bij de brug. De andere vrouw boog zich over de brugleuning en schudde een vuist in haar richting met de woorden: 'Jij daar!' en Juniper vroeg zich af wat ze bedoelde. 'Je bent een gevaarlijke gek. Een gevaar voor anderen. Ze moesten jou opsluiten voor wat jij hebt misdaan.'

Juniper had er niets van begrepen en geen idee waar de vrouw het over had.

'Mijn jongen had dertig hechtingen. Dertig! Je bent een beest.'

Een beest.

Dat was de trigger geweest. Juniper kromp ineen toen ze het hoorde en er was een herinnering bovengekomen. Een versnipperde herinnering met rafelige randjes. Een dier – Emerson – dat het uitschreeuwde van pijn.

Hoewel ze haar uiterste best deed en haar brein dwong zich te concentreren, bleef de rest vaag, alsof het was weggestopt in een donkere kast van haar geest. Wat een verrekt gebrekkig brein! Wat had ze er de pest aan. De rest zou ze zo opgeven, zoals het schrijven, de dronken roes van de inspiratie, de vreugde waarmee ze abstracte gedachten op papier ving. Ze zou zelfs de bezoekers opgeven als dat betekende dat ze heer en meester over haar herinneringen was. Ze probeerde haar zussen te bewerken tot ze het uiteindelijk moest smeken, maar geen van tweeën liet zich uit de tent lokken. Uiteindelijk ging Juniper naar papa. Boven in zijn toren vertelde hij haar de rest van het verhaal. Wat Billy Simpson met die arme, zieke Emerson had gedaan; die oude schat van een hond die niets liever wilde dan zijn laatste dagen slijten in de zon bij de rododendron, plus wat Juniper met Billy Simpson had gedaan. En daarna zei hij dat ze zich niet ongerust hoefde te maken. Dat ze er niets aan kon doen. 'Die jongen was een bullebak. Hij heeft zijn verdiende loon gekregen.' Vervolgens glimlachte hij, maar achter zijn ogen lag die opgejaagde blik op de loer. 'Voor mensen als jij zijn er andere regels, Juniper. Voor mensen als wij.'

'Nou?' zei Meredith. 'Wat is het dan? Waar ben jij bang voor?'

'Ik denk dat ik bang ben,' zei Juniper terwijl ze de donkere rand van Cardarker Wood bestudeerde, 'dat ik net zo word als mijn vader.'

'Hoe bedoel je?'

Het was niet uit te leggen op een manier die Merry niet zou belasten met dingen die ze niet mocht weten. De angst die als strak elastiek om haar hart zat; de vreselijke angst dat ze haar leven als een gekke oude dame, zwervend door de gangen van het kasteel, zou eindigen, verdrinkend in een zee van papier en wegduikend voor schepsels uit haar eigen pen. Ze haalde haar schouders op en zei luchtig: 'O, dat ik hier nooit wegkom.'

'Waarom zou je weg willen?'

'Mijn zussen verstikken me.'

'De mijne zou me *willen* verstikken.'

Juniper tikte glimlachend haar as in de goot.

'Ik meen het. Ze haat me.'

'Waarom?'

'Omdat ik anders ben, omdat ik niet als zij wil zijn, al verwacht iedereen dat wel.'

Juniper nam een lange haal, hield haar hoofd schuin en keek naar de wereld verderop. 'Hoe kan iemand verwachten dat hij aan zijn noodlot ontsnapt, Merry? Dat is de kwestie.'

Na een korte stilte antwoordde ze met een praktisch stemmetje: 'Je kunt altijd nog de trein nemen, denk ik.'

Eerst dacht Juniper dat ze het niet goed had verstaan. Ze keek Meredith aan en besefte dat het kind volslagen serieus was.

'Ik bedoel, er rijden ook bussen, maar ik denk dat de trein sneller is. Rijdt ook lekkerder.'

Juniper kon het niet helpen; ze moest lachen, een bulderende lach die ergens heel diep vanbinnen kwam.

Meredith glimlachte onzeker en Juniper gaf haar een dikke knuffel. 'O, Merry,' zei ze. 'Wist je dat je echt, waarachtig en totaal volmaakt bent?'

Meredith straalde en het tweetal vleide zich tegen de dakpannen en zagen hoe de middag zijn doorzichtige sluier over de hemel trok.

'Vertel eens een verhaal, Merry.'

'Wat voor soort verhaal?'

'Vertel nog eens over Londen.'

De te huur-advertenties

1992

Papa lag op me te wachten toen ik terugkwam van mijn bezoek aan Theo Cavill. De voordeur was nog niet achter me in het slot gevallen of zijn belletje rinkelde al. Ik ging direct naar boven en trof hem rechtop zittend in zijn kussens aan met een kop en schotel in de hand die mama hem na het eten had gebracht. 'O, Edie,' zei hij met een blik op de wandklok. 'Ik had je nog niet verwacht. Ik was de tijd helemaal vergeten.'

Dat klonk heel onwaarschijnlijk. Mijn exemplaar van de *Mud Man* lag omgekeerd opengeslagen op bed naast hem en het spiraalbloc dat hij inmiddels zijn casusregister noemde, stond tegen zijn opgetrokken knieën. Het hele tafereel riekte naar dat hij de hele middag over de geheimen van de Mud Man had liggen peinzen, niet in de laatste plaats omdat hij hongerig naar de kopieën keek die uit mijn tas staken. Hoewel ik niet kan zeggen waarom, op dat moment voer de duivel in me en ik geeuwde nadrukkelijk, tikkend met mijn hand op mijn mond en liep langzaam naar de leunstoel aan de andere kant van zijn bed. Toen ik lekker zat, glimlachte ik en uiteindelijk kon hij zich niet meer bedwingen. 'Je hebt zeker geen geluk gehad in de bibliotheek? Met je oude ontvoeringsverhalen op Milderhurst Castle?'

'O,' zei ik. 'Natuurlijk. Was ik helemaal vergeten.' Ik haalde de map uit mijn tas, bladerde door de pagina's en gaf hem de ontvoeringsartikelen die hij vervolgens met grote belangstelling doornam.

Hij verslond de een na de ander zo gretig dat ik me wreed voelde omdat ik hem zo lang had laten wachten. De artsen hadden het met ons gehad over depressiviteit bij hartpatiënten, vooral in het geval van iemand als mijn vader, die er gewend aan was om drukbezet en belangrijk te zijn, en die zich op onveilig terrein bevond omdat hij in het reine moest komen met zijn recente pensionering. Als hij een toekomst als literaire speurneus voor zichzelf zag weggelegd, zou ik daar geen stokje voor steken, ongeacht het feit dat de *Mud Man* het eerste boek was dat mijn vader in veertig jaar had gelezen. Bovendien leek het me een veel beter levensdoel dan het eindeloos repareren van huishoudelijke spullen die überhaupt niet kapot waren. 'Nog iets relevants, pap?'

Zijn fervente uitdrukking verflauwde, zag ik. 'Geen van die berichten gaat over Milderhurst.'

'Ik ben bang van niet. Althans niet direct.'

'Maar ik was er zo zeker van dat er iets bij zou zitten.'

'Sorry, pap. Ik heb mijn best gedaan.'

Hij trok een moedig gezicht. 'Geeft niet, dat is jouw schuld niet, Edie, en we moeten ons niet laten ontmoedigen. We moeten lateraal denken.' Hij tikte met zijn pen tegen zijn kin en wees daarna op mij. 'Ik heb de hele middag in dat boek zitten lezen en ik weet zeker dat het iets met de slotgracht te maken heeft. Dat kan niet anders. In je boek over Milderhurst staat dat Raymond Blythe vlak voor het schrijven van de *Mud Man* de gracht had laten dempen.'

Ik knikte met alle overtuiging die ik kon opbrengen en besloot hem niet te herinneren aan de dood van Muriel Blythe en het rouwvertoon van Raymond daarna.

'Nou, dat is het dus,' zei hij opgewekt. 'Dat moet iets te betekenen hebben. En dat kind in het venster dat werd ontvoerd terwijl haar ouders sliepen? Het staat er allemaal in, ik moet alleen de verbanden nog leggen.'

Hij richtte zijn aandacht weer op de krantenberichten, las ze langzaam en nauwgezet door en maakte aantekeningen met snelle, stekende bewegingen. Ik probeerde me te concentreren, maar dat viel niet mee omdat mijn gedachten met een echt mysterie op de loop gingen. Uiteindelijk verviel ik tot staren uit het raam naar de avondschemer; de wassende maan hing hoog aan de purperen hemel en er dreven dunne sluierwolken langs zijn gezicht. Mijn gedachten waren nog steeds bij Theo en de broer die een halve eeuw daarvoor in het niets was verdwenen toen hij niet op Milderhurst Castle kwam opdagen. Ik was mijn speurtocht naar Thomas Cavill begonnen in de hoop dat ik iets zou vinden wat licht zou werpen op Junipers waanzin en hoewel dat niet was gebeurd, had mijn ontmoeting met Theo zeker mijn opvattingen over Tom veranderd. Helemaal geen bedrieger, maar een man die, als je zijn broer mocht geloven, ernstig belasterd was. Zeker door mij.

'Je luistert niet naar me.'

Ik keek weer weg van het raam en knipperde met mijn ogen: papa zat verwijtend over de rand van zijn bril naar me te kijken. 'Ik heb een heel verstandige hypothese geschetst, Edie, en je hebt er geen woord van gehoord.'

'Jawel, hoor. Slotgrachten, baby's...' Ik vertrok mijn gezicht. 'Boten?'

Hij snoof verontwaardigd. 'Je bent al net zo erg als je moeder. Jullie tweeën zijn de laatste tijd verdomd afwezig.'

'Ik weet niet waar je het over hebt, pap. Zo.' Ik leunde met mijn ellebogen op mijn knieën en wachtte af. 'Kijk maar, ik ben een en al oor. Kom maar op met je hypothese.'

Zijn chagrijn dolf het onderspit tegen zijn enthousiasme en hij schakelde in een oogwenk om. 'Dit bericht hier heeft me aan het denken gezet. Een onopgeloste ontvoering van een jongetje uit zijn slaapkamer in een landhuis in de buurt van Milderhurst. Het raam stond wijd open, al hield het kindermeisje stellig vol dat ze het nog had gecontroleerd toen de kinderen naar bed gingen, en er waren sporen in de aarde gevonden die erop wezen dat er een trap was gebruikt. Het was in 1872, dus Raymond moest toen zes zijn geweest. Oud genoeg om erg onder de indruk van de hele toestand te zijn, denk je niet?'

Dat was best mogelijk, dacht ik. Het was in elk geval niet ónmogelijk. 'Absoluut, papa. Dat klinkt heel aannemelijk.'

'Wat echt de doorslag geeft, is dat het lichaam van de jongen na een uitgebreide speurtocht is gevonden...' Hij grijnsde trots dat hij me in spanning hield, 'op de modderige bodem van het meer op het landgoed.' Zijn ogen speurden de mijne af, zijn glimlach aarzelde. 'Wat is er? Waarom kijk je zo?'

'Ik... Het klinkt zo verschrikkelijk. Dat arme jongetje. Die arme familie.'

'Nou ja, natuurlijk, maar het was honderd jaar geleden en ze zijn er allemaal allang niet meer en dat bedoel ik nou juist. Voor een jongetje dat op een naburig kasteel woonde, moet het vreselijk zijn geweest om zijn ouders erover te horen praten.'

Ik moest denken aan de sloten op de ramen van de kinderkamer; Percy Blythe die me vertelde dat Raymond alles beveiligd had vanwege iets wat in zijn kinderjaren was gebeurd. Eigenlijk had papa gelijk. 'Dat is zo.'

Hij fronste zijn wenkbrauwen. 'Maar ik weet nog altijd niet goed wat dat allemaal met de slotgracht van Milderhurst te maken heeft. Of hoe het modderige lichaam van de jongen transformeerde tot een man die in de bagger van de slotgracht woont. Of waarom de beschrijving van de man die opduikt zo levendig is...'

Er werd zacht geklopt en toen we opkeken, zagen we mama in de deuropening staan. 'Ik wil jullie niet storen, maar ik kom even kijken of je je thee al ophebt.'

'Dank je, lieverd.' Hij hield de kop en schotel omhoog en ze aarzelde even voordat ze die kwam aannemen.

'Jullie hebben het maar druk hier,' zei ze, terwijl ze grote belangstelling veinsde voor een druppel thee op de buik van het kopje. Ze veegde hem met haar vinger weg en deed haar best om niet maar mij te kijken.

'We werken aan onze hypothese.' Papa knipoogde naar mij, zich zalig onbewust van het koufront dat zijn kamer in tweeën had verdeeld.

'Dan zullen jullie nog wel een poosje bezig zijn. Ik wens jullie welterusten en ga naar bed. Het is een vrij vermoeiende dag geweest.' Ze gaf papa een kus op zijn wang en daarna knikte ze naar mij zonder echt oogcontact te maken. 'Welterusten, Edie.'

'Trusten, mam.'

O, god, wat ging het houterig tussen ons! Ik keek haar niet na en deed alsof ik grote belangstelling had voor de kopie op mijn schoot. Dat waren toevallig de samengeniete bladzijden over het Pembroke Farm Institute die mevrouw Yeats voor me had verzameld. Ik wierp een blik op de inleiding, waarin de geschiedenis van de groep werd vermeld: in het leven geroepen in 1908 door iemand die Oliver Sykes heette; de naam kwam me bekend voor en ik moest mijn hersens afpijnigen voordat ik me herinnerde dat hij de architect van de ronde zwemvijver op Milderhurst was. Dat was logisch; als Raymond Blythe geld zou nalaten aan een groep natuurbeschermers, moesten het mensen zijn die hem reden voor bewondering gaven. Ergo, hij zou diezelfde mensen in dienst hebben genomen om op zijn kostbare landgoed te werken... Mama's slaapkamerdeur ging dicht en ik slaakte een soort zucht van opluchting. Ik legde de paperassen neer en probeerde omwille van papa gewoon te doen.

'Weet je, pap,' zei ik met een droge keel, 'volgens mij kon je best eens gelijk hebben, wat betreft de vijver en dat jongetje.'

'Dát bedoel ik nou, Edie.'

'Dat weet ik. En ik ben beslist van mening dat dit de inspiratie van zijn roman kan zijn geweest.'

Hij draaide met zijn ogen. 'Niet dat; vergeet dat boek. Ik heb het over je moeder.'

'Over mama?'

Hij wees naar de dichte deur. 'Zij is ongelukkig en ik vind het maar niets om haar zo te zien.'

'Dat verbeeld je je maar.'

'Ik ben niet van gisteren. Ze loopt al weken door het huis te kniezen. Vandaag zei ze dat ze het advertentiekatern met te huur aangeboden woningen op je kamer had gevonden en toen begon ze te huilen.'

Was mama op mijn kamer geweest? 'Mama, huilen?'

'Ze is snel geraakt, dat is altijd zo geweest. Ze draagt het hart op de tong. Jullie lijken in dat opzicht op elkaar.'

Ik weet niet of die opmerking bedoeld was om mij te overvallen, maar het hele idee dat mama het hart op de tong droeg was zo onthutsend dat ik alle vermogen kwijtraakte om te protesteren en te zeggen dat hij er volkomen naast zat als hij vond dat we op elkaar leken. 'Hoe bedoel je?'

'Het was een van de dingen die ik het leukst aan haar vond. Ze was anders dan alle ingehouden types die ik voor haar had ontmoet. Toen ik haar voor het eerst zag, zat ze een flink potje te huilen.'

'Echt?'

'We zaten in de bioscoop. Toevallig waren wij de enigen in de zaal. Het was geen bijzonder verdrietige film, althans niet naar mijn idee, maar je moeder zat de hele tijd in het donker te huilen. Ze probeerde het te verbergen, maar toen we weer in de foyer stonden, waren haar ogen zo rood als jouw T-shirt. Ik had zo met haar te doen dat ik een stuk taart met haar ben gaan eten.'

'Waarom moest ze dan zo huilen?'

'Daar ben ik eigenlijk nooit achter gekomen. Ze huilde vrij gauw in die tijd.'

'Nee toch... Echt?'

'O, jazeker. Ze was erg gevoelig... geestig ook; intelligent en onvoorspelbaar. Ze had een manier om de dingen zo te beschrijven dat het leek alsof je ze voor het eerst zag.'

Ik wilde vragen: 'Wat is er dan gebeurd?', maar de insinuatie dat ze niets meer van al die eigenschappen overhad, was te hardvochtig. Ik was blij dat papa er zelf op doorging.

'Het veranderde na je broer. Na Daniel veranderde alles.'

Ik wist niet zeker of ik papa ooit Daniels naam had horen noemen en het gevolg was dat ik verstijfde. Er was zo veel wat ik wilde zeggen en vragen dat alles in de verdrukking kwam en ik alleen maar 'O' uitbracht.

'Dat was iets verschrikkelijks.' Zijn stem was langzaam en regelmatig, maar zijn onderlip verried hem, die had een vreemde, onwillekeurige beweeglijkheid waarvan mijn hart samenkneep. 'Iets verschrikkelijks.'

Ik raakte even zijn arm aan maar het leek hem te ontgaan. Zijn ogen waren op een plek op het kleed bij de deur gefixeerd; hij glimlachte melancholisch naar iets wat er niet was en zei: 'Hij moest altijd springen. Dat vond hij heerlijk. "Ik springen!" zei hij dan. "Kijk, papa, ik springen!"'

Ik kon me hem zo voor de geest halen, mijn kleine grote broer, stralend van trots om zijn onhandige kikkersprongen door het huis. 'Ik had hem wat graag gekend.'

Papa legde zijn hand op de mijne. 'Dat zou ik ook leuk gevonden hebben.'

De avondbries speelde met het gordijn bij mijn schouder en ik rilde. 'Vroeger dacht ik dat we een spook hadden. Toen ik klein was. Soms hoorde ik mama en jou praten; ik hoorde jou zijn naam noemen, maar telkens wanneer ik binnenkwam, hielden jullie op. Ik heb mama een keer naar hem gevraagd.'

Hij keek op en zijn ogen speurden de mijne af. 'Wat zei ze?'

'Dat ik het me maar verbeeldde.'

Papa hief een hand op en keek er fronsend naar, maakte van vijf vingers een losse vuist, verfrommelde een onzichtbaar stuk papier en slaakte een gekreukte zucht. 'We meenden te doen wat goed was. We deden ons best.'

'Dat weet ik.'

'Je moeder...' Hij perste zijn lippen op elkaar van verdrict en een deel van mij wilde hem uit zijn lijden verlossen. Maar ik kon het niet. Ik had zo lang op dit verhaal gewacht, het beschreef tenslotte mijn afwezigheid en ik hing aan zijn lippen. Hij legde zijn volgende woorden zo op een goudschaaltje dat het pijnlijk was om te zien. 'Vooral voor je moeder was het een vreselijke klap. Ze gaf zichzelf de schuld. Ze kon niet aanvaarden dat wat er met Daniel...' Hij slikte. '... dat wat er met Daniel was gebeurd een ongeluk was. Ze haalde zich in het hoofd dat zij het op de een of andere manier over zichzelf had afgeroepen, dat ze het verdiende om een kind te verliezen.'

Ik was sprakeloos, en niet alleen omdat wat hij beschreef zo afschuwelijk triest was, maar ook omdat hij het me überhaupt vertelde. 'Maar waarom dacht ze dat?'

'Dat weet ik niet.'

'Daniels aandoening was niet erfelijk.'

'Nee.'

'Het was gewoon...' Ik deed vergeefs mijn best om de juiste woorden te vinden, iets anders dan 'toeval'.

Hij klapte zijn aantekenboek dicht, legde het op de *Mud Man* en vervolgens beide op het nachtkastje. Blijkbaar gingen we vanavond niet lezen. 'Soms zijn iemands gevoelens niet rationeel, Edie. Althans, dat lijken ze op het eerste gezicht niet. Je moet wat dieper graven om te weten wat er aan de basis ligt.'

En ik kon alleen maar knikken omdat die hele dag al zo bizar was geweest, en nu herinnerde mijn vader me aan de nuances van de menselijke geest en het was allemaal een beetje te omgekeerde wereld om te verwerken.

'Ik heb altijd gedacht dat het iets met haar eigen moeder te maken had; een ruzie van heel vroeger toen je moeder nog een tiener was. Daarna zijn ze van elkaar vervreemd. Ik heb de bijzonderheden nooit geweten, maar wat je oma ook had gezegd, Meredith moest er weer aan denken toen ze Daniel verloor.'

'Maar oma zou mama toch nooit gekwetst hebben als ze dat had kunnen voorkomen?'

Hij schudde zijn hoofd. 'Je weet het maar nooit, Edie. Niet als het om mensen gaat. Ik heb de manier waarop je oma en Rita altijd een frontje vormden tegen je moeder bijvoorbeeld nooit prettig gevonden. Dat gaf me een nare smaak in mijn mond. Die twee tegen haar, en die jou gebruikten als splijtzwam.'

Ik was verrast door zijn lezing van de situatie en geroerd door de zorgzaamheid in zijn stem. Rita had tussen de regels door gezegd dat papa en mama snobs waren, dat ze neerkeken op de andere tak van de familie, maar om dat uit papa's mond te horen... Nou ja, ik begon me af te vragen of de situatie heel wat minder duidelijk was dan ik had aangenomen.

'Het leven is te kort voor scheuringen, Edie. De ene dag ben je er nog, de volgende al niet meer. Ik weet niet wat er tussen jou en mama is voorgevallen, maar ze is ongelukkig en dat maakt mij ongelukkig. Ik ben een jongere oudere die van een hartaanval herstelt en met wiens gevoelens rekening moet worden gehouden.'

Ik glimlachte en hij volgde mijn voorbeeld.

'Maak het weer goed met haar, Edie, lieverd.'

Ik knikte.

'Ik heb een helder hoofd nodig als ik deze Mud Man-geschiedenis wil ontrafelen.'

Later op de avond zat ik op mijn bed met het advertentiekatern opengeslagen voor me en zette ik kringetjes om appartementen die ik me nooit kon veroorloven en vroeg ik me van alles af over die gevoelige, geestige, lachende en huilende jonge vrouw die ik nooit had gekend. Een raadsel op een van die gedateerde foto's, die vierkante met afgeronde hoeken, en de zachte kleuren in de schaduw van de zon, met een verschoten broek met gerende pijpen en een bloemige blouse, met aan de hand een jongetje met een bloempotkapsel en leren sandalen. Een jongetje dat van springen hield en wiens dood haar spoedig de klap van haar leven zou bezorgen.

Ik moest ook denken aan papa's vermoeden dat mama zichzelf de schuld van Daniels dood had gegeven. Haar overtuiging dat ze het verdiende een kind te verliezen. Iets in de manier waarop hij het zei, misschien zijn gebruik van het woord verliezen, zijn vermoeden dat het iets te maken had met een ruzie die ze met oma had gehad, deed me aan mama's laatste brief naar huis denken. Haar smeekbeden om op Milderhurst te mogen blijven, haar nadrukkelijke bewering dat ze eindelijk een plek had gevonden waar ze thuishoorde, haar verzekering dat haar keus niet betekende dat oma haar 'kwijt' was.

Verbanden werden gelegd, ik kon ze voelen, maar dat kon mijn maag niets schelen. Die liet een botte onderbreking horen en herinnerde me eraan dat ik sinds Herberts lasagne geen hap meer had gegeten.

Het huis was stil en ik liep stilletjes door de donkere gang naar de trap. Ik was er bijna toen me een dun streepje licht onder mama's slaapkamerdeur opviel. Ik aarzelde, de belofte die ik aan papa had gedaan klonk nog na in mijn oren; die kleine kwestie van het goedmaken. Ik schatte mijn kansen niet hoog in – niemand kon zo luchtig als mama over de oppervlakte van een ijslaag schaatsen – maar papa vond het belangrijk, dus haalde ik diep adem en klopte heel zachtjes aan. Er kwam geen reactie en even dacht ik dat het me bespaard zou blijven, maar toen klonk er een stem aan de andere kant van de deur. 'Ben jij dat, Edie?'

Ik deed de deur open en zag mijn moeder rechtop in bed zitten, onder mijn lievelingsschilderij van de vollemaan waaronder de zee in kwikzilver verandert. Haar leesbril balanceerde op het puntje van haar neus en de roman *The Last Days in Paris* stond tegen haar knieën geleund. Toen ze me met knipperende ogen aankeek lag er een uitdrukking van nerveuze onzekerheid op haar gezicht.

'Ik zag het licht onder je deur.'

'Ik kon de slaap niet vatten.' Ze hield het boek schuin naar me toe. 'Lezen wil wel eens helpen.'

Ik knikte instemmend en geen van beiden zei iets; mijn maag merkte de stilte op en maakte van de gelegenheid gebruik om hem te vullen. Ik maakte aanstalten om me te verontschuldigen en naar de keuken te vluchten, toen mama zei: 'Doe de deur eens dicht, Edie.'

Ik gehoorzaamde.

'Ga maar zitten, als je wilt.' Ze zette haar bril af en hing hem aan zijn ketting over de bedstijl. Ik ging voorzichtig op bed zitten en leunde tegen het houten voeteneind, net zoals ik als kind vroeger zat wanneer er iemand jarig was.

'Mama,' stak ik van wal, 'ik...'

'Je had gelijk, Edie.' Ze schoof een boekenlegger op haar bladzijde, sloeg het dicht, maar verwees het niet naar haar nachtkastje. 'Ik heb je wel een keer naar Milderhurst meegenomen. Heel wat jaren geleden inmiddels.'

Ik had opeens de neiging om in tranen uit te barsten.

'Je was nog maar een klein meisje. Ik dacht niet dat je het je nog zou herinneren. We zijn er niet lang gebleven. Het geval wilde dat het me aan de moed ontbrak om verder te gaan dan de poort.' Ze keek me niet aan en klemde het boek stevig tegen haar borst. 'Het was verkeerd van me om te doen alsof je het je maar had verbeeld. Het was gewoon... zo'n schok toen je het me vroeg. Ik was er niet op voorbereid. Het was niet mijn bedoeling om erover te liegen. Kun je het me vergeven?'

Is het mogelijk om niet te zwichten na zo'n verzoek? 'Natuurlijk.'

'Ik was dol op die plek,' zei ze met samengeperste lippen. 'Ik wilde er nooit meer weg.'

'O, mama.' Ik wilde haar aanraken.

'Ik hield ook van haar; van Juniper Blythe.' Daarna keek ze op met zo'n verloren gezicht, zo wanhopig, dat de adem me in de keel stokte.

'Vertel eens over haar, mama.'

Er viel een stilte, een lange stilte en ik zag aan haar ogen dat ze ver weg en ver terug in de tijd was. 'Ze was... als niemand die ik ooit heb gekend.' Mama veegde een ingebeelde lok van haar voorhoofd. 'Ze was betoverend, en dat zeg ik in alle ernst. Ze betoverde me.'

Ik moest denken aan de vrouw met het zilverwitte haar die ik in de schemerige gang van Milderhurst was tegengekomen, en de totale metamorfose van haar gezicht als ze glimlachte; aan Theo's verslag van zijn broers brieven die bol stonden van verliefdheid. Het kleine meisje op de foto dat verrast in de lens keek met die wijduitstaande ogen.

'Je wilde niet naar huis gaan van Milderhurst.'

'Nee.'

'Je wilde bij Juniper blijven.'

Ze knikte.

'En oma was boos.'

'O, ja. Ze wilde me al maanden thuis hebben, maar ik... Ik heb haar ervan kunnen overtuigen dat ik wilde blijven. Toen kwam de Blitz en waren zij denk ik wel blij dat ik veilig was. Maar uiteindelijk stuurde ze mijn vader om me te gaan halen en ik ben nooit meer naar het kasteel teruggegaan. Maar ik heb me altijd nog iets afgevraagd.'

'Over Milderhurst?'

Ze schudde haar hoofd. 'Over Juniper en meneer Cavill.'

Mijn huid tintelde en ik hield me stevig vast aan de rand van het bed.

'Zo heette mijn lievelingsonderwijzer,' vervolgde ze. 'Thomas Cavill. Ze hadden zich namelijk verloofd en ik heb nooit meer iets van een van beiden gehoord.'

'Tot die verloren brief van Juniper arriveerde.'

Mama kromp een beetje ineen toen ik de brief ter sprake bracht. 'Ja,' zei ze.

'En daar moest je van huilen.'

'Ja.' En even dacht ik dat ze het weer ging doen. 'Maar niet omdat het een verdrietige brief was, niet om de brief zelf. Niet echt. Zie je, al die tijd dat de brief verloren was geweest, heb ik gedacht dat ze het was vergeten.'

'Wat?'

'Nou, mij natuurlijk.' Mama's lippen trilden. 'Ik dacht dat ze getrouwd waren en mij helemaal vergeten waren.'

'Maar dat was niet zo.'

'Nee.'

'Ze waren niet eens getrouwd.'

'Nee, maar dat wist ik toen niet. Ik besefte het niet tot jij het me vertelde. Ik wist alleen dat ik nooit meer iets van een van beiden heb gehoord. Ik had iets naar Juniper gestuurd, zie je. Iets wat heel belangrijk voor me was en ik wachtte op antwoord. Ik wachtte en wachtte en controleerde twee keer per dag de post, maar ik hoorde niets.'

'Heb je haar niet nog een keer geschreven om erachter te komen wat er was gebeurd, om te controleren of ze het wel had ontvangen?'

'Een paar keer heb ik op het punt gestaan, maar het leek me zo opdringerig. Daarna liep ik een van meneer Cavills zussen tegen het lijf bij de kruidenier en die vertelde me dat hij ervandoor was gegaan om met iemand te trouwen zonder het tegen wie ook te zeggen.'

'O, mama, dat spijt me zo.'

Ze legde het boek op de deken naast haar en zei zacht: 'Daarna had ik een hekel aan hen allebei. Ik voelde me zo gekwetst. Afwijzing is als kanker, Edie. Het vreet aan je.' Ik schoof iets dichterbij om haar hand te pakken en ze hield die van mij stevig vast. De tranen liepen over haar wangen. 'Ik had een hekel aan haar en ik hield van haar en het deed zo verschrikkelijk pijn.' Ze haalde een envelop uit de zak van haar badjas en gaf hem aan mij. 'En toen dit. Vijftig jaar later.'

Het was Junipers verloren brief. Ik nam hem aan, kon niets zeggen en ik wist niet goed of het de bedoeling was dat ik hem las. Ik keek haar aan en ze knikte.

Met bevende vingers maakte ik de envelop open en las:

Liefste Merry,

Wat ben je toch een lieve slimme schat! Je verhaal is in goede orde ontvangen en ik moest huilen toen ik het las. Wat een prachtig, prachtig stuk! Vreugdevol en vreselijk verdrietig en o zo mooi waargenomen. Je bent een heel intelligente jongedame! Wat je schrijft is zo eerlijk, Merry, een waarachtigheid die veel mensen ambiëren, maar die weinig mensen bereiken. Je moet ermee doorgaan, er is geen enkele reden voor om niet precies met je leven te doen wat je wilt. Niets houdt je tegen, kleine vriendin van me.
Ik zou je dat dolgraag persoonlijk zeggen, je je manuscript teruggeven onder de boom in het park, die met de diamantjes van zonlicht gevangen in zijn bladeren, maar het spijt me je te moeten zeggen dat ik niet meer terugga naar Londen zoals ik dacht. Althans voorlopig niet. Het is allemaal niet zo uitgepakt als ik me had voorgesteld. Ik kan er niet te veel over zeggen, alleen dat er iets is gebeurd en dat het beter voor me is om voorlopig thuis te blijven. Ik mis je, Merry. Je was mijn eerste en enige vriendin, heb ik je dat ooit verteld? Ik moet vaak terugdenken aan onze tijd hier samen, vooral aan die middag op het dak, weet je nog? Je was pas een paar dagen bij ons en had me nog niet verteld dat je hoogtevrees had. Je vroeg me waar ik bang voor was en dat heb ik je verteld. Daar had ik nog nooit met iemand anders over gepraat.

Dag lieve schat,
Veel liefs, voor altijd,
Juniper x

Ik las hem nog een keer, ik moest wel, en liet mijn ogen over de schuine hanenpoten glijden. Er stond zo veel in de brief wat me nieuwsgierig maakte, maar mijn aandacht keerde naar één specifiek onderdeel terug. Mama liet hem aan mij lezen opdat ik de geschiedenis van Juniper zou begrijpen, hun vriendschap, maar ik kon alleen maar aan mama en mij denken. Mijn hele volwassen leven was ik blijmoedig ondergedompeld geweest in de wereld van schrijvers en hun manuscripten: ik bracht ontelbare anekdotes mee naar huis om aan tafel te vertellen, al wist ik dat het aan dovemansoren gericht was, en sinds mijn kindertijd had ik mezelf als een afwijking beschouwd. Mama had er niet één keer op gezinspeeld dat zij zelf ook literaire aspiraties had gehad. Rita had het natuurlijk wel gezegd, maar tot op dat moment, met

Junipers brief in mijn hand en mijn moeder die me nerveus gadesloeg, denk ik dat ik haar niet echt geloofde. Ik gaf de brief weer terug aan mama en slikte de brok in mijn keel weg. 'Vroeger heb je dus geschreven.'

'Het was een kinderlijke fantasie, iets waar ik uit ben gegroeid.'

Maar uit de manier waarop ze mijn blik ontweek, leidde ik af dat het veel meer dan dat was geweest. Ik wilde doorvragen, of ze tegenwoordig nog wel eens schreef, of ze nog werk van zichzelf bewaard had en of ze me dat wilde laten lezen. Maar dat deed ik niet. Ze staarde weer naar de brief en keek zo treurig dat ik het niet kon. In plaats daarvan zei ik: 'Jullie waren dus dikke vriendinnen.'

'Ja.'

Ik hield van haar, had mama gezegd. Mijn eerste en enige vriendin, schreef Juniper. En toch waren ze in 1941 uiteengegaan en hadden ze nooit meer contact met elkaar opgenomen. Ik dacht zorgvuldig na voordat ik zei: 'Wat bedoelt Juniper, mama? Wat denk je dat ze bedoelt als ze zegt dat er iets is gebeurd?'

Mama streek de brief glad. 'Ik denk dat ze bedoelde dat Thomas ervandoor was gegaan met een andere vrouw. Dat heb je me zelf verteld.'

Dat was wel zo, maar alleen omdat ik dat toen dacht. Sinds ik met Theo Cavill had gesproken, dacht ik daar anders over. 'En dat stukje op het eind over dat ze bang is? Wat bedoelt ze daarmee?'

'Dat is een beetje vreemd,' beaamde mama. 'Ik denk dat ze zich dat gesprek herinnerde als bewijs van onze vriendschap. We hebben samen zo veel tijd doorgebracht en zo veel gedaan, ik weet niet goed waarom ze nou juist dat noemt.' Ze keek me aan en ik zag dat haar verwondering oprecht was. 'Juniper was een onverschrokken type; het kwam niet in haar op om bang te zijn voor de dingen waar de meeste mensen bang voor zijn. Het enige waar ze bang voor was, was het idee dat ze net zo zou worden als haar vader.'

'Als Raymond Blythe? In welk opzicht?'

'Dat heeft ze nooit precies gezegd. Hij was een verwarde oude man en een schrijver net als zij, maar hij geloofde dat zijn personages tot leven waren gekomen en achter hem aan zaten. Ik liep hem een keer per vergissing tegen het lijf. Ik was een verkeerde hoek omgeslagen en vlak bij zijn toren uitgekomen. Ik vond hem nogal angstaanjagend. Misschien bedoelde ze dat?'

Het was zeker mogelijk; ik dacht terug aan mijn bezoek aan het dorp Milderhurst en de verhalen die ze me over Juniper hadden verteld. De 'verloren tijd' die ze zich later niet meer kon herinneren. Zien hoe haar vader op hoge leeftijd gek werd, moest bijzonder angstaanjagend zijn geweest voor een meisje dat zelf aanvallen had. En ze was met reden bang, zoals inmiddels was gebleken.

Mama zuchtte en woelde met een hand door haar haar. 'Ik maak overal een bende van. Juniper, Thomas, en nu kijk jij door mij de advertenties van huurwoningen door.'

'Nou, dát is niet waar,' zei ik met een glimlach. 'Ik lees die advertenties omdat ik dertig ben en niet voor altijd thuis kan blijven wonen, ongeacht hoeveel lekkerder de thee smaakt als jij hem zet.'

Toen glimlachte zij ook en ik voelde een golfje diepe genegenheid, de sensatie dat iets zich roerde wat heel lang had geslapen.

'En ik ben degene die er een bende van heeft gemaakt. Ik had je brieven niet moeten lezen. Kun jíj me dát vergeven?'

'Dat hoef je niet te vragen.'

'Ik wilde gewoon meer over je te weten komen, mam.'

Ze streek licht over mijn hand en ik wist dat ze het begreep. 'Ik hoor je maag vanhier knorren, Edie,' zei ze alleen maar. 'Kom mee maar naar de keuken, dan maak ik iets voor je klaar.'

Een uitnodiging en een nieuwe uitgave

En net toen ik me afvroeg wat er tussen Juniper en Thomas kon zijn voorgevallen en of ik daar ooit achter zou komen, gebeurde er iets volkomen onverwachts. Het was woensdag rond het middaguur en Herbert en ik keerden met Jess terug van onze dagelijkse wandeling door Kensington Gardens. We liepen terug met heel wat meer heisa dan de beschrijving doet vermoeden: Jess houdt niet van wandelen en heeft geen moeite haar gevoelens kenbaar te maken en te protesteren door zo ongeveer om de twintig meter te stoppen om rond te snuffelen in de goot en het ene geheimzinnige luchtje na het andere na te jagen.

Herbert en ik stonden te wachten tijdens zo'n scharrelsessie, toen hij vroeg: 'En hoe is het leven aan het thuisfront?'

'De dooi is ingetreden.' Ik vatte de recente gebeurtenissen voor hem samen. 'Ik wil niet te vroeg juichen, maar ik geloof dat we een nieuwe en zonnigere dageraad hebben bereikt.'

'Staan je verhuisplannen dus op een laag pitje?' Hij loodste Jess voorbij een verdacht ruikende modderplas.

'God, nee hoor. Mijn vader begint al te praten over een persoonlijke badjas die hij voor me gaat kopen en wil een derde haakje aanbrengen in de badkamer zodra hij daartoe in staat is. Ik ben bang dat ik voorgoed verloren ben als ik niet gauw maatregelen tref.'

'Klinkt ernstig. Is er nog iets bij de advertenties?'

'Aanbiedingen zat. Ik moet alleen mijn baas bewerken voor een aanzienlijke salarisverhoging om iets te kunnen betalen.'

'Denk je dat je een kans maakt?'

Ik maakte een gebaar van fiftyfifty.

'Nou,' zei Herbert, terwijl hij mij de lijn van Jess gaf om zijn sigaretten uit zijn zak te halen, 'je baas kan je misschien geen salarisverhoging geven, maar hij heeft wellicht wel een idee.'

Ik trok een wenkbrauw op. 'Wat voor idee?'

'Een tamelijk goed idee, als je het mij vraagt.'

'O?'

'Alles op z'n tijd, Edie, liefje.' Hij knipoogde boven zijn sigaret. 'Alles op z'n tijd.'

Toen we de hoek van de straat waar Herbert woonde omsloegen, zagen we dat de postbode op het punt stond een stapel brieven in de bus te duwen. Herbert tilde zijn hoed op en nam de stapel onder zijn arm zodat hij de deur kon openen om ons binnen te laten. Jess liep gewoontegetrouw rechtstreeks naar zijn zachte troon onder Herberts bureau om zich kunstig neer te vleien en ons met een gekwetste blik van verontwaardiging aan te kijken.

Herbert en ik hebben zo ons eigen ritueel na de wandeling, dus toen hij de deur achter zich dichtdeed, vroeg hij: 'De pot of de post, Edie?' Ik was al halverwege de keuken.

'Ik zet wel thee,' zei ik. 'Dan kun jij de post lezen.'

Het dienblad was al van tevoren in de keuken klaargezet – Herbert is heel scrupuleus wat dat betreft – en onder een geblokte theedoek lagen verse scones af te koelen. Ik lepelde room en zelfgemaakte jam in bakjes, Herbert las de belangrijkste fragmenten voor uit de correspondentie van die dag. Ik manoeuvreerde het dienblad het kantoor in toen hij zei: 'Nou, nou.'

'Wat is er?'

Hij vouwde de brief in kwestie naar zich toe en tuurde eroverheen. 'Hier wordt een baan aangeboden, geloof ik.'

'Door wie?'

'Een vrij grote uitgever.'

'De brutaliteit!' Ik gaf hem zijn kopje. 'Ik vertrouw erop dat je hen eraan zult herinneren dat je al een uitstekende baan hebt.'

'Dat zou ik natuurlijk doen,' zei hij, 'alleen geldt het aanbod niet voor mij. Ze willen jou en niemand anders, Edie.'

De brief bleek van de uitgever van Raymond Blythes *Mud Man*. Boven een dampende kop thee met een scone vol jam las Herbert hem hardop aan me voor, en daarna nog een keer. Vervolgens legde hij de inhoud in vrij eenvoudige bewoordingen uit, omdat de verrassing me, ondanks mijn tien jaar ervaring in het uitgeversvak, tijdelijk had beroofd van mijn begripsvermogen: het volgende jaar zou er een nieuwe druk van de *Mud Man* verschijnen om de vijfenzeventigste verjaardag van het boek te vieren. De uitgever van Raymond Blythe wilde dat ik een nieuwe inleiding schreef om de gelegenheid luister bij te zetten.

'Je haalt een grapje met me...'

Hij schudde zijn hoofd.

'Maar dat is gewoon... veel te ongelooflijk. Waarom ik?'

'Geen idee.' Hij draaide de brief om, maar de andere kant was blanco. Hij keek me aan met enorme ogen achter zijn dikke brillenglazen. 'Dat staat er niet bij.'

'Maar wat merkwaardig.' Ik huiverde een beetje toen de draden die me met Milderhurst verbonden begonnen te vibreren. 'Wat zal ik doen?'

Herbert gaf me de brief. 'Om te beginnen zou je dit nummer kunnen bellen.'

Mijn gesprek met Judith Waterman, uitgever bij Pippin Books, was kort en niet onvriendelijk. 'Ik zal open kaart met u spelen,' zei ze, toen ik me had voorgesteld en zei waarom ik belde. 'We hadden al een andere schrijver aangetrokken met wie we heel blij waren. Maar de dochters, Raymond Blythes dochters, waren dat niet. De hele toestand bezorgt ons grote problemen. Volgend jaar moet het uitkomen, dus snelheid is van groot belang. De druk is al maanden in voorbereiding. Onze schrijver heeft al voorlopige vraaggesprekken gevoerd en een deel van het concept geschreven en toen kregen we plotseling een telefoontje van de dames Blythe om ons te laten weten dat ze de stop eruit trokken.'

Dat kon ik me wel voorstellen. Het was niet moeilijk om me voor de geest te halen dat Percy Blythe veel genoegen zou putten uit zulk tegendraads gedrag.

'Maar er is ons veel aan die uitgave gelegen,' vervolgde Judith. 'We beginnen met een nieuwe reeks klassiekers met memoireachtige inleidingessays. *The True History of the Mud Man* is als een van onze populairste titels ideaal voor de zomeraanbieding.'

Ik besefte dat ik zat te knikken alsof ze tegenover me zat. 'Dat begrijp ik,' zei ik, 'ik weet alleen niet goed wat ik kan...'

'De moeilijkheid,' vervolgde Judith, 'leek vooral bij een van de gezusters te liggen.'

'O?'

'Bij Persephone Blythe. Wat onverwacht lastig was, omdat het voorstel in eerste instantie bij haar tweelingzus vandaan kwam. Hoe dan ook, ze waren niet blij, wij kunnen niets beginnen vanwege ingewikkelde copyrightafspraken en het hele project dreigde in het slop te raken. Ik ben er twee weken geleden persoonlijk naartoe gegaan en gelukkig stemden ze erin toe om het met een andere schrijver wel door te laten gaan, iemand die hun goedkeuring zou wegdragen.' Ze viel even stil en ik hoorde haar aan de andere kant van de lijn een slok van het een of ander nemen. 'We hebben ze een lange lijst schrijvers gestuurd met voorbeelden van hun werk. Die stuurden ze ongeopend terug. Persephone Blythe wilde u.'

In mijn maag kriebelde een spoortje twijfel. 'Vroeg ze naar mij?'

'Met naam en toenaam, heel zeker.'

'U weet toch dat ik geen schrijver ben?'

'Ja,' zei Judith. 'En dat heb ik ze uitgelegd, maar dat vonden ze helemaal geen bezwaar. Blijkbaar weten ze al wie u bent en wat u doet. Sterker nog, blijkbaar bent u de enige die ze zouden tolereren, wat onze opties nogal drastisch beperkt. U schrijft de inleiding, of het hele project is naar de knoppen.'

'Aha.'

'Luister...' Ik hoorde dat er druk met paperassen werd geschoven. 'Ik ben ervan overtuigd dat u goed werk zult leveren. U werkt bij een uitgeverij en u bent handig met taal... Ik heb contact opgenomen met een aantal vroegere cliënten van u en die gaven hoog over u op.'

'Echt?' Ach, wat een vreselijke ijdelheid: vissen naar complimentjes! Ze reageerde er terecht niet op.

'En iedereen hier bij Pippin beschouwt dit als positief. We vragen ons af of de gezusters misschien zo specifiek zijn geweest omdat ze eindelijk zover zijn om over de inspiratiebron achter het boek te praten. Ik hoef u niet te vertellen wat een geweldige primeur dat zou zijn, wanneer de werkelijke geschiedenis achter de totstandkoming van het boek aan het licht komt!'

Dat kon je wel zeggen. Mijn vader was wat dat betreft al geweldig bezig.

'Goed dan. Wat vindt u ervan?'

Wat ik ervan vond? Percy Blythe had om mij persoonlijk gevraagd. Ik werd gevraagd over de *Mud Man* te schrijven, om nogmaals met de gezusters Blythe te praten, om hen een bezoek te brengen op het kasteel. Wat kon ik er nog meer over zeggen? 'Ik doe het.'

'Ik ben bij de première van het stuk geweest, weet je,' zei Herbert toen ik verslag had gedaan van het gesprek.

'Het toneelstuk van de *Mud Man*?'

Hij knikte en Jess ging op zijn voeten liggen. 'Heb ik je dat nooit verteld?'

'Nee.' Dat hij dat had nagelaten was niet zo merkwaardig als het misschien lijkt. Herberts ouders waren acteurs en hij had een groot deel van zijn kinderjaren tussen de coulissen doorgebracht.

'Ik was toen een jaar of twaalf,' zei hij, 'en ik weet het nog omdat het een van de indrukwekkendste stukken was die ik ooit had gezien. In veel opzichten subliem. Het kasteel was midden op het toneel nagebouwd, maar ze hadden het op een verhoogde, hellende schijf gezet, zodat de toren naar het publiek wees en we recht het zolderraam in keken, in de kamer waar Jane en haar broer sliepen. De slotgracht was aan de uiterste rand van de schijf en de belichting kwam van achteren, waardoor er schaduwen op het publiek vielen toen de Mud Man uiteindelijk tevoorschijn kwam om de steile kasteelwand te beklimmen, lange schaduwen alsof de modder van het verhaal, het vocht en de duisternis en het monster zelf naar je uit leken te reiken.'

Ik huiverde dramatisch, wat een argwanende blik van Jess opleverde. 'Klinkt als een nachtmerrie. Geen wonder dat je het nog zo goed weet.'

'Precies, al was dat het niet alleen. Ik herinner me die avond vooral vanwege de opschudding die in het publiek ontstond.'

'Hoezo opschudding?'

'Ik stond tussen de coulissen, dus kon ik precies zien wat er gebeurde. Er was wat tumult in de auteursloge; mensen die opstonden, een klein kind dat huilde en er was iemand ziek. Er werd een dokter bij geroepen en een deel van de familie trok zich backstage terug.'

'De familie Blythe?'

'Dat moet haast wel, al moet ik bekennen dat ik de belangstelling verloor toen de opwinding eenmaal geluwd was. De voorstelling werd natuurlijk hervat en ik geloof niet dat het incident de volgende dag de krant haalde. Maar voor een jongen als ik was het allemaal heel opwindend.'

'Ben je er ooit achter gekomen wat er precies was gebeurd?' Ik moest aan Juniper denken, en haar aanvallen waarover ik zo veel had gehoord.

Hij schudde zijn hoofd en nam een laatste slok van zijn thee. 'Niet meer dan een kleurrijk theatermoment.' Hij stopte een sigaret tussen zijn lippen en glimlachte breed terwijl hij de rook naar binnen zoog. 'Maar genoeg over mij. Wat vind je ervan dat de jonge Edie Burchill op het kasteel is ontboden? Wat een grap, hè?'

Ik straalde, ik kon er niets aan doen, maar de vreugde verflauwde toen ik nadacht over de omstandigheden van mijn opdracht. 'Ik vind het naar voor die andere schrijver, de man die ze eerst in de arm hebben genomen.'

Herbert maakte een gebaar met zijn hand en er viel as op het kleed. 'Dat is jouw probleem niet, lieve Edie. Percy Blythe wilde jou... Zij is ook maar een mens.'

'Nu ik haar heb ontmoet, weet ik dat niet meer zo zeker.'

Hij lachte, nam een trek en zei: 'Die knaap komt er wel overheen; in liefde en oorlog en in de uitgeverswereld is alles geoorloofd.'

Ik was ervan overtuigd dat de gewipte schrijver mij geen warm hart toedroeg, maar hopelijk was het evenmin een kwestie van oorlog. 'Volgens Judith Waterman heeft hij aangeboden zijn aantekeningen over te dragen. Ze stuurt ze vanmiddag nog.'

'Kijk eens aan, dat is heel chic van hem.'

Dat was het zeker, maar er was me iets anders te binnen geschoten. 'Ik laat je toch niet met de gebakken peren zitten als ik ga? Red jij het hier in je eentje?'

'Het zal niet meevallen,' zei hij met een gespeelde frons die hij lang volhield. 'Niettemin vind ik dat ik het moedig moet dragen.'

Ik trok een grimas.

Hij stond op en klopte op zijn zakken op zoek naar zijn autosleutels. 'Alleen spijt het me dat we een afspraak hij de dierenarts hebben en ik er niet zal zijn wanneer de aantekeningen worden bezorgd. Zet je een streepje bij de beste stukken voor me?'

'Natuurlijk.'

Hij riep Jess bij zich en boog zich vervolgens naar mij om mijn gezicht zo stevig in beide handen te nemen dat ik de trillingen die daar huisden kon voelen, en hij drukte een harige kus op mijn beide wangen. 'Laat je van je briljántste kant zien, lieverd.'

Net toen ik bezig was af te sluiten, werd het pakje van Pippin Books per koerier bezorgd. Ik overwoog de hele bups mee naar huis te nemen en maakte het kalm en op professionele wijze open; vervolgens bedacht ik me. Ik draaide het slot weer open, deed het licht weer aan, haastte me terug naar mijn bureau en scheurde het pakje onderweg open.

Toen ik er een enorm pak papier uit viste, vielen er twee cassettebandjes uit. Het waren meer dan honderd bladzijden die netjes met grote papierklemmen werden bijeengehouden. Bovenop lag een brief van Judith Waterman met een samenvatting van het project, waarvan de kern als volgt luidde: 'NEW PIPPIN CLASSICS is een opwindende nieuwe reeks favoriete klassiekers voor nieuwe en oude lezers van PIPPIN BOOKS. De ingebonden NPC-titels krijgen een schitterend nieuw, eenvormig omslag met verschillende decoratieve schutbladen en nieuwe biografische inleidingen, dus beloven de NPC-titels de komende jaren een dynamische verschijning op de boekenmarkt te worden. Beginnend met *The True History of the Mud Man* van Raymond Blythe, zullen de NPC-titels worden genummerd, zodat lezers een fraaie verzameling kunnen aanleggen.'

Onder aan de brief stond met een asterisk een met de hand geschreven toevoeging van Judith:

> Edie, wat je schrijft is natuurlijk aan jou, maar tijdens onze eerste vergaderingen vroegen we ons af of het misschien interessant is om het accent van het stuk op de drie dochters te leggen, aangezien er al zo veel bekend is over Raymond Blythe en omdat hij zo terughoudend was over zijn inspiratiebron, met het antwoord op de vraag hoe het was om op te groeien op de plek waar de Mud Man vandaan kwam.
> In de interviewtranscripten zul je zien dat onze oorspronkelijke auteur gedetailleerde beschrijvingen en indrukken heeft weergegeven van zijn bezoeken aan het kasteel. Je mag ervan gebruiken wat je wilt, maar je zult ongetwijfeld je eigen research willen doen. Persephone Blythe was zelfs zeer welwillend in dat opzicht; ze stelde voor dat je bij hen langs gaat. (En het spreekt natuurlijk voor zich dat als zij zou verkiezen iets over de oorsprong van het verhaal los te laten, wij dat dolgraag van je willen lezen!)
> Het budget is niet omvangrijk, maar er blijft voldoende over om een kort verblijf in het dorp Milderhurst te bekostigen. We hebben een afspraak met mevrouw Marilyn Bird van de naburige Home Farm Bed and Breakfast. Adam was tevreden over de kwaliteit en de netheid van de kamers en het tarief is inclusief de maaltijden. Mevrouw Bird heeft ons gemeld vier nachten beschikbaar te zijn, te beginnen op 31 oktober, dus als we elkaar de volgende keer spreken, laat me dan s.v.p. weten of we een kamer voor je moeten boeken.

Ik draaide de brief om, streek over Adam Gilberts schutblad en gaf me over aan het opwindendste moment. Ik geloof dat ik zelfs glimlachte toen ik de bladzijde omsloeg; in elk geval beet ik op mijn lip. Een beetje te hard, daarom weet ik het nog zo goed.

Vier uur later had ik alles gelezen en zat ik niet langer in een rustig kantoor in Londen. Daar was ik natuurlijk wel, maar ook weer niet. Ik was vele kilometers verderop in een donker, bonkig kasteel in Kent, bij drie zussen, hun beroemde vader en het manuscript van een boek dat nog een klassieker moest worden.

Ik legde het transcript neer, schoof mijn stoel naar achteren en rekte me uit. Daarna stond ik op en rekte ik me nog wat meer uit. Er zat iets vast in mijn onderrug – ik heb me laten vertellen dat lezen met de voeten over elkaar dat teweeg kan brengen – en ik deed mijn best om het los te krijgen. Tijd en wat ruimte zorgden ervoor dat er bepaalde gedachten oprezen van de zeebodem van mijn geest, en er kwamen twee dingen in het bijzonder aan de oppervlakte. In de eerste plaats was ik vervuld van ontzag voor het vakmanschap van Adam Gilbert. Het waren duidelijk woordelijk van de band uitgetikte interviews – uitgewerkt op een ouderwetse schrijfmachine, en waarop her en der onberispelijke en gedetailleerde aantekeningen met de hand waren gemaakt – die eerder lazen als het script van een toneelstuk dan als een interview (met toneelaanwijzingen tussen haakjes als een van zijn personages ook maar een kik gaf). Om die reden trof de andere gedachte me zo sterk: er was een belangrijk aspect over het hoofd gezien. Ik knielde op mijn stoel en bladerde de stapel voor de zekerheid nog een keer door, de achterkant van de pagina's incluis. Er stond niets over Juniper Blythe bij.

Ik trommelde traag met mijn vingers op de stapel papier. Er waren misschien volmaakt geldige redenen waarom Adam Gilbert haar onvermeld had gelaten. Er was meer dan voldoende materiaal om het zonder haar te kunnen stellen; ze leefde nog niet eens toen de *Mud Man* voor het eerst werd uitgebracht, ze was Juniper... Toch bleef het knagen. En als er iets knaagt, gaat de perfectionist in mij piekeren. Er waren drie gezusters Blythe. Hun verhaal kon en mocht daarom niet worden geschreven zonder Junipers stem.

Adam Gilberts contactinformatie stond onder aan het schutblad getypt en ik overwoog het een seconde of tien – net lang genoeg om me af te vragen of half tien 's avonds te laat was om iemand thuis te bellen in Old Mill Cottage, Tenterden – voordat ik de telefoon pakte en zijn nummer intoetste.

Een vrouw nam op en zei: 'Hallo, met mevrouw Button.'

Iets aan de trage, melodieuze stem deed me denken aan die oorlogsfilms met rijen telefonistes in een centrale. 'Hallo,' zei ik. 'U spreekt met Edie Burchill, maar ik ben bang dat ik misschien het verkeerde nummer heb gebeld. Ik zoek Adam Gilbert.'

'Dit is het woonhuis van meneer Gilbert. U spreekt met zijn verpleegkundige, mevrouw Button.'

Verpleegkundige. Lieve help. Hij was ziek. 'Het spijt me dat ik u zo laat nog stoor. Misschien kan ik beter een andere keer terugbellen?'

'Nee, hoor. Meneer Gilbert is nog in zijn werkkamer; ik zie het licht onder zijn deur. Geheel tegen doktersadvies in, maar zo lang hij zijn slechte been maar niet belast, kan ik er weinig tegen doen. Hij is nogal koppig. Blijft u even aan de lijn, dan verbind ik u door.'

Er klonk een plastic klap toen ze de hoorn neerlegde en daarna het geluid van wegstervende voetstappen. Op een deur in de verte werd geklopt, er klonk een gedempte woordenwisseling en een paar seconden later nam Adam Gilbert op.

Nadat ik mezelf had voorgesteld, het doel van mijn telefoontje had uitgelegd en me had verontschuldigd voor de akelige omstandigheden waaronder we elkaar leerden kennen, viel er even een stilte. 'Tot vandaag wist ik zelfs niets van de uitgave van Pippin Books. Ik heb geen flauw idee waarom Percy Blythe zo voet bij stuk houdt.'

Hij zei nog steeds niets.

'Dat spijt me echt heel erg. Ik heb er geen verklaring voor; ik heb haar maar één keer ontmoet en toen nog maar kort. Het was zeker niet mijn bedoeling dat dit zou gebeuren.' Ik bazelde maar wat, dat hoorde ik zelf, dus zette ik er met grote moeite een punt achter.

Eindelijk zei hij iets met een stem die een beetje blasé klonk. 'Goed dan, Edie Burchill, ik vergeef je dat je mijn opdracht voor mijn neus hebt weggekaapt, maar op één voorwaarde. Als je iets over het ontstaan van de *Mud Man* te weten komt, hoor ik dat het eerst.'

Mijn vader zou dat niet leuk vinden. 'Natuurlijk.'

'Goed dan, wat kan ik voor u doen?'

Ik legde uit dat ik zijn transcript net had doorgelezen, complimenteerde hem met de grondigheid van zijn werk en zei toen: 'Maar ik vraag me één ding af.'

'En dat is?'

'De derde zus, Juniper. Er staat niets over haar bij.'

'Nee,' zei hij. 'Dat is juist.'

Ik wachtte weer af. Er kwam opnieuw geen reactie. Blijkbaar zou dit niet eenvoudig worden. Aan de andere kant van de lijn schraapte hij zijn keel en zei: 'Ik heb voorgesteld om Juniper Blythe te interviewen, maar zij was niet beschikbaar.'

'O?'

'Nou ja, ze was wel fysiek aanwezig – volgens mij komt ze niet vaak buiten – maar haar oudere zussen gaven geen toestemming om met haar te spreken.'

Het begon me te dagen. 'O.'

'Ze is ziekelijk, dus volgens mij was dat alles, maar...'

Er volgde een onderbreking waarin ik hem bijna naar woorden zag tasten om zich duidelijk te maken. Uiteindelijk klonk er een stekelige zucht. 'Ik had de indruk dat ze haar op de een of andere manier in bescherming wilden nemen.'

'Tegen wat? Tegen wie? Tegen ú?'

'Nee, niet tegen mij!'

'Waartegen dan?'

'Ik weet het niet. Het was maar een gevoel. Alsof ze bang waren voor wat ze zou zeggen. Hoe nadelig dat zou overkomen.'

'Nadelig voor hen? Voor hun vader?'

'Misschien, of anders voor haarzelf.'

Toen herinnerde ik me het vreemde gevoel dat ik had gekregen toen ik op Milderhurst was, de blik van verstandhouding die Percy en Saffy uitwisselden toen Juniper tegen me tekeerging in de gele salon, Saffy's bezorgdheid toen ze ontdekte dat Juniper verdwenen was en dat ze tegen mij had gesproken in de gang. Dat ze misschien iets had gezegd wat ze niet mocht zeggen. 'Maar waarom?' zei ik meer tegen mezelf dan tegen hem, denkend aan mama's verloren brief en de problemen waarnaar zijdelings werd verwezen. 'Wat kon Juniper in 's hemelsnaam te verbergen hebben?'

'Nou,' zei Adam iets zachter. 'Ik moet bekennen dat ik wat graafwerk heb verricht. Hoe meer zij erop stonden dat zij erbuiten werd gehouden, hoe meer belangstelling ik kreeg.'

'En? Wat heeft u gevonden?' Ik was blij dat hij me niet kon zien. Er school niets waardigs in de wijze waarop ik de hoorn bijna inslikte van nieuwsgierigheid.

'Een incident in 1935; waarschijnlijk zou je het een schandaal kunnen noemen.' Met een geheimzinnig soort tevredenheid liet hij de laatste woorden tussen ons in hangen, en ik zag hem zo voor me: achterovergeleund in zijn bureaustoel van gebogen hout, huisjasje stevig om zijn buik, warme pijp tussen zijn tanden geklemd.

Ik sprak net zo gedempt als hij. 'Wat voor schandaal?'

'Een kwaaie aangelegenheid, zoals het me is verteld, waar de zoon van een werknemer bij betrokken was. Van een van de hoveniers. De bijzonderheden waren nogal vaag en ik heb niets officieels kunnen vinden om het te verifiëren, maar het verhaal gaat dat die twee met elkaar gevochten hadden en hij bont en blauw was geslagen.'

'Door Júniper?' Ik zag het beeld voor me van de spichtige oude vrouw die ik op Milderhurst had ontmoet; en van het slanke meisje van de foto's. Ik probeerde niet te lachen. 'Op haar dertiende?'

'Dat lag erin besloten, maar als je het hardop zegt, klinkt het tamelijk vergezocht.'

'Maar was dat wat hij de mensen vertelde? Dat Juniper het had gedaan?'

'Nou, híj heeft dat niet gezegd. Ik kan me moeilijk voorstellen dat er veel jonge knapen zijn die ruiterlijk durven bekennen klop van een mager meisje te hebben gehad. Zijn moeder was naar het kasteel gegaan om schadevergoeding te eisen. Raymond Blythe heeft haar afgekocht. Kennelijk verkleed als bonus voor zijn vader, die zijn hele leven op het landgoed had gewerkt. Maar het gerucht is nooit uit de wereld gegaan; er werd in het dorp nog altijd over gepraat.'

Ik kreeg het gevoel dat Juniper het soort meisje was over wie de mensen graag praatten: ze was van een belangrijke familie, ze was mooi en begaafd – in mama's woorden betoverend – maar toch: Juniper die mannen in elkaar sloeg? Het leek me zacht gezegd onwaarschijnlijk.

'Hoor eens, waarschijnlijk is het allemaal ongefundeerde roddel.' Adam klonk weer luchtig toen hij mijn gedachten hardop uitsprak. 'Die niets te maken heeft met de reden dat de gezusters Blythe hun veto hebben uitgesproken over ons interview.'

Ik knikte langzaam.

'Het zal eerder zo zijn dat ze haar de spanning willen besparen. Ze is ziekelijk, ze is zeker niet goed met vreemden en ze was nog niet eens geboren toen de *Mud Man* verscheen.'

'Volgens mij hebt u gelijk,' zei ik. 'Ik ben er zeker van dat het niet meer was dan dat.'

Maar dat was ik niet. Ik kon me echt niet voorstellen dat de tweeling zat te tobben over een lang vergeten incident met de zoon van de tuinman, maar ik kon mezelf niet ontdoen van de zekerheid dat er iets anders achter zat. Ik legde de hoorn op de haak en bevond me weer in die spookachtige gang, kijkend van Juniper naar Saffy en Percy met het gevoel van een kind dat oud genoeg is om nuances te onderscheiden, maar hopeloos slecht is toegerust om ze te duiden.

Op de dag dat ik naar Milderhurst zou vertrekken, kwam mama in alle vroegte naar mijn slaapkamer. De zon hield zich nog schuil achter de muur van Singer & Sons, maar ik was al een uurtje wakker, net zo opgewonden als een kind op zijn eerste schooldag.

'Ik wil je iets geven,' zei ze. 'Althans lenen, want het is me nogal dierbaar.'

Ik wachtte af en vroeg me af wat het kon zijn. Ze haalde een voorwerp uit de zak van haar ochtendjas. Haar ogen speurden de mijne even af en daarna gaf ze het me. Een boekje met een bruin, leren kaft.

'Je zei dat je meer over me te weten wilde komen.' Ze deed haar best om dapper te zijn en te voorkomen dat haar stem ging trillen. 'Het staat er allemaal in. Zíj staat erin. De persoon die ik vroeger was.'

Ik pakte het dagboek in mijn handen en was zo nerveus als een jonge moeder met een kersverse baby. Ik was vervuld van ontzag omdat het zo'n kostbaar kleinood was, en verbaasd en ontroerd en dankbaar omdat ze die schat aan mij toevertrouwde. Ik wist niet wat ik moest zeggen; ik bedoel, ik kon een heleboel dingen bedenken die ik wilde zeggen, maar er zat een brok in mijn keel die niet van vandaag of gisteren was, en die van geen wijken wist. 'Dank je wel,' bracht ik uit voor ik in tranen uitbarstte.

Mama's ogen werden van de weeromstuit meteen vochtig en op hetzelfde moment vielen we elkaar in de armen en hielden we elkaar stevig vast.

3

20 april 1940

Het was typerend. Na een verschrikkelijk koude winter was de lente met een brede glimlach aangebroken en de dag zelf was perfect, iets wat Percy niet anders kon duiden dan als een rechtstreekse sneer van God. Ter plekke viel ze van haar geloof, staand in de dorpskerk nog wel, aan het uiteinde van de familiekerkbank die haar grootmoeder had ontworpen en William Morris had bewerkt en ze zag hoe dominee Gordon Harry Rogers en Lucy Middleton in de echt verbond. De hele toestand had het vage, sponzige karakter van een nachtmerrie, al kon het best zijn dat de hoeveelheid moed die ze zich van tevoren uit de whiskyfles had ingedronken een rol speelde.

Harry glimlachte naar zijn nieuwe bruid en het viel Percy weer op hoe knap hij was. Niet in de conventionele zin van het woord, op een duivelse noch gladde manier, noch was hij uitgesproken mooi, maar hij was eerder aantrekkelijk omdat hij een goed mens was. Dat had ze altijd gevonden, zelfs toen ze nog klein was en hij een jongeman die langskwam om de klokken voor papa te onderhouden. Er was iets aan zijn houding, de bescheiden stand van zijn schouders die aangaf dat hij iemand was wiens zelfbeeld niet overdreven opgeblazen was. Bovendien had hij een ontspannen en evenwichtig karakter, dat misschien niet dynamisch was, maar wel zorgzaamheid en tederheid verried. Ze placht naar hem te kijken tussen de trapstijlen door wanneer hij de oudste en nijdigste klokken van het kasteel weer tot leven wist te wekken, maar als hij er iets van merkte, gaf hij daar nooit blijk van. Nu zag hij haar evenmin. Hij had alleen maar oog voor Lucy.

Die was op haar beurt een en al glimlach en zette een uitstekende voorstelling neer van een vrouw die trouwt met de man van wie ze meer hield dan van wie ook. Percy kende Lucy al heel lang, maar had haar nooit voor zo'n goede actrice versleten. Er kroop een wee gevoel over de bodem van haar maag en weer verlangde ze ernaar dat die hele beproeving maar achter de rug was.

Ze had natuurlijk weg kunnen blijven – met een geveinsde ziekte of voor noodzakelijk oorlogswerk – maar dan zou er geroddeld worden. Ze hadden Lucy twintig jaar op het kasteel in dienst gehad: het zou ondenkbaar zijn dat ze zou trouwen zonder dat er een Blythe getuige van was onder de aanwezigen. Papa was om voor de hand liggende redenen een slechte keus, Saffy trof voorbereidingen voor de ontvangst van de ouders van Meredith, en Juniper, hoe dan ook geen ideale kandidaat, had zich met pen en papier op zolder teruggetrokken in een aanval van inspiratie; zo was de plicht aan Percy toegevallen. De verantwoordelijkheid laten liggen was geen optie, niet in de laatste plaats omdat Percy haar afwezigheid dan aan haar tweelingzus zou moeten verklaren. Miserabel omdat ze de trouwerij zelf moest missen, had Saffy een verslag geëist waaraan geen bijzonderheid ontbrak.

'De jurk, de bloemen, de manier waarop ze elkaar aankijken,' had ze gezegd, terwijl ze de onderdelen op haar vingers aftelde toen Percy het kasteel probeerde te verlaten. 'Ik wil het allemaal horen.'

'Ja, ja,' had Percy gezegd, terwijl ze zich afvroeg of haar flacon whisky in het chique handtasje paste dat ze met alle geweld van Saffy moest dragen. 'Vergeet jij dan niet papa zijn medicijnen te geven? Ik heb ze op de tafel in de hal gelegd.'

'Op de tafel in de hal. Goed.'

'Het is belangrijk dat hij ze op het hele uur krijgt. We willen geen herhaling van de vorige keer.'

'Nee,' beaamde Saffy, 'dat willen we zeker niet. De arme Meredith dacht dat ze een spook zag, dat arme kind. Een heel eigenzinnig spook.'

Percy was al bijna onder aan de trap, toen ze zich omdraaide. 'En Saffy?'

'Mm?'

'Laat me weten als er iemand langskomt.'

Vreselijke kooplieden des doods die het voorzien hadden op een verwarde oude man, die in zijn oor fluisterden, zijn angst aanwakkerden en op zijn oude schuldgevoel speelden, die rammelden met hun katholieke kruisbeelden en hun Latijnse spreuken in de hoeken van het kasteel lispelden en papa ervan overtuigden dat de spoken van zijn verbeelding inderdaad bonafide demonen waren. En dat alles zodat zij de hand op het kasteel konden leggen zodra hij dood was.

Percy plukte aan de huid om haar nagels en vroeg zich af hoe lang het nog zou duren voordat ze naar buiten kon om te roken, of ze misschien ongezien kon wegglippen als ze een perfect gezagvolle houding aannam. Op dat moment zei de dominee iets en iedereen ging staan; Harry pakte Lucy's hand in de zijne om met haar terug te lopen door het gangpad en hij hield die zo teder vast dat Percy besefte dat ze geen hekel aan hem kón hebben, zelfs nu niet.

De gezichten van het getrouwde stel straalden van vreugde en Percy deed haar best hun voorbeeld te volgen. Ze klapte zelfs mee toen ze door het smalle gangpad het zonlicht buiten in liepen. Ze was zich bewust van haar ledematen, van de onnatuurlijke klauw van haar hand om de rugleuning van de bank, de rimpels in haar gezicht die gedwongen vrolijk stonden, waardoor ze zich een opwindpop voelde. Iemand die verborgen zat in het hoge, hellende kerkplafond trok aan een onzichtbare draad en ze pakte haar handtas naast haar op. Ze lachte een beetje en deed alsof ze een levend wezen met gevoelens was.

De magnolia's waren uitgekomen zoals Saffy had gehoopt en gebeden en geduind, en het was een van die zeldzame en kostbare aprildagen waarop de zomer al reclame voor zichzelf begint te maken. Saffy moest onwillekeurig glimlachen.

'Kom op, trage slak,' riep ze terwijl ze zich omdraaide om Meredith tot spoed te manen. 'Het is zaterdag, de zon schijnt, je moeder en vader zijn in aantocht en er is geen excuus om te talmen.' Echt waar, het meisje had een slechte bui. Je zou zeggen dat ze verrukt zou zijn bij het vooruitzicht haar ouders weer te zien, maar ze had al de hele ochtend lopen kniezen. Saffy kon natuurlijk wel raden waarom.

'Maak je niet ongerust,' zei ze toen Meredith haar had ingehaald. 'Juniper komt zo. Het duurt nooit langer dan een dag.'

'Maar ze is al boven sinds het eten. Haar deur zit op slot en ze doet niet open. Ik begrijp het niet...' Meredith kneep haar ogen onflatteus samen, een gewoonte die Saffy erg innemend vond. 'Wat doet ze?'

'Schrijven,' zei Saffy eenvoudig. 'Zo gaat dat met Juniper. Het is nooit anders geweest. Het duurt niet lang en dan is ze weer de oude... Hier.' Ze gaf Meredith een stapeltje gebaksbordjes. 'Wil je deze vast klaarzetten? En zullen we je vader en moeder met de rug naar de haag zetten zodat ze de tuin kunnen zien?'

'Goed,' zei Meredith, die wat opkikkerde.

Saffy glimlachte. Meredith Baker was verrukkelijk meegaand – een onverwachte vreugde na de opvoeding van Juniper – en haar verblijf op Milderhurst Castle was een klinkend succes geweest. Er ging niets boven een kind om het leven weer in die vermoeide oude stenen te jagen, en de injectie van licht en hilariteit was precies wat de dokter had voorgeschreven. Zelfs Percy was op het meisje gesteld geraakt, opgelucht dat de trapkrullen intact waren gebleven.

Maar de grootste verrassing was Junipers reactie geweest. De evidente genegenheid die ze voor de jeugdige evacué voelde, benaderde liefde voor een ander meer dan Saffy ooit van haar had meegemaakt. Ze hoorde hen wel eens, pratend en giechelend in de tuin en was aangenaam verbijsterd door de oprechte hartelijkheid in Junipers stem. Hartelijkheid was niet een woord dat Saffy ooit had gedacht te zullen gebruiken om haar kleine zusje te beschrijven.

'Laten we hier een plek voor June dekken,' zei ze wijzend naar de tafel, 'gewoon voor de zekerheid en jij naast haar, denk ik... en Percy daar...'

Meredith, die achter haar aan liep om de borden neer te zetten, bleef staan. 'En u dan?' zei ze. 'Waar gaat u zitten?' En misschien las ze iets verontschuldigends op Saffy's gezicht, want ze vervolgde vlug: 'U bent er toch wel bij?'

'Nou, lieverd,' zei Saffy en ze liet de hand met vorkjes slap langs haar rok zakken. 'Ik zou het heel leuk vinden, dat weet je. Maar Percy is heel traditioneel in die dingen. Zij is de oudste en bij afwezigheid van papa neemt zij de honneurs waar. Ik weet dat het allemaal vreselijk mal en officieel moet klinken, heel ouderwets zelfs, maar zo gaat het hier. Zo wil papa dat de gasten op Milderhurst worden ontvangen.'

'Maar ik begrijp nog steeds niet waarom jullie niet alle twéé kunnen komen.'

'Nou, een van ons moet binnen blijven voor het geval papa hulp nodig heeft.'

'Maar Percy...'

'Verheugt zich er erg op. Ze wil je ouders heel graag leren kennen.'

Saffy zag wel dat Merry zich niet liet overtuigen; sterker nog, het arme kind zag er zo teleurgesteld uit dat ze er alles voor over zou hebben om haar op te beuren. Ze draaide eromheen, maar slechts kort en met weinig overtuiging, en toen Meredith een lange, mistroostige zucht slaakte, verdween Saffy's laatste restje vastbeslotenheid. 'O, Merry,' zei ze met een heimelijke blik over haar schouder. 'Ik mag eigenlijk niets zeggen, echt niet, maar er is nog een reden waarom ik binnen moet blijven.'

Ze schoof naar het einde van een gammele tuinbank en gebaarde dat Meredith naast haar moest komen zitten. Ze haalde diep adem en zuchtte beslist. Daarna vertelde ze Meredith alles over het telefoontje dat ze die middag verwachtte. 'Het is een erg belangrijke particuliere verzamelaar in Londen,' zei ze. 'Ik heb hem geschreven nadat er een kleine advertentie was verschenen waarin hij een assistente zocht om te helpen zijn collectie in een catalogus onder te brengen. En hij heeft onlangs teruggeschreven om te zeggen dat mijn sollicitatie wordt beloond en dat hij me vanmiddag zou bellen om samen de bijzonderheden te bespreken.'

'Wat verzamelt hij?'

Saffy sloeg de handen ineen onder haar kin. 'Antiek, kunst, boeken, mooie dingen, wat hemels!'

De opwinding kleurde de sproetjes op Merry's neus en Saffy besefte eens te meer wat een heerlijk kind het was en hoe flink ze in slechts een klein half jaar was opgeschoten. Als je bedacht wat een arme, magere spicht ze was toen Juniper voor het eerst met haar kwam aanzetten! Maar onder die bleke Londense huid en die haveloze jurk scholen een intelligente geest en een heerlijke leergierigheid.

'Mag ik de verzameling zien?' vroeg Meredith. 'Ik heb altijd een echt, levend, Egyptisch artefact willen zien.'

Saffy lachte. 'Natuurlijk mag je dat. Ik weet zeker dat meneer Wicks met alle plezier zijn kostbare spullen wil laten zien aan een intelligente jongedame zoals jij.'

Op dat moment leek Meredith echt te gloeien, en de eerste spijt prikte al gaatjes in Saffy's vreugde. Was het niet een beetje onaardig om het meisjeshoofd op hol te brengen met zulke grootse fantasieën als ze er vervolgens over moest zwijgen? 'Goed, Merry,' zei ze iets nuchterder, 'het is heel opwindend nieuws, maar je mag niet vergeten dat het geheim is. Percy weet het nog niet en dat zal niet gebeuren ook.'

'Waarom niet?' Meredith sperde haar ogen nog verder open. 'Wat zou ze doen?'

'Ze zal er niet blij mee zijn, dat is zeker. Ze zal niet willen dat ik ga. Ze houdt niet zo van verandering, begrijp je, en ze is gesteld op de manier waarop het nu gaat met z'n drieën hier op dit kasteel. Ze is heel beschermend, zo is ze altijd geweest.'

Meredith knikte en zoog dat onderdeel van de familiedynamiek met zo veel interesse op dat Saffy min of meer verwachtte dat ze haar dagboek tevoorschijn zou halen om het op te schrijven. Maar haar belangstelling was begrijpelijk: Saffy wist voldoende over de oudere zus van het meisje zelf om te beseffen dat gevoelens van beschermingsdrang tussen zussen haar onbekend waren.

'Percy is mijn tweelingzus en ik hou veel van haar, maar soms, lieve Merry, moet je je eigen verlangens op de eerste plaats zetten. Geluk in het leven is geen uitgemaakte zaak, het moet worden afgedwongen.' Ze glimlachte en weerstond de neiging eraan toe te voegen dat er andere kansen en gelegenheden waren geweest die allemaal verloren waren. Het was één ding om een kind iets vertrouwelijks te vertellen, maar heel iets anders om het op te zadelen met de spijt over gemiste kansen van volwassenen.

'Maar wat gebeurt er als het tijd wordt dat u weggaat?' vroeg Meredith. 'Dan komt ze er toch achter.'

'O, maar ik vertel het haar wel voor die tijd!' zei Saffy lachend. 'Natuurlijk doe ik dat. Ik ben niet van plan met de noorderzon te vertrekken, hoor! Bepaald niet. Ik moet alleen de juiste woorden zien te vinden, een manier om ervoor te zorgen dat Percy niet wordt gekwetst. Voordat het zover is, lijkt het me het beste dat ze er niets over hoort. Begrijp je dat?'

'Ja,' zei Meredith enigszins ademloos.

Saffy beet op haar onderlip; ze had het onrustige gevoel dat ze een betreurenswaardige vergissing had gemaakt, dat het niet goed was om een kind in zo'n onhandige positie te manoeuvreren. Ze had Meredith alleen willen afleiden van haar eigen ongelukkige stemming.

Meredith begreep Saffy's zwijgen verkeerd en vatte het op als een gebrek aan vertrouwen in haar vermogen een geheim te bewaren. 'Ik zal het niet vertellen, dat beloof ik. Geen woord. Ik ben heel goed in geheimen.'

'O, Meredith,' glimlachte Saffy treurig. 'Daar twijfel ik niet aan, dat is het helemaal niet... Hemeltje. Ik ben bang dat ik mijn excuses moet maken. Het was verkeerd van me om aan jou te vragen iets voor Percy geheim te houden. Wil je me dat vergeven?'

Meredith knikte ernstig en Saffy bespeurde een glimp van trots op haar gezicht, waarschijnlijk omdat ze zo volwassen werd behandeld. Saffy herinnerde zich haar eigen drang van vroeger om groot te worden, hoe ongeduldig ze op de rand van de volwassenheid had gewacht en gesmeekt of die haar wilde opeisen, en ze vroeg zich af of het ooit mogelijk was andermans reis te vertragen. Was het zelfs wel eerlijk om het te proberen? Er kon toch niets mis zijn met het verlangen om Meredith te behoeden voor volwassenheid en haar teleurstellingen, net zoals ze had geprobeerd Juniper ervoor te behoeden?

'Ziezo, schatje,' zei ze toen ze het laatste bordje uit Meredith' handen nam. 'Laat mij de boel hier maar afmaken. Ga jij maar iets leuks doen terwijl je op de komst van je ouders wacht. Het is veel te mooi weer om allerlei klusjes te doen. Probeer alleen je jurk niet al te vies te maken.'

Het was een van de hemdjurken die Saffy had genaaid toen Merry er net was. Hij was uit een prachtig stuk Liberty-stof gemaakt die Saffy jaren daarvoor had besteld, niet omdat ze een project op het oog had, maar omdat de stof gewoon te mooi was om te laten liggen. Sindsdien had hij geduldig liggen wachten in de kast in de naaikamer tot Saffy er een doel voor had. En toen had ze het. Toen Merry uit het zicht verdween, richtte Saffy haar aandacht weer op de tafel om te controleren of alles piekfijn in orde was.

Meredith zwierf doelloos door het hoge gras, maaide heen en weer met een stok en vroeg zich af hoe het kwam dat iemands afwezigheid een dag zo totaal van zijn vorm en betekenis kon beroven. Ze liep om de heuvel heen, belandde bij de beek en volgde die vervolgens helemaal tot de brug waar de oprijlaan overheen liep.

Ze overwoog verder te lopen, voorbij de bosrand het woud in. Diep genoeg om het zonlicht diffuus te laten worden, waar de forel was verdwenen en het water zo stroperig werd als melasse. Helemaal tot ze in het wilde stuk van het bos was en ze bij de vergeten vijver aan de voet van de oudste boom van Cardarker Wood was gekomen. Die plek die zo hardnekkig donker was en waar ze een hekel aan had toen ze net op het kasteel woonde. Papa en mama zouden er pas over een uurtje zijn, er was nog tijd, ze kende de weg, ze hoefde tenslotte alleen het kabbelende beekje te volgen...

Maar Meredith wist dat het zonder Juniper niet half zo leuk was. Alleen maar donker en vochtig, en het rook er vies. 'Vind je het niet geweldig?' had Juniper gevraagd toen ze er voor het eerst samen op verkenning gingen. Meredith wist het niet goed. De boomstam waarop ze zaten, was koel en vochtig en haar gymschoenen waren nat omdat ze van een steen was gegleden. Er was nog een vijver op het landgoed, waar het wemelde van de vlinders en vogels en waar een schommel hing waarop je heen en weer kon wiegen in het gevlekte zonlicht, en ze wenste uit alle macht dat ze daar de dag hadden doorgebracht. Maar dat hield ze voor zich; de kracht van Junipers overtuiging was zodanig dat Meredith wist dat het aan haar lag, dat haar voorkeur te kinderlijk was, dat ze gewoon niet hard genoeg haar best deed. Ze trok een vastberaden gezicht en zei glimlachend: 'Ja.' En nog eens, met gevoel: 'Ja, het is geweldig.'

In één vloeiende beweging was Juniper opgestaan en op haar tenen met de armen zijwaarts uitgestrekt over de omgevallen stam gelopen. 'Het zijn de schaduwen,' zei ze. 'De manier waarop het riet langs de oever omlaag glipt, bijna stiekem. Het is de geur van modder, vocht en verrotting.' Ze glimlachte Meredith van opzij toe. 'Het is bijna prehistorisch. Als ik je vertelde dat we een onzichtbare drempel naar het verleden waren overgestoken, zou je me geloven, hè?'

Meredith had gehuiverd, net als nu. In haar kinderlichaam was een zacht magneetje onverklaarbaar dringend gaan zoemen, en ze voelde de zuigkracht van verlangen, al wist ze niet waarnaar.

'Doe je ogen dicht en luister,' fluisterde Juniper met de vinger aan de lippen. 'Dan hoor je de spinnen aan hun web werken...'

Meredith deed nu weer haar ogen dicht. Ze luisterde naar het koor van krekels, af en toe een plons van een forel, het geronk van een tractor ergens in de verte... Er was nog een geluid. Een geluid dat er duidelijk niet thuishoorde. Ze besefte dat het een auto was, niet ver weg, een auto die dichterbij kwam.

Ze opende haar ogen en zag hem. Een zwarte auto die over het grind van de slingerende oprijlaan naar beneden kwam. Meredith kon alleen maar staren. Bezoek was zeldzaam op Milderhurst, en auto's waren nog zeldzamer. Maar weinig mensen hadden voldoende benzine voor gezelligheidsbezoekjes, en voor zover Meredith het had begrepen, hadden de mensen die wel benzine bezaten die gehamsterd om naar het noorden te kunnen vluchten zodra de Duitsers het land binnenvielen. Zelfs de priester die bij de oude man in de toren op bezoek ging, kwam tegenwoordig te voet. Het moest officieel bezoek zijn, stelde Meredith vast; iemand met een speciale oorlogsmissie.

De auto reed langs haar en de chauffeur, een man die ze niet kende, tikte tegen zijn zwarte hoed en knikte Meredith ernstig toe. Ze tuurde hem na en zag de auto behoedzaam over het grind manoeuvreren. Hij verdween achter de bomen in een bocht en verscheen even later weer beneden aan de oprijlaan; een zwart vlekje dat in de richting van Tenterden reed.

Meredith geeuwde en vergat de auto prompt. Er groeide een trosje wilde bosviooltjes bij de pijler van de brug en ze kon de verleiding niet weerstaan om er een paar te plukken. Toen ze een prachtig dik bosje had, klom ze op de brugleuning en zat ze een tijdje te dagdromen, terwijl ze de bloemen een voor een in de beek liet vallen en keek hoe ze in het vriendelijke stroompje paarse salto's maakten.

'Goedemorgen.'

Ze keek op en zag Percy Blythe haar fiets de oprijlaan op duwen. Ze had een weinig flatteuze hoed op en de geijkte sigaret in haar hand. De Strenge Tweelingzus, zoals Meredith haar meestal beschouwde, al lag er vandaag een andere uitdrukking op haar gezicht die eerder treurig was dan streng. Misschien kwam het alleen door die hoed. Meredith zei 'Hallo' en klemde zich aan de leuning vast om niet in het water te vallen.

'Of is het al middag?' Percy bleef staan en wierp een blik op het kleine horloge dat aan de binnenkant van haar pols zat. 'Net half één geweest. Niet vergeten dat we een afspraak voor de thee hebben, hè?' Ze keek haar aan over het gloeiende eindje van haar sigaret terwijl ze er een lange, stevige haal van nam en de rook vervolgens traag uitblies. 'Ik stel me zo voor dat je ouders teleurgesteld zullen zijn als ze die hele reis hierheen hebben ondernomen en jou niet aantreffen.'

Meredith vermoedde dat het een grapje was, maar Percy's gezicht noch haar manier van doen had iets joviaals, dus wist ze het niet zeker. Ze waagde het erop en lachte beleefd; Percy kon hoogstens denken dat ze het niet had gehoord.

Percy gaf geen teken dat ze Meredith' reactie had opgemerkt, laat staan erbij had stilgestaan. 'Nou,' zei ze. 'Ik heb nog van alles te doen.' Ze knikte kortaf en vervolgde haar weg naar het kasteel.

4

Toen Meredith uiteindelijk haar ouders in het oog kreeg die samen de oprijlaan op liepen, maakte haar maag een salto. Heel even had ze het gevoel alsof ze twee mensen uit een droom zag naderen: vertrouwd maar volkomen uit hun element hier, in de echte wereld. Dat gevoel duurde maar even, voordat iets vanbinnen, een soort schijfje van perceptie, werd omgedraaid en ze duidelijk zag dat het papa en mama waren en dat ze er eindelijk waren en ze had hun zo veel te vertellen. Ze holde met gespreide armen op hen af en papa hurkte zodat ze in zijn grote, warme omhelzing kon springen. Mama drukte een kus op haar wang, wat ongebruikelijk maar niet onaangenaam was, en al wist ze dat ze er veel te oud voor was, Rita noch Ed was er om haar te plagen, dus hield Meredith papa's hand de rest van de weg vast en ze praatte aan één stuk door over het kasteel en zijn bibliotheek en de landerijen en de beek en het bos.

Percy wachtte al bij de tafel. Ze rookte weer een sigaret die ze uitmaakte toen ze hen zag. Ze streek de zijkanten van haar rok glad, stak haar hand uit en begroette hen met enige omhaal. 'En hoe was de treinreis? Niet al te onaangenaam, mag ik hopen?' Het was een volmaakt onschuldige vraag, beleefd zelfs, maar Meredith hoorde de hete aardappel in Percy's stem door de oren van haar ouders en wenste dat de vriendelijke Saffy hen welkom had geheten.

En ja hoor, mama's stem klonk dun en op haar hoede. 'Lang. We moesten de hele weg stoppen om de troepentransporten te laten voorgaan. We hebben meer tijd doorgebracht op zijsporen dan het hoofdspoor.'

'Toch moeten onze jongens op de een of andere manier op het slagveld komen, om Hitler te laten zien dat Engeland hem aankan.'

'Precies, meneer Baker. Gaat u zitten alstublieft,' zei Percy met een gebaar naar de fraai gedekte tafel. 'U zult wel uitgehongerd zijn.'

Percy schonk thee in en bood plakjes aan van Saffy's cake, en ze spraken ietwat houterig over de bomvolle treinen, de oorlog (Denemarken is gevallen, zou Noorwegen nu aan de beurt zijn?) en hoe die verder zou verlopen. Meredith knabbelde aan een plakje cake en keek toe. Ze was ervan overtuigd geweest dat papa en mama na één blik op het kasteel te hebben geworpen, en daarna op Percy met haar geaffecteerde accent en kaarsrechte rug, ze in het defensief zouden gaan, maar tot nu toe ging het allemaal vrij soepel.

Meredith' moeder was heel zwijgzaam, dat wel. Ze hield één hand stevig om haar tasje op schoot, een beetje nerveus en stijfjes, wat een tikje verontrustend was omdat Meredith haar moeder nog nooit nerveus had gezien: voor ratten noch spinnen, en zelfs niet voor meneer Lane van de overkant als hij te lang in het café had gezeten. Papa leek iets meer op zijn gemak en knikte toen Percy het Spitfire-offensief en de hulpgoederen voor de soldaten in Frankrijk beschreef en thee dronk uit met de hand beschilderde porseleinen kopjes alsof hij dat elke dag deed. Nou ja, bijna dan. Hij slaagde erin het op poppenhuisservies te laten lijken. Meredith had nooit beseft hoe enorm zijn vingers waren en ze werd overspoeld door een onverwachte golf genegenheid. Ze stak haar hand onder de tafel om die op zijn andere hand te leggen. Ze waren geen gezin dat zich lichamelijk uitdrukte en hij keek verrast op voordat hij in haar hand terug kneep.

'Hoe gaat het met je schoolwerk, meisje van me?' Hij leunde iets dichter naar haar toe en zei met een knipoog naar Percy: 'Onze Rita mag dan het uiterlijk hebben gekregen, maar de kleine Merry hier heeft beslag op alle hersens gelegd.'

Meredith gloeide van trots. 'Ik krijg hier les op het kasteel van Saffy, pap. Je zou de bibliotheek eens moeten zien, er staan zelfs meer boeken dan in de openbare bibliotheek. Alle wanden zijn bedekt met boekenplanken. En ik leer Latijn...' O, wat was ze dol op Latijn. Klanken uit het verleden, zwanger van betekenis. Stemmen op de wind uit de oudheid. Meredith duwde haar bril hoger op haar neus; als ze opgewonden was, zakte hij dikwijls omlaag. '... en ik leer ook pianospelen.'

'Mijn zus Seraphina is heel tevreden met de vorderingen van uw dochter,' zei Percy. 'Ze doet het heel aardig, in aanmerking genomen dat ze nog nooit een piano had gezien.'

'O ja?' zei papa. Zijn handen maakten een schuddende beweging in zijn zakken zodat zijn ellebogen hoogst merkwaardig boven het tafelblad bewogen. 'Kan mijn kleine meid een wijsje spelen?'

Meredith glimlachte trots en vroeg zich af of haar oren rood waren. 'Een paar.'

Percy schonk iedereen nog eens bij. 'Misschien kun je je ouders straks mee naar binnen nemen, Meredith; naar de muziekkamer, zodat je iets voor ze kunt spelen?'

'Hoor je dat, mama?' Papa knikte met zijn kin. 'Onze Meredith speelt echte muziek.'

'Ik hoor het.' Iets in haar moeders gezicht leek te verstrakken, al wist Meredith niet precies wat. Het was dezelfde blik die ze kreeg wanneer zij en papa over iets kibbelden en hij een kleine, maar fatale vergissing maakte waardoor de overwinning aan haar was. Ze sprak Meredith streng toe alsof Percy er niet bij was. 'We hebben je gemist met de kerst.'

'Ik jullie ook, mama. Ik wilde echt graag naar huis komen, maar er reden geen treinen. Die hadden ze allemaal nodig voor de soldaten.'

'Rita gaat vandaag met ons mee naar huis.' Mama zette haar kopje op de schotel, legde het lepeltje met een beslist gebaar recht en schoof het weg. 'We hebben een baantje voor haar gevonden bij een kapsalon op Old Kent Road. Maandag begint ze. Eerst schoonmaakwerk, maar ze gaan haar ook leren hoe ze krullen moet zetten en knippen.' Er verscheen een sprankje voldoening in mama's ogen. 'Er liggen momenteel allerlei kansen, Merry, nu er zo veel oudere meisjes dienst nemen in het leger of in de fabriek gaan werken. Mooie kansen voor een jong meisje zonder andere vooruitzichten.'

Het klonk logisch. Rita was altijd met haar kapsel en haar kostbare verzameling cosmetica in de weer. 'Klinkt goed, mama. Het is prettig om iemand in de familie te hebben die uw haar voor u kan doen.' Die opmerking leek haar moeder niet te bevallen.

Percy Blythe haalde een sigaret uit de zilveren koker die ze van Saffy in gezelschap moest gebruiken en tastte in haar zak naar lucifers.

Papa schraapte zijn keel. 'Het punt is, Merry,' zei hij, en zijn onhandigheid was voor Meredith geen troost voor de verschrikkelijke woorden die daarna kwamen: 'Je moeder en ik dachten dat het ook tijd wordt voor jou.'

En toen begreep Meredith het. Ze wilden dat ze naar huis ging om kapster te worden, om Milderhurst te verlaten. Diep in haar maag vormde de paniek een bal die heen en weer rolde. Ze knipperde een paar keer met haar ogen, zette haar bril recht en stamelde: 'Maar... Maar... Ik wil geen kapster worden. Volgens Saffy is het belangrijk dat ik mijn school afmaak. Dat ik na de oorlog misschien wel een plek op het gymnasium kan krijgen.'

'Met die kapsteropleiding dacht je moeder alleen maar aan je toekomst; als je wilt, kunnen we ook iets anders proberen te vinden. Kantoorwerk misschien. Op een van de ministeries?'

'Maar het is niet veilig in Londen,' zei Meredith opeens. Het was een geniale inval: ze was in de verste verte niet bang voor Hitlers bommen, maar misschien kon ze hen zo overtuigen.

Papa klopte glimlachend op haar schouder. 'Je hoeft nergens bang voor te zijn, meisje. We doen allemaal ons best om Hitlers partij de das om te doen:

mama is net in een munitiefabriek begonnen en ik draai nachtdiensten. Er zijn geen bommen meer gevallen, geen gifgas, onze wijk ziet er nog net zo uit als altijd.'

Net zo als altijd. Meredith haalde zich de groezelige oude straten voor de geest en haar beroerde plek daartussen, en met een misselijkmakende flits van helderheid erkende ze hoe graag ze op Milderhurst wilde blijven. Ze draaide zich om naar het kasteel, vlocht haar vingers in elkaar en wenste dat ze Juniper kon oproepen door niets anders dan de intensiteit van haar behoefte; ze wenste dat Saffy zou verschijnen om precies de juiste dingen te zeggen, zodat papa en mama zouden inzien dat haar mee naar huis nemen een vergissing was, dat ze haar moesten laten blijven.

Misschien was het dankzij een geheimzinnige tweelingcommunicatie dat Percy op dat moment tussenbeide kwam. 'Meneer en mevrouw Baker,' zei ze, en ze tikte met het uiteinde van haar sigaret op de zilveren koker met een uitdrukking alsof ze liever ergens anders was. 'Ik begrijp dat u Meredith heel graag bij u thuis wilt hebben, maar als de invasie...'

'Vanmiddag ga je met ons mee naar huis, dametje, en daarmee uit.' Mama had als een egel haar stekels opgezet. Ze keurde Percy nog geen blik waardig en keek Meredith aan met een blik die een flinke afstraffing in het verschiet beloofde.

De tranen sprongen Meredith achter haar bril in de ogen. 'Nee.'

Papa gromde: 'Doe niet zo brutaal tegen je moeder...'

'Goed,' zei Percy abrupt. Ze had het deksel van de theepot opgetild en bekeek de inhoud. 'De pot is leeg; wilt u me verontschuldigen? Dan ga ik hem even vullen. We hebben momenteel een gebrek aan personeel. Oorlogsbezuiniging.'

Gedrieën keken ze haar na en toen siste haar moeder tegen haar vader: 'Een gebrek aan personeel, hoor je dat?'

'Kom nou, Annie.' Confrontatie was iets waarvan papa niet genoot. Hij was het type wiens indrukwekkende omvang zo afschrikwekkend was dat hij zelden hoefde te slaan. Mama daarentegen...

'Die vrouw kijkt al sinds onze komst op ons neer. Oorlogsbezuiniging, ja hoor. Zeker op een plek als deze.' Ze gebaarde naar het kasteel. 'Waarschijnlijk vindt ze dat wij daarbinnen moeten zijn om haar op haar wenken te bedienen.'

'Dat vindt ze niet!' zei Meredith. 'Zo zijn ze niet.'

'Meredith.' Papa staarde nog steeds naar een plek op de grond, maar hij verhief zijn stem en klonk bijna smekend. Hij wierp een blik op haar vanonder zijn gefronste voorhoofd. Ze wist dat hij er meestal op vertrouwde dat ze stilzwijgend zijn kant zou kiezen als mama en Rita begonnen te schreeuwen. Maar vandaag was het anders; vandaag kon ze gewoon niet zijn kant kiezen.

'Maar pap, kijk eens naar die prachtige theetafel die ze speciaal voor...'

'Je bent wel brutaal genoeg geweest, juffie.'

Mama was opgestaan en ze trok Meredith overeind aan de mouw van haar nieuwe jurk, harder dan ze anders misschien gedaan zou hebben. 'Jij gaat naar binnen om je spullen te halen. Je échte kleren. Straks vertrekt de trein en daar zitten we alle drie in.'

'Ik wil niet mee,' zei Meredith en ze keek haar vader smekend aan. 'Laat me hier blijven, pap. Laat me alsjeblieft niet meegaan. Ik leer...'

'Poeh!' Mama maakte een minachtend gebaar. 'Ik zie heel goed wat je hier bij die kakmadam hebt geleerd: je ouders een grote mond geven. Ik zie ook wat je bent vergeten: wie je bent en waar je vandaan komt.' Ze schudde haar wijsvinger naar haar vader. 'Ik had je gezegd dat het een slecht idee was om ze weg te sturen. Als we ze thuis hadden gehouden zoals ik wilde...'

'Genoeg!' Papa werd eindelijk boos. 'Zo is het genoeg, Annie. Ga zitten. Dit is helemaal nergens voor nodig; ze gaat vandaag mee naar huis.'

'Nee!'

'O, jawel,' zei mama, terwijl ze haar vlakke hand weer terugtrok. 'En jij krijgt een flinke draai om de oren wanneer we thuis zijn.'

'Afgelopen!' Haar vader was inmiddels ook gaan staan en greep mama's pols vast. 'In 's hemelsnaam, Annie, zo is het wel genoeg.' Zijn ogen boorden zich in de hare en er gebeurde iets tussen hen. Meredith zag haar moeders pols slap worden. Papa knikte. 'We zijn alle drie een beetje oververhit geraakt, meer niet.'

'Zeg dat maar tegen je dochter... Ik kan haar aanblik niet verdragen. Ik hoop voor haar dat ze nooit zal weten hoe het is om een kind te verliezen.' En ze liep weg met de armen koppig over elkaar geslagen.

Opeens zag haar vader er moe uit. Hij streek met zijn hand door zijn haar. Op de kruin was het dun geworden, zodat Meredith er de sporen zag die zijn kam die ochtend had getrokken. 'Let maar niet op haar. Ze is vurig; je kent haar. Ze heeft zich zorgen over je gemaakt; wij allebei trouwens.' Hij wierp nog een blik op het kasteel dat boven hen uittorende. 'Maar we hebben verhalen gehoord. Door Rita's brieven en van sommige kinderen die al thuis zijn gekomen. Vreselijke verhalen over hoe ze behandeld zijn.'

Meer niet? Meredith voelde een borrelende blijdschap van opluchting; ze wist best dat er evacués waren die het minder hadden getroffen dan zij, maar als dat het enige was waarover ze zich zorgen maakten, dan hoefde ze haar vader natuurlijk alleen maar gerust te stellen. 'Maar u hoeft zich nergens zorgen om te maken, pap. Ik heb al geschreven dat ik hier gelukkig ben. Heb je mijn brieven niet gelezen?'

'Natuurlijk wel. Wij allebei. Het hoogtepunt van de dag voor mama en mij was wanneer er een brief van jou kwam.'

Door de manier waarop hij het zei, wist Meredith dat dat waar was en iets vanbinnen deed pijn toen ze zich hen voorstelde aan tafel, gebogen over de dingen die ze had geschreven. 'Nou dan,' zei ze, niet in staat hem aan te kijken. 'Dus je weet dat alles in orde is. Béter dan in orde.'

'Ik weet dat je dat hebt geschreven.' Hij keek naar haar moeder om te zien of ze buiten gehoorsafstand was. 'Dat was voor een deel juist de moeilijkheid. Je brieven waren zo... opgewekt. En je moeder heeft van een van haar vriendinnen gehoord dat er pleeggezinnen bij zijn die de brieven die de jongens en meisjes naar huis schreven veranderden. Ze mochten niets negatiefs over hen schrijven, zodat de zaken mooier werden voorgesteld dan ze in werkelijkheid waren.' Hij zuchtte diep. 'Maar zo is het niet, hè, Merry? Niet voor jou.'

'Nee, pap.'

'Ben je hier net zo gelukkig als je hebt geschreven?'

'Ja.' Meredith zag dat hij aarzelde. De kans schoot als vuurwerk door haar ledematen en ze zei vlug: 'Percy is een beetje stijf, maar Saffy is fantastisch. Je kunt haar ontmoeten als je mee naar binnen komt; dan kan ik een liedje op de piano voor je spelen.'

Hij keek omhoog naar de toren en het zonlicht streek over zijn wangen. Meredith zag zijn pupillen samentrekken; ze wachtte af en probeerde zijn brede, blanco gezicht te lezen. Zijn lippen bewogen alsof hij de maat van iets nam en getallen opsloeg, maar ze kon met geen mogelijkheid zien waar die sommen toe leidden. Daarna wierp hij een blik op zijn vrouw die stond te briesen bij de fontein en Meredith besefte dat het nu of nooit was. 'Alsjeblieft, pap,' ze pakte hem bij de mouw van zijn overhemd. 'Laat me alsjeblieft niet teruggaan. Ik leer hier zo veel, veel meer dan ik in Londen kan leren. Zeg alsjeblieft tegen mama dat ik hier beter af ben.'

Hij slaakte een lichte zucht en keek fronsend naar mama's rug. Terwijl Meredith toekeek, veranderde zijn gezicht en kreeg het zo iets teders dat haar hart een salto maakte. Maar hij keek haar niet aan en zei niets. Uiteindelijk volgde ze de richting van zijn blik en zag ze dat haar moeder een beetje was gedraaid; nu stond ze met één hand op haar heup en de andere hing nerveus friemelend naar beneden. De zon was achter haar gekropen en maakte rode fonkelingen in haar haren, en ze zag er knap en verloren en ongewoon jong uit. Haar ogen lieten die van haar vader niet los en met een doffe dreun sloeg bij Meredith het besef in dat de tederheid op zijn gezicht voor mama bedoeld was, en helemaal niet voor haar.

'Het spijt me, Merry,' zei hij terwijl hij haar hand, die nog steeds zijn mouw vastklemde, bedekte met de zijne. 'Het is beter zo. Ga je spullen maar halen. We gaan naar huis.'

En dat was het moment waarop Meredith iets heel boosaardigs deed, het verraad dat haar moeder haar nooit zou vergeven. Haar enige excuus was dat haar totaal geen keus werd gelaten, dat ze nog een kind was en dat nog jarenlang zou blijven, en dat het niemand iets kon schelen wat zíj wilde. Ze was het beu om als een postpakket of een koffer behandeld te worden, deze of gene kant opgestuurd, overgeleverd aan wat grote mensen het beste vonden. Ze wilde alleen maar ergens thuishoren.

Meredith pakte haar vaders hand en zei: 'Mij spijt het ook, pap.'

En terwijl de verbijstering nog op zijn lieve gezicht post moest vatten, glimlachte ze verontschuldigend, meed ze haar moeders woedende blik en holde ze zo hard als ze kon het gazon af, sprong ze over de rand en verdween ze in de koele, donkere veiligheid van Cardarker Wood.

Percy kwam puur bij toeval achter Saffy's plannen voor Londen. Als ze zich niet had verwijderd van de thee met Meredith' ouders, was ze er misschien nooit achter gekomen. Althans niet voordat het te laat was. Het was maar goed, veronderstelde ze, dat publiekelijk de vuile was buiten hangen iets was wat ze zowel gênant als oninteressant vond en dat ze zich had verontschuldigd om naar binnen te kunnen gaan, al was ze alleen maar van plan lang genoeg weg te blijven om het stof te laten dalen. Ze had verwacht dat Saffy de gang van zaken op haar hurken bij het raam uit de verte had bespioneerd en een verslag verlangde. Hoe zijn haar ouders? Wat voor indruk heb je van Meredith? Hebben ze genoten van de cake? Dus had het haar een tikje verrast dat ze haar niet in de keuken trof.

Percy besefte dat ze de theepot nog in haar hand had en om haar zwakke list te voltooien, zette ze de ketel weer op het vuur. De tijd verstreek maar langzaam en haar aandacht dwaalde af van de vlammen, en ze vroeg zich af wat voor vreselijks ze op haar geweten had dat ze op één dag werd gestraft met een bruiloft en een theeverplichting. En toen hoorde ze het, een schril geratel vanuit de provisiekamer. Telefoongesprekken waren zeldzaam geworden na de waarschuwing van het postkantoor dat gezellig keuvelen via de telefoon belangrijke oorlogsberichten kon vertragen, dus duurde het even voordat Percy besefte wat de oorzaak van dat verontwaardigde kabaal was.

Dus toen ze eindelijk opnam, klonk ze zowel bang als argwanend. 'Milderhurst Castle. Met wie spreek ik?'

De beller stelde zich voor als de heer Archibald Wicks uit Chelsea en hij vroeg mejuffrouw Seraphina Blythe te spreken. Onthutst bood Percy aan de boodschap door te geven en toen vertelde de keurige heer dat hij Seraphina's werkgever was en dat hij haar belde met een herzien advies aangaande haar accommodatie in Londen vanaf volgende week.

'Het spijt me, meneer Wicks,' zei Percy, terwijl haar onderhuidse bloedvaten zich opensperden. 'Ik ben bang dat er sprake is van een misverstand.'

Een geaffecteerde aarzeling. 'Een misverstand, zei u? De verbinding... U bent nogal slecht te horen.'

'Seraphina – mijn zus – zal niet in staat zijn een positie in Londen te bekleden.'

'O.' Er viel weer een stilte waarin de verbinding kraakte en Percy stelde zich onwillekeurig de telefoondraden van de ene naar de volgende paal voor, zwaaiend in de loeiende wind. 'O, aha,' vervolgde hij. 'Maar dat is curieus. Want hier in mijn hand heb ik haar brief waarin ze de functie aanvaardt. We hebben een vrij betrouwbare correspondentie over het onderwerp gevoerd.'

Dat verklaarde de regelmaat van de post die Percy de laatste tijd naar en van het kasteel had meegenomen; Saffy die met alle geweld binnen handbereik van de telefoon wilde blijven 'voor het geval we een belangrijke melding over de oorlog krijgen'. Percy kon zichzelf wel voor de kop slaan dat ze zich had laten afleiden door haar verplichtingen bij de vrouwelijke vrijwilligers, dat ze niet beter had opgelet. 'Ik begrijp het,' zei ze, 'en ik weet zeker dat Seraphina vast van plan was haar overeenkomst gestand te doen. Maar de oorlog, begrijpt u, en nu is onze vader ziek geworden. Ik vrees dat haar aanwezigheid zolang thuis wordt verlangd.'

Hoewel de heer Wicks teleurgesteld en terecht in de war was, kikkerde hij een beetje op toen Percy beloofde hem een getekende eerste druk van de *Mud Man* te sturen voor zijn verzameling zeldzame boeken en had hij betrekkelijk opgewekt opgehangen. Er zou tenminste geen sprake zijn van een vervolging wegens contractbreuk.

Saffy's teleurstelling zou minder makkelijk te overwinnen zijn, vermoedde Percy. Ergens in de verte werd een toilet doorgespoeld en vervolgens borrelden er pijpen in de keukenmuur. Percy zette zich op een kruk en wachtte af. Even later kwam Saffy haastig naar beneden.

'Percy!' Ze bleef met een ruk staan en wierp een blik op de open achterdeur. 'Wat doe jij hier? Waar is Meredith? Haar ouders zijn toch nog niet weg? Is alles in orde?'

'Ik kom nog een pot thee halen.'

'O.' Saffy's gezicht ontspande zich met een haperende glimlach. 'Laat mij dan een handje helpen. Jij mag niet te lang bij je gasten vandaan blijven.' Ze pakte de pot thee en haalde het deksel ervanaf.

Percy overwoog de zaak te verzwijgen, maar het gesprek met de heer Wicks had haar zo verrast dat ze niet kon denken. Uiteindelijk zei ze gewoon: 'Er is gebeld. Toen ik op de ketel zat te wachten.'

Slechts een heel lichte trilling; er vielen wat theeblaadjes van haar lepel. 'Gebeld? Wanneer?'

'Daarnet.'

'O.' Saffy veegde de losse blaadjes in haar hand; ze lagen bij elkaar als een aantal dode mieren. 'Iets over de oorlog?'

'Nee.'

Saffy leunde tegen het aanrecht en omklemde een nabije theedoek alsof ze wilde voorkomen dat ze op open zee werd meegesleurd.

Op dat moment verkoos de ketel te gaan sputteren en siste de fluit voordat hij dreigend begon te snerpen. Saffy pakte hem van het vuur en bleef met haar rug naar Percy met ingehouden adem voor het fornuis staan wachten.

'Het was een zekere Archibald Wicks,' zei Percy vervolgens. 'Hij belde uit Londen. Hij zei dat hij verzamelaar was.'

'Aha.' Saffy draaide zich niet om. 'En wat heb je gezegd?'

Buiten klonk een schreeuw en Percy repte zich naar de open deur.

'Wat heb je gezegd, Percy?'

Er kwam een briesje naar binnen en daarmee de geur van gemaaid gras.

'Percy?' Het was amper een fluistering.

'Ik heb gezegd dat we je hier nodig hadden.'

Saffy stiet een geluid uit dat een snik kon zijn.

Percy woog haar woorden vervolgens zorgvuldig af en zei langzaam: 'Je weet dat je niet weg kunt, Saffy. Dat je mensen niet zo mag misleiden. Hij verwachtte je de volgende week in Londen.'

'Hij verwacht me in Londen omdat ik daarnaartoe ga. Ik heb naar een betrekking gesolliciteerd, Percy, en hij heeft mij uitgekozen.' Daarna draaide ze zich om. Met een gebogen elleboog hief ze haar gebalde vuist; het was een merkwaardig theatraal gebaar, temeer daar ze de theedoek nog in een prop in haar gebalde vuist had. 'Hij heeft mij úítgekozen,' zei ze en ze schudde met haar vuist om er extra nadruk op te leggen. 'Hij verzamelt allerlei spullen, prachtige spullen en hij heeft mij aangenomen, míj, om hem bij zijn werk te helpen.'

Percy pakte een sigaret uit haar koker; ze moest vechten met de lucifer, maar uiteindelijk kreeg ze hem afgestreken.

'Ik ga, Percy, en je kunt me niet tegenhouden.'

Verrekte Saffy ook. Die zou nog wel eens lastig kunnen worden. Percy had al een barstende hoofdpijn. De bruiloft had haar uitgeput en daarna moest ze nog eens de gastvrouw voor Meredith' ouders uithangen. Hier zat ze niet op te wachten. Saffy was opzettelijk stompzinnig, ze moest het zeker uitspellen. Nou, als ze het zo wilde spelen, was Percy niet bang om de regels te stellen. 'Nee, dat doe je niet.' Ze blies rook uit. 'Jij gaat nergens heen, Saffy. Dat weet jij, dat weet ik en nu weet meneer Wicks het ook.'

Saffy liet haar armen zakken en de theedoek viel op de flagstones. 'Je hebt gezegd dat ik niet zou komen. Zomaar.'

'Iemand moest het doen. Hij stond op het punt je de reiskosten te telegraferen.'

Saffy's ogen stonden inmiddels vol tranen en hoewel Percy boos op haar was, was ze ook blij om te zien dat haar zus tegen haar tranen vocht. Misschien konden ze deze keer toch wel een scène vermijden.

'Kom maar mee,' zei ze. 'Ik ben ervan overtuigd dat je uiteindelijk zult inzien dat het voor iedereen het beste...'

'Je laat me dus echt niet gaan.'

'Nee,' zei Percy vriendelijk maar beslist. 'Inderdaad.'

Saffy's onderlip trilde en toen ze eindelijk iets uitbracht, was het amper meer dan gefluister. 'Je kunt niet voor eeuwig de baas over ons spelen, Percy.' Haar vingers bewogen tegen haar rok alsof ze een onzichtbaar balletje van kleverige draden maakten.

Het gebaar dateerde uit hun kindertijd en Percy werd overweldigd door een déjà vu en een wilde behoefte om haar tweelingzus dicht tegen zich aan te drukken en nooit meer los te laten, om haar te zeggen dat ze van haar hield, dat het haar bedoeling niet was om wreed te zijn, dat ze het voor Saffy's eigen bestwil deed. Maar dat deed ze niet, ze kon het niet. En het zou ook niets hebben uitgemaakt als ze het wel had gekund, want geen mens wil zoiets horen, ook al weet hij diep vanbinnen dat het waar is.

In plaats daarvan verkoos ze iets vriendelijker te zeggen: 'Ik probeer niet de baas over je te spelen, Saffy. Misschien zul je ooit, een andere keer, wel kunnen gaan.' Percy gebaarde naar de kasteelmuren. 'Maar niet nu. We hebben je nu hier nodig, nu het oorlog is en papa is zoals hij is. Om maar niet van het ernstige personeelstekort te spreken: heb je er wel eens aan gedacht wat de rest van ons moet, als jij er niet bent? Zie je Juniper, papa, of – god sta me bij – míj altijd de was doen?'

'Er is niets wat jij niet kunt, Percy.' Saffy's stem klonk bitter. 'Er is nog nooit iets geweest wat jij niet kon.'

Op dat ogenblik wist Percy dat ze gewonnen had; belangrijker nog was dat Saffy het ook wist. Maar ze voelde geen triomf, alleen de vertrouwde last van verantwoordelijkheid. Haar hele wezen had met haar zus te doen, met het jonge meisje dat ooit de wereld aan haar voeten had.

'Mejuffrouw Blythe?' Toen Percy opkeek, zag ze Meredith' vader in de deuropening staan met zijn magere vrouwtje naast hem en een air van volslagen verwarring om hen heen.

Ze was hen glad vergeten. 'Meneer Baker,' zei ze, terwijl ze met een hand door het haar op haar achterhoofd woelde. 'Mijn excuses. Ik heb een eeuwigheid met de thee...'

'Dat geeft niet, juffrouw Blythe. We zijn zo'n beetje klaar met de thee. Het gaat om Meredith, ziet u.' Hij leek een beetje te krimpen. 'Mijn vrouw en ik waren van plan haar mee terug te nemen maar ze wil zo graag blijven... Ik ben bang dat de kleine ondeugd ervandoor is gegaan.'

'O.' Daar zat Percy helemaal niet op te wachten. Ze keek over haar schouder, maar Saffy had haar eigen verdwijntruc uitgevoerd. 'Goed. Ik neem aan dat we dan maar beter kunnen gaan zoeken, hè?'

'Dat is het 'm nou juist,' zei Baker met een ongelukkig gezicht. 'Mijn vrouw en ik moeten terug met de trein van zes voor half vier naar Londen. Dat is de enige die vandaag nog rijdt.'

'Aha,' zei Percy. 'Dan moet u natuurlijk opstappen. De treinverbindingen zijn verschrikkelijk tegenwoordig. Als u die van vandaag mist, zit u woensdag omstreeks deze tijd waarschijnlijk nog te wachten.'

'Maar mijn dochter...' Mevrouw Baker zag eruit alsof ze elk moment in tranen kon uitbarsten, en het vooruitzicht zag er niet fraai uit op dat harde, spitse gezicht. Percy kende het gevoel.

'U hoeft zich geen zorgen te maken,' zei ze met een knikje, 'ik vind haar wel. Is er een nummer in Londen waar ik u kan bereiken? Ze kan niet ver zijn.'

Vanaf een tak in de oudste eik van Cardarker Woord kon Meredith het kasteel nog net zien. De puntige dakkapel op het dak van de toren met zijn naalddunne spits die de hemel doorboorde. De dakpannen blonken bloedrood in de middagzon en het zilveren puntje blonk. Op het gazon bij de oprijlaan zwaaide Percy Blythe haar ouders uit.

Meredith' oren gloeiden van de opwindende kwajongensstreek die ze net had uitgehaald. Er zouden repercussies zijn, dat besefte ze wel, maar ze had geen keus gehad. Ze had gehold en gehold en toen ze uiteindelijk buiten adem was, klom ze in de boom, vervuld van een gonzende energie omdat ze voor het eerst van haar leven ongehoorzaam was geweest.

Boven aan de oprijlaan liet mama haar schouders zakken en Meredith dacht even dat ze huilde. Daarna vlogen haar armen naar opzij, met handen als geschrokken zeesterren. Papa deinsde naar achteren en Meredith besefte dat haar moeder tegen hem schreeuwde. Ze hoefde niet te horen wat haar moeder zei om te weten dat de rapen gaar waren.

Ondertussen stond Percy Blythe nog steeds in de kasteeltuin, ze rookte een sigaret met een hand op haar heup en keek in de richting van het bos. Meredith voelde hoe een spoortje van twijfel in haar buik vleugels kreeg. Ze was ervan uitgegaan dat ze op het kasteel mocht blijven, maar stel dat het niet zo was? Stel dat de tweeling zo geschokt was van haar ongehoorzaamheid dat ze weigerden nog verder voor haar te zorgen? Stel dat ze zich door haar eigen zin door te drammen vreselijk in de nesten had gewerkt? Toen Percy Blythe haar sigaret ophad en weer naar binnen ging, voelde Meredith zich opeens erg alleen.

Een beweging op het dak van het kasteel trok haar aandacht en Meredith' hart maakte een olympische salto. Daar klauterde iemand in een witte zomerjurk. Júniper! Eindelijk was ze klaar! Ze was weer in de buitenwereld. Meredith zag dat ze het plat stuk dak bereikte en ging zitten met haar lange benen bungelend over de rand. Meredith wist dat ze nu een sigaret zou opsteken en naar achteren zou leunen om naar de lucht te kijken.

Maar dat deed ze niet. Ze stopte abrupt en keek in de richting van het bos. Meredith hield zich stevig vast aan de tak; de opwinding had voor een vreemd lachje gezorgd dat in haar keel bleef steken. Het leek wel alsof Juniper haar had gehoord, alsof het oudere meisje haar aanwezigheid op de een of andere manier had gevoeld. Als iemand zoiets kon, was het Juniper wel, wist Meredith.

Ze kon niet terug naar Londen gaan. Ze ging ook niet terug. Niet nu. Nog niet.

Meredith keek haar moeder en vader na die de oprijlaan af liepen, weg van het kasteel. Mama had haar armen voor haar middel over elkaar geslagen, die van papa hingen langs zijn lichaam. 'Het spijt me,' fluisterde ze binnensmonds. 'Ik kon niet anders.'

5

Het badwater was lauw en ondiep, maar dat vond Saffy niet erg. Lang in een warm bad weken was een luxe die al lang verleden tijd was, en na Percy's afschuwelijke verraad was het al voldoende om alleen te zijn. Ze schoof haar achterwerk naar voren zodat ze plat op haar rug kon liggen, met de knieën naar het plafond gebogen en het hoofd onder water. Haar haren dreven als zeewier om het eiland van haar gezicht en ze luisterde naar het kolken en gorgelen van het water, de metalige echo van de stopketting tegen het email en de andere vreemde geluiden van de onderwaterwereld.

Haar hele leven had Saffy al geweten dat ze de zwakste van de tweeling was. Percy mocht zulke praat graag bagatelliseren en hield vol dat zoiets niet bestond, dat er alleen maar een positie van zonlicht en schaduw bestond waartussen ze elkaar afwisselden zodat de zaken altijd perfect in evenwicht waren. Dat was aardig van haar, maar even onjuist als goedbedoeld. Heel eenvoudig gezegd: Saffy wist dat waar zij beter in was er niet toe deed. Ze schreef goed, ze was een goede kleermaker, ze kon (redelijk) koken en de laatste tijd zelfs poetsen. Maar wat voor zin hadden die vaardigheden als ze een slavin bleef? Nog erger: een berustende slavin. Ze geneerde zich het te moeten toegeven, maar voor het grootste gedeelte had Saffy geen bezwaar tegen haar rol. De rol van ondergeschikte had een zeker gemak, een ontheffing van een bepaalde last. En toch waren er momenten zoals vandaag wanneer ze kwaad werd om de verwachting dat ze moest gehoorzamen ongeacht haar eigen voorkeur.

Saffy verhief haar bovenlichaam, leunde tegen het zachte uiteinde van het bad en veegde haar van boosheid verhitte gezicht met het natte waslapje af. Het email was koel tegen haar rug en ze drapeerde het lapje als een kleine handdoek over haar borsten en buik en keek hoe het bij elke ademtocht samentrok en uitzette, als een tweede huid. Daarna deed ze haar ogen dicht. Hoe dúrfde Percy namens haar te spreken? Om namens haar beslissingen te nemen? Om haar toekomst te bepalen zonder met haar te overleggen?

Maar Percy deed het zoals ze altijd had gedaan en vandaag was ze, ook zoals altijd, niet voor rede vatbaar.

Saffy slaakte een lange, trage zucht in een poging haar woede onder controle te houden. De zucht ging over in een snik. Waarschijnlijk moest ze zich gevleid voelen dat Percy haar zo hard nodig had. En dat was ook zo. Maar ze was het ook beu om machteloos te zijn; sterker nog, ze er was ziek van. Voor zolang ze zich kon herinneren, had Saffy gevangengezeten in een leven dat evenwijdig liep aan het leven waarvan ze droomde, en waarvan ze alle reden had om aan te nemen dat het haar leven zou worden.

Maar deze keer kon ze wel iets kleins doen. Opgefleurd door een sluipende vastberadenheid streek Saffy over haar wangen. Er was een kleine manier waarop ze haar eigen zwakke macht op Percy kon uitoefenen. Het zou een klap van omissie in plaats van commissie zijn. Percy zou nooit weten hoe de klap was uitgedeeld. Het enige gevolg zou zijn dat Saffy's zelfrespect enigszins zou terugkeren, maar dat was voldoende.

Saffy ging iets geheimhouden, iets wat Percy liever zou weten: over het onverwachte bezoek van diezelfde dag op het kasteel. Toen Percy op de bruiloft van Lucy was, Juniper op zolder zat en Meredith over het landgoed zwierf, was papa's notaris, meneer Banks, vergezeld van twee stugge vrouwen in een effen pak met een zwarte auto gearriveerd. Saffy, die net de theetafel buiten had herschikt, had even overwogen zich te verstoppen en te doen alsof er niemand thuis was – ze was niet bepaald gesteld op meneer Banks en ze hield er zeker niet van open te doen voor onverwacht bezoek – maar de oude man was al een bekende van de familie sinds ze klein was. Hij was bevriend met papa en om die reden voelde ze zich verplicht op een wijze die ze niet makkelijk kon verklaren.

Ze was via de achterdeur de keuken in gehold, had zichzelf gefatsoeneerd voor de spiegel bij de provisiekast en daarna haastte ze zich net op tijd naar boven om hem bij de voordeur te begroeten. Hij was verrast, bijna ontstemd om haar te zien en vroeg zich hardop af waar het heen moest met de wereld wanneer zo'n chic huis als Milderhurst geen fatsoenlijke dienstbode had, waarna hij haar opdroeg hem naar haar vader te brengen. Ondanks het feit dat Saffy maar al te graag de veranderende mores van de maatschappij wilde omhelzen, herbergde ze een ouderwetse eerbied voor de wet en haar dienaren, dus gehoorzaamde ze hem direct. Hij was een man van weinig woorden (althans, hij hield niet van loos gekeuvel met de dochters van zijn cliënten); ze liepen in stilzwijgen de trap op en daar was Saffy dankbaar voor: mannen als meneer Banks lieten haar altijd met haar mond vol tanden staan. Toen ze uiteindelijk boven aan de wenteltrap stonden, knikte hij naar haar alvorens met zijn twee gedienstigen haar vaders torenkamer binnen te gaan.

Het was niet Saffy's bedoeling om haar neus in andermans zaken te steken; sterker nog, ze was net zo ontstemd over de inbreuk op haar tijd als voor elke taak waarvoor ze naar boven moest in die vreselijke toren met zijn geur van de naderende dood en die monsterlijke ingelijste reproductie aan de wand. Als haar aandacht niet was getrokken door de gekwelde worsteling van een vlinder die vastzat in een spinnenweb tussen de trapleuning, zou ze ongetwijfeld halverwege de trap naar beneden en buiten gehoorsafstand zijn geweest. Maar dat was hij wel en ze was niet weg, dus terwijl ze het insect behoedzaam ontwarde, hoorde ze papa zeggen: 'Daarom heb ik je ook laten komen, Banks. Verrekte lastig, de dood. Heb je de wijzigingen aangebracht?'

'Jawel. Ik heb ze meegenomen om met getuigen te worden getekend, tezamen met een kopie voor uw archief, natuurlijk.'

De nadere bijzonderheden hoorde Saffy niet en dat wilde ze ook niet. Ze was de tweede dochter van een ouderwetse man, een vrijster van middelbare leeftijd: de mannenwereld van onroerend goed en financiën interesseerde haar niet en ging haar ook niet aan. Ze wilde alleen maar de verzwakte vlinder bevrijden en uit de toren weg, ze wilde de bedompte lucht en de verstikkende herinneringen achter zich laten. Ze was in meer dan twintig jaar niet in het kamertje geweest en was niet van plan er ooit nog een voet te zetten. En toen ze zich weg haastte, probeerde ze de wolk herinneringen te ontlopen die zich aan haar opdrong.

Want ooit waren ze dik met elkaar geweest, zij en papa, heel lang geleden, maar de liefde was bekoeld. Juniper schreef beter en Percy was een betere dochter, wat weinig ruimte liet voor Saffy in de genegenheid van hun vader. Er was maar één kort, glorieus ogenblik geweest waarin Saffy's bruikbaarheid die van haar zussen oversteeg. Toen papa na de Eerste Wereldoorlog als een wrak bij hen terugkeerde, was zij degene geweest die hem weer op de been had geholpen, die hem precies datgene gaf wat hij het meest nodig had. En de kracht van zijn genegenheid was onweerstaanbaar geweest, de avonden dat ze zich hadden verstopt op een plek waar niemand hen kon vinden...

Opeens was er kabaal en Saffy's ogen vlogen open. Er schreeuwde iemand. Ze lag in het bad, maar het water was ijskoud, het licht achter het open raam had plaatsgemaakt voor de schemer. Saffy besefte dat ze was ingedommeld. Ze mocht van geluk spreken dat ze niet onder water was gegleden. Maar wie riep daar zo? Ze ging rechtop zitten en spitste de oren. Het was stil en ze vroeg zich af of ze het zich soms had verbeeld.

Toen kwam het weer. Plus het geluid van een bel. De oude man in de toren had weer een van zijn aanvallen. Nou, laat Percy maar voor hem zorgen. Ze verdienden elkaar.

Huiverend verwijderde Saffy het koude waslapje en ging rechtop staan, waardoor het water heen en weer klotste. Ze stapte druipend op de mat. Nu klonken er stemmen beneden, ze hoorde ze. Meredith, Juniper... en ook Percy. Ze waren alle drie in de gele salon. Ze wachtten waarschijnlijk op hun avondeten en zij moest het zoals gewoonlijk voor hen opdienen.

Saffy trok haar badjas van de haak aan de deur, worstelde even met de mouwen en knoopte hem dicht over haar koele, natte huid. Daarna liep ze door de gang; haar natte voetstappen weerklonken over de flagstones. Haar geheimpje hield ze diep vanbinnen verborgen.

'Hebt u iets nodig, papa?' Percy duwde de zware deur van de torenkamer open. Het duurde even voor ze hem zag. Hij zat weggedoken in de alkoof bij de open haard onder de reproductie van Goya. Zodra ze hem zag, keek hij angstig en wist ze in één oogopslag dat hij weer aan waanbeelden ten prooi was gevallen. Wat inhield dat ze, als ze naar beneden ging, hoogstwaarschijnlijk zijn dagelijkse medicijnen op het tafeltje in de hal zou aantreffen, waar ze die 's ochtends had achtergelaten. Het was haar eigen schuld, omdat ze te veel had verwacht, en ze vervloekte zichzelf dat ze had nagelaten een kijkje bij hem te nemen zodra ze was thuisgekomen uit de kerk.

Ze liet haar stem wat vriendelijker klinken en sprak hem toe op de manier zoals je tegen een kind praat, zo stelde ze zich voor, als ze ooit de kans had gekregen een kind goed genoeg te kennen om ervan te houden. 'Stil maar, alles is in orde. Wil je niet gaan zitten? Kom maar, dan help ik je in je stoel hier bij het raam. Het is een heerlijke avond.'

Hij knikte hortend, schoof in de richting van haar uitgestrekte arm en ze besefte dat de waan was afgelopen. Ze wist ook dat het geen ernstige was geweest, want hij herstelde zich voldoende om te zeggen: 'Ik dacht dat ik je gezegd had een haarstukje te dragen?' Dat had hij inderdaad, dikwijls zelfs, en Percy had plichtsgetrouw de hand op een weten te leggen (wat niet meeviel in oorlogstijd), alleen vergat ze het verrekte ding altijd als een afgesneden vossenstaart op haar nachtkastje.

Over de armleuning van de stoel hing een gehaakte deken, een klein, felgekleurd geval dat Lucy een paar jaar geleden voor hem had gemaakt, en Percy legde het over zijn knieën toen hij was gaan zitten. 'Het spijt me, papa, ik ben het vergeten. Ik hoorde de bel en ik wilde je niet laten wachten.'

'Je lijkt wel een man. Wil je dat? Dat mensen je als een man behandelen?'

'Nee, papa.' Percy bracht haar vingertoppen naar haar nek en betastte het zachte rolletje haar dat lager zat dan de rest van de haargrens. Hij bedoelde het niet kwaad en ze was niet beledigd, alleen een beetje geschrokken van de suggestie. Ze wierp heimelijk een blik opzij naar de boekenkast met zijn glazen deuren en zag haar weerspiegeling in het licht golvende glas. Een nogal strenge, hoekige vrouw met een kaarsrechte rug, maar met een paar royale borsten, een duidelijke welving op de heupen, een gezicht dat niet was opgedirkt met lipstick en poeder, maar dat ze niet mannelijk vond. Hopelijk was het ook niet zo.

Papa had inmiddels zijn hoofd afgewend, keek uit over de donkere velden en was zich zalig onbewust van de gedachten die hij had opgeroepen. 'Dat allemaal,' zei hij zonder weg te kijken. 'Alles.'

Ze leunde tegen de zijkant van zijn stoel en liet haar elleboog op de rugleuning steunen. Hij hoefde er niets aan toe te voegen. Als geen ander begreep ze hoe hij zich voelde toen hij uitzag over de landerijen van zijn voorouders.

'Heb je Junipers verhaal gelezen, papa?' Het was een van de weinige onderwerpen die hem altijd opbeurden en Percy bracht het voorzichtig ter sprake in de hoop dat ze hem daarmee van de rand van de depressie die nog op de loer lag kon wegtrekken.

Hij gebaarde met zijn hand naar zijn rookgerei en Percy gaf het hem aan. Terwijl hij zijn pijp stopte, draaide zij een sigaret. 'Ze heeft talent, dat staat als een paal boven water.'

Percy glimlachte. 'Dat heeft ze van u.'

'We moeten voorzichtig met haar zijn. De scheppende geest heeft ruimte nodig. Die moet op zijn eigen snelheid en in zijn eigen patronen rondzwerven. Dat is moeilijk uit te leggen, Persephone, aan iemand met een flegmatiekere geest, maar het is van het gróótste belang dat ze wordt vrijgesteld van praktische beslommeringen, alles wat haar kan afleiden, alles wat haar van haar talent kan beroven.' Hij greep Percy's rok. 'Er zit toch geen vent achter haar aan, hè?'

'Nee, pap.'

'Een meisje als Juniper moet worden beschermd,' vervolgde hij met een vastberaden gezicht. 'Ze moet op een veilige plek gehouden worden. Hier op Milderhurst, op het kasteel.'

'Natuurlijk blijft ze hier.'

'Het is jouw taak om daarop toe te zien. Om voor je twee zussen te zorgen.' En hij verviel in zijn bekende monoloog over erfgoed en verantwoordelijkheid en nalatenschap...

Percy wachtte een poosje, rookte haar sigaret en pas toen die bijna op was, zei ze: 'Zal ik u even naar het toilet brengen voordat ik ga, papa?'

'Ga?'

'Vanavond heb ik een vergadering in het dorp...'

'Altijd maar weghollen.' Het ongenoegen trok aan zijn onderlip en Percy zag een heel duidelijk beeld voor ogen van hoe hij er als klein jongetje uit had gezien. Een verwend kind dat altijd zijn zin kreeg.

'Kom maar, papa.' Ze hielp de oude man naar de wc en reikte naar haar tabaksblik terwijl ze in de koele gang moest wachten. Toen ze op haar zak klopte, besefte ze dat ze die in de torenkamer had laten liggen. Het zou wel even duren met papa, dus haastte ze zich terug om het te halen.

Ze vond het blik op zijn bureau. En daar trof ze ook het pakket. Een pakket van meneer Banks, maar zonder postzegel. Dat wilde zeggen dat het persoonlijk was afgeleverd.

Percy's hart ging sneller kloppen. Saffy had niets over bezoek gezegd. Kon het zijn dat meneer Banks uit Folkestone was gekomen, het kasteel in was geglipt en naar de toren was gegaan zonder zich bij Saffy te melden? Waarschijnlijk was alles mogelijk, maar onwaarschijnlijk was het zeker. Waarom zou hij dat doen?

Percy bleef even besluiteloos staan en betastte de envelop terwijl ze haar nek en oksels warm voelde worden zodat haar blouse bleef plakken.

Met een blik over haar schouder – al wist ze dat ze alleen was – maakte ze de envelop open en schudde ze de opgevouwen documenten eruit. Een testament. Met de datum van die dag. Ze vouwde de brief open en liet haar ogen erover dwalen om te zien wat hij te betekenen had. Ze ervoer dat merkwaardige, benauwde, zware gevoel dat je krijgt als je ergste vermoedens bewaarheid worden.

Ze drukte de vingers van één hand op haar voorhoofd. Dat zoiets was toegelaten. Toch stond het hier zwart op wit, en blauw waar papa zijn overeenkomst had doorgehaald. Ze las het document nog een keer en nu beter, speurend naar mazen, naar een ontbrekende bladzijde, naar alles wat kon betekenen dat ze het verkeerd had begrepen en te snel had gelezen.

Maar dat was niet het geval.

O, godallemachtig, dat was niet het geval.

DEEL IV

Terug naar Milderhurst Castle

1992

Herbert leende me zijn auto om naar Milderhurst te rijden, en zodra ik de snelweg had verlaten, draaide ik het raampje omlaag en liet ik de wind langs mijn wangen spelen. In de maanden na mijn bezoek was het landschap veranderd. De zomer was gekomen en weer vertrokken en inmiddels was de herfst bijna voorbij. Langs de kant van de weg lagen gouden stapels grote droge bladeren. Naarmate ik steeds dieper doordrong in de Weald of Kent, reikten er enorme boomtakken over de weg die elkaar in het midden raakten. Bij elke rukwind vielen er nieuwe bladeren van de bomen als de afgelegde huid van een geëindigd seizoen.

Aangekomen bij de boerderij lag er een briefje op me te wachten.

Welkom, Edie. Ik moet een paar boodschappen doen die niet konden wachten en Bird ligt met griep op bed. Hierbij vind je een sleutel zodat je alvast je intrek kunt nemen in kamer 3 (op de eerste verdieping). Het spijt me dat ik je misloop. Ik zie je aan het avondeten, om zeven uur in de eetzaal.

Marilyn Bird.

P.s.: Ik heb Bird een beter schrijfbureau in je kamer laten zetten. Het is een beetje vol, maar ik dacht dat je het wel op prijs zou stellen als je je werk wat kunt uitspreiden.

Een beetje vol was zacht uitgedrukt, maar ik heb altijd al iets gehad met kleine, donkere ruimten en toog direct aan het werk om Adam Gilberts interviewtranscript, mijn exemplaren van *Raymond Blythe's Milderhurst* en de *Mud Man*, diverse aantekenboeken en pennen netjes neer te leggen. Daarna ging ik zitten en streek met mijn handen langs de gladde uiteinden van het bureau. Ik steunde mijn kin op mijn handen en er ontsnapte me een kleine zucht van tevredenheid. Het was het gevoel van die eerste dag op school, maar dan honderd keer beter. De vier dagen strekten zich voor me uit en ik voelde me bruisen van enthousiasme en mogelijkheden.

Toen viel mijn oog op de telefoon, een ouderwets apparaat van bakeliet, en werd ik overvallen door een onbekende drang. Het kwam natuurlijk doordat ik weer in Milderhurst was, precies dezelfde plek waar mama was geweest.

De telefoon bleef maar overgaan en net toen ik wilde ophangen, nam ze ietwat buiten adem op. Nadat ik hallo had gezegd, was het even stil.

'O Edie, sorry, ik was op zoek naar je vader. Die heeft het in zijn hoofd gehaald om... Is alles goed met jou?' Haar stem klonk opeens scherp.

'Met mij is alles in orde, mam. Ik wilde je alleen even laten weten dat ik er ben.'

'O.' Ze moest even op adem komen. Ik had haar overvallen: een telefoontje om te melden dat je veilig bent aangekomen maakte geen deel uit van onze normale routine, al een jaar of tien niet meer, sinds ik haar ervan had overtuigd dat het misschien tijd werd om erop te vertrouwen dat ik een rit met de metro kon maken zonder dat ik haar verplicht op de hoogte moest brengen van een succesvol verlopen reis; tenslotte vertrouwde de regering me ook het stemrecht toe. 'Nou, mooi. Dank je wel. Heel lief van je om even te bellen. Je vader zal dat graag willen horen. Hij mist je; hij zit al sinds je vertrek te kniezen.' Er viel weer een stilte en die was langer. Ik kon haar bijna horen denken en toen opeens barstte ze uit: 'Je bent er dus? In Milderhurst? Hoe... Hoe... is het? Hoe ziet het eruit?'

'Het ziet er schitterend uit, mam. De herfst heeft alles in goud veranderd.'

'Ik weet het nog. Ik kan me nog goed herinneren hoe het er in de herfst uitzag. De manier waarop de bossen nog een poosje groen bleven, maar de uiteinden vuurrood werden.'

'Er is ook oranje,' zei ik. 'En overal liggen bladeren op de grond. Eerlijk waar, overal, als een dik tapijt.'

'Ja, dat herinner ik me ook. De wind komt uit zee opzetten en dan regenen ze naar beneden. Waait het, Edie?'

'Nog niet, maar de voorspelling is dat het van de week gaat stormen.'

'Moet je opletten. Dan vallen de bladeren als sneeuw van de bomen. Ze knarsen onder je voeten als je eroverheen holt. Dat weet ik nog.'

En haar laatste vier woorden waren zacht, breekbaar bijna, en ik weet niet waar hij vandaan kwam, maar opeens werd ik overvallen door een golf van emotie en hoorde ik mezelf zeggen: 'Weet je, mam... Ik ben hier op de vierde klaar. Denk er eens over na om een dagje hierheen te komen.'

'O, Edie, o nee. Je vader kan niet...'

'Jíj moet komen.'

'Alleen?'

'Dan kunnen we ergens lekker gaan lunchen, alleen wij tweeën. Een wandeling door het dorp maken.' Het voorstel werd begroet met de griezelige fluittoon van de verbinding. Ik zei iets gedempt: 'We hoeven niet in de buurt van het kasteel te komen als je dat niet wilt.'

Stilte. Even dacht ik dat ze weg was, toen klonk er een geluidje en wist ik dat ze er nog was. Toen het niet ophield, besefte ik dat ze huilde, heel zacht, in de hoorn.

Ik had pas de volgende dag een afspraak met de gezusters Blythe, maar het weer zou omslaan en het leek me tijdverspilling om zo'n mooie middag achter mijn bureau door te brengen. Judith Waterman had voorgesteld dat ik mijn eigen indrukken van de locatie in mijn verhaal verwerkte, dus besloot ik een wandeling te gaan maken. Mevrouw Bird had weer een fruitmand op het nachtkastje gezet. Ik pakte er een appel en een banaan uit en gooide mijn notitieboekje en een pen in mijn tas. Ik wierp een blik door de kamer en wilde net vertrekken toen mijn oog op mama's dagboek viel, dat stilletjes op de rand van het bureau lag. 'Kom maar mee, dan, mam,' zei ik en ik pakte het op. 'Laten we je maar mee terug nemen naar het kasteel.'

Toen ik nog klein was, ging ik op de zeldzame gelegenheden waarbij mijn moeder na school niet thuis op me wachtte, met de bus naar mijn vaders kantoor in Hammersmith. Daar werd ik geacht een stuk van het vloerkleed te zoeken – als ik geluk had een stuk met een bureau erop – in een van de kamers van de junior partners, een plek waar ik mijn huiswerk kon doen, of mijn schoolagenda versierde, of eindeloos de naam van mijn recentste kalverliefde opschreef. Ik mocht alles, zolang ik maar van de telefoon afbleef en de gang van zaken niet stoorde.

Op een middag werd ik naar een kamer gestuurd waar ik nog nooit was geweest, via een deur die me nog nooit was opgevallen, helemaal aan het eind van een lange gang. Het was een klein vertrek, weinig meer dan een inloopkast met licht en al was het beige en bruin geverfd, het had niets van de blitse koperkleurige spiegeltegels en glazen boekenplanken van de andere bedrijfsruimten. In plaats daarvan stonden er een kleine houten tafel met een stoel en een smalle, hoge boekenkast. Op een van de planken, naast dikke grootboeken, zag ik iets interessants: een sneeuwbol, je kent ze wel, met zo'n winterlandschapje waarin een kleine natuurstenen cottage dapper op een heuvel met dennen staat en er witte sneeuwvlokken op de grond liggen.

De regels van papa's kantoor waren duidelijk – nergens aankomen – en toch kon ik me niet bedwingen. De bol fascineerde me: het was een vleugje grilligheid in een beige-bruine wereld, een deur achter in een kast, een onweerstaanbaar icoon van mijn kindertijd. Voordat ik het wist, stond ik op een stoel met de bol in mijn hand die ik steeds omkeerde en rechtzette om het te zien sneeuwen, telkens maar weer; de wereld in de bol onwetend van de wereld daarbuiten. En ik weet nog dat ik een vreemd verlangen voelde om in die bol te zitten, om naast de man en die vrouw te staan achter een van die goudverlichte ramen, of bij die twee hummels die een slee voortduwen, op een veilige plek die niets wist van alle drukte en kabaal in de buitenwereld.

Zo voelde het om Milderhurst Castle te naderen. Toen ik de heuvel opliep en steeds dichterbij kwam, was de verandering in de lucht om me heen bijna voelbaar, alsof ik een onzichtbare barrière naar een andere wereld overstak. Normale mensen spreken niet van huizen die krachten uitoefenen, die mensen betoveren, die ze naar zich toe trekken, maar die week ging en bleef ik geloven dat er diep in het binnenwerk van Milderhurst Castle een onbeschrijfelijke kracht aan het werk was. Ik was me er bij mijn eerste bezoek van bewust geweest en die middag voelde ik het weer. Alsof het me wenkte, alsof het kasteel zelf mij riep.

Ik nam niet dezelfde weg als de eerste keer; ik liep door het weiland tot ik bij de oprijlaan kwam en die volgde ik eerst over een stenen bruggetje, daarna een iets grotere, tot uiteindelijk het kasteel boven op de heuvel zelf in zicht kwam, hoog en imposant als het was. Ik liep door en bleef niet staan voordat ik bovenaan was. Pas toen draaide ik me om en wierp een blik op de weg die ik was gevolgd. Onder me spreidde het dak van het woud zich uit, en het leek wel alsof de herfst een reusachtige toorts bij de kruinen had gehouden om ze goud, rood en koperkleurig te schroeien. Ik wilde dat ik een camera had meegenomen, zodat ik een paar kiekjes voor mama mee terug kon nemen.

Ik verliet de oprijlaan om langs een hoge heg te lopen en onderweg keek ik omhoog naar het zolderraam, het kleinste, van de kamer van het kindermeisje, met de geheime kast. Het kasteel sloeg me gade, althans zo leek het, al zijn honderd ramen keken nors omlaag vanonder hun afhangende dakrand. Ik vervolgde mijn weg langs de haag tot ik aan de achterzijde was.

Er stond een oud kippenhok, inmiddels leeg en aan de andere kant een koepelvormig bouwsel. Ik kwam wat dichterbij en toen zag ik wat het was. De schuilkelder. Vlakbij stond een roestig bordje – waarschijnlijk uit de tijd dat er nog regelmatig rondleidingen werden gegeven – waarop THE ANDERSON stond, en al was het schrift in de loop der jaren verbleekt, ik kon nog genoeg lezen om te zien dat er informatie op stond over de rol die Kent in de Slag om Engeland had gespeeld. Er stond dat er op slechts anderhalve kilometer een bom was gevallen, waarbij een jongetje op zijn fiets was omgekomen. Volgens de tekst op het bord was de schuilkelder in 1940 gebouwd en dat wilde zeggen dat mijn moeder hierin gehurkt moest hebben gezeten toen ze gedurende de Blitzkrieg op Milderhurst logeerde.

Er was niemand om het aan te vragen, dus nam ik aan dat het geoorloofd was om een kijkje binnen te nemen. Ik liep de steile trap af en kroop onder de geribbelde stalen boog. Het was schemerdonker, maar er vielen voldoende lichtstralen schuin door de deur naar binnen om te zien dat de kelder was ingericht als een toneeldecor met rekwisieten uit de Tweede Wereldoorlog. Sigarettenkaarten met Spitfires en Hurricanes, een tafeltje met een ouderwetse houten radio in het midden, een poster met Churchills wijzende vinger die me maande: VERDIEN JE OVERWINNING! Net alsof het weer 1940 was, ging het alarm af en wachtte ik tot de bommenwerpers over zouden vliegen.

Ik klom weer naar buiten en knipperde tegen het felle licht. De wolken gleden snel langs de hemel en de zon hulde zich inmiddels in een bleke sluier. Toen zag ik een nis in de heg, een heuveltje waarop ik wel moest plaatsnemen. Ik haalde mama's dagboek uit mijn tas, leunde achterover en sloeg het open op de eerste bladzijde. Er stond JANUARI 1940 boven.

Allerliefst en beeldschoon dagboek! Ik bewaar je al zo lang – inmiddels een heel jaar, nog iets langer zelfs – omdat je een cadeau was van meneer Cavill voor mijn examen. Hij zei dat ik je moest gebruiken voor iets speciaals, dat woorden eeuwigheidswaarde hadden en dat ik ooit een verhaal zou hebben dat zo'n dagboek waard was. Toen geloofde ik hem niet, ik had nooit iets bijzonders om over te schrijven, klinkt dat erg treurig? Ik denk het wel, maar zo bedoel ik het echt niet, ik heb het geschreven omdat het waar is: ik heb nog nooit iets bijzonders meegemaakt om over te schrijven en ik had nooit gedacht dat zoiets zou gebeuren. Maar ik vergiste me. Ik heb me schromelijk, totaal en fantastisch vergist. Want er is iets gebeurd en het leven zal nooit meer hetzelfde zijn. Waarschijnlijk moet ik je eerst vertellen dat ik dit schrijf in een kasteel. Een echt kasteel van steen met een toren en een heleboel wenteltrappen en enorme kandelaars met terpen van kaarsvet op alle muren, decennia en decennia van beroet kaarsvet dat van de onder-

kant druipt. Misschien denk je dat dit, mijn leven op het kasteel, 'het bijzondere' is en dat het inhalig is om nog meer te verwachten, maar dat is er wel.
Ik zit op de vensterbank op zolder, de geweldigste plek van het hele kasteel. Het is Junipers kamer. *Wie is Juniper?* zou je misschien vragen als je dat kon. Juniper is de ongelooflijkste persoon ter wereld. Ze is mijn beste vriendin en ik ben de hare. Juniper heeft me aangespoord om eindelijk in jou te gaan schrijven. Ze zei dat ze het beu was om mij met jou te zien sjouwen als met een veredelde presse-papier en dat het tijd werd dat ik de sprong zou wagen om je prachtige bladzijden te beschrijven.
Ze zegt dat er overal verhalen loeren en dat mensen die wachten tot het juiste verhaal langskomt voordat ze de pen ter hand nemen uiteindelijk met heel lege bladzijden komen te zitten. Blijkbaar is dat alles wat schrijven inhoudt: beelden en gedachten op papier vangen. Spinnen als een spin, maar dan met woorden om een patroon te vormen.
Deze vulpen heb ik van Juniper gekregen. Ik denk dat hij misschien uit de toren is gekomen en ik ben een beetje bang dat haar vader besluit uit te zoeken wie hem heeft gestolen, maar ik gebruik hem toch. Het is echt een schitterende pen. Volgens mij is het best mogelijk om van een vulpen te houden, denk je niet?
Juniper stelde voor dat ik over mijn leven schrijf. Ze vraagt altijd of ik verhalen over mama, papa, Ed en Rita wil vertellen en over buurvrouw Paul. Ze lacht heel hard, als een fles waarmee je hebt geschud en die je vervolgens openmaakt zodat de belletjes alle kanten op sproeien: je schrikt er wel van maar het is ook heerlijk. Haar lach is heel anders dan je zou verwachten. Ze is heel elegant en gracieus, maar haar lach is zo schor als de aarde. Ik hou niet alleen van haar lach, maar ze fronst ook om de dingen die ik over Rita vertel en sputtert op alle juiste momenten.
Ze vindt dat ik van geluk mag spreken dat ik alles wat ik weet in de echte wereld heb geleerd; kun je je voorstellen dat iemand als zij dat over mij zegt? Junipers eigen wereld heeft ze volgens haar uit boeken. Dat klinkt mij hemels in de oren, maar kennelijk is het dat niet. Weet je dat ze niet meer in Londen is geweest sinds ze heel klein was? Ze ging met de hele familie naar de première van het toneelstuk naar een boek van haar vader, *The True History of the Mud Man*. Toen Juniper me over dat boek vertelde, zei ze de naam alsof ik het natuurlijk kende

en ik schaamde me erg om te moeten bekennen van niet. Vervloekt zij mijn ouders omdat ze me in het duister hebben gehouden over zulke dingen! Ik kon zien dat ze verrast was, maar ze lachte me niet uit. Ze knikte, alsof ze het eigenlijk wel goedkeurde en zei dat het waarschijnlijk kwam doordat ik het veel te druk had in de echte wereld met echte mensen. En toen kreeg ze die trieste blik zoals ze wel vaker krijgt, peinzend en een beetje verwonderd, alsof ze het antwoord op een ingewikkeld probleem probeert te vinden. Volgens mij is dat de blik waaraan mijn moeder een hekel heeft als die op mijn gezicht verschijnt, waardoor ze naar me wijst en zegt dat ik die grauwe lucht moet afschudden en eens aan de slag moet gaan.
O, maar ik hou zo van grauwe luchten! Die zijn zo veel complexer dan blauwe. Als het mensen waren, zouden dat degenen zijn die ik graag wilde leren kennen. Het is veel boeiender om je af te vragen wat er achter die lagen wolken schuilgaat, dan om altijd maar een simpel, helder, nietszeggend blauw gepresenteerd te krijgen.
Vandaag is de lucht buiten heel grijs. Wanneer ik door het raam kijk, is het net alsof iemand een kolossale grijze deken over het kasteel heeft getrokken. Er ligt ook rijp op de grond. Het zolderraam kijkt neer op een heel bijzondere plek, een van Junipers lievelingsplekjes. Het is een vierkant stukje land achter heggen, met kleine grafstenen die oprijzen vanonder de braamstruiken en schots en scheef staan als rotte tanden in een bejaarde mond.

Clementina Blythe
1 jaar oud
Wreed aan het leven ontrukt
Slaap zacht, lieve kleine, slaap zacht

Cyrus Maximus Blythe
3 jaar oud
Te vroeg van ons heengegaan

Emerson Blythe
10 jaar oud
Geliefd

De eerste keer dat ik erheen ging, dacht ik dat het een begraafplaats voor kinderen was, maar Juniper vertelde dat het huisdieren waren, stuk voor stuk. De familie Blythe geeft veel om hun dieren, vooral Juniper, die moest huilen toen ze over haar eerste hond Emerson vertelde.

Brrr... Maar het is hier ijskoud! Ik heb sinds mijn komst op Milderhurst een enorme hoeveelheid gebreide sokken geërfd. Saffy kan geweldig breien maar heel slecht tellen, als gevolg waarvan een derde van de sokken die ze voor de soldaten heeft gebreid veel te krap zijn om meer te bedekken dan hun grote teen, maar perfect zijn voor mijn spillepootjes. Ik heb aan elke voet drie paar getrokken en nog eens drie enkele over mijn rechterarm, zodat ik alleen mijn linkerarm heb ontbloot om een pen vast te houden. Dat verklaart de aard van mijn handschrift. Daar bied ik mijn excuses voor aan, lief dagboek. Je fraaie bladzijden verdienen beter.

Dus hier zit ik dan in mijn eentje in de zolderkamer terwijl Juniper beneden de kippen voorleest. Saffy is ervan overtuigd dat de kippen beter leggen als ze worden gestimuleerd. Juniper, die van alle dieren houdt, zegt dat er niets zo slim en kalmerend is als een kip, en ik ben erg dol op eieren. Dus ziedaar. We zijn allemaal gelukkig. En ik ga beginnen bij het begin en schrijf zo snel als ik kan.

Er klonk een fel geblaf van het soort waarvan je hart als een katapult samentrekt en ik schrok me een ongeluk.

Boven me verscheen een hond, Junipers stropershond, met zijn lippen teruggetrokken en ontblote tanden en een donker gegrom dat ergens diep vanbinnen leek te komen.

'Rustig maar, jongen,' zei ik met een samengeknepen keel van angst. 'Stil maar.'

Ik overwoog net of ik mijn hand zou uitsteken om hem te aaien, of hij zo misschien gekalmeerd kon worden, toen het uiteinde van een stok in de modder verscheen, gevolgd door een paar voeten in brogues die toebehoorden aan Percy Blythe die me een boze blik toewierp.

Ik was helemaal vergeten hoe mager en streng ze was. Gebogen over haar wandelstok tuurde ze omlaag, in min of meer dezelfde uitdossing als de vorige keer, een lichte lange broek met een goed gesneden overhemd dat mannelijk had geleken als ze niet zo'n ongelooflijk smal postuur had en zo'n sierlijk horloge dat los om haar smalle pols hing.

'Jij bent het dus,' zei ze, blijkbaar net zo verrast als ik. 'Je bent vroeg.'

'Het spijt me erg. Het was niet mijn bedoeling u te storen, ik...'

De hond gromde weer. Ze maakte een ongeduldig geluid en gebaarde met haar vingers. 'Bruno! Zo is het genoeg.' Hij jankte en trok zich terug aan haar zijde. 'We hadden je pas morgen verwacht.'

'Ja, dat weet ik. Om tien uur.'

'Kom je nog?'

Ik knikte. 'Ik ben vandaag uit Londen gekomen. Het was mooi weer en ik weet dat er voor de komende dagen regen wordt verwacht, dus ik dacht, ik ga een eind lopen, om wat aantekeningen te maken, ik dacht niet dat u dat erg zou vinden, en toen vond ik de schuilkelder en... Ik wilde geen overlast bezorgen.'

Op een zeker moment tijdens mijn uitleg was haar aandacht afgedwaald. 'Nou,' zei ze zonder een zweempje blijdschap, 'je bent er nu toch. Dan kun je net zo goed binnenkomen voor een kop thee.'

Een faux pas en een coup

De gele salon zag er aftandser uit dan ik me hem herinnerde. Bij mijn vorige bezoek had ik de kamer een warme plek gevonden, een levende en lichte plek midden in een donker lichaam van steen. Maar nu was het anders en misschien lag het aan de wisseling der seizoenen, het verlies van de schittering van de zomer, of de oprukkende kou die de winter voorspelde, want ik werd niet alleen getroffen door de verandering in de kamer.

De hond hijgde als een locomotief en zakte in elkaar tegen het verfomfaaide kamerscherm. Hij was ook ouder geworden, besefte ik, net zoals Percy Blythe sinds mei ouder was geworden, net zoals de kamer zelf was verbleekt. Ik kreeg het idee dat Milderhurst in feite losstond van de werkelijkheid, dat het een plek was die zich buiten de gewone beperkingen van tijd en ruimte bevond: een sprookjeskasteel waarin de tijd kon worden vertraagd en versneld dankzij de grillen van een bovennatuurlijk wezen.

Ik zag Saffy van opzij. Ze stond gebogen over een fraaie porseleinen theepot. 'Eindelijk, Percy,' zei ze terwijl ze het deksel probeerde terug te doen. 'Ik begon al te denken dat we een speurtocht... O!' Ze had opgekeken en ontdekte mij naast haar zus. 'Hallo.'

'Het is Edith Burchill,' zei Percy terloops. 'Ze is vrij onverwacht langsgekomen en drinkt een kopje thee met ons mee.'

'Wat leuk!' zei Saffy en haar gezicht lichtte zo op dat ik wist dat ze niet zomaar beleefd was. 'Ik wilde net gaan inschenken, maar ik krijg dit deksel niet goed op z'n plek. Ik pak er nog een kop en schotel bij. Tjonge, wat een feest!'

Juniper zat bij het raam, net als bij mijn bezoek in mei, maar nu sliep ze licht met haar hoofd tegen het lichtgroene oor van de fluwelen stoel. Toen ik haar zag, moest ik onwillekeurig denken aan de betoverende jonge vrouw in mijn moeders dagboek, van wie ze zo had gehouden. Wat verschrikkelijk treurig dat dit van haar over was.

'We zijn heel blij dat u kon komen, juffrouw Burchill,' zei Saffy.

'Zeg maar Edie, dat is een afkorting van Edith.'

Ze glimlachte vergenoegd. 'Edith, wat een prachtige naam. Het betekent toch "gezegend in de oorlog"?'

'Dat weet ik niet,' zei ik verontschuldigend.

Percy schraapte haar keel en Saffy vervolgde vlug: 'Die meneer was heel professioneel, maar...' Ze wierp een blik op Juniper. 'Nou ja, het is zo veel eenvoudiger om met een vrouw te praten, nietwaar Percy?'

'Ja.'

Toen ik ze zo bij elkaar zag, besefte ik dat ik me het verstrijken van de tijd niet had verbeeld. Bij mijn eerste bezoek was het me opgevallen dat de tweeling even groot was, al leek Percy langer door haar gezaghebbende persoonlijkheid. Maar nu was het onmiskenbaar, Percy was kleiner dan haar zus. Ze was ook brozer en ik moest denken aan Jekyll en Hyde op het moment waarop de goede dokter zijn donkere alter ego ontmoet.

'Ga zitten,' zei Percy een beetje bits. 'Laten we allemaal gaan zitten.'

We gehoorzaamden en Saffy schonk de thee in terwijl ze een nogal eenzijdig gesprek hield met Percy over Bruno de hond. Waar had ze hem gevonden? Hoe was het lopen hem vergaan? Ik begreep dat Bruno niet gezond was en dat ze zich ernstig zorgen over hem maakten. Ze spraken zacht, wierpen af en toe een steelse blik op de slapende Juniper en ik herinnerde me dat Percy me had verteld dat Bruno van haar was, dat ze er altijd voor zorgden dat ze een huisdier had, dat iedereen iets nodig had om van te houden. Ik kon de verleiding niet weerstaan om Percy over de rand van mijn theekopje te bekijken. Ze was wel stekelig, maar iets in haar houding vond ik fascinerend. Terwijl ze korte antwoorden gaf op Saffy's vragen, keek ik naar de strakke lippen, de slappe huid en de diepe rimpels van jarenlang fronsen en ik vroeg me af of ze soms voor een deel over zichzelf had gesproken toen ze zei dat iedereen iets moest hebben om van te houden. Of zij soms ook van iemand was beroofd.

Ik was zo diep in gedachten verzonken dat ik even bang was dat Percy mijn gedachten had gelezen toen ze zich tot mij wendde. Ik knipperde met mijn ogen, het bloed vloog me naar de wangen en toen besefte ik dat Saffy iets tegen me zei en dat Percy alleen maar opkeek om te zien waarom ik geen antwoord gaf.

'Sorry?' zei ik. 'Ik was er even met mijn gedachten niet bij.'

'Ik informeerde alleen maar naar je reis uit Londen,' zei Saffy. 'Was die comfortabel?'

'O, ja... Dank u.'

'Ik kan me nog herinneren dat we als meisje naar Londen gingen, weet je nog, Percy?'

Percy knorde instemmend.

Saffy's gezicht lichtte op van de herinnering. 'Papa nam ons één keer per jaar mee; in het begin gingen we met de trein en dan zaten we met Nanny in ons eigen coupeetje; later kocht papa de Daimler en gingen we allemaal met de auto. Percy bleef liever thuis op het kasteel, maar ik vond het geweldig in Londen. Er gebeurde zo veel, zo veel fantastische vrouwen en knappe mannen om naar te kijken; de jurken, de winkels, de parken.' Ze glimlachte, maar het had iets treurigs in mijn ogen. 'Ik ben er altijd van uitgegaan...' De glimlach verflauwde en ze keek naar haar kopje. 'Nou ja. Waarschijnlijk dromen alle jonge vrouwen van bepaalde dingen. Ben jij getrouwd, Edith?' De vraag kwam onverwacht, en mijn adem stokte even, waardoor ze een broze hand uitstak. 'Vergeef me dat ik het vraag. Wat ongepast van me!'

'Helemaal niet,' zei ik. 'Ik vind het niet erg. En nee, ik ben niet getrouwd.'

Ze glimlachte warm. 'Dat dacht ik al. Ik hoop dat je niet denkt dat ik bemoeiziek ben, maar ik zag dat je geen ring draagt. Hoewel jonge mensen dat tegenwoordig niet meer doen. Ik ben bang dat ik niet meer zo op de hoogte ben. Ik ga niet vaak weg.' Ze wierp bijna ongemerkt een blik op Percy. 'Geen van ons, trouwens.' Haar vingers fladderden een beetje voordat ze tot rust kwamen op een antiek medaillon aan een dunne halsketting. 'Ik was een keer bijna getrouwd.'

Naast me ging Percy verzitten. 'Ik weet zeker dat juffrouw Burchill geen behoefte heeft aan onze jammerverhalen...'

'Natuurlijk niet,' zei Saffy blozend. 'Wat mal van me.'

'Helemaal niet.' Ze keek zo gegeneerd dat ik haar graag gerust wilde stellen; ik had het gevoel dat ze een groot deel van haar leven had gedaan wat Percy haar voorschreef. 'Ik wil het graag horen.'

Er klonk een sissend geluid toen Percy een lucifer afstreek en een sigaret opstak die ze tussen haar lippen had geklemd. Ik zag wel dat Saffy werd verscheurd; ze keek haar tweelingzus aan met een mengeling van bedeesdheid en verlangen. Ze las een ondertitel die ik niet zag en taxeerde een strijdperk met de kerven van voorgaande slagen. Ze richtte haar aandacht pas weer op mij toen Percy opstond en met haar sigaret naar het raam liep. Onderweg knipte ze een schemerlamp aan. 'Percy heeft gelijk,' zei ze tactvol en op dat moment besefte ik dat ze de schermutseling had verloren. 'Het is egoïstisch van me.'

'Helemaal niet, ik...'

'Het artikel, juffrouw Burchill,' viel Percy me in de rede. 'Hoe vordert dat?'

'Ja,' zei Saffy terwijl ze zich herstelde, 'vertel eens hoe het gaat, Edith. Wat zijn je plannen voor je verblijf hier? Ik neem aan dat je met interviews wilt beginnen?'

'Eigenlijk,' antwoordde ik, 'heeft meneer Gilbert al zulk degelijk werk gedaan dat ik niet al te veel beslag op uw tijd hoef te leggen.'

'O, aha, ik begrijp het.'

'Hier hebben we al over gesproken, Saffy,' zei Percy en ik meende iets waarschuwends in haar stem te horen.

'Natuurlijk.' Saffy glimlachte naar me, maar haar ogen stonden verdrietig. 'Alleen schieten je... naderhand... wel eens dingen te binnen...'

'Ik wil heel graag met u spreken als er iets is wat u misschien niet aan meneer Gilbert hebt verteld,' zei ik.

'Dat zal niet nodig zijn, juffrouw Burchill,' zei Percy, die naar de tafel terugkwam om haar as af te tikken. 'Zoals u al zei, heeft meneer Gilbert een aanzienlijk dossier samengesteld.'

Ik knikte, maar haar onbuigzame houding verbaasde me. Ze vond zo nadrukkelijk dat interviews niet meer nodig waren, dat het duidelijk was dat ze niet wilde dat ik met Saffy alleen sprak. En toch had Percy Adam Gilbert van het project afgehaald en erop gestaan dat ik hem verving. Ik was niet zo ijdel of gek om te geloven dat het iets met mijn schrijftalent te maken had, of met de fraaie verstandhouding die we bij mijn eerste bezoek hadden opgebouwd. Waarom had ze mij dan gevraagd en wilde ze met alle geweld dat ik niet met Saffy praatte? Had het met controle te maken? Was Percy Blythe zo gewend het leven van haar zussen te bestieren dat ze niet kon toestaan dat er ook maar een gesprek buiten haar om werd gevoerd? Of zat er meer achter, maakte ze zich zorgen om wat Saffy me wilde vertellen?

'Uw tijd hier zal beter besteed zijn als u de toren bekijkt en gevoel voor het huis zelf krijgt,' vervolgde Percy. 'Voor de manier waarop papa werkte.'

'Ja, natuurlijk,' zei ik. 'Dat is zeker van belang.' Ik stelde mezelf teleur en kon het gevoel niet van me afschudden dat ook ik me gedwee onderwierp aan de regie van Percy Blythe. Diep vanbinnen roerde zich iets. 'Niettemin,' hoorde ik mezelf zeggen, 'lijken er een paar zaken onbesproken.'

De hond op de vloer maakte een jammerend geluidje en Percy kneep haar ogen samen. 'O?'

'Het is me opgevallen dat meneer Gilbert niet met Juniper had gesproken en ik dacht dat ik misschien...'

'Nee.'

'Ik begrijp dat u niet wilt dat ze van haar stuk wordt gebracht, en ik beloof...'

'Juffrouw Burchill, ik verzeker u dat u er niets mee opschiet als u met Juniper over mijn vaders werk praat. Ze was nog niet eens geboren toen de *Mud Man* werd geschreven.'

'Dat is wel zo, maar het artikel moet over u drieën gaan en ik zou toch...'

'Juffrouw Burchill.' Percy's stem klonk koud. 'U moet begrijpen dat onze zus niet in orde is. Ik heb u al een keer eerder verteld dat ze in haar jonge jaren een grote klap te verduren heeft gekregen, een teleurstelling die ze nooit te boven is gekomen.'

'Dat is juist, en het zou niet in me opkomen om Thomas bij haar ter sprake te brengen...' Ik viel stil toen ik Percy zag verbleken. Het was voor het eerst dat ik me herinnerde haar van haar stuk te hebben gezien. Het was niet mijn bedoeling geweest zijn naam te laten vallen en die hing nu als rook in de lucht om ons heen. Ze griste naar een verse sigaret. 'Uw tijd hier,' herhaalde ze streng en beslist, wat niet rijmde met het trillende lucifersdoosje in haar hand, 'is het beste besteed met een bezoek aan de toren. Om inzicht te krijgen in de manier waarop mijn vader werkte.'

Ik knikte en ik voelde een vreemd, onrustig gevoel op de bodem van mijn maag.

'Als u vragen hebt die nog beantwoord moeten worden, stelt u ze aan mij en niet aan mijn zussen.'

Op dat moment kwam Saffy op haar eigen onnavolgbare wijze tussenbeide. Ze had tijdens mijn uitwisseling met Percy naar de grond gekeken, maar toen keek ze op met een vriendelijke uitdrukking op haar gezicht. Ze zei met duidelijke stem, de onschuld zelve: 'Dat betekent natuurlijk dat ze een blik in papa's dagboeken moet werpen.'

Kan het zijn dat de hele kamer verkilde toen ze dat zei, of verbeeldde ik het me maar? Niémand had ooit de dagboeken van Raymond Blythe gezien; niet bij zijn leven, en ook niet tijdens de halve eeuw postume literatuurwetenschap. Er hadden zich legenden om hun bestaan gevormd. En om ze nu zo achteloos vermeld te horen, om de mogelijkheid te voelen dat ik ze mocht aanraken, dat ik het handschrift van de coryfee misschien mocht lezen en met mijn vingertoppen heel licht over zijn gedachten kon strijken, precies wanneer ze zich vormden. 'Ja,' bracht ik uit. Het was amper meer dan een fluistering. 'Heel graag.'

Percy had zich intussen naar Saffy gewend, en hoewel ik evenveel hoop koesterde om de dynamiek tussen hen die in de loop van bijna negen decennia was gegroeid te doorgronden als om het struikgewas in Cardarker Wood te ontwarren, besefte ik dat er een klap was uitgedeeld. Een gemene klap. Ik wist op dat moment ook dat Percy niet wilde dat ik die dagboeken inzag. Haar tegenzin was slechts brandstof voor mijn verlangen, mijn behoefte ze in mijn handen te voelen en ik hield de adem in terwijl de tweeling haar dansje uitvoerde.

'Toe maar, Percy,' zei Saffy. Ze knipperde met de ogen en liet haar glimlach iets verwelken in haar mondhoeken, alsof ze perplex was en niet kon begrijpen dat Percy nog aansporing behoefde. Ze keek me heel even aan, maar lang genoeg om te weten dat we bondgenoten waren. 'Laat haar de wapenkamer maar zien.'

De wapenkamer. Natuurlijk lagen ze daar! Het was net als een tafereel uit de *Mud Man* zelf: de kostbare dagboeken van Raymond Blythe, weggeborgen in de kamer der geheimen.

Percy's armen, haar borstkas, haar kin: alles was verstijfd. Waarom mocht ik die dagboeken niet zien? Wat stond erin waarvoor ze bang was?

'Percy?' Saffy praatte wat vriendelijker, zoals je tegen een kind zou doen dat je moet aansporen iets te zeggen. 'Liggen die dagboeken daar nog?'

'Ik neem aan van wel. Ik heb ze in elk geval niet weggehaald.'

'Nou dan?' De spanning tussen hen was zo groot dat ik bijna niet kon ademen terwijl ik hoopvol toekeek. De tijd rekte zich pijnlijk uit. Buiten liet een rukwind het luik tegen het venster rammelen. Juniper bewoog. Saffy zei weer: 'Percy?'

'Niet vandaag,' zei Percy uiteindelijk, terwijl ze haar sigaret in het kristallen asbakje uitdrukte. 'Het is zo donker. Het is al bijna avond.'

Ik keek naar buiten en zag dat ze gelijk had. De zon was snel uit het zicht gegleden en de frisse avondlucht nam z'n plaats in. 'Wanneer u morgen komt, zal ik u de kamer laten zien.' Ze keek me streng aan. 'En juffrouw Burchill?'

'Ja?'

'Ik wil niets meer van u horen over Juniper noch over hém.'

1

Londen, 22 juni 1941

Het was maar een klein appartement, weinig meer dan twee piepkleine vertrekjes boven in een victoriaans gebouw. Het dak helde aan één kant naar de muur die iemand ooit had gemetseld, om van een tochtige zolder twee te maken, de keuken was niet om over naar huis te schrijven, alleen maar een klein aanrecht naast een oud gasstel. Het was niet Toms appartement, niet echt. Hij had geen plek van zichzelf omdat hij daar nog nooit behoefte aan had gehad. Tot de oorlog uitbrak, had hij bij zijn ouders in Elephant and Castle gewoond, en vervolgens bij zijn regiment tot dat slonk tot een uiteengevallen groep overlevenden op weg naar de kust. Na Duinkerken had hij in een bed in het Chertsey Emergency Hospital geslapen.

Maar na zijn ontslag uit dienst was hij van de ene logeerkamer naar de andere verhuisd, in afwachting van de genezing van zijn been en van het moment dat zijn eenheid hem weer zou oproepen. In heel Londen waren kamers vrij, dus was het nooit moeilijk om een nieuw onderkomen te vinden. Het leek wel alsof de oorlog alles door elkaar had geschud – mensen, eigendommen, vriendschappen – en dat er niet langer één juiste manier van leven was. Dit specifieke appartement, deze kale kamer die hem tot zijn dood zou bijblijven en weldra een opslagplaats van de mooiste en kleurrijkste herinneringen van zijn leven zou zijn, was van een studievriend van de onderwijzersopleiding, lang geleden in een vorig leven.

Het was nog vroeg, maar Tom was al naar Primrose Hill en terug gewandeld. Hij sliep niet meer uit en evenmin diep. Niet na al die maanden in Frankrijk waarin hij het tijdens de aftocht van zijn verstand had moeten hebben. Hij werd wakker met de vogels, vooral de mussen, omdat een gezin zijn intrek had genomen op zijn vensterbank. Misschien was het verkeerd geweest om ze te voeden, maar het brood was toch schimmelig en de man van de Salvage Department beneden werd woest als je het weggooide. Het kwam door de warmte in de kamer en de stoom van de boiler dat Toms brood beschimmelde. Hij hield zijn raam open, maar het zonlicht van overdag hoopte zich op in de lager gelegen appartementen en trok vervolgens via het trapgat omhoog en door de houten vloer voordat het zijn plafond bereikte om zich vervolgens bezitterig te verspreiden en de hand te schudden met de stoom. Hij kon het net zo goed accepteren, het was zijn schimmel en het waren zijn vogels. Hij werd vroeg wakker, gaf hun te eten en ging wandelen.

De artsen hadden gezegd dat lopen het beste was voor zijn been, maar Tom had het hoe dan ook gedaan. Er huisde tegenwoordig iets rusteloos in hem, iets wat hij in Frankrijk had opgelopen en wat nu dagelijks moest worden bezworen. Elke voetstap op het trottoir hielp een beetje en hij was blij met die bevrijding, al wist hij best dat die maar tijdelijk was. Toen hij die ochtend op Primrose Hill stond te kijken hoe de dageraad zijn mouwen opstroopte, kon hij de dierentuin en de gebouwen van de BBC zien en in de verte de koepel van de St. Paul's Cathedral die uit zijn gebombardeerde omgeving oprees. Tom had gedurende het hoogtepunt van de luchtaanvallen in het ziekenhuis gelegen en de hoofdzuster was op 30 december met *The Times* in haar hand (hij mocht inmiddels de krant lezen) binnengekomen. Ze bleef met een stuurs maar niet onvriendelijk gezicht aan zijn bed staan toen hij ging lezen, en voordat de kop tot hem was doorgedrongen, verklaarde ze dat het de hand van God was. Al moest Tom toegeven dat het een wonder was dat de koepel het had overleefd, vond hij dat het eerder met geluk te maken had dan met God. Hij had moeite met God, met de idee dat een goddelijk wezen misschien een gebouw zou sparen wanneer de rest van Engeland doodbloedde. Maar tegenover de zuster knikte hij bevestigend: blasfemie zou haar nou juist een reden geven om tegen de dokter te fluisteren over zijn zorgwekkende geestestoestand.

Er stond een spiegel op de smalle vensterbank en Tom, slechts gekleed in zijn hemd en lange broek, boog zich ernaartoe en wreef het stompje scheerzeep over zijn wangen. Hij keek objectief naar zijn gevlekte spiegelbeeld in het gestippelde glas, naar de jongeman die zijn hoofd zo schuin hield dat het bleke zonlicht op zijn wang viel en het scheermes over zijn wang trok, haal voor haal en hij vertrok zijn gezicht toen hij het gebied om zijn oorlelletje bereikte. De man in de spiegel spoelde het scheermes af in een laagje water, schudde het af en begon aan de andere kant, zoals een man die zich fatsoeneert voor een verjaardagsbezoek aan zijn moeder…

Tom betrapte zichzelf, legde het scheermesje voorzichtig op de vensterbank en steunde met zijn handen op de rand van de gootsteen. Hij kneep zijn ogen dicht en telde zoals gewoonlijk tot tien. Deze verwarring sloeg de laatste tijd vaker toe, sinds zijn terugkeer uit Frankrijk, maar nog sterker nadat hij uit het ziekenhuis was ontslagen. Het was alsof hij buiten zichzelf stond en toeschouwer was, en niet kon geloven dat de jongeman in de spiegel met dat vriendelijke gezicht, met die zachte ogen, met de dag die zich voor hem uitstrekte, dat hij dat was; en dat de ervaringen van de afgelopen anderhalf jaar, de beelden en geluiden – dat kind, lieve god, dat dood en verlaten op een weg in Frankrijk lag – achter dat nog altijd gave gezicht konden leven.

Je heet Thomas Cavill, hield hij zichzelf overtuigend voor toen hij tot tien had geteld. Je bent vijfentwintig jaar; je bent soldaat. Vandaag is het je moeders verjaardag en je gaat bij haar lunchen. Zijn zussen zouden er ook zijn, de oudste met haar baby Thomas die naar hem was genoemd, en ook zijn broer Joey; niet Theo, die was voor oefeningen met zijn regiment naar het noorden van het land gestuurd en stuurde vrolijke brieven naar huis over boter en kaas en een meisje dat Kitty heette. Ze zouden zoals gewoonlijk hun luidruchtige zelf zijn, althans de oorlogsversie van zichzelf: nooit stelden ze een vraag, ze klaagden amper en dan nog altijd op een gekscherende toon, hoe lastig het was om aan eieren en suiker te komen. Ze twijfelden er nooit aan dat Engeland zou winnen. Dat zij het konden winnen. Vaag kon Tom zich herinneren dat hij er ook zo over had gedacht.

Juniper haalde het papiertje tevoorschijn om het adres nog een keer te controleren. Ze hield het schuin en draaide haar hoofd en vervloekte zichzelf voor haar abominabele handschrift. Te snel, te zorgeloos, veel te gretig om al naar het volgende idee over te springen. Ze keek omhoog naar het smalle huis en zag het nummer op de zwarte voordeur. Zesentwintig. Hier was het, dat kon niet anders.

Het klopte. Juniper stak het papiertje met een beslist gebaar in haar zak. Afgezien van het nummer en de straat herkende ze dit huis uit Merry's verhalen net zo levendig als Northanger Abbey of Wuthering Heights. Met verende tred liep ze de betonnen trap op en klopte ze aan.

Ze was op de kop af twee dagen in Londen en kon het nog steeds niet helemaal geloven. Ze voelde zich net een romanfiguur die ontsnapt was aan een boek waarin haar schepper haar voorzichtig en vriendelijk had gevangen; dat ze een schaar in haar omtrek had gezet en eruit was gesprongen in de onbekende bladzijden van een verhaal met veel meer vuil en lawaai en ritme. Een verhaal dat ze nu al geweldig vond: het geschuifel, de troep, de wanorde, de dingen en de mensen die ze niet begreep. Het was net zo opwindend als ze altijd al had geweten.

De deur ging open en een fronsend gezicht overviel haar een beetje, een meisje dat jonger was dan zij, maar op een bepaalde manier ook ouder. 'Wat kom je doen?'

'Ik kom voor Meredith Baker.' Junipers stem klonk haar, hier in dat andere verhaal, zelf vreemd in de oren. Ze moest denken aan Percy, die altijd precies wist hoe ze zich in de buitenwereld moest gedragen, maar dat vermengde zich met een andere, recentere herinnering: Percy, roodaangelopen en boos na een gesprek met papa's notaris, en Juniper liet de beelden weer verdwijnen.

Het meisje – met die ontevreden pruilmond – kon alleen maar Rita zijn. Ze bekeek Juniper van top tot teen, kreeg een hautaine, argwanende blik van – gek genoeg omdat ze elkaar nog nooit hadden ontmoet – afkeer op haar gezicht. 'Meredith!' riep ze uiteindelijk vanuit een mondhoek. 'Hier komen.'

Juniper en Rita wachtten af en keken elkaar aan. Geen van beiden zei iets en in Junipers gedachten verschenen een heleboel woorden die een patroon vormden voor het begin van een beschrijving die ze later in een brief aan haar zussen zou geven. Daarna verscheen Meredith met enig kabaal, haar bril op haar neus en een theedoek in haar hand en de woorden leken niet meer van belang.

Merry was Junipers eerste vriendin en ook de eerste die ze miste, dus het immense gewicht van de afwezigheid van die vriendin was volslagen onverwacht geweest. Toen Merry's vader in maart onaangekondigd op het kasteel was komen eisen dat zijn dochter deze keer wel met hem mee naar huis ging, hadden de twee meisjes elkaar omklemd en had Juniper in Merry's oor gefluisterd: 'Ik kom wel naar Londen. Ik zie je gauw weer.' Merry huilde, maar Juniper niet, althans niet toen. Ze wuifde haar na en keerde terug naar haar zolderkamer om te proberen zich te herinneren hoe het was om alleen te zijn. Ze had haar hele leven tenslotte zo doorgebracht, maar in de stilte die Merry naliet school iets nieuws. Een klok tikte zacht de seconden af naar een lot dat Juniper hardnekkig probeerde voor te blijven.

'Je bent gekomen,' zei Meredith terwijl ze haar bril met de rug van haar hand op haar neus recht duwde.

'Dat heb ik toch gezegd.'

'Maar waar logeer je dan?'

'Bij mijn peetvader.'

Er verscheen een grijns op Meredith' gezicht en die maakte plaats voor een brede lach. 'Laten we dan maar wegwezen,' zei ze. Ze nam Junipers hand stevig in de hare.

'Ik zal mama vertellen dat je het keukenwerk niet hebt afgemaakt en dat moest wel,' riep haar zus haar achterna.

'Let maar niet op haar,' zei Meredith. 'Ze is over haar toeren, omdat ze haar op haar werk alleen maar laten schoonmaken.'

'Jammer dat ze haar niet in de bezemkast opsluiten.'

Uiteindelijk was Juniper uit eigen beweging naar Londen gegaan. Met de trein, precies zoals Meredith had voorgesteld toen ze samen op het dak van Milderhurst zaten. Vluchten was lang niet zo moeilijk als ze had verwacht. Ze was gewoon de landerijen overgestoken en niet gestopt voordat ze bij het station was.

Ze was zo trots op zichzelf dat het even aan haar aandacht was ontsnapt dat ze ook nog meer moest doen. Juniper kon schrijven, ze kon geweldige verhalen verzinnen en ze genuanceerd verwoorden, maar ze wist dat ze in al het andere volmaakt hopeloos was. Alles wat ze van de wereld en zijn functioneren wist, had ze uit boeken en afgeleid uit de gesprekken van haar zussen – die geen van tweeën erg werelds waren – en uit de verhalen die Merry over Londen had verteld. Dus toen ze eenmaal voor het station stond hoefde het geen verbazing te wekken dat ze niet wist wat ze moest doen. Pas toen ze een hokje zag met KAARTVERKOOP erboven, herinnerde ze het zich weer: natuurlijk, ze moest zo'n kaartje kopen.

Geld. Dat was iets wat Juniper nooit had gekend noch nodig gehad, maar ze had een klein bedrag gekregen toen papa stierf. Ze had zich niet beziggehouden met de bijzonderheden van het testament en de nalatenschap – het was voldoende om te weten dat Percy boos was, Saffy bezorgd en Juniper onbewust de oorzaak – maar toen Saffy van een bundeltje echt geld sprak – het soort dat je kon opvouwen en vasthouden en inwisselen voor dingen – en aanbood het veilig voor haar op te bergen, had Juniper nee gezegd. Dat ze het liever zelf hield om er een tijdje naar te kijken. Saffy, die lieve Saffy, had dat verzoek zonder een spier te vertrekken als volslagen redelijk aanvaard omdat het uit de mond kwam van Juniper, van wie ze hield, en ze daar dus geen vraagtekens bij zette.

Toen de trein arriveerde, was hij vol, maar een oudere man in de coupé stond op met een tikje tegen zijn hoed en Juniper begreep daaruit dat ze op de stoel mocht schuiven waarvan hij zojuist was opgestaan. Een plaats aan het raam. Wat waren de mensen hier alleraardigst! Ze glimlachte en knikte en ze zat met haar koffer op schoot te wachten op de dingen die komen gingen. IS UW REIS ECHT NOODZAKELIJK? stond er op een poster op het perron. Ja, dacht Juniper. Jazeker. Ze was er nu meer dan ooit van overtuigd dat op het kasteel blijven gelijkstond aan zich onderwerpen aan een toekomst die ze niet wilde. De toekomst die ze weerspiegeld zag in haar vaders ogen wanneer hij zijn handen op haar schouders legde en zei dat hij en zij hetzelfde waren, precies hetzelfde.

De stoom kolkte en blies langs het perron en ze voelde zich net zo opgewonden als wanneer ze op de rug van een grote puffende draak was geklommen die op het punt stond het luchtruim te kiezen om haar mee te nemen naar een fascinerend sprookjesland. Er klonk een schril fluitje waarvan de haartjes op Junipers armen rechtovereind gingen staan en daar gingen ze, de trein zette zich met machtige zuchten in beweging. Juniper kon haar lachen niet bedwingen toen ze naar buiten keek, omdat ze het had geflikt. Ze had het echt gedaan.

Na een poosje was het raam beslagen door haar adem en er flitsten naamloze en onbekende stations, dorpen en bossen langs: in een mist, pastelgroen en blauw en stroken roze waar met een waterig penseel doorheen was gestreken. De glijdende kleuren stopten wel eens om een duidelijk beeld te vormen, ingelijst door het raamkozijn van de trein. Iets van Constable of een andere landschapsschilder die papa bewonderde. Beelden van een tijdloos platteland waarover hij altijd zo hoog opgaf, terwijl die vertrouwde treurigheid zijn blik verduisterde.

Juniper had niets met het tijdloze. Ze wist dat het niet bestond. Alleen het hier en nu was echt, de manier waarop haar hart te snel bonkte, zij het niet gevaarlijk snel omdat ze in de trein naar Londen zat, omringd door lawaai, beweging en warmte.

Londen. Juniper zei het woord een keer binnensmonds en toen nog eens. Ze genoot van de gelijkmatige klank, de twee uitgebalanceerde lettergrepen en de manier waarop ze op haar tong lagen. Zacht maar gewichtig, als een geheim, als het soort woord dat minnaars elkaar kunnen toefluisteren. Juniper wilde liefde, hartstocht, ze wilde verwikkelingen. Ze wilde leven en liefhebben en luisteren, ze wilde achter geheimen komen en weten hoe andere mensen met elkaar spraken, hoe ze voelden, waarom ze lachten en huilden en zuchtten. Mensen die niet Percy of Saffy of Raymond of Juniper Blythe heetten.

Toen ze een heel klein meisje was, steeg er eens een ballonvaarder op van een van de weilanden van Milderhurst. Juniper kon zich niet herinneren of het een vriend van haar vader of een beroemde avonturier was, alleen dat ze een ontbijtpicknick op het gazon hadden om het te vieren en ze waren allemaal bijeengekomen, neven en nichten uit het noorden incluis, plus een paar exclusieve gasten uit het dorp, om het grote evenement gade te slaan. De ballon zat met touwen aan de grond vast en terwijl de vlam omhoog spoot en de mand zijn best deed om hem te volgen, stonden er mannen aan de uiteinden van de touwen om ze los te maken. De touwen schreeuwden het uit van de spanning, de vlammen raasden hoger en even – iedereen sperde de ogen open – leek het alsof zich een ramp zou voltrekken.

Eén touw schoot los toen de andere nog vastzaten, het hele gevaarte dreigde te kapseizen en de vlammen lekten gevaarlijk dicht bij de stof van de ballon. Juniper wierp een blik op papa. Ze was nog maar een kind en wist toen niets van de afgrijselijke gebeurtenissen van zijn verleden – het zou nog een poos duren voordat hij zijn dochter belastte met zijn geheimen – maar toen al wist ze dat vuur hem de meeste angst inboezemde. Het gezicht waarmee hij de gebeurtenissen gadesloeg was lijkbleek geworden en de angst tekende zich er scherp op af. Juniper deed zijn gezicht na omdat ze nieuwsgierig was hoe het voelde om te veranderen in een steen die getekend was door angst. De laatste touwen kwamen net op tijd los en de ballon richtte zich weer op, kwam met een schok vrij, koos het luchtruim en verhief zich hoog in de blauwe lucht.

Voor Juniper had papa's overlijden iets weg van het loskomen van dat eerste touw. Ze had de verlossing gevoeld terwijl haar lichaam, haar ziel en haar hele wezen dreigden te kapseizen en een aanzienlijk deel van het gewicht dat haar had gekluisterd wegviel. De laatste touwen kapte ze zelf, door een aantal slecht bij elkaar passende kleren plus de twee adressen van mensen in Londen in een koffertje te pakken en een dag af te wachten waarop haar zussen het allebei druk hadden en ze er ongezien vandoor kon gaan.

Nu was er nog maar één touw dat zich uitrekte tussen Juniper en thuis. Die was het moeilijkst te kappen, omdat Saffy en Percy er een keurige knoop in hadden gelegd. En toch moest het gebeuren, want hun liefdevolle bezorgdheid had haar net zo goed gevangengezet als papa's verwachtingen dat deden. Toen Juniper in Londen aankwam en de rokerige bedrijvigheid van Charing Cross haar omhulde, beeldde ze zich een blinkende schaar in en bukte ze om het touw radicaal door te knippen. Ze zag het touw losvallen en even aarzelen voordat het pijlsnel in de verte verdween en steeds sneller naar het kasteel terug kronkelde.

Toen ze eindelijk vrij was, vroeg ze iemand de richting naar een brievenbus en deed ze de brief op de post waarin ze in het kort uitlegde wat ze had gedaan en waarom. Die zou haar zussen bereiken voordat ze de kans kregen zich al te zeer zorgen te maken, of iemand zouden sturen om haar terug te halen. Ze wist dat ze zouden piekeren; vooral Saffy zou in de greep zijn van de angst, maar wat had Juniper anders kunnen doen?

Eén ding was zeker. Haar zussen zouden haar nooit alleen weg hebben laten gaan.

Juniper en Meredith lagen naast elkaar in het door de zon gebleekte gras van het park. Boven hun hoofd speelden snippers licht verstoppertje tussen de glinsterende bladeren. Ze waren op zoek gegaan naar ligstoelen, maar de meeste waren stuk en stonden tegen een boom, in de hoop dat iemand ze zou vinden en repareren. Juniper vond het niet erg. Het was snikheet, dus het koele gras en de aarde eronder waren een welkom genoegen. Ze lag met één arm onder haar hoofd gevouwen. In de andere hand hield ze haar sigaret; ze rookte langzaam en deed eerst haar ene oog even dicht en daarna haar andere, om te kijken hoe het lover bewoog tegen de achtergrond van de lucht, en ondertussen luisterde ze naar Meredith die over de vorderingen van haar manuscript vertelde.

'Dus,' zei ze toen haar vriendin was uitgesproken, 'wanneer krijg ik het te zien?'

'Ik weet het niet. Het is bijna af. Bijna. Maar...'

'Maar wat?'

'Ik weet het niet. Ik voel me zo...'

Juniper draaide haar hoofd opzij en hield haar hand boven haar ogen tegen het felle licht. 'Zo hoe?'

'Zenuwachtig.'

'Zenuwachtig?'

'Stel dat je er niets aan vindt.' Meredith ging plotseling rechtop zitten.

Juniper volgde haar voorbeeld en sloeg de benen over elkaar. 'Dat zal niet gebeuren.'

'Maar als je er niets aan vindt, zal ik nooit in mijn leven nog iets schrijven.'

Juniper deed alsof ze streng keek en fronste net als Percy. 'Nou, meiske, als dat het geval is, zou ik er maar meteen mee stoppen.'

'Omdat je nu al denkt dat je er niets aan zult vinden!' Meredith kreeg een radeloze uitdrukking op haar gezicht, wat Juniper verraste. Ze had zoals gewoonlijk maar een grapje gemaakt. Ze had verwacht dat Merry zou lachen en op dezelfde strenge manier iets zou zeggen wat net zo nietszeggend was. Na deze verwarrende reactie haperde Junipers eigen strenge gezicht en liet ze haar gezaghebbende façade varen.

'Dat bedoel ik helemaal niet,' zei ze, terwijl ze haar hand plat op de blouse van haar vriendin legde, zo dicht bij haar hart dat ze het onder haar vingertoppen voelde kloppen. 'Je moet opschrijven wat hier zit omdat je niet anders kunt, omdat je er plezier aan beleeft, maar nooit omdat je wilt dat iemand anders mooi vindt wat jij schrijft.'

'Zelfs jij niet?'

'Vooral ik niet! God, Merry, wat weet ik er nou helemaal van?'

Meredith glimlachte, het mistroostige gevoel week en opeens vertelde ze met veel animo over de egel die zijn intrek had genomen in de schuilkelder van de familie. Juniper luisterde lachend en reserveerde maar een heel klein deel van haar aandacht om de merkwaardige nieuwe spanning op het gezicht van haar vriendin te bestuderen. Als ze een ander type was geweest, iemand aan wie verzonnen mensen en plekken zich minder makkelijk presenteerden, had ze Merry's bezorgdheid misschien beter begrepen. Maar dat was ze niet en na een tijdje liet ze het los. Het enige wat telde was in Londen zijn, vrij zijn en op het gras zitten met de zon die inmiddels over haar rug kroop.

Juniper maakte haar sigaret uit en zag een knoopje op Meredith' blouse loszitten. 'Hier,' zei ze terwijl ze haar hand uitstak, 'je valt helemaal uit elkaar, meiske. Laat mij dat maar even opknappen.'

2

Tom besloot naar de Elephant and Castle te lopen. Hij hield niet van de metro; de treinen reden te diep onder de grond en dat bezorgde hem een nerveus en opgesloten gevoel. Het leek wel een eeuwigheid geleden dat hij met Joey op het perron ging zitten om naar het naderende geraas te luisteren. Hij ontspande zijn vuisten die nu naar beneden hingen en herinnerde zich hoe het voelde om dat mollige handje vast te houden – dat altijd zweette van opwinding en warmte – terwijl ze samen in de tunnel tuurden in afwachting van het schijnsel van de koplampen en die muffe en stoffige vuist van wind die aan de komst van de trein voorafging. Hij moest vooral denken aan de blik op Joeys gezicht, telkens weer net zo blij als de eerste keer.

Tom bleef even staan en sloot zijn ogen om de herinnering te laten rafelen en verbleken. Toen hij ze weer opende, botste hij bijna tegen drie vrouwen op die zonder meer jonger waren dan hij, maar die er in hun mantelpakjes zo keurig uitzagen en zo doelbewust liepen, dat hij zich vergeleken met hen mal en onhandig voelde. Glimlachend deden ze een stapje opzij en ieder meisje tilde in het voorbijgaan een hand op om met haar vingers het v-teken te maken. Tom glimlachte terug, een tikje stijfjes, een beetje te laat en daarna liep hij door in de richting van de brug. Achter Tom stierven het gelach van de meisjes – koket en sprankelend als een frisse dronk voor de oorlog – en hun kwieke voetstappen in de verte weg, en hij had vaag het gevoel dat hij een kans had gemist, al kon hij niet zeggen waarop. Hij bleef niet staan en hij zag niet dat ze over hun schouder keken met de hoofden dicht bij elkaar om nog een blik op de lange jonge soldaat te werpen en iets over zijn knappe gezicht en ernstige donkere ogen te zeggen. Tom had het te druk met lopen, met de ene voet voor de andere te zetten – net als in Frankrijk – en met nadenken over dat symbool. Het v-teken. Je zag het overal en hij vroeg zich af waar het was begonnen, wie het had bedacht en hoe het kwam dat iedereen het kende.

Toen Tom Westminster Bridge overstak en dichter in de buurt van zijn moeders huis kwam, viel hem iets op wat hij tot dan toe had geprobeerd te vermijden. Dat rusteloze gevoel was terug, dat knagende holle gevoel achter zijn ribbenkast. Het was samen met de herinneringen aan Joey naar binnen geslopen. Tom haalde heel diep adem en versnelde zijn tred, al wist hij best dat hij op die manier meer kans maakte om aan zijn eigen schaduw te ontsnappen. Het was merkwaardig om het gevoel te hebben dat er iets ontbrak en curieus dat een leegte evenveel druk kon uitoefenen als een solide voorwerp. Het effect had iets van heimwee naar huis, wat hem verbaasde. Ten eerste omdat hij een volwassen man was en hij zulke gevoelens toch moest zijn ontgroeid; ten tweede omdat hij thuis wás.

Op de natte planken van de boot die hem uit Duinkerken terugbracht naar Engeland, tussen de schone lakens van zijn ziekenhuisbed en in zijn eerste geleende woning in Islington had hij gedacht dat het gevoel, die doffe, niet te bevredigen zucht naar iets, zou wegtrekken als hij eenmaal voet over de drempel van zijn ouderlijk huis had gezet, zodra zijn moeder hem in zijn armen had genomen om op zijn schouder te huilen en te zeggen dat hij thuis was en dat alles goed zou komen. Maar dat was niet gebeurd en Tom wist waarom. Die honger was helemaal geen heimwee. Hij had het woord achteloos gebruikt, misschien zelfs hoopvol, om het gevoel dat er iets fundamenteels verloren was gegaan te beschrijven. Maar wat hij miste was geen plek; in werkelijkheid was het veel erger. Tom miste een laag van zichzelf.

Hij wist waar hij die had achtergelaten. Hij had het voelen gebeuren op dat weiland bij het Escaut-kanaal, toen hij zich omdraaide en de andere soldaat in de ogen keek, die Duitser die zijn geweer recht op Toms rug had gericht. Hij voelde de paniek als een hete, vloeibare golf in zich opwellen en daarna was zijn last lichter geworden. Een laag van zijn geest, de laag die kon voelen en bang kon zijn, was als een vloeitje uit zijn vaders tabaksdoos losgekomen, op de grond gevallen en op het slagveld achtergebleven. Het andere stuk, de harde, resterende kern die Tom heette, had zich gebukt en het op een lopen gezet, zonder gedachten, zonder gevoelens, zich alleen bewust van zijn eigen raspende ademhaling in zijn oren.

Tom wist dat die afscheiding, die dissociatie, hem een betere soldaat had gemaakt, maar er was een onvolkomen man overgebleven. Het was de reden dat hij niet meer thuis woonde. Hij bekeek mensen en de omgeving nu als door matglas. Hij zag hen wel, maar niet scherp. En hij kon hen zeker niet aanraken. De dokter in het ziekenhuis had het hem uitgelegd en verteld dat hij dezelfde klacht bij andere mannen was tegengekomen. Dat was allemaal goed en wel, maar maakte het niet minder angstaanjagend, toen Toms moeder, net als vroeger, glimlachend tegen hem zei dat hij zijn sokken moest uittrekken, zodat zij ze kon stoppen, en leegte het enige was wat hij voelde. Wanneer hij thee dronk uit zijn vaders vroegere kop, wanneer zijn kleine broertje Joey – inmiddels een grote vent, maar nog altijd zijn broertje Joey – een kreet slaakte en in een onhandige galop op hem afkwam met een verfomfaaid exemplaar van *Black Beauty* tegen zijn borst gedrukt; wanneer zijn zussen thuiskwamen en zich zorgen maakten over hoe mager hij was geworden en beloofden dat ze hun rantsoenen bij elkaar zouden leggen om hem weer vet te mesten: Tom voelde er niets bij en dat zorgde ervoor dat hij...

'Meneer Cavill!' Bij het horen van zijn vaders naam sloeg Toms hart over. In het galvanische ogenblik dat volgde, voelde hij zich misselijk van opluchting, omdat het betekende dat zijn vader nog gezond en wel in leven was en dat alles misschien nog goed kon komen. De afgelopen weken had hij het zich dus helemaal niet verbeeld, toen hij glimpen opving van zijn oude heer die door de straten van Londen op hem afliep, vanaf de andere kant van het slagveld naar hem zwaaide en zich bukte om Toms hand te pakken op de boot die het Nauw van Calais overstak. Dat wil zeggen, hij had het zich wel verbeeld, maar niet de dingen die hij erbij dacht: deze wereld van bommen en kogels en een pistool in zijn hand, van lekke boten die het bedrieglijke Nauw overstaken, en van maanden in ziekenhuizen waar de overdreven reinheid de stank van bloed maskeerde, de wereld van kinderen die dood achtergelaten waren op wegen verschroeid van explosies: die wereld was een afgrijselijk verzinsel. In de échte wereld, besefte hij met de toenemende, duizelingwekkende blijdschap van een jongetje, was alles goed omdat zijn vader nog leefde. Dat kon niet anders, want iemand riep zijn naam. 'Meneer Cavill!'

Tom draaide zich om en toen zag hij haar, een meisje dat zwaaide; een bekend gezicht dat op hem afkwam. Een meisje dat liep op de manier van jonge meisjes die graag ouder willen lijken – met de schouders naar achteren, de kin iets omhoog en de polsen naar buiten – en toch holde ze als een opgewonden kind van een plek in het park over de grens waar vroeger de ijzeren omheining had gestaan, die momenteel transformeerde tot klinknagels en kogels en vliegtuigvleugels.

'Dag, meneer Cavill,' zei ze, toen ze buiten adem voor zijn neus stond. 'U bent weer terug van de oorlog!'

De hoop dat hij zijn vader zou tegenkomen vervloog; hoop, blijdschap en opluchting lekten weg als lucht door duizend speldenprikken in zijn huid. Tom begreep met een zucht dat híj meneer Cavill was en dat dit meisje midden op de stoep, dat achter die bril zo vol verwachting met haar ogen knipperde, ooit een leerling van hem was geweest; vroeger, toen hij nog leerlingen hád en hij met banaal gezag over grootse denkbeelden sprak waarvan hijzelf nog geen jota begreep. Toms tenen trokken krom bij de herinnering.

Meredith. De naam kwam opeens met zekerheid in hem op. Zo heette ze. Meredith Baker, maar ze was groter geworden sinds ze elkaar voor het laatst hadden gezien. Ze was niet dat kleine meisje meer, ze was langer, uitgerekt, en zo wilde ze ook graag gezien worden. Hij voelde hoe hij glimlachte en het woord 'Hallo' uitbracht, en hij kreeg een aangenaam gevoel dat hij niet direct kon plaatsen, iets wat met dat meisje te maken had, met Meredith, en met de laatste keer dat hij haar had gezien. Net toen hij het zich met een frons afvroeg, kwam de herinnering waar het gevoel bij hoorde weer naar boven: een warme dag, een ronde zwemvijver en een meisje.

En toen zag hij haar. Het meisje van het zwembad, hier op straat in Londen, zo duidelijk als wat, en heel even dacht hij dat hij het zich maar verbeeldde. Hoe kon het ook anders? Het meisje uit zijn dromen, dat hij af en toe tijdens zijn afwezigheid had gezien: stralend en glimlachend zweefde ze rond toen hij door Frankrijk trok, toen hij ineen zeeg onder het gewicht van zijn makker Andy – hoe lang had hij dood over zijn schouder gehangen voordat Tom het besefte? – toen hij door een kogel in zijn been werd getroffen en zijn knie het begaf en zijn bloed de aarde bij Duinkerken kleurde…

Tom staarde, schudde een beetje met zijn hoofd en telde in stilte tot tien.

'Dit is Juniper Blythe,' zei Meredith, terwijl ze een knoopje bij haar kraag betastte en lachend naar het meisje opkeek. Tom volgde haar blik. Juniper Blythe. Natuurlijk, zo heette ze.

Toen glimlachte ze met een onthutsend openhartig gezicht en haar trekken ondergingen een totale metamorfose. Het gaf hém een getransformeerd gevoel, alsof hij een fractie van een seconde weer die jongeman was die bij dat glinsterende zwembad stond op een warme dag voor de oorlog. 'Hallo,' zei ze.

Tom knikte ten antwoord. Woorden waren vooralsnog te glibberig.

'Meneer Cavill was mijn onderwijzer,' zei Meredith. 'Je hebt hem een keer op Milderhurst ontmoet.'

Tom wierp Juniper een heimelijke blik toe omdat ze haar aandacht even op Meredith richtte. Ze was geen Helena van Troje; het was niet het gezicht op zich dat hem gek maakte. Bij iedere andere vrouw zou zo'n gezicht prettig, maar met schoonheidsfoutjes heten: de ogen stonden te ver uit elkaar, het haar was te lang, dat gleufje tussen haar voortanden. Maar bij haar waren die juist een accent op de overvloed, ze was een extravagante schoonheid. Hij stelde vast dat ze opviel door haar buitengewoon levendige verschijning. Ze was van een onnatuurlijke schoonheid en toch was ze volkomen natuurlijk. Schitterender, stralender dan wat ook.

'Bij het zwembad,' zei Meredith. 'Weet je nog? Hij kwam kijken waar ik woonde.'

'O, ja,' zei het meisje dat Juniper Blythe heette, en ze wendde zich weer zodanig naar Tom dat iets bij hem vanbinnen dubbelklapte. Zijn adem stokte toen ze glimlachte. 'U zwom in mijn zwembad.' Ze plaagde hem en hij wilde graag iets luchtigs terugzeggen, een beetje babbelen zoals hij vroeger zou hebben gedaan.

'Meneer Cavill is ook dichter,' zei Meredith. Haar stem leek van elders, heel ver weg te komen.

Tom probeerde zich te concentreren. *Dichter*. Hij krabde op zijn voorhoofd. Zo zag hij zichzelf niet meer. Vaag herinnerde hij zich dat hij de oorlog in was gegaan om ervaring op te doen, in de waan dat hij zo de geheimen van de wereld kon ontsluieren om die in een ander, levendiger licht te zien. En dat had hij gedaan. En zo zag hij de wereld. Alleen hoorden de dingen die hij zag en gezien had niet thuis in de wereld van de poëzie.

'Ik schrijf niet veel meer,' zei hij. Het was de eerste zin die hem lukte en hij voelde zich genoopt het nog beter te doen. 'Ik heb het heel druk gehad. Met andere dingen.' Hij keek nu alleen nog maar naar Juniper. 'Ik woon in Notting Hill,' zei hij.

'Bloomsbury,' antwoordde ze.

Hij knikte. Haar zomaar hier te zien nadat hij zich haar zo dikwijls en op zo veel verschillende manieren had verbeeld, was bijna beschamend.

'Ik ken niet veel mensen in Londen,' vervolgde ze, en hij kon maar niet vaststellen of ze ongekunsteld was, of zich geheel en al bewust was van haar charmes. Hoe dan ook, iets in de manier waarop ze het zei, maakte hem stoutmoedig.

'Je kent mij toch,' zei hij.

Ze keek hem nieuwsgierig aan en neeg het hoofd alsof ze naar woorden luisterde die hij niet had uitgesproken, en daarna glimlachte ze. Ze haalde een aantekenboekje uit haar tas en schreef iets op. Toen ze hem het papiertje gaf, streken haar vingers langs zijn handpalm en voelde hij een schok, als van elektriciteit. 'Ik ken jou,' beaamde ze.

Op dat moment en alle ogenblikken daarna dat hij het gesprek opnieuw in zijn hoofd afspeelde, leek het hem dat geen drie woorden ooit mooier waren geweest en meer waarheid hadden bevat dan die drie.

'Gaat u naar huis, meneer Cavill?' Dat was Meredith. Hij was vergeten dat zij er ook was.

'Ja,' zei hij. 'Mijn moeder is jarig.' Hij keek op zijn horloge; de cijfers drongen niet tot hem door. 'Ik moest maar eens doorlopen.'

Meredith lachte en stak twee vingers op in het v-teken; Juniper glimlachte alleen maar.

Tom wachtte met het lezen van het stukje papier tot hij in de straat was waar zijn moeder woonde, maar tegen de tijd dat hij bij de voordeur was, kende hij het adres in Bloomsbury al uit zijn hoofd.

Pas die avond laat was Meredith alleen en had ze de gelegenheid om alles op te schrijven. Het was een kwellende avond geweest. Rita en mama hadden gedurende de hele maaltijd ruziegemaakt, papa had hen bijeengeroepen en gedwongen te luisteren naar Churchills radioboodschap over de Russen en daarna had mama – die Meredith nog altijd strafte voor haar verraad op het kasteel – haar een grote berg sokken gegeven die gestopt moesten worden. Verwezen naar de keuken, waar het in de zomer altijd snikheet was, had Meredith de hele dag keer op keer de revue laten passeren, vastbesloten geen detail te vergeten.

En nu was ze eindelijk ontsnapt naar de stille slaapkamer die ze met Rita moest delen. Ze zat op haar bed met de rug tegen de muur; haar dagboek, haar kostbare dagboek lag op haar knieën terwijl ze als een razende de bladzijden volschreef. Kwelling of niet, het was verstandig geweest om te wachten; Rita was momenteel bijzonder onhebbelijk en als die het dagboek zou vinden, zou ze nog niet jarig zijn. Gelukkig was de kust voor ongeveer een uur vrij. Rita was er met de een of andere vorm van zwarte magie in geslaagd de aandacht van de slagersjongen van de overkant te trekken. Het moest wel liefde zijn: de jongen nam de gewoonte aan worstjes achterover te drukken die hij vervolgens stiekem aan Rita gaf. Die beschouwde zichzelf natuurlijk als een beeldschone verschijning en was er helemaal van overtuigd dat de bruiloft voor de deur stond.

Maar de liefde had haar helaas niet vriendelijker gemaakt. Ze had Meredith opgewacht toen ze die middag thuiskwam en wilde met alle geweld weten wie de vrouw was die 's ochtends aan de deur was gekomen, waar ze met zo veel haast naartoe waren gegaan en wat Meredith in haar schild voerde. Die had dat natuurlijk niet verteld. Dat wilde ze voor zich houden. Juniper was haar geheim.

'Gewoon iemand die ik ken,' had ze gezegd zonder al te mysterieus te willen overkomen.

'Mama zal niet blij zijn als ik haar vertel dat je je werk erbij in hebt laten schieten om met die kakmadam op stap te gaan.'

Maar Meredith had voor de verandering haar eigen munitie klaar. 'En papa ook niet als ik vertel wat jij en dat worstenjoch in de schuilkelder hebben uitgespookt.'

Rita was rood aangelopen van verontwaardiging en had iets naar haar gesmeten. Het bleek een schoen te zijn en die liet een lelijke blauwe plek boven haar knie achter, maar Rita had niets tegen mama over Juniper gezegd.

Meredith maakte een zin af, zette een punt en zoog nadenkend op het topje van haar pen. Ze was aanbeland bij het moment waarop zij en Juniper meneer Cavill waren tegengekomen, die over de stoep aan was komen lopen met een frons op zijn voorhoofd en zijn blik op de grond gericht alsof hij zijn voetstappen telde. Vanaf de andere kant van het park had Meredith' lichaam eerder geweten dat hij het was dan haar brein. Haar hart maakte een salto alsof het een bommetje was, en ze moest direct denken aan hoe kinderlijk verliefd ze vroeger op hem was geweest. De manier waarop ze altijd aan zijn lippen had gehangen en zich verbeeldde dat ze ooit zelfs met elkaar zouden trouwen. Haar tenen trokken krom bij de herinnering! Ze was toen nog maar een kind. Wat had haar in 's hemelsnaam bezield?

Maar wat merkwaardig onbegrijpelijk en prachtig was het dat zowel Juniper als hij op een en dezelfde dag uit het niets kwamen vallen; de twee mensen die haar het meest hadden geholpen het pad te ontdekken dat ze wilde volgen. Meredith wist dat ze veel fantasie had, haar moeder beschuldigde haar altijd van dagdromerij, maar ze kon het gevoel niet van zich afzetten dat het iets betekende, dat er een element van noodlot school in die dubbele terugkeer in haar leven, iets van lotsbestemming.

In de ban van dat idee sprong Meredith van haar bed om haar verzameling goedkope schriften uit hun bergplaats onder in de klerenkast te trekken. Haar verhaal had nog geen titel, maar ze wist dat ze een naam moest hebben voordat ze het aan Juniper gaf. Een fatsoenlijk manuscript uittikken zou ook geen kwaad kunnen... Meneer Seebohm van nummer veertien had een schrijfmachine; misschien kon Meredith hem in ruil voor een lunch ertoe bewegen haar die te laten gebruiken?

Knielend op de grond schoof ze haastig een losse lok achter haar oor en nam ze de schriften door terwijl ze hier en daar een paar regels las, en ze voelde zich nerveus worden toen zelfs de zinnen waarop ze het trotst was verlepten als ze zich de kritische blik van Juniper voorstelde. De moed zonk haar in de schoenen. Het hele verhaal was veel te houterig, dat zag Meredith nu. Haar personages praatten te veel en voelden te weinig en leken niet te weten wat ze van het leven verlangden. Het belangrijkste was dat er iets cruciaals aan ontbrak, een aspect van het bestaan van haar heldin waarvan ze nu opeens begreep dat het nader moest worden uitgewerkt. Wat een wonder dat ze dat niet eerder had beseft!

Liefde, natuurlijk. Dat was waar haar verhaal behoefte aan had. Want het was toch liefde – die glorieuze sprong van een hart dat in vuur en vlam staat – waardoor de wereld bleef draaien?

3

Londen, 17 oktober 1941

De vensterbank op Toms zolder was breder dan de meeste en dat maakte hem tot een perfecte zitplaats. Het was Junipers lievelingsplek en ze weigerde te geloven dat het iets te maken had met het feit dat ze haar zolderkamer op Milderhurst miste. Want dat was niet zo. In de maanden dat Juniper weg was, had ze zelfs besloten nooit meer terug te gaan.

Ze wist inmiddels van haar vaders testament, van wat hij van haar verlangde en waartoe hij allemaal bereid was om zijn zin te krijgen. Saffy had het allemaal in een brief uitgelegd. Het was niet haar bedoeling om Juniper een naar gevoel te bezorgen, ze wilde alleen maar stoom afblazen over Percy's beroerde humeur. Juniper had de brief twee keer gelezen om er zeker van te zijn dat ze de inhoud goed had begrepen, en daarna had ze hem in de vijver in Hyde Park gegooid en toegekeken hoe het dure papier onder water zakte, de inkt blauw doorliep, en uiteindelijk was haar boze bui gezakt. Dit was nou precies wat papa altijd had gedaan, van een afstand kon ze dat nu duidelijk zien, en het was echt iets voor haar oude heer om nog aan gene zijde aan de touwtjes te willen trekken. Maar Juniper weigerde dat toe te staan. Ze was zelfs niet bereid om haar dag te laten bederven door gedáchten aan haar vader. Van alle dagen moest juist vandaag zonnig zijn, al liet de echte zon het afweten.

Met opgetrokken knieën en haar rug tegen de pleisterlaag gebogen, rookte Juniper tevreden een sigaret en overzag ze de tuin beneden. Het was herfst en er lag een dikke laag bladeren op de grond; een kleine poes ging uit haar dak. Die was daar beneden al uren bezig met de jacht op ingebeelde vijanden die ze besprong om daarna weg te duiken achter de hopen van bladeren en zich te verstoppen in de dekking van gevlekte schaduwen. De dame van beneden, wier bestaan in Coventry in vlammen op was gegaan, was er ook en zette een schoteltje melk neer. Met de nieuwe rantsoenering was er niet veel over tegenwoordig, maar gezamenlijk hadden ze genoeg om het verdwaalde poesje tevreden te houden.

Op straat klonk een geluid en Juniper keek reikhalzend omlaag. Een man in uniform liep naar het gebouw en haar hart begon aan zijn sprint. Binnen een seconde wist ze dat het Tom niet was en ze nam een trekje van haar sigaret terwijl ze een aangename huivering van voorpret onderdrukte. Natuurlijk was hij het niet, dat kon nog niet. Het zou nog minstens een half uur duren. Hij bleef altijd een eeuwigheid weg wanneer hij bij zijn familie was, maar hij zou gauw vol verhalen terug zijn, en dan zou ze hem verrassen.

Juniper wierp een blik naar binnen op het tafeltje bij het gasfornuis, dat ze voor een grijpstuiver hadden gekocht, waarna ze een taxichauffeur zo gek hadden gekregen om te helpen het terug naar het appartement te brengen in ruil voor een kop thee. Daarop had ze een maaltijd uitgestald die een koning waardig was. Althans een koning van de rantsoenen. Juniper had twee peren gevonden op de markt van Portobello. Prachtperen voor een betaalbare prijs. Ze had ze mooi opgewreven en naast de boterhammen en de sardientjes en het pakje in krantenpapier gelegd. In het midden, boven op een omgekeerde emmer, lag de taart. De eerste die Juniper van haar leven had gebakken.

Het idee dat Tom een verjaardagstaart moest krijgen, was een paar weken geleden bij haar opgekomen. Maar het plan dreigde in rook op te gaan omdat ze geen flauw idee had hoe ze zoiets moest aanpakken. Ze was ook ernstig gaan twijfelen of het gaspitje wel tegen zo'n machtige taak was opgewassen. Niet voor het eerst wenste ze dat Saffy in Londen was, en niet alleen om te helpen met de taart. Hoewel Juniper niet rouwde om het kasteel, miste ze haar zussen wel.

Uiteindelijk had ze aangeklopt bij het kelderappartement in de hoop dat de man die daar woonde – die dankzij platvoeten behoed was voor het leger, waar de drankzaak in de buurt wel bij voer – thuis zou zijn. Dat was hij, en toen Juniper haar lastige situatie had uitgelegd, hielp hij haar met veel plezier door een lijst met ingrediënten op te stellen, en bijna leek het alsof hij genoot van de beperkingen die door de rantsoenering waren opgelegd. Hij offerde zelfs een van zijn eigen eieren aan de goede zaak en toen ze wegging, gaf hij haar iets wat in krantenpapier met een touwtje eromheen was verpakt. 'Een cadeautje dat jullie mogen delen.' Er was natuurlijk geen suiker voor glazuur, maar Juniper had Toms naam met tandpasta erop geschreven en het zag er echt niet slecht uit.

Er viel iets kouds op haar enkel. En toen weer, op haar wang. Juniper keek naar buiten, zag dat het was gaan regenen en vroeg zich af hoe ver Tom was.

Hij probeerde al veertig minuten te vertrekken – beleefd natuurlijk – en het bleek niet eenvoudig. Zijn familie was zo blij dat hij weer een beetje normaal was geworden, dat hij zich weer als 'onze Tom' gedroeg, dat alle gesprekken zijn kant op waren gegaan. Zijn moeders keukentje barstte bijna uit zijn voegen van het assortiment Cavills, maar elke vraag, elke grap en alle waargebeurde verhalen troffen Tom recht in zijn ziel. Nu had zijn zus het over een vrouw die ze kende, die tijdens de verduistering was overreden door een dubbeldekker. Hoofdschuddend zei ze tegen Tom: 'Het was zo'n schok, Tommy. Ze was alleen maar op pad gegaan om een stapel sjaals weg te brengen voor de soldaten.'

Tom beaamde dat het vreselijk was. Dat wás het ook. En hij luisterde naar oom Jeff die vertelde over een soortgelijke aanvaring van een buurman met een fiets. Daarna schuifelde hij een beetje met zijn voeten en kwam hij overeind. 'Luister, dank je wel, mam...'

'Ga je al weg?' Ze hield de ketel omhoog. 'Ik wilde net water opzetten voor een nieuwe pot thee.'

Hij drukte een kus op haar voorhoofd, verbaasd dat hij zich zo ver moest bukken. 'Niemand maakt betere thee, maar ik moet er echt vandoor.'

Zijn moeder trok een wenkbrauw op. 'Wanneer ga je haar eens aan ons voorstellen?'

Zijn jongere broer Joey bootste een trein na en Tom klopte hem speels op de schouder, maar meed zijn moeders blik. 'Ach, mam,' zei hij toen hij zijn rugzak over zijn schouder sloeg, 'ik weet niet waar je het over hebt.'

Hij zette er flink de pas in, want hij wilde graag terug naar zijn appartement, naar haar, en hij wilde graag voor de bui binnen zijn. Maar het maakte niet uit hoe hard hij liep, zijn moeders woorden hielden hem bij. Ze hadden klauwen omdat Tom zijn familie graag over Juniper wilde vertellen. Telkens wanneer hij hen zag, moest hij de drang weerstaan om hen bij de schouders te pakken en als een kind uit te roepen dat hij verliefd was en dat de wereld een fantastische plek was, ook al schoten jongemannen elkaar dood en werden er aardige dames – moeders met kleine kinderen – overreden door een dubbeldekker wanneer ze alleen maar sjaals voor de soldaten gingen afleveren.

Maar dat deed hij niet, want dat had hij Juniper moeten beloven. Het feit dat ze er zo op stond dat niemand wist dat ze verliefd op elkaar waren, verbijsterde Tom. Die geheimzinnigheid leek niet goed te passen bij een vrouw die zo uitgesproken was, zo ondubbelzinnig in haar opvattingen en die zich niet gauw zou verontschuldigen voor wat ze ook maar voelde, zei of deed. Eerst had hij nog geprotesteerd en vroeg hij zich af of ze soms neerkeek op zijn familie, maar haar belangstelling voor zijn naasten stond daar haaks op. Ze praatte over hen en informeerde naar hen als iemand die de Cavills al jaren kende. En later was hij erachter gekomen dat ze niet discrimineerde. Tom wist zeker dat de zussen op wie ze beweerde dol te zijn net zozeer in het duister werden gehouden als zijn eigen familie. De brieven van het kasteel bereikten haar altijd via haar peetvader (die opmerkelijk onaangedaan bleef onder het bedrog) en Tom had gezien dat ze in haar antwoorden naar huis Bloomsbury als adres opgaf. Hij had gevraagd waarom ze dat deed, eerst langs een omweg en later rechtstreeks, maar dat wilde ze niet uitleggen en ze zei iets vaags over haar zussen die heel beschermend en ouderwets waren, en dat ze beter konden wachten tot de tijd rijp was.

Dat zat Tom niet lekker, maar hij hield van haar, dus gehoorzaamde hij maar. Grotendeels. Hij had zich niet kunnen bedwingen om een brief aan Theo te schrijven. Zijn broer zat met zijn regiment in het noorden, wat het op de een of andere manier rechtvaardigde. Bovendien was Toms eerste brief over dat merkwaardige en beeldschone meisje dat hij had leren kennen, dat zijn leegte had weten te vullen, al lang geschreven voordat ze hem vroeg om het niet te doen.

Tom had vanaf die eerste ontmoeting op straat in de buurt van Elephant and Castle geweten dat hij Juniper Blythe weer moest zien. De volgende morgen was hij bij het krieken van de dag al naar Bloomsbury gelopen. Alleen maar om te kijken, maakte hij zichzelf wijs, alleen om haar voordeur te zien, de muren, en de ramen waarachter ze lag te slapen.

Nerveus rokend had hij het huis urenlang geobserveerd tot ze uiteindelijk naar buiten kwam. Tom volgde haar een stukje voordat hij de moed had verzameld om haar naam te roepen.

'Juniper.'

Hij had die naam zo vaak gezegd en gedacht, maar het was anders nu hij hem hardop riep en ze zich omdraaide.

Ze brachten de hele zonnige dag samen door, wandelend en pratend en smullend van de bramen die over de muur van de begraafplaats hingen. En toen het avond werd, wilde Tom haar niet laten gaan. Hij stelde voor om te gaan dansen, in de waan dat het iets was waar meisjes van hielden. Blijkbaar lag dat anders met Juniper. De blik van weerzin die over haar gezicht gleed toen Tom het voorstelde was zo spontaan dat hij een ogenblik van zijn stuk was gebracht. Hij herstelde zich voldoende om te vragen of er dan iets anders was wat ze graag wilde doen en Juniper antwoordde dat ze natuurlijk moesten blijven wandelen. Op verkenning gaan, noemde ze het.

Tom was een snelle loper, maar ze hield hem bij, huppelend van zijn ene zijde naar de andere, nu eens uitgelaten, dan weer zwijgzaam. Ze deed hem in bepaalde opzichten aan een kind denken; ze had hetzelfde aura van onvoorspelbaarheid en gevaar, en hij kreeg het onrustige maar verleidelijke gevoel dat hij samen was met iemand voor wie de normale gedragsregels geen aantrekkingskracht hadden.

Ze bleef staan om iets te bekijken en daarna sprintte ze weer zonder uit te kijken om hem in te halen, en hij maakte zich zorgen dat ze door de verduistering over iets zou struikelen, zoals een gat in de stoep, of een zandzak.

'Dit is anders dan op het platteland, weet je,' zei hij en er was iets van zijn oude onderwijzerstoon in zijn stem geslopen.

Juniper lachte maar wat en zei: 'Ik mag het hopen. Dat is precies de reden dat ik ben gekomen.' Daarna legde ze uit dat haar ogen heel scherp waren, als van een vogel; dat het iets met het kasteel en haar opvoeding te maken had. Tom kon zich de bijzonderheden niet herinneren; hij luisterde al niet meer. De wolken waren opgeschoven, de maan was bijna vol en haar haren waren in het schijnsel zilverkleurig geworden.

Hij was blij dat ze hem niet had zien staren. Gelukkig hurkte ze op de grond en groef ze rond in het puin. Hij kwam iets dichterbij, nieuwsgierig naar wat haar belangstelling had gewekt en zag dat ze op de een of andere manier in de chaos van de kapotte Londense straten een bosje kamperfoelie had gevonden dat op de grond was gevallen toen de ijzeren omheining werd verwijderd, maar het leefde nog wel. Ze raapte een twijgje op en stak het in haar haar, terwijl ze een merkwaardig maar prachtig deuntje neuriede.

Nadat ze tegen zonsopgang de trap naar zijn etage hadden beklommen, vulde ze een oud jampotje met water en zette ze het takje op de vensterbank. Nog nachten daarna, wanneer hij alleen in de warme duisternis lag en de slaap niet kon vatten, rook hij de zoete geur. En Tom had de indruk gekregen dat Juniper net als die bloem was. Een object van onpeilbare volmaaktheid in een wereld die uiteenviel. Het kwam niet alleen door haar uiterlijk en evenmin alleen door wat ze allemaal zei. Het was iets anders, een ondefinieerbare essentie, een vorm van zelfvertrouwen, een bepaalde kracht, alsof ze op de een of andere manier verbonden was met het mechanisme dat de wereld voortstuwde. Ze was het briesje op een warme zomerdag, de eerste druppels regen op een uitgedroogde aarde, ze was het licht van de Avondster.

Junipers blik werd naar de stoep getrokken, al wist ze niet zeker waarom. Daar kwam Tom, vroeger dan ze had verwacht, en haar hart sloeg over. Ze zwaaide en viel bijna uit het raam van blijdschap. Hij had haar nog niet gezien. Hij keek omlaag om de post te controleren, maar Juniper kon haar ogen niet van hem afhouden. Het was waanzin, het was bezetenheid, het was begeerte. Maar bovenal was het liefde. Juniper hield van zijn lichaam, ze hield van zijn stem, ze hield van het gevoel van zijn vingers op haar huid en de ruimte onder zijn sleutelbeen waar haar wang precies paste wanneer ze sliepen. Ze vond het heerlijk om op zijn gezicht alle plaatsen te zien waar hij was geweest; dat ze nooit hoefde te vragen hoe hij zich voelde. Dat woorden overbodig waren. Juniper had ontdekt dat ze woorden beu was.

Het regende inmiddels gestaag, maar in de verste verte niet zo erg als op de dag dat ze verliefd op Tom was geworden. Dat was een zomerse regenbui geweest, zo'n plotseling noodweer dat achter een fantastische warmte aan sluipt. Ze hadden de hele dag gewandeld, gezworven over de markt van Portobello, Primrose Hill opgelopen en waren daarna weer zigzaggend teruggegaan naar Kensington Gardens om pootje te baden in de ondiepe Round Pond.

De donderklap kwam zo onverwacht dat de mensen naar de lucht keken, bang dat er een gloednieuw wapen tegen hen in stelling was gebracht. En daarna ging het regenen met grote tranen die op slag een waas over de wereld trokken.

Tom pakte Junipers hand en samen holden ze de hele weg terug naar zijn appartement, spetterend door de plassen die zich meteen hadden gevormd, lachend van de schrik. Ze stoven de trap op naar de droge schemer van zijn kamer.

'Je bent nat,' had Tom gezegd met zijn rug tegen de deur die hij net had dichtgeslagen. Hij staarde naar haar dunne jurk en de manier waarop die aan haar benen plakte.

'Nat?' zei ze. 'Ik ben zo doorweekt dat ik wel uitgewrongen kan worden.'

'Hier.' Hij trok zijn reservehemd van de haak aan de binnenkant van de deur en wierp het haar toe. 'Trek dit maar aan zodat je kunt drogen.'

En ze deed wat hij zei. Ze trok haar jurk uit en stak haar armen in zijn hemdsmouwen. Tom had zijn blik afgewend en deed alsof hij iets bij de kleine porseleinen gootsteen te zoeken had, maar toen ze keek om te zien wat hij deed, ving ze zijn blik op in de spiegel en hield ze die langer dan gewoonlijk vast, lang genoeg om in de gaten te hebben dat er iets was veranderd bij hen vanbinnen.

Het bleef regenen en onweren en haar jurk droop in de hoek waar hij hem te drogen had gehangen. Ze liepen naar het raam en Juniper, die zelden verlegen was, zei iets zinloos over de vogels en waar die naartoe gingen wanneer het regende.

Tom gaf geen antwoord. Hij stak zijn hand uit en legde hem op haar wang. Hij raakte haar maar licht aan, maar het was voldoende. Het legde haar het zwijgen op; ze boog zich naar zijn hand toe en draaide haar hoofd zo dat haar lippen langs zijn vingers streken. Haar ogen hielden de zijne vast; ze kon ze niet afwenden, al had ze dat gewild. En daarna gleden zijn handen naar de knoopjes van het overhemd, haar buik en haar borsten en opeens merkte ze dat haar hartslag in duizend balletjes uiteengespat was, die nu met zijn allen tegelijk door haar hele lichaam wervelden.

Naderhand zaten ze samen op de vensterbank de kersen te eten die ze van de markt hadden meegenomen en gooiden ze steentjes in de plassen beneden. Geen van tweeën zei iets, maar zo nu en dan keken ze elkaar aan en glimlachten ze bijna zelfgenoegzaam, alsof zij en alleen zij deelgenoot waren gemaakt van een geweldig geheim. Seks had Juniper beziggehouden, ze had erover geschreven, over alles wat ze zou doen en zeggen en voelen. Maar niets had haar voorbereid op het feit dat de liefde zo op de voet zou volgen.

Falling in love.

Juniper begreep waarom mensen het als een 'val' beschreven. Die fantastische sensatie van duiken, die goddelijke roekeloosheid, dat totale verlies van vrije wil. Zo was het precies voor haar geweest, maar het was ook veel meer. Nadat Juniper haar hele leven voor lichamelijk contact was teruggedeinsd, had ze eindelijk contact gelegd. Toen ze in die zwoele avondschemer bij elkaar lagen, zij met haar gezicht warm op zijn borst, en ze naar zijn hartslag luisterde, de regelmaat in zich opnam, voelde ze hoe haar eigen hartenklop tot rust kwam om gelijke tred met de zijne te houden. En op de een of andere manier begreep Juniper dat ze in Tom de persoon had gevonden die haar in evenwicht kon brengen, en dat verliefd worden meer dan wat ook betekende opgevangen en gered worden...

De voordeur ging met een klap dicht en daarna klonk er kabaal op de trap, Toms voetstappen die naar boven en haar kant op kwamen, en in een plotselinge golf van begeerte vergat Juniper haar verleden; ze wendde zich af van de tuin met zijn zwerfkat en zijn bladeren en de treurige oude dame die de kathedraal van Coventry beweende, van de oorlog buiten, van de stad vol trappen die nergens naartoe gingen en portretten aan muren zonder plafond en keukentafels van gezinnen die ze niet meer nodig hadden, en ze schoot over de vloer naar het bed en rukte onderweg Toms overhemd uit. Op dat moment, toen hij zijn sleutel in het slot omdraaide, was er niets anders dan hij en zij en dit kleine, warme appartement waar ze een verjaardagsmaal had klaargezet.

Ze aten de taart in bed, ieder twee enorme plakken, en overal lagen kruimels. 'Dat komt doordat er weinig eieren waren,' zei Juniper. Ze zat met de rug tegen de muur en overzag de troep met een filosofische zucht. 'Het valt niet mee om de zaak bijeen te houden, begrijp je.'

Tom grijnsde naar haar vanwaar hij lag. 'Wat weet jij toch veel.'

'Ja, hè?'

'En je bent natuurlijk ook talentvol. Zo'n taart hoort bij Fortnum & Mason thuis.'

'Nou, ik mag niet liegen, ik heb wel een beetje hulp gehad.'

'O, ja,' zei Tom terwijl hij zich op zijn zij wentelde en zijn arm zo ver mogelijk uitstrekte naar de tafel zodat hij net met zijn vingertoppen het pakketje in krantenpapier kon pakken. 'Onze inwonende kok.'

'Hij is niet echt een kok, hij is toneelschrijver. Ik hoorde hem pas met iemand praten die een van zijn stukken gaat uitbrengen.'

'Kom nou, Juniper,' zei Tom terwijl hij het pakje voorzichtig van zijn papier ontdeed en een pot bramenjam onthulde. 'Hoe kan het dat een toneelschrijver zoiets prachtigs als dit maakt?'

'O, wat heerlijk! Wat hemels,' zei Juniper terwijl ze op de pot af sprong. 'Denk eens aan de suiker! Zullen we nu wat op toast nemen?'

Tom trok zijn arm terug en hield de pot buiten haar bereik. 'Heeft de jongedame nou nog steeds honger?'

'Nou nee. Niet echt. Maar het is geen kwestie van honger.'

'Nee?'

'Het is een kwestie van een nieuwe mogelijkheid die zich naderhand heeft geopenbaard, een heerlijk zoete, nieuwe mogelijkheid.'

Tom liet de pot in zijn hand ronddraaien en bekeek de heerlijke roodzwarte buit die erin zat. 'Nee,' zei hij uiteindelijk, 'ik vind dat we deze voor een speciale gelegenheid moeten bewaren.'

'Specialer dan je verjaardag?'

'Mijn verjaardag is al speciaal genoeg geweest. Dit moeten we voor het volgende feestje bewaren.'

'O, goed dan,' zei Juniper en ze nestelde zich tegen zijn schouder zodat zijn arm haar omvatte, 'maar alleen omdat het jouw verjaardag is en ik veel te vol zit om op te staan.'

Tom glimlachte terwijl hij een sigaret aanstak.

'Hoe is het met je familie?' vroeg Juniper. 'Is Joey al over zijn verkoudheid heen?'

'Ja.'

'En Maggie? Moest je naar haar luisteren toen ze de horoscopen voorlas?'

'En dat was heel vriendelijk van haar, want hoe kon ik anders weten hoe ik me deze week moet gedragen?'

'Dat kun je wel zeggen.' Juniper haalde de sigaret uit zijn mond en nam er een trage trek van. 'Was er nog iets boeiends bij?'

'Amper,' zei Tom, terwijl zijn vingers stiekem onder het laken gleden. 'Blijkbaar ga ik een beeldschoon meisje ten huwelijk vragen.'

'O ja?' Ze kronkelde toen hij haar zij kietelde en een rokerige ademtocht maakte plaats voor gelach. 'Dát is boeiend.'

'Dat vond ik nou ook.'

'Hoewel de echte vraag natuurlijk is hoe de jongedame in kwestie gaat antwoorden. Ik neem aan dat Maggie daar niets over te zeggen had?'

Tom trok zijn arm terug en draaide zich op zijn zij om naar haar te kijken. 'Helaas kon Maggie me daar niet mee van dienst zijn. Ze zei dat ik het zelf aan het bewuste meisje moest vragen om te zien wat er zou gebeuren.'

'Nou. Als Maggie dát zegt...'

'En?' vroeg Tom.

'En wat?'

Hij duwde zich op zijn elleboog omhoog en mat zich een bekakt accent aan. 'Wilt u, Juniper Blythe, mij de eer bewijzen mijn vrouw te worden?'

'Nou, waarde heer,' zei Juniper in haar beste imitatie van de koningin, 'dat hangt ervan af of mij ook drie mollige baby's worden vergund.'

Tom pakte de sigaret terug en nam een nonchalant trekje. 'Waarom niet vier?' Hij deed nog steeds luchtig, maar had het accent laten varen. Juniper was daardoor slecht op haar gemak en op de een of andere manier ook verlegen, en ze zat met haar mond vol tanden.

'Kom op, Juniper,' hield hij aan. 'Laten we gaan trouwen, jij en ik.' En deze keer was zijn ernst onmiskenbaar.

'Ik word niet geacht te trouwen.'

Hij keek haar fronsend aan. 'Hoezo niet?'

Er viel een stilte tot de ketel bij de onderburen ging fluiten. 'Dat is een ingewikkeld verhaal,' zei Juniper.

'O ja? Hou je van me?'

'Dat weet je best.'

'Dan is het niet ingewikkeld. Trouw met me. Zeg ja, June. Waar je je ook zorgen over maakt, wij kunnen het fiksen.'

Juniper besefte dat er niets te zeggen viel wat hem tevreden zou stellen, niets anders dan haar jawoord, en dat kon ze niet geven. 'Laat me erover nadenken,' zei ze uiteindelijk. 'Geef me wat tijd.'

Hij kwam abrupt overeind, met zijn voeten op de grond en zijn rug naar haar toe. Hij liet zijn hoofd hangen; hij boog zich naar voren. Hij was boos. Ze wilde hem aanraken, met haar vingers over zijn ruggengraat strelen en een stap terug in de tijd zetten zodat hij het niet had gevraagd. Terwijl ze zich afvroeg hoe ze dat voor elkaar kon krijgen, haalde hij een envelop uit zijn zak. Die was in tweeën gevouwen, maar ze zag dat er een brief in zat. 'Hier heb je je tijd,' zei hij toen hij de brief aan haar gaf. 'Ik ben weer opgeroepen door mijn eenheid. Ik moet me over een week melden.'

Juniper stiet een geluid uit, bijna alsof de adem haar in de keel stokte en ze kwam haastig naast hem zitten. 'Maar voor hoe lang...? Wanneer kom je weer terug?'

'Ik weet het niet. Wanneer de oorlog voorbij is, waarschijnlijk.'

Wanneer de oorlog voorbij is. Hij zou uit Londen vertrekken en opeens zag Juniper in dat deze plek, deze stad zonder Tom alle betekenis zou verliezen. Ze kon net zo goed teruggaan naar het kasteel. Ze voelde hoe haar hart sneller ging kloppen bij de gedachte, niet van opwinding zoals bij een normaal mens, maar met die roekeloze intensiteit waarvoor ze al haar hele leven was gewaarschuwd. Ze sloot haar ogen in de hoop dat het daardoor beter zou gaan.

Haar vader had haar gezegd dat ze een schepsel van het kasteel was, dat ze daar thuishoorde en dat het wel zo veilig was om er te blijven, maar hij had zich vergist. Dat besefte ze nu. Het tegendeel was waar: weg van het kasteel, weg van de wereld van Raymond Blythe en van de vreselijke dingen die hij haar had gezegd, weg van zijn sijpelende schuldgevoel en mistroostigheid, was ze juist vrij. In Londen hadden haar bezoekers zich geen seconde laten zien, was er nooit sprake geweest van verloren tijd. En hoewel haar grootste angst – dat ze in staat was iemand iets aan te doen – haar was gevolgd, was het hier toch anders.

Juniper voelde iets op haar knieën drukken en toen ze haar ogen opende zag ze hoe Tom met een zorgelijke blik voor haar op de grond geknield zat. 'Hé, lieverd,' zei hij. 'Het komt wel goed, hoor. Het komt allemaal goed.'

Ze had niet de behoefte gehad Tom er iets over te vertellen en daar was ze blij om. Ze wilde niet dat zijn liefde zou veranderen, dat hij vaderlijk bezorgd zou worden, net als haar zussen. Ze wilde niet dat hij haar in de gaten hield, dat hij haar stemmingen en stiltes interpreteerde. Ze wilde niet omzichtig worden bemind, maar volledig.

'Het spijt me, Juniper,' zei Tom. 'Kijk alsjeblieft niet zo. Dat kan ik niet verdragen.'

Wat ging er door haar heen? Wilde ze het uitmaken en hem kwijt? Waarom zou ze dat in 's hemelsnaam doen? Om aan de wensen van haar vader te voldoen?

Tom stond op en liep weg, maar Juniper greep hem bij zijn pols. 'Tom...'

'Ik pak een glaasje water voor je.'

'Nee.' Ze schudde vlug met haar hoofd. 'Ik hoef geen water. Ik wil alleen jou.'

Hij glimlachte en er verscheen een stoppelig kuiltje in zijn linkerwang. 'Nou, je hebt me al.'

'Nee,' zei ze. 'Ik bedoel ja.'

Hij hield zijn hoofd schuin.

'Ik bedoel, ik wil met je trouwen.'

'Echt?'

'En we gaan het samen aan mijn zussen vertellen.'

'Natuurlijk doen we dat,' zei hij. 'Wat je maar wilt.'

En daarna lachte ze; haar keel deed zeer, maar ze lachte desondanks en voelde zich op een bepaalde manier ook lichter. 'Thomas Cavill en ik gaan trouwen.'

Juniper lag wakker met haar wang op Toms borst, luisterde naar zijn regelmatige ademhaling en probeerde zijn ritme aan te houden. Maar ze kon de slaap niet vatten. In gedachten probeerde ze een brief te formuleren, want ze moest haar zussen schrijven dat zij en Tom in aantocht waren en ze moest het uitleggen op een manier die niet slecht zou vallen. Ze mochten niets vermoeden.

Er schoot haar nog iets te binnen. Juniper had nooit belangstelling voor kleren aan den dag gelegd, maar vermoedde dat een vrouw die van plan was te trouwen een jurk moest hebben. Zij gaf daar niet om, maar Tom misschien wel en zijn moeder zeker, en er was niets wat Juniper niet voor Tom wilde doen.

Ze moest denken aan een japon die ooit van haar moeder was geweest: van lichte zijde met een lange rok. Juniper had haar die lang geleden zien dragen. Als hij nog ergens op het kasteel hing, zou Saffy hem wel vinden en precies weten wat eraan moest gebeuren om hem in zijn oude luister te herstellen.

4

Londen, 19 oktober 1941

Meredith had meneer Cavill – Tom, zoals hij graag genoemd wilde worden – in geen weken gezien, dus was het een grote verrassing om open te doen en hem aan de voordeur te treffen.

'Meneer Cavill,' zei ze, terwijl ze probeerde niet al te opgewonden te klinken. 'Hoe maakt u het?'

'Het kon niet beter, Meredith. En zeg maar Tom, alsjeblieft.' Hij glimlachte. 'Ik ben je onderwijzer niet meer.'

Meredith werd rood, dat wist ze zeker.

'Vind je het erg als ik even binnenkom?'

Ze wierp een blik over haar schouder door de volgende deuropening naar de keuken, waar Rita fronsend naar iets op de tafel stond te kijken. Haar zus had kort daarvoor bonje met haar slagersjongen gehad en sindsdien was ze niet te genieten. Voor zover Meredith het kon bepalen, was Rita van plan haar eigen teleurstelling te verbijten door haar kleine zusje het leven zuur te maken.

Tom moest haar reserve gemerkt hebben, want hij voegde eraan toe: 'We kunnen ook even gaan wandelen als je dat liever hebt.'

Meredith knikte dankbaar en deed de deur achter zich dicht.

Ze liepen samen de straat uit en zij hield een klein beetje afstand. Ze liep met gebogen hoofd alsof ze luisterde naar zijn vriendelijke gekeuvel over school en over schrijven, terwijl haar gedachten in werkelijkheid al vooruitsnelden in een poging het doel van zijn komst te raden. Ze deed haar uiterste best om niet te denken aan de kalverliefde die ze voor hem had gekoesterd.

Ze bleven staan in hetzelfde park waar Juniper en Meredith in juni hun vruchteloze zoektocht naar ligstoelen hadden ondernomen toen het zo warm was. Het contrast tussen die warme herinnering en de grijze hemel van nu bezorgde Meredith een rilling.

'Je hebt het koud. Ik had je moeten zeggen dat je een jas aan moest doen.' Hij schudde zijn eigen jas af en gaf die aan Meredith.

'O, nee, ik...'

'Onzin, ik kreeg het toch te warm.'

Hij wees naar een plek op het gras. Meredith volgde hem bereidwillig en ging met gekruiste benen op het gras naast hem zitten. Hij praatte nog wat, informeerde naar haar schrijven en luisterde aandachtig naar haar antwoord. Hij vertelde Meredith dat hij zich herinnerde dat hij haar het dagboek had gegeven, dat hij het heerlijk vond om te horen dat ze het nog altijd gebruikte, en al die tijd plukte hij grassprietjes om er spiraaltjes van te draaien. Meredith luisterde en knikte en keek naar zijn handen. Ze waren prachtig, sterk maar edel. Mannenhanden, maar niet dik of harig. Ze vroeg zich af hoe het voelde om ze aan te raken.

Een ader in haar slaap begon te kloppen en ze voelde zich duizelig worden bij de gedachte aan hoe makkelijk ze dat zou kunnen doen. Ze hoefde alleen haar hand maar een stukje uit te steken. Zou de zijne warm zijn, vroeg ze zich af, zouden ze glad zijn of ruw? Zouden zijn vingers eerst schrikken en zich daarna om de hare sluiten?

'Ik heb iets voor je,' zei hij. 'Het was van mij, maar ik moet weer terug naar mijn eenheid, dus ik moet er een goed onderkomen voor vinden.'

Een geschenk voordat hij de oorlog weer in moest? Meredith' adem stokte en alle gedachten aan handen vervlogen. Was dit niet juist wat geliefden deden? Cadeaus uitwisselen voordat de held afmarcheerde?

Ze schrok toen Tom met zijn hand over haar rug streek. Hij trok hem direct terug, hield zijn hand voor haar en glimlachte gegeneerd. 'Sorry. Alleen, dat cadeau zit in mijn jaszak.'

Meredith glimlachte ook, opgelucht, maar op de een of andere manier ook teleurgesteld. Ze gaf hem zijn jas terug en hij haalde een boek uit de zak.

De Laatste Dagen van Parijs, het dagboek van een journalist, las ze, terwijl ze het omdraaide. 'Dank je wel... Tom.'

Zijn naam op haar lippen deed Meredith huiveren. Ze was inmiddels vijftien en hoewel ze misschien maar matig aantrekkelijk was, was ze geen platte bakvis meer. Het kon toch zijn dat een man verliefd op haar werd?

Ze was zich bewust van zijn adem vlak bij haar hals toen hij zijn hand uitstak om het boekomslag aan te raken.

'Alexander Werth heeft tijdens de val van Parijs een dagboek bijgehouden. Ik geef het aan jou omdat het aantoont hoe belangrijk het is dat mensen opschrijven wat ze zien. Vooral in tijden als deze. Anders weten we niet wat er echt gebeurt, begrijp je dat, Meredith?'

'Ja.' Ze wierp een blik opzij en zag dat hij haar met zo'n intense blik aankeek dat ze werd overspoeld. Het duurde maar een paar seconden, maar voor Meredith, die gevangenzat in het moment, ging alles als in een film in slow motion. Het was net alsof ze een vreemde gadesloeg toen ze zich naar hem toe boog, diep ademhaalde en haar lippen op de zijne drukte op een ogenblik dat even subliem was als volmaakt...

Tom was heel lief. Hij sprak haar vriendelijk toe, terwijl hij haar handen van zijn schouders haalde en er even in kneep, onmiskenbaar op een vriendschappelijke manier, en zei dat ze zich niet hoefde te schamen.

Maar dat deed Meredith wel; ze kon wel door de grond zakken, of oplossen in de lucht. Alles liever dan stil naast hem in het park zitten in de grimmige schijnwerpers van haar afschuwelijke vergissing. Ze geneerde zich zo, dat toen Tom iets over Junipers zussen vroeg – wat voor mensen het waren, waar ze van hielden, of er bepaalde bloemen waren die hun voorkeur hadden – zij daar als een automaat antwoord op gaf. En ze dacht er zeker niet aan om te vragen waarom dat hem interesseerde.

Op de dag dat Juniper uit Londen vertrok, trof ze Meredith op het Charing Cross Station. Ze was blij met haar gezelschap, niet alleen omdat ze Merry zou missen, maar omdat ze haar gedachten van Tom afleidde. Daags daarvoor was hij naar zijn regiment teruggekeerd, eerst voor oefeningen om later naar het front te worden teruggestuurd. Daarom had Juniper besloten de eerste de beste trein naar het oosten te nemen. Maar ze ging niet terug naar het kasteel, althans nog niet. Het etentje was pas woensdag, ze had nog wat geld in haar koffer en ze was op het idee gekomen om de komende drie dagen een aantal van die tableaux vivants die ze op de heenreis vanuit het raam van de trein had gezien, nader te bekijken.

Er verscheen een bekende figuur aan het begin van de stationshal, die een grijns kreeg toen ze Junipers gretige gezwaai zag. Meredith haastte zich door de menigte naar de plek waar Juniper stond: recht onder de klok zoals ze hadden afgesproken.

'Zo,' zei Juniper nadat ze elkaar in de armen waren gevallen. 'Waar is het?'

Meredith hield haar duim en wijsvinger heel dicht bij elkaar en vertrok haar gezicht. 'Nog maar een paar verbeteringen op de valreep.'

'Bedoel je dat ik het niet kan lezen onderweg?'

'Nog een paar dagen, eerlijk waar.'

Juniper deed een stap opzij voor een kruier met een enorme stapel koffers. 'Goed dan,' zei ze. 'Nog een paar dagen, meer niet, denk erom!' Ze schudde quasiernstig haar wijsvinger. 'Ik verwacht het aan het eind van de week in de post. Afgesproken?'

'Afgesproken.'

Ze glimlachten naar elkaar terwijl de trein een doordringend gefluit liet horen. Juniper wierp een blik over haar schouder en zag dat de meeste passagiers al waren ingestapt. 'Nou,' zei ze, 'ik geloof dat ik maar beter...'

De rest van haar woorden gingen verloren in Meredith' omhelzing. 'Ik zal je missen, Juniper. Beloof me dat je terugkomt.'

'Natuurlijk kom ik terug.'

'Binnen een maand?'

Juniper veegde een gevallen wimper van de wang van haar vriendin. 'Als het langer duurt, moet je het ergste vrezen en een reddingsoperatie op touw zetten!'

Merry grijnsde. 'En schrijf je me zodra je mijn verhaal uit hebt?'

'Per kerende post. Nog diezelfde dag,' zei Juniper, salucrend. 'Zorg goed voor jezelf, meiske.'

'Jij ook.'

'Zoals altijd.' Junipers glimlach verflauwde en ze aarzelde, terwijl ze een verdwaalde haar uit haar ogen veegde. Ze dacht na. Het nieuws zwol als een ballon in haar op en wilde eruit, maar een stemmetje drong aan op terughoudendheid.

De conducteur blies op zijn fluitje waardoor het stemmetje niet werd gehoord en Juniper nam een besluit. Meredith was haar beste vriendin, haar kon ze wel vertrouwen. 'Ik heb een geheim, Merry,' zei ze. 'Ik heb het tegen niemand gezegd, we hebben afgesproken het later pas te zeggen, maar jij bent niet de eerste de beste.'

Meredith knikte gretig en Juniper boog zich naar het oor van haar vriendin en vroeg zich af of de woorden net zo vreemd en prachtig zouden klinken als de eerste keer: 'Thomas Cavill en ik gaan trouwen.'

De vermoedens van mevrouw Bird

1992

Tegen de tijd dat ik terug was bij de boerderij, was het donker en daarmee had het landschap zich in een fijne motregen gehuld. Ik had nog een paar uur voordat het avondeten werd opgediend en was blij. Na een onverwachte middag in het gezelschap van de gezusters had ik behoefte aan een warm bad en een poosje alleen zijn om de weeë sfeer die me naar huis was gevolgd van me af te schudden. Ik wist niet precies wat het was, alleen dat er heel veel onvervuld verlangen binnen de muren van dat kasteel leek te huizen, heel veel gefrustreerde verlangens die waren geabsorbeerd door de stenen, om er na verloop van tijd weer uit te sijpelen zodat de lucht verschaald was en bijna stilstond.

En toch oefenden het kasteel en zijn drie ragdunne bewoonsters een onverklaarbare aantrekkingskracht op me uit. Ongeacht de ongemakkelijke momenten die ik er had beleefd tijdens mijn bezoek, zodra ik weg was en het kasteel achter me had gelaten, voelde ik me gedwongen om terug te keren en merkte ik dat ik de uren telde voordat ik weer kon gaan. Het slaat nergens op; misschien doet gekte dat nooit? Want ik was gek op de gezusters Blythe, dat zie ik nu wel in.

Terwijl er een zachte regen op het dak viel, lag ik opgekruld op de bedsprei met een deken over mijn voeten te lezen, dommelen en denken, en tegen etenstijd voelde ik me een stuk opgeknapt. Het sprak vanzelf dat Percy Juniper pijn wilde besparen, dat ze me met beide handen tegenhield toen ik dreigde oude wonden open te rijten; het was ongevoelig van me geweest om de naam Thomas Cavill te laten vallen, vooral omdat Juniper daar vlakbij lag te slapen. En toch had de felheid van Percy's reactie mijn belangstelling geprikkeld... Misschien kon ik, als ik geluk had en Saffy alleen mocht treffen, wat verder spitten. Zij had welwillend genoeg geleken, op het gretige af, om me met mijn naspeuringen te helpen.

Naspeuringen die nu ook zeldzame en bijzondere toegang tot de dagboeken van Raymond Blythe omvatten. Zelfs het binnensmonds uitspreken van die woorden deed een huivering van genot langs mijn ruggengraat trekken.

Van top tot teen opgewonden wentelde ik me op mijn rug, staarde omhoog naar het balkenplafond en stelde me het ogenblik voor waarop ik een eerste blik in de gedachtewereld van de schrijver zou werpen.

Ik gebruikte de avondmaaltijd alleen aan een tafeltje in de knusse eetzaal van de boerderij van mevrouw Bird. Het hele huis rook gezellig naar de groentestoofpot die op het menu stond, en in de haard knetterde een houtvuur. Buiten bleef de wind in kracht toenemen en hij rammelde aan de ramen, meestal zacht, maar af en toe ook met een felle uitbarsting, en ik dacht niet voor het eerst wat een waarachtig en eenvoudig genoegen het is om verzadigd binnen te zitten wanneer de kou en de sterrenloze duisternis zich over de aarde uitstrekken.

Ik had mijn aantekeningen bij me om aan het artikel over Raymond Blythe te beginnen, maar mijn gedachten wilden zich niet gedragen en dreven telkens weer af naar zijn dochters. Het was waarschijnlijk een zussending; ik werd geboeid door de ingewikkelde kluwen liefde en plicht en rancune die hen verenigde. De blikken die ze wisselden; het complexe machtsevenwicht dat zich in de loop van decennia had geconsolideerd; de spelletjes die ik nooit zou spelen, met regels die ik nooit geheel zou begrijpen. En misschien was dat wel de sleutel: ze waren zo'n natuurlijke groep dat ik mezelf daarbij vergeleken opmerkelijk enkelvoudig vond. Door hen samen te zien, besefte ik sterk en pijnlijk wat ik allemaal had gemist.

'Grote dag?' Ik keek op en zag mevrouw Bird aan mijn tafel staan. 'En morgen weer een, neem ik aan?'

'Morgenochtend krijg ik de dagboeken van Raymond Blythe te zien.' Ik kon het niet helpen; de opwinding borrelde gewoon op en over, het ging vanzelf.

Mevrouw Bird keek niet-begrijpend, maar vriendelijk. 'Nou, dat is leuk, lieverd... Vind je het erg als ik...?' Ze klopte op de stoel tegenover me.

'Natuurlijk niet.'

Ze ging zitten met de zucht van een zware dame en drukte met een vlakke hand op haar buik toen ze zichzelf rechtop zette tegen de rand van de tafel. 'Zo, dat voelt beter. Ik heb de hele dag lopen hollen...' Ze knikte naar mijn aantekeningen. 'Maar ik zie dat jij ook overuren maakt.'

'Ik doe een poging, maar ik kan me niet zo goed concentreren.'

'O.' Haar wenkbrauwen schoten omhoog. 'Knappe man, zeker?'

'Zoiets. Ik neem aan dat er vandaag niet voor me is gebeld?'

'Gebeld? Niet dat ik weet. Verwachtte je een telefoontje? Van de jongeman over wie je je tijd verdroomt?' Haar ogen lichtten op toen ze vroeg: 'Of misschien van je uitgever?'

Ze keek zo hoopvol dat het nogal wreed voelde om haar teleur te stellen. Toch zei ik voor de duidelijkheid: 'Eigenlijk van mijn moeder. Ik had gehoopt dat ze me hier zou komen opzoeken.'

Een bijzonder harde rukwind rammelde aan de sluitingen van het raam en ik rilde, meer van genot dan van kou. Er hing iets in de lucht die avond, iets verkwikkends. Mevrouw Bird en ik waren de enige twee die nog in de eetzaal waren, het blok op het vuur was een roodgloeiende honingraat geworden die af en toe sputterend stukjes goud tegen de stenen spoog. Ik weet niet of het lag aan de warme, rokerige kamer zelf, aan het contrast met de regen en wind buiten, of dat het een reactie was op de allesoverheersende sfeer van verwikkelingen en geheimen op het kasteel; of zelfs gewoon aan de plotselinge behoefte om een gesprek met een ander mens te voeren. Hoe dan ook, ik sloeg mijn dagboek dicht en schoof het opzij. 'Mijn moeder heeft hier gelogeerd als evacué,' zei ik. 'In de oorlog.'

'In het dorp?'

'Op het kasteel.'

'Nee! Heus? heeft ze hier bij de gezusters gelogeerd?'

Ik knikte, ongerijmd blij met haar reactie. Ik was ook op mijn hoede, omdat een stemmetje in mijn hoofd zei dat mijn genoegen voortkwam uit het gevoel van eigendomsrecht dat mama's connectie met Milderhurst me bezorgde. Een bezitterigheid die hoogst misplaatst was en die ik tot nu toe ook nog niet eens aan de gezusters Blythe had gemeld.

'Lieve hemel!' zei mevrouw Bird, en ze sloeg haar vingertoppen tegen elkaar. 'Wat moet die een boel te vertellen hebben! Duizelingwekkend!'

'Ik heb haar oorlogsdagboek hier bij me, zelfs…'

'Oorlogsdagboek?'

'Haar dagboek uit die tijd. Stukjes en beetjes over hoe ze zich voelde, over de mensen die ze ontmoette en over het kasteel zelf.'

'Nou, dan wordt mijn eigen moeder er waarschijnlijk ook in genoemd,' zei mevrouw Bird, die trots rechtop ging zitten.

Nu was het mijn beurt om verrast te kijken. 'Uw moeder?'

'Die werkte op het kasteel. Ze was er op haar zestiende als dienstmeisje begonnen en eindigde als hoofd van de huishouding. Lucy Rogers, al heette ze toen Lucy Middleton.'

'Lucy Middleton,' zei ik langzaam en ik probeerde me te herinneren of ik die naam in mama's dagboek was tegengekomen. 'Ik weet het niet; ik zou het moeten nakijken.' Mevrouw Bird liet haar schouders een beetje teleurgesteld hangen. Ik voelde me persoonlijk verantwoordelijk en wilde er alles aan doen om het goed te maken. 'Ze heeft me er nooit veel over verteld, ziet u; ik ben onlangs pas achter het verhaal van haar evacuatie gekomen.'

Ik kon mijn tong wel afbijten. Toen ik mezelf die woorden hoorde uitspreken, werd ik me er scherper dan ooit van bewust hoe merkwaardig het was dat een vrouw zoiets geheim kon houden; en ik voelde me op de een of andere manier betrokken, alsof mama's stilzwijgen iets te maken kon hebben met een persoonlijke tekortkoming van mij. Ik voelde me ook mal, want als ik wat omzichtiger was geweest, en iets minder gespitst op de belangstelling van mevrouw Bird, zou ik me nu niet in deze netelige positie bevinden. Ik bereidde me op het ergste voor, maar mevrouw Bird verraste me. Met een begripvol knikje boog ze zich iets dichter naar me toe en zei: 'Die ouders met hun geheimen ook, hè?'

'Ja.' In de haard knapte een stuk houtskool als popcorn en mevrouw Bird hief een vinger op ten teken dat ze zo terug zou zijn; ze ontworstelde zich aan haar stoel en verdween via een verborgen uitgang in de behangen wand.

De regen blies zacht tegen de houten deur en vulde de vijver buiten. Ik drukte mijn handen tegen elkaar en hield de vingertoppen als in gebed tegen mijn lippen, voordat ik ze liet zakken zodat ik mijn wang op de verwarmde rug van mijn hand kon laten rusten.

Toen mevrouw Bird terugkeerde met een fles whisky en twee tumblers van geslepen glas, paste dat zo goed bij het humeurige, onaangename weer dat ik glimlachend ja zei.

We klonken boven de tafel.

'Mijn moeder was bijna niet getrouwd,' zei mevrouw Bird, terwijl ze de lippen opeenklemde en genoot van de gloed van de whisky. 'Wat vind je daarvan? Had ik bijna niet bestaan.' Ze legde een hand op haar voorhoofd alsof ze *quelle horreur!* zei.

Ik glimlachte.

'Ze had een broer, moet je weten, een oudere broer die ze adoreerde. Als je haar mocht geloven, was hij er persoonlijk de oorzaak van dat de zon elke ochtend opkwam. Hun vader was jong gestorven en Michael, zo heette hij, nam de teugels over. Hij was echt de man des huizes; als jongen placht hij al buiten schooltijd en in de weekeinden te werken, dan zeemde hij ramen voor een stuiver. Het geld gaf hij aan zijn moeder zodat ze het huishouden draaiende kon houden. Knappe jongen ook nog... Wacht even! Ik heb een foto.' Ze repte zich naar de open haard, bewoog met haar vingers boven een hele schare lijstjes die de schoorsteenmantel bevolkten voordat ze ertussen dook en er een vierkant, koperen fotolijstje uit viste. Ze gebruikte het voorschoot van haar tweed rok om het stof van de oppervlakte te vegen voordat ze het aan mij gaf. Drie figuren die op een lang vervlogen moment waren vereeuwigd: een jongeman die alleen al door zijn lot knap was, een oudere vrouw aan zijn ene kant en een aantrekkelijk meisje van een jaar of dertien aan zijn andere.

'Michael is met al die andere jongens in de Eerste Wereldoorlog gesneuveld.' Mevrouw Bird stond achter me en tuurde amechtig over mijn schouder. 'Zijn laatste verzoek aan mijn moeder toen ze hem uitzwaaide op het perron, was of zij thuis bij hun moeder wilde blijven als hem iets mocht overkomen.' Mevrouw Bird pakte de foto terug en ging weer zitten. Ze zette haar bril recht op haar neus om hem nog iets beter te bekijken terwijl ze verder vertelde. 'Wat moest ze zeggen? Ze stelde hem gerust, ze zou het doen. Ze was nog jong, ik denk niet dat ze verwachtte dat het ooit zover zou komen. Dat deden de mensen niet, althans niet echt. Niet in het begin van de Eerste Wereldoorlog. Toen wisten ze het nog niet.' Ze trok de kartonnen staander van het lijstje uit en zette het op tafel bij haar glas.

Ik nam een slok whisky en wachtte af. Uiteindelijk zuchtte ze. Ze keek me aan, en maakte met haar handpalm een plotselinge beweging naar boven alsof ze confetti strooide. 'Hoe dan ook,' zei ze, 'de rest is geschiedenis. Hij sneuvelde en die arme moeder van me legde zich neer bij wat haar was gevraagd. Ik weet niet of ik zo meegaand zou zijn geweest, maar de mensen in die tijd waren anders. Die hielden woord. Eerlijk gezegd was mijn grootmoeder een echte feeks, maar mama onderhield hen allebei, gaf haar hoop op dat ze ooit zou trouwen en kinderen zou krijgen, en aanvaardde haar lot.'

Er sloeg een regenvlaag tegen een raam vlakbij en rillend trok ik mijn vest dichter om me heen. 'En toch bent u er.'

'Ik ben er.'

'Wat is er dan gebeurd?'

'Grootmoeder overleed,' zei mevrouw Bird met een nonchalant knikje, 'heel plotseling, in juni 1939. Ze was al een tijdje ziek geweest, het had iets met haar lever te maken, dus was het geen verrassing. Eerder een opluchting, heb ik altijd gedacht, al was mama veel te lief om zoiets toe te geven. Toen de oorlog negen maanden woedde, was mama getrouwd en in verwachting van mij.'

'Een bliksemromance.'

'Bliksem?' Mevrouw Bird tuitte haar lippen en dacht na. 'Misschien wel naar de maatstaven van vandaag. Maar niet toen, niet in de oorlog. Eerlijk gezegd ben ik ook niet zo zeker van dat romancegedeelte. Ik heb altijd het vermoeden gehad dat het voor mama een verstandshuwelijk is geweest. Ze heeft dat nooit met zo veel woorden gezegd, maar een kind weet zulke dingen, hè? Hoe graag we allemaal ook willen geloven dat we het product van een grote liefde zijn.' Ze glimlachte naar me, maar op een aarzelende manier, alsof ze me peilde en zich afvroeg of ze nog vertrouwelijker kon zijn.

'Is er iets gebeurd?' vroeg ik, terwijl ik dichterbij schoof. 'Iets wat u dat gevoel heeft gegeven?'

Mevrouw Bird dronk haar glas leeg en draaide het rond zodat er kringen op de tafel verschenen. Daarna keek ze fronsend naar de whiskyfles en leek ze in een stilzwijgende tweestrijd verwikkeld; ik weet niet of ze die won of verloor, maar ze draaide de dop eraf en schonk ons allebei nog eens in.

'Ik heb iets gevonden,' zei ze. 'Een paar jaar geleden. Toen mama was overleden en ik haar zaakjes afhandelde.'

De whisky voelde warm in mijn keel. 'Wat?'

'Liefdesbrieven.'

'O.'

'Maar niet van mijn vader.'

'O!'

'Ze zaten opgeborgen in een blik achter in de la van haar kaptafel. Ik had ze bijna niet gevonden, weet je. Dat was pas toen er een antiekhandelaar langskwam om te kijken of hij een paar meubelstukken kon kopen. Ik liet hem de stukken zien en ik dacht dat de la klemde, dus ik trok er wat harder aan dan nodig was en toen kletterde het blik naar voren.'

'Hebt u ze gelezen?'

'Naderhand heb ik het blik opengemaakt. Het is heel erg, ik weet het.' Ze werd rood en streek het haar op haar slapen glad, om haar gezicht achter haar gebogen handen te verbergen, leek het wel. 'Ik kon het gewoon niet helpen. Tegen de tijd dat het tot me doordrong wat ik las, nou, toen moest ik wel verder lezen, hè? Ze waren prachtig, begrijp je. Recht vanuit het hart. Beknopt, maar daardoor des te betekenisvoller. En er was nog iets, die brieven hadden een zweem van treurigheid. Ze dateerden allemaal van voordat ze met mijn vader trouwde... Mama was niet het type voor een scharrel toen ze eenmaal getrouwd was. Nee, dit was een liefde van toen haar eigen moeder nog leefde, toen er nog geen kans bestond dat ze zou trouwen of verhuizen.'

'Wie was het, weet u dat? Wie had die brieven geschreven?'

Ze liet haar kapsel met rust en legde haar handen plat op tafel. De stilte was verbazend en toen ze zich naar me toe boog, had ik de neiging om naar haar toe te buigen. 'Ik zou het echt niet moeten zeggen,' fluisterde ze. 'Ik wil niet roddelen.'

'Natuurlijk niet.'

Ze zweeg en haar lip trilde van opwinding. Ze wierp een steelse blik over beide schouders. 'Ik weet het niet honderd procent zeker; ze waren niet met een volledige naam ondertekend, alleen met één initiaal.' Ze keek me aan, knipperde met haar ogen en toen glimlachte ze bijna sluw. 'Het was een R.'

'Een R.' Ik echode haar nadrukkelijke uitspraak, dacht even na, kauwde op de binnenkant van mijn wang en toen stokte de adem me in de keel. 'U denkt toch niet...?' Maar waarom ook niet? Ze bedoelde de R van Raymond Blythe. De vorst van het kasteel en de vrouw die al die jaren zijn huishouding leidde: het was bijna een cliché en clichés waren dat alleen maar omdat ze van alle tijden waren. 'Dat zou de geheimzinnigheid in de brieven verklaren, ze konden onmogelijk openhartig zijn over hun relatie.'

'Het zou ook nog iets anders verklaren.'

Ik keek haar aan. Het hele idee duizelde me nog steeds.

'De oudste zus, Persephone, heeft iets kouds naar míj toe. Het kan zeker niet aan mij liggen, en toch heb ik het altijd gevoeld. Toen ik klein was, heeft ze me een keer bij de zwemvijver betrapt, die ronde bij de schommel. Nou... Die blik in haar ogen; het was alsof ze een spook had gezien. Ik dacht bijna dat ze me ter plekke zou wurgen. Maar sinds ik achter mijn moeders relatie ben gekomen, dat die waarschijnlijk met meneer Blythe was, nou ja, heb ik me wel eens afgevraagd of Percy daarvan heeft geweten. Misschien was ze er op de een of andere manier achter gekomen en nam ze er aanstoot aan. In die tijd lagen de zaken tussen de verschillende klassen anders. En Percy Blythe is een onbuigzaam type, wat regels en traditie betreft.'

Ik knikte langzaam; het klonk zeker niet vergezocht. Percy Blythe trof me niet als het type dat erg warm en gezellig was, maar bij mijn eerste bezoek was het me opgevallen dat ze tegenover mevrouw Bird wel heel kortaf was. En het was zeker zo dat het kasteel een geheim bewaarde. Kon het zijn dat die liefdesaffaire nou precies datgene was wat Saffy me wilde vertellen; de bijzonderheid die ze minder graag met Adam Gilbert had willen bespreken? En wilde Percy daarom met alle geweld niet dat Saffy geïnterviewd zou worden, omdat ze wilde voorkomen dat haar tweelingzus haar vaders geheim zou prijsgeven, dat ze me zou vertellen over de jarenlange verhouding tussen Raymond Blythe en het hoofd van zijn huishouding?

Maar waarom maakte Percy zich daar zo druk om? Vast niet vanuit loyaliteit jegens haar eigen moeder. Raymond Blythe was meer dan eens getrouwd, dus leek het waarschijnlijk dat Percy in het reine was gekomen met de realiteit van het menselijk hart. En al was het waar wat mevrouw Bird zei, dat Percy ouderwets was en romantische verwikkelingen tussen de klassen afkeurde, ik betwijfelde of dat haar na al die jaren nog zo dwarszat, vooral niet omdat er zo veel andere dingen waren gebeurd om hun perspectief in het leven te geven. Kon ze het echt zo vreselijk hebben gevonden dat haar vader ooit verliefd was geweest op de vrouw die al zo lang het hoofd van de huishouding was, dat ze voor altijd haar best deed om dat feit voor het publiek verborgen te houden? Dat wilde er bij mij gewoon niet in. Of Percy Blythe ouderwets was of niet, deed niet ter zake. Ze was pragmatisch. Ik kende haar inmiddels voldoende om te beseffen dat er in Percy's hart een bikkelhard realisme school en als zij een geheim wilde bewaren, was dat niet om redenen van preutsheid of maatschappelijke moraal.

'En wat nog meer is,' zei mevrouw Bird die misschien mijn aarzelende kijk aanvoelde, 'ik heb me wel eens afgevraagd of... Ik bedoel, mama heeft er zelfs nooit op gezinspeeld, maar...' Ze schudde haar hoofd en flapte haar vingers naar voren. 'Nee... Nee, dat is malligheid.'

Nu hield ze haar handen bijna bedeesd tegen de borst gedrukt en het duurde een verward ogenblik voordat ik doorhad waarom, wat ze mij wilde laten denken. Langzaam zocht ik me een weg langs dat stekelige idee: 'Denkt u dat hij misschien uw vader is?'

Haar blik kruiste de mijne en ik zag dat ik juist gegokt had. 'Mama was dol op dat huis, het kasteel en de hele familie Blythe. Af en toe had ze het wel eens over meneer Blythe, hoe intelligent hij wel was, en hoe trots ze was dat ze voor zo'n beroemde schrijver had gewerkt. Maar ze deed er ook een beetje eigenaardig over. We gingen er nooit langs als ze dat kon vermijden. Halverwege een verhaal kon ze opeens dichtklappen, en dan kreeg ze zo'n trieste, weemoedige blik in haar ogen.'

Dat zou zeker een heleboel verklaren. Misschien dat Percy Blythe het niet erg vond dat haar vader een verhouding had met zijn dienstbode, maar dat hij ook nog een kind had verwekt? Een jonge dochter, nog een halfzusje voor de meisjes? Als het zo was, zou dat consequenties hebben, consequenties die niets met zedelijkheid of moraal te maken hadden, consequenties die Percy Blythe, hoedster van het kasteel en de nalatenschap van haar familie, ten koste van alles wilde vermijden.

En toch, terwijl ik dat allemaal overdacht, besefte ik dat er iets in mevrouw Birds vermoeden school wat ik niet kon accepteren, ook al erkende ik de mogelijkheden en trok ik concrete conclusies. Mijn weerstand was niet rationeel en het zou me moeite hebben gekost er de vinger op te leggen, maar toch was hij fors. Het was loyaliteit, hoe onterecht ook, jegens de drie oude dames op de heuvel die zo'n hechte coterie waren dat ik me met geen mogelijkheid een vierde kon voorstellen.

De klok boven de haard koos nou juist dat moment om het hele uur te slaan en het was alsof er een betovering werd verbroken. Mevrouw Bird begon de peper- en zoutstellen van de tafeltjes te ruimen. 'De eetzaal gaat niet zichzelf opruimen, neem ik aan,' zei ze. 'Ik blijf hoopvol, maar tot nu toe heeft hij me teleurgesteld.'

Ik stond ook op en pakte onze lege whiskyglazen.

Mevrouw Bird glimlachte tegen me toen ik bij haar kwam staan. 'Ze kunnen ons verrassen, hè, die ouders? Met alles wat ze hebben uitgespookt voordat wij geboren werden.'

'Ja,' zei ik, 'bijna alsof ze ooit echte mensen zijn geweest.'

De avond dat hij niet kwam

Op dag één van mijn officiële interviews vertrok ik al vroeg naar het kasteel. Het was kil en grauw en hoewel de motregen van de vorige avond was opgehouden, had die een groot deel van de vitaliteit van de wereld afgevoerd en het landschap lag er flets bij. Er hing ook iets nieuws in de lucht, een scherpe kou waardoor ik mijn handen onder het lopen diep in mijn zakken stak en mezelf vervloekte omdat ik geen handschoenen had meegenomen.

De gezusters Blythe hadden gezegd dat ik niet hoefde aan te kloppen maar direct kon doorlopen naar de gele salon. 'Dat is voor Juniper,' had Saffy voor mijn vertrek discreet uitgelegd. 'Als er wordt geklopt, denkt zij dat híj het eindelijk is.' Wie 'hij' was, zei ze er niet bij, dat was niet nodig.

Juniper van haar stuk brengen was het laatste wat ik wilde, dus was ik op mijn hoede, vooral na mijn faux pas van de vorige dag. Ik deed wat me was gevraagd, duwde de voordeur open, stapte de natuurstenen ontvangsthal in en liep de donkere gang door. Om de een of andere reden hield ik de adem in.

Toen ik bij de salon kwam, was daar niemand. Zelfs Junipers groene, fluwelen leunstoel was leeg. Ik bleef even staan om me af te vragen wat me verder te doen stond en of ik me soms in de tijd had vergist. Daarna klonken er voetstappen en toen ik me omdraaide, zag ik Saffy in de deuropening, gekleed op haar gebruikelijke modieuze manier, maar met iets bedrijvigs om haar heen, alsof ik haar verraste.

'O!' Ze bleef abrupt voor de rand van het kleed staan. 'Edith, je bent er al.' Ze wierp een blik op de klok op de schoorsteen. 'Maar natuurlijk ben je er al. Het is bijna tien uur.' Ze veegde met een broze hand over haar voorhoofd en deed een poging om te glimlachen. Die mislukte. 'Het spijt me erg dat ik je heb laten wachten. We hebben alleen een enerverende ochtend gehad en de tijd is omgevlogen.'

Een sluipend gevoel van vrees was haar de kamer in gevolgd en dat vestigde zich nu om mij heen. 'Is alles in orde?' vroeg ik.

'Nee,' zei ze en op haar gezicht tekende zich zo'n grauwsluier van totaal verlies af, dat gezien de lege stoel mijn eerste geschrokken gedachte was dat er misschien iets met Juniper was gebeurd. Het was bijna een opluchting toen ze zei: 'Het is Bruno. Hij is verdwenen. Hij is uit Junipers kamer vertrokken toen ik haar vanmorgen hielp met aankleden en sindsdien is hij in geen velden of wegen te bekennen.'

'Misschien is hij ergens aan het spelen?' opperde ik. 'In het bos of in de tuin?' Nog terwijl ik het zei, herinnerde ik me hoe hij er de vorige dag had uitgezien: de kortademigheid, de afhangende schouders, de strook grijs haar langs zijn ruggengraat, en ik besefte dat het dat niet was.

En inderdaad schudde Saffy haar hoofd. 'Nee. Nee, dat zou hij niet doen, begrijp je. Hij laat Juniper zelden in de steek en dan alleen om op het bordes aan de voorkant te gaan zitten en voor bezoekers te waken. Niet dat we die ooit krijgen. Afgezien van de huidige.' Ze glimlachte een beetje, bijna verontschuldigend, alsof ze bang was dat ik beledigd zou zijn. 'Maar dit is anders. We maken ons allemaal vreselijk bezorgd. Hij is de laatste tijd niet lekker en uit zijn doen. Percy moest hem gisteren gaan zoeken, en nu dit.' Haar vingers vlochten zich in elkaar aan haar ceintuur en ik wilde dat ik iets kon doen. Er zijn mensen die kwetsbaarheid uitstralen, wier pijn en ongemak extra moeilijk gade te slaan zijn en voor wie je alles over zou hebben om hun leed te verzachten. Saffy Blythe was zo iemand.

'Zal ik eens gaan kijken op het plekje waar ik hem gisteren heb gezien?' stelde ik voor en ik liep al naar de deur. 'Misschien is hij er om de een of andere reden weer naartoe gegaan.'

'Nee...'

Ze zei het zo scherp dat ik me spoorslags omdraaide. Eén van haar handen stak in mijn richting, terwijl ze met de andere bij de halslijn van haar gebreide vest haar broze huid betastte.

Ze liet haar arm weer zakken. 'Ik bedoel, dat is erg vriendelijk van je, maar het is niet nodig. Percy belt nu met de neef van mevrouw Bird of die kan komen helpen zoeken... Het spijt me. Ik ben niet zo duidelijk. Vergeef me, ik ben nogal overstuur, alleen...' Ze keek langs me heen naar de deur. '... Ik had gehoopt dat ik je zo zou treffen.'

'O ja?'

Ze klemde de lippen opeen en ik zag dat ze zich niet alleen zorgen maakte om Bruno's veiligheid, ze was ook gespannen door iets anders. 'Percy kan elk moment hier zijn,' zei ze zacht. 'Ze gaat je de dagboeken laten zien zoals ze heeft beloofd, maar voordat ze komt en je met haar meegaat, moet ik je iets uitleggen.'

Saffy keek zo ernstig en zo in de war dat ik naar haar toe liep en mijn hand op haar vogelachtige schouder legde. 'Hier,' zei ik, en ik bracht haar naar de bank. 'Ga maar even zitten. Kan ik iets voor u halen? Een kopje thee voor tijdens het wachten?'

Haar glimlach lichtte op met de dankbaarheid van iemand die niet gewend is vriendelijk te worden bejegend. 'Heel lief van je, maar nee, daar is geen tijd voor. Kom alsjeblieft maar bij me zitten.'

Er gleed een schaduw langs de deuropening en even verstijfde ze met gespitste oren. Niets dan stilte en af en toe een merkwaardig geluid van de constructie waaraan ik inmiddels gewend was: er gorgelde iets achter een fraaie kroonlijst op het plafond, de zachte beweging van de luiken tegen het vensterglas, het knarsen van het gebeente van het huis.

'Ik moet je iets uitleggen,' zei ze zacht, 'over Percy, over gisteren. Toen je naar Juniper informeerde, toen je zíjn naam noemde en Percy zo tiranniek reageerde.'

'U bent me echt geen verklaring schuldig.'

'Ja, dat ben ik wel, alleen valt het niet mee om je onder vier ogen te spreken...' Er verscheen een grimmig lachje. '... Zo'n enorm huis en toch ben je nooit echt alleen.'

Haar spanning was aanstekelijk, en al deed ik niets verkeerds, ik kreeg toch een merkwaardig gevoel. Mijn hart ging als een gek tekeer en ik ging even zacht praten. 'Kunnen we elkaar dan ergens anders spreken? In het dorp misschien?'

'Nee.' Ze zei het vlug en schudde haar hoofd. 'Nee, dat kan ik niet doen. Dat is niet mogelijk.' Ze wierp weer een blik op de lege deuropening en zei: 'We kunnen het beste hier praten.'

Ik knikte instemmend en wachtte af terwijl ze haar gedachten ordende. Toen ze zover was, vertelde ze op gedempte maar besliste toon haar verhaal. 'Het was iets verschrikkelijks,' zei ze. 'Iets heel verschrikkelijks. Het is nu ruim een halve eeuw geleden en toch herinner ik me die avond als de dag van gisteren. Junipers gezicht toen ze die avond binnenkwam. Ze was laat, ze was haar sleutel kwijt, dus klopte ze aan en wij deden open en zij danste de drempel over. Ze liep nooit gewoon als ieder ander. En haar gezicht, ik zal dat gezicht altijd voor me blijven zien als ik 's avonds mijn ogen sluit. Dat ene ogenblik. Het was zo'n opluchting om haar te zien. 's Middags was het hard gaan stormen, begrijp je. Het regende en de wind huilde, de bussen ondervonden vertraging... We waren zo bezorgd.

Toen er werd geklopt, dachten we dat hij het was. Daar was ik ook nerveus over; ik maakte me zorgen over Juniper, ik was gespannen over de kennismaking. Ik had namelijk geraden dat ze verliefd op elkaar waren en wilden trouwen. Ze had niets tegen Percy gezegd – want die had net als papa nogal strikte opvattingen over zulke dingen – maar Juniper en ik waren altijd dik met elkaar geweest. En ik wilde hem dolgraag mogen; ik wilde dat hij haar liefde waard was. Ik was ook nieuwsgierig, want Junipers liefde was niet makkelijk te winnen.

We zaten een poosje bij elkaar in de nette salon. Eerst praatten we over koetjes en kalfjes, Junipers leven in Londen, en we hielden elkaar voor dat zijn bus was vertraagd, dat het aan het openbaar vervoer lag, en aan de oorlog, maar op een zeker ogenblik hielden we daarmee op.' Ze wierp een blik opzij op mij en de herinneringen bewolkten haar blik. 'Het stormde, de regen joeg tegen de luiken en het avondeten stond te verpieteren in de oven... De geur van konijn...' Haar gezicht veranderde bij de gedachte alleen al. '... hing overal. Sindsdien heb ik die geur nooit meer kunnen velen. Die riekt te veel naar angst. Vreselijke klonten zwartgeblakerde angst... Ik was heel bang toen ik Juniper zo zag. We konden maar net voorkomen dat ze naar buiten holde, het noodweer in, om hem te gaan zoeken. Zelfs na middernacht, toen het duidelijk was dat hij niet zou komen, wilde ze het nog niet opgeven. Ze werd hysterisch en we moesten haar papa's oude slaappillen geven om haar rustig te krijgen...'

Saffy viel stil. Ze had heel snel gesproken in een poging haar verhaal af te ronden voordat Percy kwam, en ze was zachter gaan praten. Ze hoestte in een fraaie kanten zakdoek die ze uit haar mouw had getrokken. Er stond een karaf water op de tafel naast Junipers stoel en ik schonk een glaasje voor haar in. 'Dat moet verschrikkelijk zijn geweest,' zei ik toen ik het glas aanreikte.

Dankbaar nam ze een slok en daarna hield ze het glas in beide handen op schoot. Ze leek op van de zenuwen en de huid om haar kaak bleek onder het vertellen zo verstrakt dat ik de blauwe aderen eronder kon zien lopen.

'En hij is nooit gekomen?' spoorde ik haar aan.

'Nee.'

'En u bent er nooit achter gekomen waarom niet? Geen brief? Geen telefoontje?'

'Niets.'

'En Juniper?'

'Die bleef maar wachten en wachten. Dat doet ze nog. Dagen gingen voorbij, daarna weken. Ze heeft de hoop nooit opgegeven. Het was vreselijk. Verschrikkelijk.' Saffy liet het laatste woord tussen ons in hangen. Ze was verdwaald in die tijd, al die jaren terug, en ik vroeg niet door. 'Krankzinnigheid komt niet uit de lucht vallen,' zei ze uiteindelijk. 'Je zegt zo makkelijk "Ze werd krankzinnig", maar zo is het helemaal niet. Het ging geleidelijk. Eerst trok ze zich terug. Ze vertoonde tekenen van herstel, sprak over haar terugkeer naar Londen, maar slechts in vage termen, en ze ging nooit. Ze hield ook op met schrijven. Toen wist ik dat er iets broos, iets kostbaars was gebroken. Vervolgens gooide ze op een dag alles uit haar zolderraam. Alles: boeken, papieren, een bureau, zelfs haar matras...' Ze slikte de rest van haar woorden in, maar haar lippen bewogen geluidloos om woorden die ze liever verzweeg. Met een zucht zei ze: 'De papieren vlogen alle kanten op en ver weg, de heuvel af, de vijver in, als dode herfstbladeren die hun tijd hebben gehad. Ik vraag me af waar ze allemaal naartoe zijn gegaan.'

Ik schudde mijn hoofd; ik wist dat ze zich meer afvroeg dan waar Junipers papieren waren gebleven en er kwam niets zinnigs in me op. Ik kon me niet voorstellen hoe moeilijk het moest zijn geweest om een beminde zus op zo'n manier te zien aftakelen, om te zien hoe talloze lagen van potentie en persoonlijkheid, talent en mogelijkheden uiteenvielen, een voor een. Wat moest dat vreselijk zijn geweest om gade te slaan, vooral voor iemand als Saffy, die volgens Marilyn Bird meer een moeder voor Juniper was geweest dan een zus.

'Het meubilair lag vernield op een berg in de tuin. Geen van ons had de moed het weer naar boven te sjouwen en Juniper wilde het niet. Ze nam de gewoonte aan bij de kast op zolder te gaan zitten, de kast met de geheime deur, ervan overtuigd dat ze geluiden hoorde aan de andere kant. Stemmen die haar riepen, maar die zaten natuurlijk in haar eigen hoofd. De arme schat. Toen de dokter dat hoorde, wilde hij haar laten opnemen, in een gesticht...' Haar stem haperde bij dat afschuwelijke woord, haar ogen smeekten me om het net zo akelig te vinden als zij. Ze kneedde met een gebalde vuist in de witte zakdoek en ik legde heel zacht mijn hand op haar onderarm.

'Wat vreselijk,' zei ik.

Ze beefde van woede en ontzetting. 'We wilden er niets van weten; ík wilde er geen woord van horen. Er was geen sprake van dat hij haar bij ons weg kon halen. Percy sprak met de dokter en legde uit dat zulke dingen er niet bij waren op Milderhurst Castle, dat de familie Blythe haar problemen zelf oploste. Uiteindelijk zwichtte hij – Percy kan heel overtuigend zijn – maar hij stond erop sterkere medicijnen voor Juniper achter te laten.' Ze drukte de gelakte nagels van haar vingers in haar benen als een kat die zich uitrekt, en op haar gezicht zag ik iets wat me nog niet eerder was opgevallen. Ze was de zachtste van de tweeling, de meegaandste, maar er zat ook kracht in. Als het om Juniper ging, als het aankwam op vechten voor de zus die haar lief was, was Saffy als een bikkel. Haar volgende woorden vlogen als stoom uit een ketel, zo heet dat ze schroeiden: 'Ik wilde dat ze nooit naar Londen was gegaan, dat ze die vent nooit had ontmoet. Daar heb ik in mijn leven het meeste spijt van, dat ze is weggegaan. Daarna was alles kapot. Niets was ooit meer hetzelfde voor iedereen hier.'

Op dat moment begon ik te begrijpen waarom ze me dat vertelde; waarom ze dacht dat ze daarmee iets van Percy's botheid kon verklaren: de avond waarop Thomas Cavill niet kwam opdagen had ieders leven veranderd. 'Percy,' zei ik en Saffy knikte licht. 'Was Percy daarna ook anders?'

Op dat moment klonk er een geluid op de gang, het geluid van een doelbewuste tred en het onmiskenbare tikken van Percy's wandelstok, alsof ze haar naam had horen vallen en op de een of andere manier aanvoelde dat ze het onderwerp van een clandestien gesprek was.

Saffy steunde op de armleuning van de sofa en kwam overeind. 'Edith is net aangekomen,' zei ze vlug toen Percy in de deuropening verscheen. Ze gebaarde naar mij met de hand die haar zakdoek vasthield. 'Ik vertelde haar zojuist over die arme Bruno.'

Percy keek van de een naar de ander, eerst naar mij, die nog op de bank zat en toen naar Saffy die vlak bij me stond.

'Heb je die jongeman nog kunnen bereiken?' vervolgde Saffy en haar stem haperde een beetje.

Percy knikte kort. 'Hij is onderweg. Ik wacht hem op bij de voordeur om te zeggen waar hij moet zoeken.'

'Juist,' zei Saffy. 'Mooi, mooi.'

'Daarna zal ik juffrouw Burchill naar beneden brengen.' Ze had mijn onuitgesproken vraag beantwoord. 'Naar de wapenkamer, zoals ik heb beloofd.'

Ik glimlachte, maar in plaats van de zoektocht naar Bruno voort te zetten zoals ik had verwacht, kwam Percy de salon binnen om bij het raam te gaan staan. Ze bestudeerde met enig vertoon het houten kozijn, krabde aan een plekje op het glas en bracht haar gezicht ernaartoe, maar het was duidelijk dat die onverwachte inspectie een list was zodat ze bij ons in de kamer kon blijven. Op dat moment besefte ik dat Saffy gelijk had. Om de een of andere reden wilde Percy niet dat ik met haar tweelingzus alleen was, en ik moest denken aan mijn vermoeden van de vorige dag, dat Percy bang was dat Saffy me iets zou vertellen wat niet mocht. De controle die Percy over haar zussen uitoefende was onthutsend; het intrigeerde me en een stemmetje in mijn hoofd maande me daarom voorzichtig te zijn, maar meer dan wat ook hunkerde ik naar de rest van Saffy's relaas.

De minuut of vijf daarna, waarin Saffy en ik over het weer keuvelden en Percy nijdig naar het raam bleef kijken en op de stoffige vensterbank prikte, hoorden bij de langste die ik ooit had meegemaakt. Uiteindelijk hoorde ik tot mijn opluchting een auto naderen. We staakten allemaal onze voorstelling en vervielen tot stilzwijgen.

De auto kwam heel dichtbij en kwam tot stilstand. Met een zware plof viel er een portier dicht. Percy zuchtte. 'Dat zal Nathan zijn.'

'Ja,' zei Saffy.

'Ik ben zo terug.'

En toen ging ze eindelijk weg. Saffy wachtte even en pas toen haar voetstappen helemaal waren weggestorven, slaakte ze een korte zucht en draaide ze zich naar mij toe. Ze glimlachte verontschuldigend en slecht op haar gemak. Toen ze de draad van haar verhaal weer opvatte, had haar stem opnieuw iets vastberadens. 'Misschien kun je wel merken dat Percy de sterkste van ons is. Ze heeft zich altijd als beschermengel opgeworpen, al toen we nog klein waren. Voor het grootste deel ben ik daar blij mee geweest. Met zo'n verdediger kun je erg boffen.'

Het viel me onwillekeurig op dat ze met haar vingers friemelde en om de haverklap naar de deuropening keek. 'Maar niet altijd,' zei ik.

'Nee. Niet altijd. Ik niet en zij evenmin. Dat trekje is altijd een grote last voor haar geweest, niet in het minst toen Juniper... Toen dat was gebeurd. Het greep ons allebei erg aan, Juniper was ons jongste zusje. Dat is ze nog en om haar zo te zien...' zei ze hoofdschuddend. 'Het was onuitsprekelijk moeilijk. Maar Percy...' Saffy's blik bestudeerde een plek boven mijn hoofd, alsof ze daar de woorden zocht om het uit te leggen, 'Percy was naderhand in zo'n sombere stemming. Ze was al chagrijnig geweest in de aanloop – mijn tweelingzus was een van die vrouwen die in de oorlog een levensdoel vonden en toen de bommen niet meer vielen, toen Hitler zijn oog op Rusland liet vallen, was ze nogal teleurgesteld – maar na die avond was het anders. Ze vatte het feit dat die jongeman Juniper in de steek had gelaten op als een persoonlijk affront.'

Dat was een merkwaardige wending. 'Waarom?'

'Het was raar, bijna alsof ze zichzelf op de een of andere manier verantwoordelijk hield. Dat was ze natuurlijk niet en ze had ook niets kunnen doen om de zaak een andere draai te geven. Maar zo is Percy, die gaf zichzelf de schuld want zo is ze nu eenmaal. Een van ons was beschadigd en ze kon niets doen om het te herstellen.' Ze zuchtte en vouwde haar zakdoek een paar keer op tot een keurig driehoekje. 'En daarom vertel ik je dit waarschijnlijk, al ben ik bang dat ik het helemaal verkeerd doe. Ik wil dat je begrijpt dat Percy een goed mens is, dat ze ondanks hoe ze is en overkomt het hart op de juiste plaats heeft.'

Ik kon wel merken dat Saffy het belangrijk vond dat ik geen kwaad van haar zus zou denken, dus glimlachte ik terug. Maar ze had gelijk, er was iets aan haar verhaal wat niet logisch was. 'Maar waarom,' vroeg ik, 'zou ze zich verantwoordelijk hebben gevoeld? Kende ze hem? Had ze hem eerder ontmoet?'

'Nee, nooit.' Ze keek me onderzoekend aan. 'Hij woonde in Londen, daar hadden Juniper en hij elkaar leren kennen. Percy was al sinds voor de oorlog niet in Londen geweest.'

Ik knikte, maar ik dacht ook aan mijn moeders dagboek, waarin ze meldde dat haar onderwijzer Thomas Cavill haar in september 1939 een bezoek had gebracht op Milderhurst. Dat was de keer dat Juniper Blythe de man leerde kennen op wie ze later verliefd zou worden. Percy mocht dan niet in Londen zijn geweest, maar het was heel goed mogelijk dat ze Thomas Cavill had leren kennen toen hij hier in Kent was. Maar Saffy niet, dat sprak voor zich.

Er waarde een frisse tocht door de kamer en Saffy trok haar vest dichter om zich heen. Ik zag dat de huid op haar sleutelbeenderen rood was geworden; het leek wel een opvlieger. Ze had spijt dat ze zo veel had losgelaten en nu wilde ze haar indiscrete opmerkingen zo snel mogelijk onder het vloerkleed vegen. 'Wat ik wil zeggen, is dat Percy het heel zwaar heeft opgevat, dat het haar heeft veranderd. Ik was blij toen de Duitsers met de vliegende bommen en de V2's begonnen, omdat het haar iets nieuws gaf om zich druk over te maken.' Saffy lachte, maar het ging niet van harte. 'Ik denk wel eens dat ze het gelukkigst zou zijn geweest als de oorlog nooit was opgehouden.'

Ze was slecht op haar gemak en ik had met haar te doen; het speet me ook dat ik haar door mijn vragen met deze nieuwe zorgen had opgezadeld. Het was alleen haar bedoeling geweest om mijn eventuele gebutste gevoelens van de vorige dag te verzachten en het leek me wreed om haar een nieuwe angst te bezorgen. Met een glimlach probeerde ik op iets anders over te gaan. 'En u? Hebt u tijdens de oorlog nog gewerkt?'

Ze kikkerde een beetje op. 'O, nou, we droegen allemaal ons steentje bij; ik deed natuurlijk niets opwindends zoals Percy. Heldenwerk past meer bij haar. Ik heb genaaid en gekookt en geredderd. Ik heb wel duizend sokken gebreid. Hoewel niet altijd even goed.' Ze stak de draak met zichzelf en ik lachte mee, terwijl ik moest denken aan een jong meisje dat rillend op de kasteelzolder zat met diverse lagen gekrompen sokken om beide enkels en de hand die de pen niet vasthield. 'Ik had de oorlog bijna als gouvernante doorgebracht, weet je.'

'Echt?'

'Ja. Van een gezin met kinderen dat voor de duur van de oorlog naar Amerika uitweek. Ik was aangenomen voor die baan, maar moest het aanbod afslaan.'

'Vanwege de oorlog?'

'Nee. De brief kwam tegelijk met Junipers grote teleurstelling. Nou, kijk maar niet zo. Voor mij hoef je niet zo'n lang gezicht te trekken, hoor. Ik geloof niet in spijt, niet in het algemeen. Spijt heeft geen zin, hè? Ik had die baan niet kunnen nemen, niet toen. Niet als die me zo ver weg zou brengen, niet met de toestand waarin Juniper verkeerde. Hoe had ik haar in de steek kunnen laten?'

Ik had geen broers of zussen, ik wist niet hoe zulke dingen werkten. 'Had Percy niet...?'

'Percy heeft vele talenten, maar zorgen voor kinderen en zieken heeft daar nooit toe behoord. Daar komt een bepaalde...' Ze friemelde met haar vingers en speurde het antieke haardscherm af alsof de woorden die ze zocht daar misschien geschreven stonden. '... zachtheid bij kijken, denk ik. Nee, ik had Juniper niet kunnen achterlaten met alleen Percy om voor haar te zorgen. Dus heb ik een brief geschreven waarin ik het aanbod afsloeg.'

'Dat moet heel moeilijk zijn geweest.'

'Je hebt geen keus als het op familie aankomt. Juniper was mijn kleine zusje. Ik was niet van plan haar zo achter te laten. En bovendien, al was die knaap wel gekomen, als ze wel getrouwd en verhuisd waren, had ik waarschijnlijk toch niet weg kunnen gaan.'

'Waarom niet?'

Ze draaide haar elegante nek, maar keek me niet aan.

Er klonk een geluid op de gang, net als eerst, een gedempt hoestje en het scherpe tikken van een wandelstok dat onze kant op kwam.

'Percy...' En vlak voordat ze glimlachte kreeg ik een glimp van het antwoord op mijn vraag. In haar gepijnigde trekken bespeurde ik een levenslange gevangenschap. Ze waren een tweeling, twee helften van een geheel, maar terwijl de ene had willen vluchten om een bestaan alleen op te bouwen, had de ander geweigerd om alleen gelaten te worden. En Saffy, wier zachtheid haar zwak en wier mededogen haar aardig maakte, was nooit bij machte geweest zich aan haar te ontworstelen.

De wapenkamer en een ontdekking

Ik volgde Percy Blythe door de gangen en een trap af naar de diepten van het huis waar het steeds donkerder werd. Ze was hoe dan ook weinig spraakzaam, maar die ochtend was ze zonder meer ijzig. IJzig en gehuld in de geur van oude sigarettenrook. De geur was zo sterk dat ik onder het lopen een meter ruimte tussen ons moest laten. De stilte kwam me in elk geval goed uit; na mijn gesprek met Saffy was ik niet in de stemming voor onbeholpen gekeuvel. Iets in haar verhaal – of misschien niet zozeer in het verhaal op zich, als wel in het feit dat ze het mij had verteld – verontrustte me. Ze had gezegd dat ze Percy's gedrag wilde verklaren en ik kon best geloven dat de twee zussen verpletterd waren door het feit dat Juniper in de steek was gelaten en vervolgens was ingestort. Maar waarom moest Saffy er zo de nadruk op leggen dat het voor Percy moeilijker was geweest? Vooral omdat Saffy de rol van moeder voor haar gewonde zusje op zich had genomen. Ik wist dat ze zich geneerde voor Percy's onbehouwen gedrag van de dag tevoren en dat ze probeerde de menselijke kant van Percy te belichten, maar het was bijna alsof ze te veel haar best deed, alsof ze té graag wilde dat ik Percy in een heilig licht zag.

Op een kruispunt van gangen bleef Percy staan om een pakje sigaretten uit haar zak te halen. Ze balde haar broze knokkels terwijl ze met een lucifer hanneste en die eindelijk liet ontvlammen; in het licht van het vlammetje ving ik een glimp van haar gezicht op en daar zag ik het bewijs dat ze geschokt was door de gebeurtenissen van die ochtend. Toen we werden omhuld door de wolk zoete rooklucht van verse tabak en de stilte zich verdiepte, zei ik: 'Het spijt me echt van Bruno. De neef van mevrouw Bird zal hem vast wel vinden.'

'Denkt u?' Percy blies een rookpluim uit en haar ogen keken me koeltjes aan. Er trok een spiertje naast haar lippen. 'Dieren weten wanneer hun einde nadert, juffrouw Burchill. Het zijn geen mensen, die altijd maar getroost willen worden.' Ze neeg het hoofd ten teken dat ik haar moest volgen, sloeg een hoek om en ik voelde me dwaas en klein. Ik besloot geen blijk van medeleven meer te geven.

Bij de eerste deur die we bereikten bleven we weer staan; het was een van de vele deuren waar we al die maanden geleden bij de rondleiding langs waren gelopen. Met de sigaret in de mond haalde ze een grote sleutel uit haar zak en stak die in het slot. Na wat gemorrel gaf het antieke mechanisme mee en zwaaide de deur piepend open. Binnen was het donker, er waren geen ramen en van wat ik kon zien stonden er zware houten archiefkasten langs de muur, van het soort dat je kunt aantreffen in stokoude advocatenkantoren in de stad. Er hing een kaal peertje aan een dunne, broze draad en dat zwaaide een beetje heen en weer in de verse ademtocht van de gang.

Ik wachtte tot Percy voor zou gaan en toen ze dat niet deed, keek ik haar onzeker aan. Ze nam een trekje en zei alleen maar: 'Ik ga hier niet naar binnen.'

Waarschijnlijk tekende de verrassing zich af op mijn gezicht, want ze voegde eraan toe met een trilling die zo licht was dat ze me bijna ontging: 'Ik hou niet van kleine ruimten... Om de hoek staat een petroleumlamp. Als u die tevoorschijn haalt, zal ik hem aansteken.'

Ik keek weer in de duistere diepte van de kamer. 'Werkt dat peertje niet?'

Ze keek me even aan en daarna trok ze aan een koordje. Het peertje flakkerde op en werd toen weer doffer tot er maar een zwak schijnsel overbleef zodat de schaduwen zich iets verplaatsten. Het licht reikte net ver genoeg om een plek van een meter in doorsnee te verlichten. 'Ik stel voor dat u die lamp er ook bij neemt.'

Ik glimlachte grimmig en had de lamp zo gevonden; hij stond weggestopt om de hoek zoals ze had gezegd. Toen ik hem pakte, klonk er een klotsend geluid, waarop Percy Blythe zei: 'Dat klinkt veelbelovend. Hij is weinig waard zonder petroleum.' Ik hield de voet vast, terwijl zij de vlampijp verwijderde en aan een knop ter grootte van een muntstuk draaide om de lont een eindje omhoog te krikken voordat ze hem aanstak. 'Ik heb die geur nooit lekker gevonden,' zei ze terwijl ze de vlampijp terugdeed. 'Hij riekt naar schuilkelders; vreselijke plekken vol angst en hulpeloosheid.'

'En veiligheid, dacht ik. En troost?'

'Voor sommigen misschien, juffrouw Burchill.'

Daar liet ze het bij en ik hield me bezig met het smalle metalen handvat erbovenop en trok eraan om me ervan te vergewissen dat die het gewicht van de lamp zou houden.

'Het is een eeuwigheid geleden dat iemand hierbinnen is geweest,' zei Percy. 'Achterin is een bureau. U vindt de dagboeken in de dozen eronder. Ik denk niet dat ze nog gaaf zijn. Papa is tijdens de oorlog overleden; toen waren er andere zaken die om voorrang vroegen. Niemand had veel tijd voor archiefwerk.' Ze zei het defensief alsof ik op het punt stond haar een standje voor haar slordigheid te geven.

'Natuurlijk.'

Er trok iets weifelends over haar gezicht, maar dat verdween toen ze hard in haar hand hoestte. 'Welaan,' zei ze toen ze zich had hersteld. 'Ik ben over een uur terug.'

Ik knikte. Opeens hoopte ik dat ze nog even zou blijven. 'Dank u wel,' zei ik. 'Ik ben echt heel blij met de gelegenheid...'

'Wees voorzichtig met die deur. Laat die niet achter u dichtvallen.'

'Oké.'

'Hij valt vanzelf in het slot. Zo zijn we een keer een hond kwijtgeraakt.'

Haar lippen vertrokken tot een grimas die niet helemaal een glimlach werd. 'Ik ben een oude dame, weet u. Ik ben niet te vertrouwen, straks weet ik niet meer waar ik u heb gelaten.'

Het was een lange, smalle kelderruimte, die in de breedte werd overspannen door lage, bakstenen bogen die het plafond ondersteunden. Ik hield de lamp stevig vast en hield hem voor me uit, zodat het licht op de wanden flakkerde toen ik langzaam en voorzichtig verder naar binnen liep. Percy had de waarheid gesproken toen ze zei dat er al heel lang niemand was geweest. In het vertrek heerste een onmiskenbare sfeer van verstilling; het was de stilte van een kerk, en ik had het griezelige gevoel dat iets wat groter was dan ik me observeerde.

Je hebt te veel verbeelding, hield ik mezelf ernstig voor. Er is hier niemand behalve jij en de muren. Maar dat was maar een deel van het probleem. Dit waren niet zomaar muren, dit waren de stenen van Milderhurst Castle, waarin de lang vervlogen tijden fluisterden en toekeken. Hoe verder ik de kamer in liep, des te meer ik me bewust werd van een merkwaardig zwaar gevoel. Ik werd omhuld door een zwaar gevoel van alleenheid, eenzaamheid bijna. Het kwam natuurlijk door de duisternis; het gesprek van daarnet met Saffy; Junipers tragische verhaal...

Maar dit was mijn enige kans om de dagboeken van Raymond Blythe in te zien. Ik had maar één uur en dan zou Percy me weer komen halen. De kans bestond dat ik geen vervolgbezoek aan de wapenkamer mocht brengen, dus nu kon ik maar beter goed opletten. In gedachten maakte ik een lijstje: houten archiefkasten langs beide wanden; daarboven – ik moest er de lamp hoog voor optillen – hingen kaarten en architectonische plattegronden uit alle tijdperken. Een eindje verderop hing een kleine verzameling ingelijste daguerreotypen.

Het was een reeks portretten van dezelfde vrouw: op de ene lag ze schaars gekleed achterover op een chaise longue, op de andere keek ze recht in de lens, in de stijl van Edgar Allan Poe, gekleed in een japon met een hoge, victoriaanse kraag. Ik bracht mijn gezicht er iets dichter naartoe en hield de lamp hoog om het portret in de koperen lijst te bekijken, en moest een keer blazen om iets van de lagen stof weg te krijgen. Ik voelde een merkwaardig koud gevoel langs mijn ruggengraat omhoog kruipen toen ik het gezicht zag. Ze was beeldschoon, maar op een beetje nachtmerrieachtige manier. Gave lippen; volmaakte, porseleinkleurige huid strak over hoge jukbeenderen; grote witte tanden. Ik hield de lamp dichterbij om de naam te lezen die er cursief onder was gegraveerd: Muriel Blythe, Raymonds eerste vrouw, de moeder van de tweeling.

Wat merkwaardig dat al haar foto's naar de wapenkamer waren verbannen. Ik vroeg me af of dat het gevolg was van Raymond Blythes rouw, of van een jaloers decreet van zijn tweede vrouw? Hoe dan ook, ik haalde de lamp weg zodat ze weer in duisternis gehuld was, en ik kan niet zeggen waarom me dat zo'n prettig gevoel gaf. Er was geen tijd om alle hoeken en gaten van de kelder te verkennen; ik besloot de dagboeken van Raymond Blythe te zoeken, er zo veel mogelijk van in me op te slaan in het uur dat me was gegund en daarna die rare, bedompte plek te verlaten. Ik hield de lamp voor me en liep door.

Maar vervolgens maakten de portretten aan de wand plaats voor schappen van de vloer tot het plafond en mijns ondanks hield ik de pas in. Het was alsof ik me in een schatkamer bevond; er lagen allerlei voorwerpen opgestapeld: boeken – eindeloos veel – vazen en Chinees porselein, zelfs kristallen kannen. Kostbaarheden, voor zover ik kon zien, geen rommel of brokstukken. Ik had geen flauw idee waarom ze daar op die schappen lagen weg te kwijnen.

Daarna zag ik zoiets interessant dat ik bleef staan; een stuk of vijftig dozen die allemaal even groot waren en bekleed waren met mooi papier, grotendeels met een bloempatroon. Op een aantal zat een etiketje en ik bracht mijn gezicht erbij om er een te lezen: *Heart Reclaimed: A novel by Seraphina Blythe*. Ik tilde het deksel op en wierp er een blik in; er lag een stapel dicht getypte vellen; het was een manuscript. Ik herinnerde me dat mama me had verteld dat op Percy na alle leden van de familie Blythe schreven. Ik hield de lamp zo hoog dat ik de hele verzameling dozen kon overzien en glimlachte verbaasd. Dit waren Saffy's verhalen. Ze was heel productief geweest. Op een bepaalde manier vond ik het beklemmend om ze hier zo samengedromd te zien liggen: verhalen en dromen, mensen en plaatsen die ooit met veel energie en ijver in het leven waren geroepen, om vervolgens vele jaren in het donker te liggen en tot stof te vergaan. Op een ander etiket stond *Marriage to Matthew de Courcy*. De uitgever in me kon er niets aan doen; ik tilde het deksel op en haalde de bundel tevoorschijn. Maar het was geen manuscript; het was een verzameling uiteenlopende paperassen. Researchwerk, waarschijnlijk. Oude tekeningen van bruidsjurken, bloemschikkunst, krantenknipsels met de beschrijving van diverse societybruiloften, aantekeningen van bestellingen en daarna, wat lager, een verlovingsaankondiging uit 1924 van Seraphina Grace Blythe met Matthew John de Courcy.

Ik legde de papieren weer terug. Dit was researchwerk, maar niet voor een roman. In deze doos zaten de voorbereidingen van Saffy's eigen nooit voltrokken huwelijk. Ik deed het deksel weer terug en liep door. Ik voelde me bijna schuldig over mijn inbreuk op haar privacy. Ik werd me ervan bewust dat elk object in deze kamer een overblijfsel van een groter verhaal was: de lampen, de vazen, de boeken, de plunjezak en Saffy's gebloemde dozen. De wapenkamer was een graftombe, net als in de klassieke oudheid. De donkere, koele tombe van een farao waarin kostbaarheden verdwenen om daarna te worden vergeten.

Toen ik de tafel aan het eind bereikte, had ik het gevoel dat ik een marathon had gelopen door het Wonderland van Alice. Dus toen ik me omdraaide, keek ik ervan op dat het bungelende peertje en de deur – die voor de zekerheid door een houten kist werd opengehouden – maar een meter of vijftien achter me waren. Ik vond de dagboeken precies waar Percy had gezegd, in dozen gestapeld alsof iemand langs de schappen in de werkkamer van Raymond Blythe was gelopen, alles in dozen had geveegd en die vervolgens hier had neergezet. Ik begreep dat de mensen in de oorlog andere dingen aan hun hoofd hadden; toch was het vreemd dat geen van beide zussen in latere decennia de tijd had gevonden om terug te gaan. De dagboeken en brieven van Raymond Blythe verdienden het ergens in een bibliotheek tentoongesteld te worden, beschermd en gekoesterd, voor de komende decennia beschikbaar voor onderzoekers. Vooral Percy met haar scherpe oog voor navolgende generaties zou toch geprobeerd moeten hebben haar vaders nalatenschap te beschermen.

Ik zette mijn lamp achter op het bureau, zo ver bij me vandaan dat ik hem niet per ongeluk om kon stoten, en ik trok de dozen eronder vandaan. Ik zette ze een voor een op de stoel tot ik de dagboeken vond van de periode 1916 tot 1920. Raymond Blythe was zo behulpzaam geweest elk exemplaar van een jaartal te voorzien en het duurde niet lang voor ik 1917 uitgespreid voor me had liggen. Ik haalde mijn notitieboek uit mijn rugzak en schreef alles op waarvan ik meende dat het nuttig kon zijn voor het artikel. Om de zoveel tijd pauzeerde ik even om voor de zoveelste keer te beseffen dat dit echt zijn dagboeken waren, dat dit krullerige handschrift, deze ideeën en gevoelens aan de grote man zelf waren ontsproten.

Hoe kan ik in 's hemelsnaam op deze plek, met alleen woorden tot mijn beschikking, dat ongelooflijke moment beschrijven toen ik die noodlottige bladzijde omsloeg en een verandering in het handschrift onder mijn vingers gewaarwerd? Het schrift was zwaarder, doelbewuster, het leek sneller geschreven – regel na regel, pagina's lang – en toen ik me er dieper overheen boog en de ruwe hanenpoten ontcijferde besefte ik met een heel opgewonden gevoel dat ik de eerste opzet voor de *Mud Man* voor me had liggen. Vijfenzeventig jaar na dato was ik getuige van de geboorte van een klassieker.

Ik sloeg de ene na de andere bladzijde om, mijn ogen vlogen over de tekst en verslonden hem, verrukt van de kleine veranderingen toen ik het geschrevene vergeleek met wat ik me van de gepubliceerde tekst herinnerde. Uiteindelijk was ik aan het slot en al wist ik dat ik het niet moest doen, ik legde mijn vlakke hand op de laatste bladzijde, sloot de ogen en concentreerde me op het schrift onder mijn vingers.

En toen voelde ik het: de smalle rand die langs de zijkant van de bladzijde omlaag liep, op een kleine drie centimeter van de buitenste kantlijn. Er was iets onder het leren kaft van het dagboek en de laatste bladzijde geschoven. Ik draaide het ondersteboven en daar zat het: een stug vel papier met geschulpte tanden langs de rand, het type papier dat je in een kostbare correspondentieset aantreft. Het was in tweeën gevouwen.

Was er ooit een kans dat ik het niet zou openen? Ik betwijfel het, ik had geen goede reputatie met het ongelezen laten van brieven en zodra ik het zag, dartelde er iets onder mijn huid. Ik voelde ogen op me gericht, ogen in de duisternis die me aanmoedigden er een blik op te werpen.

Het was keurig geschreven, maar verbleekt en ik moest het dicht bij de lamp houden om de woorden te onderscheiden. Hij ging midden in een zin door, dus was het één velletje van een lange brief:

> ... hoef je niet te vertellen dat het een schitterend verhaal is. Nog nooit eerder heeft een verhaal van jou deze lezer meegenomen op een dermate levendige reis. Het is warm geschreven en het verhaal zelf geeft met een bijna griezelig voorspellende kracht de eeuwige zoektocht weer van de mens om het verleden af te schudden en vroegere, betreurenswaardige handelingen achter zich te laten. Vooral het meisje Jane is een ontroerend personage en haar situatie op de rand van de volwassenheid is volmaakt beschreven.

> Maar onder het lezen van het manuscript viel me onwillekeurig op dat het verhaal grote overeenkomsten vertoont met een ander verhaal dat wij allebei goed kennen. Om die reden en wetend dat je een eerlijk en goed mens bent, moet ik je smeken, zowel voor mijn bestwil als de jouwe, om *The True History of the Mud Man* niet te publiceren. Jij weet net zo goed als ik dat het niet jouw verhaal is om te vertellen. Het is niet te laat om het manuscript terug te trekken. Als je het niet doet, vrees ik de verontrustende gevolgen...

Ik sloeg om maar verder was er niets. Ik doorzocht het dagboek naar de rest. Bladerde terug en hield het zelfs bij de rug om er zachtjes mee te schudden. Niets.

Maar wat had dat te betekenen? Welke overeenkomsten? Welk ander verhaal? En wie had het nodig gevonden die waarschuwing te uiten?

Geschuifel op de gang. Ik bleef stokstijf met gespitste oren zitten. Er kwam iemand aan. Mijn hart ging als een gek tekeer in mijn borstkas. De brief sidderde in mijn vingers.

Een fractie van een seconde was ik besluiteloos en toen stopte ik het in mijn aantekenboek en drukte het omslag plat. Ik wierp een blik over mijn schouder en zag net op tijd dat Percy Blythe met haar stok in de deuropening verscheen.

Een lange val

Ik kan niet zeggen hoe ik weer terug ben gekomen op de boerderij; ik herinner me geen seconde van de wandeling. Waarschijnlijk was het me gelukt afscheid van Saffy en Percy te nemen en vervolgens de heuvel af te struikelen zonder letsel op te lopen. Ik was als verdoofd, me volslagen onbewust van alles wat er plaatsvond tussen mijn vertrek uit het kasteel en het moment dat ik weer op mijn kamer was. Ik bleef maar aan die brief denken; de brief die ik had gestolen. Ik moest direct met iemand spreken. Als ik de inhoud juist interpreteerde – en de bewoording was niet bijzonder ingewikkeld – had iemand Raymond Blythe van plagiaat beschuldigd. Wie was die geheimzinnige persoon en aan welk eerder verhaal refereerde hij? Wie het ook mocht zijn, hij had aangegeven Raymond Blythes manuscript te hebben gelezen, wat inhield dat hij het verhaal gelezen en de brief geschreven had voordat het boek in 1918 werd uitgebracht. Dat feit beperkte de mogelijkheden, maar ik schoot er nog steeds niet veel mee op. Ik had geen idee aan wie het manuscript kon zijn toegezonden. Nou ja, ik had wel een idee; ik werk in de uitgeverswereld, dus wist ik dat het zou zijn gelezen door redacteuren, correctors en een aantal vertrouwelingen. Maar dat waren algemene termen; ik moest namen hebben, data en bijzonderheden voordat ik kon bepalen hoe serieus ik de beweringen in de brief moest nemen. Want als ze op waarheid berustten, had Raymond Blythe het verhaal van de Mud Man ontvreemd en waren de gevolgen kolossaal.

Het was het soort ontdekking waarvan onderzoekers en geschiedkundigen – en een herstellende vader in Barnes – alleen maar van dromen, een primeur die je carrière kon maken, maar ik was alleen maar misselijk. Ik wilde niet dat het waar was; ik wilde dat het een soort grap was, een misverstand zelfs. Mijn eigen verleden, mijn liefde voor boeken en lezen, was onlosmakelijk verbonden met de *Mud Man* van Raymond Blythe. Accepteren dat het nooit van hem was geweest, dat hij het had gepikt, dat het geen wortels had in de vruchtbare aarde van Milderhurst Castle, was niet alleen de ondergang van een literaire legende, het was een doffe, persoonlijke klap.

Dat mocht dan wel zo zijn, maar ik hád die brief nu eenmaal gevonden en ik wérd betaald om te schrijven over Raymond Blythes compositie van de *Mud Man* en vooral over de oorsprong ervan. Ik kon niet zomaar een aantijging van plagiaat negeren omdat die me niet aanstond. Vooral niet wanneer dat Raymond Blythes terughoudendheid om zijn inspiratie te bespreken voor zo'n groot deel leek te verklaren.

Ik had hulp nodig en ik wist precies bij wie ik moest zijn. Terug in de boerderij meed ik mevrouw Bird en ging ik rechtstreeks naar mijn kamer. Ik had de hoorn al in mijn hand voordat ik ging zitten. Mijn vingers struikelden over elkaar in hun haast om Herberts nummer in te toetsen.

De telefoon bleef maar overgaan en hield er toen mee op.

'Nee!' grauwde ik tegen de hoorn. Het ding staarde wezenloos terug.

Ik wachtte ongeduldig en probeerde het opnieuw en bleef maar naar die verre, eenzame beltoon luisteren. Ik beet op mijn nagels, las mijn aantekeningen en probeerde het vergeefs opnieuw. Ik overwoog zelfs mijn vader te bellen en liet me alleen weerhouden door de angst voor wat die opwinding voor zijn hart zou betekenen. En toen viel mijn blik op de naam Adam Gilbert op het transcript van het oorspronkelijke interview.

Ik belde, wachtte; geen antwoord. Ik probeerde het weer. 'Hallo, met mevrouw Button.'

Ik kon wel janken van blijdschap. 'Met Edie Burchill. Ik wil Adam Gilbert graag spreken.'

'Het spijt me, juffrouw Burchill. Meneer Gilbert is naar Londen voor zijn afspraak in het ziekenhuis.'

'O,' zei ik met een beverige zucht.

'Ik verwacht hem binnen een paar dagen terug. Ik kan de boodschap wel aannemen en hem vragen u te bellen zodra hij terug is, als u wilt?'

'Nee,' zei ik. Dat was te laat. Ik moest nú hulp hebben... En toch, het was beter dan niets. 'Ja, toch maar wel. Graag. Als u hem kunt zeggen dat het vrij belangrijk is. Dat ik denk dat ik iets heb gevonden wat te maken heeft met het mysterie dat we onlangs hebben besproken.'

Ik bracht de rest van de avond starend naar de brief door en tekende onontwarbare patronen in mijn aantekenboek. Ik bleef ook Herbert bellen en luisterde naar de fantoomstemmen die gevangen leken op die lege telefoonverbinding. Om elf uur aanvaardde ik uiteindelijk dat het te laat was om Herberts verlaten huis te stalken, dat ik voorlopig in mijn eentje met mijn probleem zat.

Toen ik de volgende dag uitgeput en slaperig naar het kasteel ging, had ik het gevoel dat ik geradbraakt was. Ik had de brief in de binnenzak van mijn jas gestopt en bleef mijn hand er maar in steken om te controleren of hij er nog zat. Ik kan niet precies zeggen waarom, maar toen ik mijn kamer uit liep, voelde ik me genoopt om de brief te pakken, hem veilig weg te stoppen en hem op mijn lichaam te dragen. Het was op de een of andere manier ondenkbaar om hem zomaar op mijn bureau te laten liggen. Een rationele beslissing was het niet. Ik was niet bang dat iemand anders er in de loop van de dag op zou stuiten; het was de vreemde en vurige overtuiging dat de brief bij mij hoorde, dat hij zich aan mij had geopenbaard, dat we nu op de een of andere manier met elkaar verbonden waren en dat het mij was toevertrouwd om zijn geheimen te ontrafelen.

Toen ik bij het kasteel aankwam, werd ik opgewacht door Percy Blythe, die deed alsof ze onkruid wiedde uit een plantenbak bij de trap naar de ingang. Ik zag haar voordat ze mij in het oog kreeg, daarom weet ik dat ze maar deed alsof. Tot vlak voor het moment waarop een sluipend zesde zintuig haar van mijn aanwezigheid bewust maakte, had ze rechtop gestaan, leunend tegen de stenen trap, met de armen om haar middel geslagen en de blik op oneindig. Ze was zo roerloos en bleek als een standbeeld, al was het niet het soort standbeeld dat de meeste mensen voor hun huis zouden zetten.

'Is Bruno al terecht?' riep ik, en ik verbaasde me erover dat ik betrekkelijk gewoon klonk.

Ze speelde met enig vertoon dat ze verrast was door mijn komst en wreef haar vingers tegen elkaar zodat er kleine stukjes aarde op de grond vielen. 'Nee. En mijn hoop is niet hooggespannen met deze kou.' Ze wachtte tot ik bij haar was en maakte vervolgens met een armgebaar duidelijk dat ik haar moest volgen. 'Kom.'

Binnen was het niet warmer dan buiten. Sterker nog, de stenen leken de koude lucht op de een of andere manier te vangen waardoor het hele kasteel er grauwer, donkerder en ongastvrijer uitzag dan ooit.

Ik verwachtte dat we door dezelfde gang naar de gele salon zouden gaan, maar in plaats daarvan ging Percy me voor naar een verborgen deurtje, verstopt achter een alkoof in de hal.

'De toren,' zei ze.

'O.'

'Voor je artikel.'

Ik knikte en daarna volgde ik haar omdat ze de smalle wenteltrap was opgegaan.

Met elke stap nam mijn ongemak toe. Het was waar wat Percy Blythe had gezegd, dat een bezoek aan de toren belangrijk was voor mijn artikel, en toch had haar voorstel om hem te laten zien iets ondefinieerbaar vreemds. Tot dan toe was ze heel terughoudend geweest tegenover gesprekken met haar zussen en het tonen van haar vaders dagboeken. Dat ze me die ochtend buiten in de kou opwachtte om me de torenkamer te laten zien zonder dat ik het eerst hoefde te vragen... Nou ja, onverwacht was het wel, en met onverwachte dingen word ik er niet rustiger op.

Ik hield me voor dat ik er te veel achter zocht: Percy Blythe had mij uitgekozen voor de taak om over haar vader te schrijven en ze was bijzonder trots op haar kasteel. Misschien was het wel zo eenvoudig. Of misschien had ze besloten dat ik, hoe sneller ik had gezien wat ik moest zien, hoe vlugger ik weer weg zou zijn en zij weer met rust gelaten zouden worden. Maar hoe logisch dat ook leek, het knagende gevoel was begonnen. Kon het zijn dat ze wist wat ik had gevonden?

We hadden een kleine overloop van ongelijke stenen bereikt; in de donkere muur zat een smalle schuttersgleuf en daardoor ving ik een glimp op van een brede strook Cardarker Wood, dat er heel indrukwekkend uitzag als je het in zijn geheel kon overzien, maar op de een of andere manier dreigend als je er maar een stukje van zag.

Percy Blythe duwde een smalle deur met een boogvormige bovenkant open. 'De torenkamer.'

Opnieuw deed ze een stap opzij om mij voor te laten gaan. Ik ging behoedzaam naar binnen en bleef midden in de kleine, ronde kamer staan op een versleten kleed met zwarte tinten. Het eerste wat ik zag, was dat er vers brandhout in de open haard klaarlag, waarschijnlijk ter voorbereiding op ons bezoek.

'Zo,' zei ze, terwijl ze de deur achter ons sloot. 'Nu zijn we alleen.'

Mijn hart ging sneller kloppen, al kon ik niet precies zeggen waarom. Mijn angst sloeg nergens op. Ze was een oude vrouw die zojuist haar schaarse energie had verbruikt om de trap op te lopen. Als het op een handgemeen aankwam, wist ik vrij zeker dat ik zou winnen. Maar toch. Er was iets in de schittering van haar ogen, een geest die sterker was dan haar lichaam. En het enige wat ik kon denken was dat het een akelig lange val was van die kamer naar de grond en dat er al heel wat mensen waren gestorven door een smak uit dat raam daar...

Gelukkig kon Percy Blythe niet gedachten lezen, om daar het soort verschrikkingen te zien dat in melodramatische fictie thuishoort. Ze draaide een beetje met haar polsen en zei: 'Hier is het dan. Hier werkte hij.'

Toen ze dat zei, kon ik eindelijk vanonder mijn eigen bedrukte gedachten vandaan kruipen en tot me door laten dringen dat ik midden in de toren van Raymond Blythe stond. Op deze boekenplanken, die de ronding van de muren volgden, bewaarde hij zijn lievelingsboeken; bij die open haard had hij overdag en 's avonds aan zijn boeken zitten werken. Mijn vingers gleden over het bureau waaraan hij de *Mud Man* had geschreven.

De brief fluisterde op mijn huid: als hij dat boek inderdaad zelf heeft geschreven.

Percy Blythe streek een lucifer af om het vuur aan te maken. 'Achter het deurtje in de hal beneden is een kamer. Vier verdiepingen naar beneden, maar recht onder de toren. Toen we klein waren, gingen Saffy en ik daar wel eens zitten wanneer papa aan het werk was...' Ze was zeldzaam mededeelzaam en ik moest haar wel aankijken toen ze sprak. Ze was klein, mager en flets en toch school er diep in Percy Blythe een bepaalde kracht – een sterk karakter misschien? – waardoor je werd aangetrokken als een mot door het licht. Alsof ze mijn belangstelling voelde, trok ze zich weer terug; dat scheve lachje gleed over haar gezicht en ze rechtte de rug. Ze gooide de gebruikte lucifer in het vuur en zei alleen maar: 'Gaat uw gang. Kijk maar wat rond.'

'Dank u.'

'Maar niet te dicht bij het raam komen. Het is een lange val.'

Ik glimlachte als een boer die kiespijn heeft en nam de kamer in me op. De boekenplanken waren inmiddels leeg. Waarschijnlijk stonden de meeste boeken nu op de schappen in de wapenkamer, maar aan de wand hingen nog altijd ingelijste reproducties. Vooral één daarvan trok mijn aandacht. Ik kende het werk, het was *De Slaap van de Rede* van Goya. Ik keek even naar de menselijke figuur die op de voorgrond over zijn bureau hing, zo te zien in wanhoop, terwijl boven hem een zwerm vleermuisachtige wezens fladderde, voortgekomen uit en zich voedend met zijn slapende geest.

'Die was van mijn vader,' zei Percy. Ik schrok van haar stem, maar draaide me niet om en toen ik nog eens naar de reproductie keek, was mijn perceptie veranderd zodat ik in het glas mijn eigen donkere spiegelbeeld zag en dat van haar achter me. 'We waren er doodsbenauwd voor.'

'Dat kan ik me indenken.'

'Papa vond dat bang zijn dwaasheid was. Dat we er beter lering uit konden trekken.'

'Wat voor lering?' Ik draaide me om.

Ze raakte de stoel bij het raam aan.

'O, nee, ik...' Weer zo 'n slap glimlachje. 'Ik blijf liever staan.'

Percy knipperde een paar keer met haar ogen en even dacht ik dat ze zou aandringen. Maar dat deed ze niet. Ze zei alleen maar: 'De lering dat wanneer de rede slaapt, de monsters van de repressie vrijkomen, juffrouw Burchill.'

Mijn handen waren klam en de warmte trok langs mijn armen omhoog. Ze had mijn gedachten toch niet gelezen? Ze kon hoegenaamd geen weet hebben van de monsterlijke dingen die er na de vondst van de brief door me heen waren gegaan, zoals de morbide fantasie dat ik uit het raam werd geduwd.

'Goya was wat dat aangaat wat eerder dan Freud.'

Ik glimlachte een beetje wrang en toen voelde ik hoe de warmte mijn wangen bereikte en wist ik dat ik de spanning en heimelijkheid niet langer kon verdragen. Dit soort spelletjes was niets voor mij. Als Percy Blythe wist wat ik in de wapenkamer was tegengekomen, als ze wist dat ik het had meegenomen en dat ik natuurlijk nader onderzoek wilde doen; als dit allemaal een ingewikkelde manoeuvre was om mij m'n bedrog te laten toegeven en om met alle mogelijke middelen te voorkomen dat ik haar vaders leugen aan het licht zou brengen, was ik er klaar voor. Sterker nog, ik wilde de eerste klap uitdelen. 'Juffrouw Blythe,' zei ik. 'Gisteren heb ik iets gevonden, in de wapenkamer.'

Er verscheen een vreselijke uitdrukking op haar gezicht, ze verbleekte direct en totaal. Even vlug als die was verschenen, lukte het haar die weer te onderdrukken. Ze knipperde met de ogen. 'Nou? Ik vrees dat ik het niet kan raden, juffrouw Burchill. U zult me moeten vertellen wat het is.'

Ik haalde de brief uit de binnenzak van mijn jack en probeerde mijn vingers stil te houden toen ik hem aanreikte. Ze diepte haar leesbril op uit haar zak, hield hem voor haar ogen en liet haar blik over de tekst dwalen. De tijd vertraagde tot een eeuwigheid. Ze liet haar vingertoppen licht over het papier glijden. 'Ja,' zei ze. 'Ik begrijp het.' Ze leek bijna opgelucht, alsof mijn ontdekking niet was wat ze had gevreesd.

Ik wachtte tot ze zou doorgaan en toen duidelijk was dat ze dat niet van plan was, zei ik: 'Ik maak me nogal bezorgd...' Het was zonder meer het moeilijkste gesprek dat ik ooit had moeten beginnen. 'Begrijpt u, als er enige twijfel bestaat dat de *Mud Man* is...' Ik kon mezelf er niet toe brengen om 'gestolen' te zeggen. 'Als de kans bestaat dat uw vader het al elders had gelezen...' Ik slikte, de kamer werd een beetje wazig voor mijn ogen. '... zoals de brief doet vermoeden, zal de uitgever dat willen weten.'

Ze vouwde de brief heel voorzichtig en netjes op en pas toen ze daarmee klaar was, zei ze: 'Laat me u geruststellen, juffrouw Burchill. Mijn vader heeft elk woord van dat boek zelf geschreven.'

'Maar die brief dan... Weet u dat zeker?' Ik had een grote fout gemaakt door het haar te vertellen. Wat had ik gehoopt te bereiken? Dat ze open kaart met me zou spelen? Mij haar zegen zou geven om onderzoek te doen dat haar vader van zijn literaire geloofwaardigheid zou beroven? Het was natuurlijk vanzelfsprekend dat zijn dochter hem zou steunen, vooral een dochter als Percy.

'Heel zeker, juffrouw Burchill,' zei ze en ze keek me recht aan. 'Ik heb deze brief namelijk zelf geschreven.'

'Ú?'

Een kort knikje.

'Maar waarom? Waarom hebt u zoiets geschreven?' Vooral als het waar was dat elk woord van hem was.

Er lag weer kleur op haar gezicht en haar ogen sprankelden. Haar energie was een stuk beter, bijna alsof ze smulde van mijn verwarring. Ze keek me aan met een sluwe blik, een blik waaraan ik gewend begon te raken, een blik die deed vermoeden dat ze meer te vertellen had dan ik had gevraagd. 'Ik neem aan dat er in het leven van ieder kind een ogenblik komt waarop de sluier wordt opgetild en het zich ervan bewust wordt dat hun ouders niet immuun zijn voor de ernstigste menselijke zwakheden. Dat ze niet onoverwinnelijk zijn. Dat ze soms dingen uit eigenbelang doen, om hun eigen monsters te voeden. We zijn van nature een egoïstisch soort, juffrouw Burchill.'

Mijn gedachten ploeterden rond in een diepe, ondoorzichtige soep. Ik wist niet goed wat het een met het ander te maken had, maar ik nam aan dat het sloeg op de vreselijke consequenties die de brief voorspelde. 'Maar die brief dan...'

'Die brief is niets,' snauwde ze met een handgebaar. 'Niet meer. Die is irrelevant.' Ze keek er even naar en haar gezicht leek als een bioscoopscherm te flakkeren, alsof er een film van vijfenzeventig jaar geleden op werd geprojecteerd. Met een plotselinge beweging gooide ze hem in het vuur, waar hij sissend verbrandde en ze verstrakte even. 'Toevallig had ik het mis. Het was wél zijn verhaal.' Ze glimlachte wrang, een tikje zwartgallig. 'Ook al wist hij dat toen niet.'

Ik was volkomen confuus. Hoe kon het dat hij niet wist dat het zijn verhaal was, en hoe kon zij er anders over hebben gedacht? Dat sloeg nergens op.

'In de oorlog heb ik een keer een meisje gekend.' Percy Blythe was op de stoel aan haar vaders bureau gaan zitten, leunde naar achteren en vervolgde: 'Ze werkte voor het kabinet en kwam Churchill regelmatig op de gang tegen. Er hing een bord dat hij daar had laten ophangen. Daarop stond: *Begrijp goed dat er in dit huis geen depressie heerst en dat we geen belangstelling hebben voor de kans op een nederlaag. Die bestaat namelijk niet.*' Ze bleef even met opgeheven kin en ietwat samengeknepen ogen zitten. Haar eigen woorden hingen nog om haar heen. Door de rook leek het bijna alsof ze met haar keurige kapsel, fijn besneden gezicht en haar zijden blouse weer terug was in de Tweede Wereldoorlog. 'Wat vindt u daarvan?'

Ik ben niet goed in dat soort spelletjes, ik ben het nooit geweest ook, vooral niet met raadsels die geen enkel verband houden met de rest van het gesprek. Ik haalde ongelukkig mijn schouders op.

'Juffrouw Burchill?'

Ik moest denken aan een statistisch gegeven, iets wat ik een keer had gehoord of gelezen over de wijze waarop zelfmoordcijfers in oorlogstijd sterk dalen; mensen hebben het te druk met overleven om erbij stil te staan hoe ongelukkig ze zijn. 'Ik denk dat het in oorlogstijd anders is,' zei ik, niet bij machte de nervositeit in mijn stem te bedwingen. 'Volgens mij gelden er dan andere regels. Ik stel me zo voor dat depressiviteit in de oorlog gelijkstaat aan verslagen worden. Misschien bedoelde Churchill dat.'

Ze knikte en er speelde een trage glimlach om haar lippen. Ze maakte het me met opzet moeilijk en ik begreep niet waarom. Ik was op haar verzoek naar Kent gekomen, maar haar zussen mocht ik niet interviewen, ze gaf geen rechtstreeks antwoord op mijn vragen, ze gaf de voorkeur aan kat-en-muisspelletjes waarin ik altijd de prooi moest spelen. Ze had net zo makkelijk Adam Gilbert aan het project kunnen laten. Hij had zijn interviews gedaan, hij hoefde hen niet nog een keer lastig te vallen. Dus was het een teken van mijn opperste ongemak en frustratie toen ik vroeg: 'Waarom hebt u mij gevraagd te komen, juffrouw Blythe?'

Eén littekenachtige wenkbrauw schoot omhoog.

'Pardon?'

'Judith Waterman van Pippin Books zei dat u had gebeld. Dat u specifiek naar mij had gevraagd.'

Er trok iets in haar mondhoek en ze keek me recht aan; je beseft niet hoe zeldzaam dat is tot iemand het doet: zonder een spier te vertrekken recht in je ziel kijken. 'Ga zitten,' zei ze, alsof ze het tegen een hond of een ongehoorzaam kind had en de woorden klonken zo koel dat ik er niets tegen inbracht. Ik keek naar de dichtstbijzijnde stoel en deed precies wat ze van me verlangde.

Ze tikte met een sigaret op het bureau en stak hem aan. Ze nam een lange haal en keek me aan terwijl ze de rook uitblies. 'Jij bent anders,' zei ze, terwijl ze haar andere pols op schoot legde en achteroverleunde om me beter te kunnen opnemen.

'Ik weet niet wat u precies bedoelt.'

Ze keek me met samengeknepen ogen aan en haar waterige ogen namen me analyserend van top tot teen op met een intensiteit waarvan ik moest huiveren. 'Inderdaad. U bent minder opgewekt dan de vorige keer, dan tijdens uw laatste bezoek.'

Daar kon ik niets tegen inbrengen. 'Dat klopt,' zei ik. Mijn armen dreigden om me heen te gaan slaan, dus sloeg ik ze over elkaar. 'Dat spijt me.'

'Dat is nergens voor nodig,' zei Percy terwijl ze haar kin en sigaret ophief. 'Zo zie ik u liever.'

Natuurlijk. En voordat ik me geconfronteerd zag met de onmogelijkheid van een repliek, keerde ze terug naar mijn aanvankelijke vraag. 'Ik heb in eerste instantie naar u gevraagd omdat mijn zus geen onbekende in huis tolereert.'

'Maar meneer Gilbert had zijn interviews al klaar. Hij hoefde niet terug naar Milderhurst Castle als Juniper dat niet wilde.'

De sluwe glimlach verscheen weer op haar gezicht. 'U bent scherpzinnig. Mooi. Dat hoopte ik al. Na onze kennismaking was ik daar niet zo zeker van en ik zat niet op een imbeciel te wachten.'

Ik werd verscheurd tussen 'Dank u' en 'Krijg maar wat' maar verkoos een koele glimlach.

'Wij kennen niet veel mensen meer,' zei ze terwijl ze rook uitblies. 'En toen u op bezoek kwam en dat mens van Bird vertelde dat u bij een uitgeverij werkt... Nou, toen ging ik nadenken. Vervolgens vertelde u dat u geen broers of zussen had.'

Ik knikte en probeerde de logica van haar uitleg te volgen.

'En toen nam ik de beslissing.' Ze nam weer een trekje en zocht met enig vertoon een asbak. 'Ik wist dat u niet bevooroordeeld was.'

Ik voelde me steeds minder scherpzinnig worden. 'Ten opzichte waarvan?'

'Van ons.'

'Juffrouw Blythe, ik ben bang dat het me ontgaat wat dit alles te maken heeft met het artikel dat ik moet schrijven; met uw vaders boek en uw herinneringen aan de publicatie.'

Ze maakte een ongeduldig gebaar en er viel as op de grond. 'Niets. Niets. Het heeft daar helemaal niets mee te maken. Het heeft te maken met wat ik u ga vertellen.'

Kreeg ik het op dat moment, dat dreigende onderhuidse gevoel? Mis-schien was het alleen maar de koude herfsttocht die opeens onder de dedoor naar binnen kwam en zo aan het slot rammelde dat de sleutel op de grond viel. Percy sloeg er geen acht op en ik probeerde dat evenmin te doen. 'Met wat u me gaat vertellen?'

'Iets wat rechtgezet moet worden voordat het te laat is.'

'Te laat waarvoor?'

'Ik ben stervende.' Ze knipperde met die gebruikelijke kille openhartigheid met haar ogen.

'Wat verschrikke...'

'Ik ben oud. Zo gaat dat nu eenmaal. U kunt me uw neerbuigende medeleven besparen, want dat is onnodig.' Haar gezicht onderging een verandering als wolken die langs een winterse hemel jagen en het laatste zwakke licht van de zon verbergen. Ze zag er oud en moe oud. En ik zag dat ze de waarheid sprak, ze was stervende. 'Ik ben niet helemaal eerlijk geweest toen ik die vrouw, die uitgever belde en om u vroeg. Het spijt me van het ongemak dat ik die andere knaap heb bezorgd. Ik twijfel er geen moment aan dat hij uitstekend werk zou hebben geleverd. Hij was heel professioneel. Toch kon ik niets anders bedenken. Ik wilde dat u zou komen en wist niet hoe ik dat anders kon bewerkstelligen.'

'Maar waarom?' Er was iets nieuws in haar manier van doen, iets gejaagds waarvan ik oppervlakkig ging ademen. Mijn nekharen stonden overeind, van de kou, maar ook van iets anders.

'Ik heb een verhaal. Ik ben de enige die het weet. Ik ga het u vertellen.'

'Waarom?' Het was amper meer dan een fluistering, dus ik hoestte en vroeg het opnieuw: 'Waarom?'

'Omdat het verteld moet worden. Omdat ik waarde hecht aan correcte geschiedschrijving. Omdat ik er de tijd niet meer voor heb.' Verbeeldde ik het me dat ze een blik op de monsters van Goya wierp?

'Maar waarom aan mij?'

Ze knipperde met de ogen. 'Om wie u bent, natuurlijk. Om wie uw moeder was.' Er verscheen een zweem van een glimlach en ik kreeg de indruk dat ze een zeker genoegen uit dit gesprek putte, misschien door de macht die ze over mijn onwetendheid uitoefende. 'Het was Juniper die er de vinger op legde. Ze noemde u Meredith. Toen besefte ik het. En toen wíst ik ook dat u het moest zijn.'

Het bloed trok uit mijn gezicht en ik schaamde me als een kind dat op leugens tegen zijn onderwijzer wordt betrapt. 'Het spijt me heel erg dat ik er niets over heb gezegd, ik dacht alleen...'

'Uw redenen interesseren me niet. We hebben allemaal onze geheimen.'

Ik slikte de rest van mijn verontschuldiging in voordat hij over mijn lippen tuimelde.

'U bent de dochter van Meredith,' vervolgde ze en ze ging iets sneller praten. 'Dat betekent dat u zo goed als familie bent. En dit is tenslotte een familieverhaal.'

Het was het laatste wat ik uit haar mond verwachtte te horen en ik stond perplex. Iets vanbinnen klopte met een verheugd soort empathie met mijn moeder, die dol op deze plek was geweest en die zich zo lang zo slecht bejegend had gewaand. 'Maar wat wilt u dat ik doe?' vroeg ik. 'Met uw verhaal, bedoel ik.'

'Ermee doen?'

'Wilt u dat ik het opschrijf?'

'Niet echt. Niet opschrijven, maar rechtzetten. Ik moet daarop vertrouwen...' Ze wees scherp met een vinger, maar het strenge gebaar werd afgezwakt toen het gezicht erachter zich ontspande. 'Kan ik u vertrouwen, juffrouw Burchill?'

Ik knikte, ook al bezorgde haar manier van doen me ernstige twijfels over wat ze precies van me verlangde.

Even keek ze opgelucht, maar daarna was ze weer haar oude zelf. 'Welaan dan,' zei ze kortaf, terwijl ze naar het raam keek waaruit haar vader naar zijn dood was gevallen. 'Ik hoop dat u het zonder lunch kunt stellen, want er is geen tijd te verliezen.'

Het verhaal van Percy Blythe

Percy Blythe begon met een verontschuldiging. 'Ik ben geen goede verhalenverteller,' zei ze terwijl ze een lucifer afstreek, 'zoals de rest. Ik heb maar één verhaal. Luister goed, ik vertel het niet nog een keer.' Ze stak haar sigaret op en leunde naar achteren. 'Ik heb gezegd dat dit niets met de *Mud Man* te maken heeft, maar dat is niet juist. Hoe je het ook wendt of keert, dit verhaal begint en eindigt met dat boek.'

De wind reikte door de schoorsteen om met het vuur te spelen en ik sloeg mijn aantekenboek open. Ze zei dat dit onnodig was, maar ik had een vreemd onrustig gevoel dat een beetje tot bedaren kwam nu ik me achter de crèmekleurige bladzijden met hun zwarte regels kon verstoppen.

'Mijn vader heeft ons ooit verteld dat kunst de enige vorm van onsterfelijkheid is. Dat was het soort dingen dat hij zei, iets wat hij van zijn moeder had, denk ik. Zij was een begenadigd dichteres en een grote schoonheid, maar ze was geen hartelijk mens. Ze had wrede trekjes. Niet opzettelijk, het kwam door haar talent. Zij bezorgde mijn vader allerlei rare ideeën.' Percy's mond vertrok en ze stopte even om een lok in haar nek glad te strijken. 'Hij had het trouwens mis. Er is nog een soort onsterfelijkheid die veel minder populair of gevierd is.'

Ik boog me iets naar voren en wachtte tot ze het zou vertellen, maar dat gebeurde niet. Die stormachtige middag zou ik gewend raken aan de plotselinge wendingen in haar gespreksonderwerpen, aan de manier waarop ze haar schijnwerper op een bepaald tafereel richtte om het tot leven te wekken om daarna abrupt haar aandacht op iets anders te richten.

'Ik weet vrij zeker dat mijn ouders ooit gelukkig zijn geweest,' zei ze, 'voordat wij werden geboren. Maar er zijn twee soorten mensen in de wereld: zij die genieten van het gezelschap van kinderen en zij die dat niet doen. Mijn ader hoorde bij de eerste groep. Toen Saffy en ik waren geboren, stond hij f te kijken van de kracht van zijn liefde, denk ik.' Ze wierp een blik op het derij van Goya en er trok een spiertje in haar hals. 'Toen wij klein waren, de Eerste Wereldoorlog, voordat hij dat boek schreef, was hij een ander mens. Hij was een ongewoon mens voor zijn tijd en klasse. Hij aanbad ons, begrijpt u. Het was nooit louter genegenheid, hij vond ons gezelschap verrukkelijk en andersom ook. We werden verwend. Niet met spullen, al was daar zeker geen gebrek aan, maar met zijn aandacht en zijn vertrouwen. In zijn ogen konden wij niets verkeerd doen en zo koesterde hij ons dan ook. Volgens mij is het niet gezond voor kinderen om het object van dergelijke blinde verering te zijn... Wilt u een glaasje water, juffrouw Burchill?'

Ik knipperde met mijn ogen. 'Nee. Nee, dank u.'

'Ik wel als u het niet erg vindt. Mijn keel...' Ze legde haar sigaret op de asbak, pakte een kan uit een lage kast en vulde een tumbler van geslepen glas. Ze nam een grote slok en ik zag dat haar vingers ondanks haar heldere, effen stem beefden. 'Hebben uw ouders u verwend toen u klein was, juffrouw Burchill?'

'Nee,' zei ik. 'Dat geloof ik niet.'

'Dat denk ik ook niet. U straalt ook niet uit dat u als kind op uw wenken bent bediend en tot het middelpunt van de wereld werd verheven.' Haar blik dreef weer af naar het raam waarachter het weer steeds grauwer werd. 'Papa nam ons tweeën altijd mee in een oude kinderwagen, die van hem was geweest toen hij een baby was, op lange wandelingen rond het dorp. Toen we ouder werden, liet hij de kok uitgebreide picknickmanden samenstellen, verkenden we gedrieën de bossen en landerijen, vertelde hij ons verhalen en besprak hij vraagstukken die ernstig en schitterend leken. Dat dit ons thuis was, dat de stemmen van onze voorouders altijd tegen ons zouden spreken, dat we nooit alleen konden zijn zolang we maar binnen bereik van het kasteel bleven.' Er waarde een zweem van een glimlach om haar lippen. 'In Oxford was hij geweldig in talen, de oude talen, en hij was vooral dol op het Angelsaksisch. Hij maakte vertalingen voor zijn eigen plezier en vanaf heel jonge leeftijd mochten we hem helpen. Meestal hierboven in de toren, maar soms ook in de tuin. Op een middag lagen we met zijn drieën op een picknickkleed met het gezicht naar het kasteel en las hij ons voor uit *The Wanderer*. Het was een perfecte dag. Die zijn zeldzaam, en je kunt je die maar beter goed heugen.' Ze dacht even na en haar gezicht ontspande zich een beetje naarmate ze dieper in de herinnering weggleed. Toen ze uiteindelijk weer het woord nam, klonk ze een beetje schril. 'De Angelsaksen hadden een talent voor droefheid en verlangen, en voor heroïek natuurlijk. Kinderen zijn vermoedelijk geneigd tot alle drie. *Seledreorig*.' Het woord gonsde als een bezwering door de ronde kamer. 'Verdriet vanwege het ontbreken van een thuis,' zei ze. 'Het Engels kent zo'n woord niet, en toch zou het er eigenlijk moeten zijn... Kijk nou, ik dwaal al weer af.'

Ze ging wat rechtop zitten en wilde haar sigaret pakken, maar die was inmiddels helemaal opgebrand. 'Zo is het verleden nu eenmaal,' zei ze, terwijl ze een verse sigaret aan het pakje ontworstelde. 'Het probeert je altijd weg te lokken.' Ze streek een lucifer af, nam een ongeduldige trek en tuurde naar me door de rook. 'Ik zal voortaan beter opletten.' Het vlammetje doofde snel, als om dat voornemen te onderstrepen. 'Voor mijn moeder was het een hele worsteling om ons ter wereld te brengen, en toen ze dat gedaan had, werd ze geteisterd door zo'n diepe depressie dat ze zich nauwelijks van haar bed kon verheffen. Toen ze eindelijk was hersteld, kwam ze erachter dat haar gezin niet op haar zat te wachten. Haar kinderen verstopten zich achter hun vaders benen als ze hen wilde vasthouden en schreeuwden moord en brand als ze te dichtbij kwam. We kregen ook de gewoonte woorden uit een andere taal te gebruiken, woorden die papa ons had geleerd, zodat ze ons niet kon verstaan. Hij vond dat leuk en moedigde ons aan, want dat vroegrijpe gedrag verrukte hem. Wat een verschrikking moeten we zijn geweest. We kenden haar amper, ziet u. We weigerden in haar gezelschap te zijn, we wilden alleen maar bij papa zijn en hij bij ons, en dus werd ze eenzaam.'

Eenzaam. Ik wist niet of een woord ooit zo onheilspellend had geklonken als die ene op Percy Blythes lippen. Ik moest denken aan de daguerreotypen van Muriel Blythe die ik in de wapenkamer had gezien. Toen vond ik het vreemd dat ze op zo'n donkere, vergeten plek hingen; nu leek het me zonder meer dreigend. 'Wat gebeurde er?'

Ze keek me scherp aan. 'Alles op z'n tijd.'

Buiten klonk een donderslag en Percy keek naar het raam. 'Onweer,' zei ze met weerzin. 'Net wat we nodig hebben.'

'Zal ik het raam dichtdoen?'

'Nee, nog niet. Ik geniet van de frisse lucht.' Ze keek fronsend naar de vloer en nam een trekje. Ze moest haar gedachten ordenen en toen ze dat had gedaan, keek ze me aan. 'Mijn moeder nam een minnaar. Wie kon het haar kwalijk nemen? Mijn vader had hen bij elkaar gebracht, hoewel niet met opzet. Dit is niet zo'n soort verhaal. Hij probeerde iets goed te maken. Hij moest hebben geweten dat hij haar had genegeerd en hij liet uitgebreide verbeteringen aanbrengen aan het kasteel en de tuin. Voor de ramen op de parterre werden luiken aangebracht die haar deden denken aan die van het Europese vasteland, en de slotgracht werd verbeterd. Het graafwerk duurde heel lang en Saffy en ik plachten vanuit het zolderraam toe te kijken. De architect heette Sykes.'

'Oliver Sykes.'

Ze keek verrast. 'Goed zo, juffrouw Burchill. Ik wist dat u scherpzinnig was, maar die architectonische eruditie had ik niet achter u gezocht.'

Ik schudde mijn hoofd en legde uit dat ik *Raymond Blythe's Milderhurst* had gelezen. Wat ik er niet bij vertelde, was dat ik ook wist van Raymond Blythes nalatenschap aan het Pembroke Farm Institute. Wat natuurlijk wilde zeggen dat hij niets van de verhouding had geweten.

'Papa wist er niet van,' zei ze, alsof ze mijn gedachten had gelezen. 'Maar wij wel. Kinderen weten zulke dingen. Maar het kwam nooit bij ons op om het tegen hem te zeggen. Wat ons aanging hoorden wij bij zijn wereld en interesseerden moeders activiteiten hem even weinig als ons.' Ze ging verzitten en haar blouse rimpelde. 'Ik ben niet het type dat snel ergens spijt van heeft, juffrouw Burchill, maar toch zijn we allemaal verantwoordelijk voor ons eigen gedrag en nadien heb ik me dikwijls afgevraagd of dat het ogenblik was waarop de kaarten voor de familie Blythe geschud werden, zelfs voor diegenen die nog geboren moesten worden. Of het allemaal anders zou zijn gelopen als Saffy en ik hem hadden verteld dat we mama en die man samen hadden gezien.'

'Waarom?' Dwaas van me om haar gedachtegang te onderbreken, maar het was eruit voor ik het wist. 'Waarom zou het beter zijn geweest als u het hem had verteld?' Ik had me haar koppige trekje moeten herinneren dat het niet had op onderbrekingen.

Ze stond op, drukte haar handen tegen haar onderrug en duwde haar bekken naar voren. Ze nam een laatste trekje van haar sigaret, drukte hem uit in de asbak en liep stram naar het raam. Vanwaar ik zat, zag ik de donkere, zware regenwolken hangen, maar ze kneep haar ogen samen en tuurde naar het licht dat in de verte nog boven de horizon trilde. 'Die brief die u hebt gevonden,' zei ze terwijl het gerommel van de donder dichterbij kwam. 'Ik wist niet dat papa die had bewaard, maar ik ben blij dat hij het heeft gedaan. Het heeft me veel moeite gekost om hem te schrijven, want hij was zo opgewonden over het manuscript, over het verhaal. Toen papa van het front terugkeerde, was hij een schaduw van zichzelf. Zo mager als een kachelpijp, en met een afschuwelijk glazige, lege blik. Meestal werd het ons belet om hem te bezoeken. Dat stoorde te veel, zeiden de zusters. Maar we slopen toch naar binnen door de aderen van het kasteel. Dan zat hij bij het raam naar buiten te kijken en toch zag hij niets, en hij sprak over een grote leegte vanbinnen. Zijn hersens jeukten om weer creatief aan het werk gezet te worden, zei hij, maar als hij een pen in zijn handen had, wilde er niets komen. "Ik ben leeg," zei hij telkens maar weer en hij had gelijk. Echt. Dus je kunt je wel voorstellen hoe opwindend en genezend het was toen hij begon aan de aantekeningen die zouden uitgroeien tot de *Mud Man*.'

Ik knikte, moest aan de dagboeken beneden denken, aan het veranderde schrift, zwanger van zelfvertrouwen en doelbewustheid, van de eerste tot de laatste regel.

Het bliksemde en Percy Blythes gezicht vertrok. Ze wachtte tot de navolgende donderslag. 'De woorden in dat boek waren van hem, juffrouw Burchill; hij had alleen het idee gestolen.'

Van wie, wilde ik uitroepen, maar deze keer beet ik op mijn tong.

'Het deed me pijn om die brief te schrijven, om zijn enthousiasme te temperen terwijl het project hem juist zoveel goed deed, maar ik kon niet anders.' Het begon opeens te stortregenen. 'Kort na papa's terugkeer uit Frankrijk liep ik roodvonk op en werd ik weggestuurd om te herstellen. Tweelingen doen het niet goed in hun eentje, juffrouw Burchill.'

'Het moet vreselijk zijn geweest...'

'Saffy,' vervolgde ze alsof ze was vergeten dat ik er was, 'heeft van ons tweeën altijd de meeste verbeelding gehad. In dat opzicht waren we een evenwichtig stel. Illusie en realiteit werden in de hand gehouden. Maar van elkaar gescheiden verscherpten we allebei tot tegengestelden.' Ze rilde en deed een stap naar achteren; regendruppels vielen op de vensterbank. 'Mijn tweelingzus had vreselijk last van een bepaalde nachtmerrie. Dat zie je wel vaker bij mensen met veel verbeelding.' Ze wierp een blik op mij. 'Het zal u opvallen dat ik niet van "nachtmerries" spreek. Er is er ooit maar één geweest.'

Het noodweer buiten had het laatste daglicht opgeslokt en de torenkamer verviel tot duisternis. Alleen de oranje gloed van het haardvuur zorgde voor een grillige verlossing. Percy liep weer naar het bureau en knipte de lamp aan. Het licht viel groen door het gekleurde glas en wierp donkere schaduwen onder haar ogen. 'Ze droomde al sinds haar vierde van hem. Dan werd ze 's nachts schreeuwend wakker, badend in het zweet, ervan overtuigd dat er een man uit de modder van de slotgracht was geklommen om haar te komen halen.' Percy hield het hoofd ietsje schuin en haar jukbeenderen tekenden zich scherp af. 'Ik kalmeerde haar altijd. Ik zei dat het maar een droom was, dat haar niets kon overkomen zolang ik bij haar was.' Ze ademde schor uit. 'Wat allemaal goed en wel was tot juli 1917.'

'Toen u werd weggestuurd met roodvonk.'

Een knikje, zo licht dat ik het me had kunnen verbeelden.

'Dus vertelde ze het aan uw vader.'

'Toen ze hem trof, verstopte hij zich net voor de zusters. Ze zal ongetwijfeld heel overstuur zijn geweest – Saffy hield zich nooit zo in – en hij vroeg wat eraan scheelde.'

'En daarna schreef hij het op.'

'Haar demon was zijn verlosser. Althans in het begin. Hij leefde helemaal op van het verhaal en praatte eindeloos met haar, op zoek naar bijzonderheden. Ze vond zijn aandacht ongetwijfeld strelend en toen ik uit het ziekenhuis werd ontslagen, was er veel veranderd. Papa was opgewekt, hersteld en bijna extatisch, en hij en Saffy hadden een geheim. Geen van beiden zei iets over de *Mud Man* tegen mij. Pas toen ik een proefdruk van *The True History of the Mud Man* zag liggen, hier op deze tafel, kon ik raden wat er was gebeurd.'

Het goot van de regen en ik schoof iets dichter naar het raam om het te horen. 'En dus schreef u die brief.'

'Ik besefte natuurlijk dat het voor Saffy verschrikkelijk zou zijn als hij het zou publiceren. Maar hij was niet voor rede vatbaar en moest de rest van zijn leven de consequenties dragen.' Haar aandacht gleed weer naar de Goya. 'Het schuldgevoel over wat hij had gedaan, zijn zonde.'

'Omdat hij Saffy's nachtmerrie had gestolen,' zei ik. Zonde was misschien een beetje overdreven, maar ik begreep zeker hoe zoiets van invloed kon zijn op een jong meisje, vooral een meisje met een hang naar het fantastische. 'Hij stuurde het de wereld in en schonk hem nieuw leven. Hij maakte het echt.'

Percy lachte, het was een wrang, metalig geluid dat me de kriebels gaf. 'O, juffrouw Burchill, hij deed meer dan dat. Hij blies de droom leven in, alleen wist hij dat toen nog niet.'

De donder rolde op de toren af en het lamplicht verzwakte. Maar het tegendeel gold voor Percy Blythe. Ze was op dreef en ik boog me naar voren om te horen wat ze precies bedoelde, wat Raymond Blythe in 's hemelsnaam gedaan kon hebben om Saffy's nachtmerrie weer nieuw leven in te blazen. Ze stak een verse sigaret op. Haar ogen fonkelden en misschien rook ze mijn nieuwsgierigheid, want ze ging op iets anders over. 'Moeder hield haar verhouding bijna een jaar lang geheim.'

Ik ervoer de verandering van onderwerp als een lichamelijke klap en werd moedeloos. Ik deed het nogal opvallend, want het ontging mijn gastvrouw niet. 'Stel ik u teleur, juffrouw Burchill?' snauwde ze. 'Dit is het verhaal van de geboorte van de *Mud Man*. Een hele primeur, weet u. We hebben allemaal meegewerkt aan de schepping ervan, zelfs moeder, hoewel zij al dood was voor de droom was gedroomd of het boek was geschreven.' Ze veegde wat as van haar blouse en vatte de draad weer op. 'Moeders verhouding bleef voortduren en papa had geen flauw idee. Tot hij op een avond eerder dan verwacht uit Londen thuiskwam. Hij had goed nieuws, een tijdschrift in Amerika had een artikel van hem gepubliceerd dat alom was bejubeld en hij wilde dat vieren. Het was al laat. Saffy en ik waren pas vier en lagen al uren op bed, en de minnaars waren in de bibliotheek. Moeders dienstmeisje probeerde hem nog tegen te houden, maar hij had de hele middag whisky gedronken en was niet te kalmeren. Hij was in de wolken en wilde zijn vrouw in zijn goede stemming laten delen. Hij stevende de bibliotheek in en daar waren ze.' Haar mond vertrok tot een grimas, want zij wist wat er kwam. 'Papa was door het dolle heen en er volgde een verschrikkelijk handgemeen; eerst tussen hem en Sykes en daarna, toen de gewonde man gevloerd was, tussen hem en moeder. Papa gaf haar ervan langs, schold haar uit en schudde haar door elkaar, niet hard genoeg om haar pijn te doen, maar wel zo stevig dat ze tegen de tafel viel. Er viel een lamp kapot en de zoom van haar jurk vatte vlam.

Het vuur greep meteen heftig om zich heen. Het vloog het chiffon van haar jurk in en in een oogwenk stond ze in lichterlaaie. Papa was natuurlijk vreselijk geschrokken. Hij sleepte haar naar de gordijnen in een poging de vlammen te doven, maar dat maakte het alleen maar erger. De gordijnen vatten vlam en kort daarna de hele kamer; overal was vuur. Papa holde de kamer uit om hulp te roepen, daarna sleepte hij moeder de bibliotheek uit, wat haar het leven redde, zij het niet voor lang. Maar hij ging niet meer naar binnen om Sykes te halen. Hij liet hem daar sterven. Liefde laat mensen wrede dingen doen, juffrouw Burchill.

De bibliotheek brandde volledig af, maar toen de politie kwam, werd er geen ander lichaam aangetroffen. Het was alsof Oliver Sykes nooit had bestaan. Papa dacht dat het lijk door de intense hitte was gedesintegreerd, moeders dienstmeisje repte er nooit met een woord over uit angst de reputatie van haar meesteres te bezoedelen, en geen mens kwam Sykes zoeken. Papa had ontzettend veel geluk dat de man een dromer was die dikwijls zijn verlangen uitsprak om naar het vasteland van Europa te vluchten en in de anonimiteit te verdwijnen.'

Wat ze me had verteld was afschuwelijk – dat het vuur dat hun moeder het leven kostte zo was ontstaan, en dat Oliver Sykes aan zijn lot was overgelaten in de bibliotheek – maar toch begreep ik nog steeds niet wat dat met de *Mud Man* te maken had.

'Zelf heb ik er niets van gezien,' zei ze. 'Maar iemand anders wel. Boven op de zolderkamer was een klein meisje wakker geworden. Ze liet haar tweelingzus alleen in bed liggen en klom op de boekenkast om een merkwaardig oranje lucht te zien. Wat ze zag was vuur dat uit de bibliotheek golfde en beneden lag een man die helemaal zwart en verkoold en gesmolten was en die schreeuwde in doodsnood toen hij uit de slotgracht probeerde te klimmen.'

Percy schonk nog een glas water in en nam trillend een slok. 'Weet u nog, juffrouw Burchill, hoe u bij uw eerste bezoek sprak over het verleden dat de muren schroeide?'

'Ja.' Die rondleiding leek inmiddels een eeuwigheid geleden.

'Ik zei dat het onzin was, dat van die vervlogen tijden. Dat de stenen wel oud waren, maar hun geheimen niet loslieten.'

'Dat weet ik nog.'

'Dat loog ik.' Ze hief haar kin en keek me recht en uitdagend aan. 'Ik hoor ze wel. Hoe ouder ik word, des te luider ze worden. Het viel me niet mee dit verhaal te vertellen, maar het was nodig. Zoals ik al zei, is er nog een soort onsterfelijkheid, een vorm die veel eenzamer is.'

Ik wachtte.

'Een leven, juffrouw Burchill, het leven van een mens staat tussen de haakjes van twee gebeurtenissen, zijn geboorte en zijn dood. De data van die gebeurtenissen horen evenzeer bij die persoon als zijn naam en de gebeurtenissen die zich in de tussentijd voltrekken. Ik vertel u dit verhaal niet om absolutie te krijgen. Ik vertel u dit omdat een sterfgeval moet worden geregistreerd. Begrijpt u dat?'

Ik knikte en dacht aan Theo Cavill en zijn obsessieve zoektocht naar burgerlijke tekenen van het bestaan van zijn broer, de kwellende onzekerheid van de onwetendheid.

'Mooi,' zei ze. 'Over dat onderdeel mag geen onduidelijkheid bestaan.'

Haar opmerking over absolutie deed me denken aan Raymond Blythes schuldgevoel, want daarom had hij zich natuurlijk tot het rooms-katholieke geloof bekeerd en had hij een groot deel van zijn rijkdom aan de Kerk nagelaten. De andere begunstigde was Sykes' agrarische instituut. Niet omdat Raymond Blythe het werk van de groep bewonderde, maar omdat hij zich schuldig voelde. 'U hebt gezegd dat uw vader eerst niet wist dat hij de droom leven in had geblazen. Later wel?'

Ze glimlachte. 'Hij had een brief gekregen van een doctoraalstudent in Noorwegen die een proefschrift schreef over lichamelijk letsel in de literatuur. Hij had belangstelling voor het geblakerde lichaam van de Mud Man, omdat hij af en toe het gevoel kreeg dat de beschrijvingen hem afschilderden op een manier die overeenkwam met andere representaties van slachtoffers van brand. Papa heeft hem nooit geantwoord, maar toen besefte hij het wel.

'Wanneer was dat?'

'Halverwege de jaren dertig. Toen begon hij de Mud Man in het kasteel te zien.'

En voegde hij de initialen MB en OS toe aan de opdracht in zijn boek. Geen initialen van zijn vrouwen, maar als een soort boetedoening voor de dodelijke slachtoffers die hij op zijn geweten had. Er schoot me iets te binnen: 'U hebt het niet zien gebeuren. Hoe weet u dan van het gevecht in de bibliotheek? En dat Oliver Sykes er die avond was?'

'Juniper.'

'Wat?'

'Papa heeft het aan haar verteld. Die had op haar dertiende zelf iets traumatisch meegemaakt. Hij had het altijd maar over hoeveel ze met elkaar gemeen hadden. Volgens mij dacht hij dat het haar zou troosten om te weten dat we allemaal in staat zijn ons te gedragen op een manier waarvan we misschien spijt krijgen. Zo grootmoedig en dwaas kon hij zijn.'

Ze zweeg, reikte naar haar glas en de kamer zelf leek te herademen. Misschien was het de opluchting dat de waarheid eindelijk op tafel lag. Voelde Percy Blythe zich opgelucht? Ik kon het niet met zekerheid zeggen. Ze was ongetwijfeld blij dat ze haar plicht had gedaan, maar niets in haar houding verried dat ze zich lichter voelde na haar verhaal. Ik had het gevoel dat ik wist waarom: elk spoortje troost dat ze eruit kon hebben geput werd verre overstegen door haar verdriet. *Grootmoedig en dwaas.* Het was voor het eerst dat ik haar iets negatiefs over haar vader hoorde zeggen, en uit de mond van iemand die zijn erfgoed zo fel bewaakte, woog dat extra zwaar.

En waarom ook niet? Wat Raymond Blythe op zijn geweten had was boosaardig, daar kon geen mens iets tegen inbrengen en het was geen wonder dat hij door een waanzinnig schuldgevoel werd gedreven. Ik moest denken aan de foto van de bejaarde Raymond in het boek dat ik in de dorpswinkel had gekocht: de angstige ogen, de samengeknepen trekken, de indruk dat hij lijfelijk gebukt ging onder zwaarmoedige gedachten. Het viel me op dat zijn oudste dochter momenteel ook zo overkwam. Ze was gekrompen in de stoel en haar kleren leken een paar maten te groot, ze vielen van de ene knook naar de andere. Het vertellen had haar uitgeput, haar oogleden lubberden en de broze huid was blauw dooraderd. Ik vond het verschrikkelijk dat een dochter zo onder de zonden van haar vader moest lijden.

Buiten regende het hard, de druppels roffelden op de al doorweekte aarde en binnen was het donker geworden nu de middag aan zijn einde was. Zelfs het houtvuur dat bij Percy's verhaal nog had geflakkerd, was nu stervende en het laatste beetje warmte in de werkkamer verdween. Ik sloeg mijn aantekenboek dicht. 'Zullen we er voor vandaag maar een punt achter zetten?' vroeg ik, naar ik hoopte vriendelijk. 'We kunnen morgen verdergaan, als u dat wilt.'

'Bijna, juffrouw Burchill. Ik ben bijna klaar.'

Ze rammelde aan haar sigarettenkoker en tikte haar laatste sigaret op het bureau. Ze moest even hannesen voordat haar lucifer brandde en het eindje van haar sigaret opgloeide. 'Nu weet u wel van Sykes,' zei ze, 'maar nog niet van die andere knaap.'

Die andere knaap. Mijn adem stokte.

'Ik zie aan uw gezicht dat u weet over wie ik het heb.'

Ik knikte stijfjes. Er klonk een daverende donderklap en ik zat op mijn stoel te rillen. Ik liet mijn opschrijfboek weer openvallen.

Ze nam een lange trek van haar sigaret en blies de rook hoestend uit. 'Junipers vriend.'

'Thomas Cavill,' fluisterde ik.

'Hij was die bewuste avond wel gekomen. Op 29 oktober 1941. Schrijf maar op. Hij kwam zoals hij haar had beloofd. Alleen heeft zij het nooit geweten.'

'Waarom? Wat is er gebeurd?' Op het punt om uit de droom geholpen te worden, wilde ik het bijna niet meer weten.

'Het was noodweer, net als nu. Het was donker. Er gebeurde een ongeluk.' Ze zei het zo zacht dat ik me dicht naar haar toe moest buigen om haar te horen. Ik dacht dat hij een inbreker was.'

Er kwam niets in me op.

Haar gezicht was asgrauw en in de rimpels las ik decennia van schuldgevoel. 'Ik heb het nooit aan iemand verteld. Zeker niet aan de politie. Ik was bang dat ze me niet zouden geloven. Dat ze zouden denken dat ik iemand anders dekte.'

Juniper. Juniper met het gewelddadige incident in haar verleden. Het schandaal met de zoon van de tuinier.

'Ik heb gedaan wat ik kon. Maar niemand weet het en dat moet nu eindelijk worden rechtgezet.' Ik schrok toen ik zag dat ze huilde. De tranen biggelden over haar stokoude gelaat. Ik schrok omdat het Percy Blythe was, maar keek er niet van op na wat ze me zojuist had opgebiecht.

De dood van twee mannen; twee keer verdonkeremaand: er was zo veel te verwerken dat ik niet meer goed kon zien en voelen. Mijn emoties waren doorgelopen als de kleuren in een aquarelset, zodat ik me boos noch bang noch moreel superieur voelde, en ik voelde bepaald geen koortsige blijdschap omdat ik de antwoorden op mijn vragen had. Ik voelde me alleen maar treurig. Van mijn stuk gebracht en bezorgd om de oude dame tegenover me die de stekelige geheimen van haar leven beweende. Ik kon haar pijn niet verzachten, maar ik kon daar ook niet een potje zitten staren. 'Kom,' zei ik, 'laat me u alsjeblieft naar beneden helpen.'

En deze keer ging ze zonder iets te zeggen akkoord.

Ik hield haar voorzichtig vast toen we langzaam en behoedzaam de wenteltrap af liepen. Ze stond erop haar wandelstok zelf te dragen. Die sleepte achter haar aan en markeerde stap voor stap onze vordering met een vermoeid getik. Geen van beiden zei iets; we waren allebei te moe.

Toen we eindelijk bij de dichte deur van de gele salon waren aangekomen, bleef Percy Blythe staan. Met een uiterste wilsinspanning herstelde ze zich, rechtte ze de rug en maakte zich aldus een paar centimeter langer. 'Geen woord tegen mijn zussen,' zei ze. Ze klonk niet onvriendelijk, maar ik schrok van de kracht. 'Geen woord, hoort u dat?'

'Je blijft toch wel eten, Edith?' zei Saffy opgewekt toen we binnenkwamen. 'Omdat het zo laat werd en je er nog was, heb ik extra gekookt.' Ze wierp een vriendelijke blik op Percy, maar ik zag wel dat ze verbaasd was en zich afvroeg wat haar zus allemaal had gezegd dat de hele dag moest duren.

Ik wilde het aanbod afslaan, maar ze was al voor mij aan het dekken en buiten stroomde het nog van de regen.

'Natuurlijk blijft ze eten,' zei Percy. Ze liet mijn arm los en liep langzaam maar met zekere tred naar het uiteinde van de tafel. Toen ze daar was, draaide ze zich naar me om en in het elektrische licht van de kamer zag ik hoe verbijsterend volledig ze erin was geslaagd zichzelf omwille van haar zussen op te peppen. 'Ik heb u tijdens de lunch laten doorwerken. Het minste wat we kunnen doen is u een avondmaal aanbieden.'

We aten met z'n vieren een maal van gerookte kabeljauw – felgeel van kleur, slijmerig van structuur en lauw opgediend – en de hond die eindelijk boven water was – hij had zich opgesloten in de butlerkamer – lag bijna de hele tijd op Junipers voeten, terwijl zij hem stukjes vis van haar bord voerde. Het noodweer kwam niet tot bedaren, het werd zelfs steeds erger. Bij wijze van dessert aten we toast met jam, dronken we thee en daarna nog meer thee tot we eindelijk waren uitgepraat over koetjes en kalfjes. Af en toe flikkerden de lampen, wat een teken was dat de stroom elk moment kon uitvallen, en telkens wanneer ze weer gingen branden, keken we elkaar met een gerustgestelde glimlach aan. Al die tijd viel er een waterval van regen van het dak en kletste die in grote flarden tegen de ramen.

'Nou,' zei Saffy uiteindelijk. 'Ik zie dat we geen keus hebben. We zullen een bed voor je opmaken, zodat je vannacht hier kunt logeren. Ik zal de boerderij bellen om het te zeggen.'

'O, nee,' zei ik, feller dan misschien beleefd was. 'Ik wil me niet opdringen.' Dat was wel zo, maar het idee om de nacht op het kasteel door te brengen sprak me ook niet aan.

'Onzin,' zei Percy, die zich omdraaide van het raam. 'Het is aardedonker. Straks valt u in de beek en wordt u als een stuk wrakhout meegesleurd.' Ze rechtte de rug. 'Nee. We willen geen ongelukken. Niet als we hier ruimte genoeg hebben.'

Een nacht op het kasteel

Saffy bracht me naar mijn slaapkamer. Het was een heel eind lopen van de vleugel waar de gezusters Blythe tegenwoordig woonden, en hoewel het een lange, donkere gang was, was ik blij dat we niet naar beneden gingen. Het was al voldoende dat ik een nacht op het kasteel bleef, maar in de buurt van de wapenkamer overnachten sprak me niet aan. We droegen allebei een petroleumlamp een trap op naar de tweede etage en weer een lange, schemerige gang door. Zelfs wanneer de peertjes niet flakkerden, wierpen ze maar een vaag schijnsel. Uiteindelijk bleef Saffy staan.

'Daar zijn we,' zei ze terwijl ze de deur opendeed. 'De logeerkamer.'

Zij – of Percy – had schone lakens op het bed en een stapeltje boeken naast het kussen gelegd. 'Het is nogal ongezellig, vrees ik,' zei ze met een blik om zich heen en een verontschuldigende glimlach. 'We krijgen niet dikwijls logés; we zijn het niet meer gewend. Het is zo lang geleden dat er iemand kwam logeren.'

'Het spijt me dat ik u zo veel last bezorg.'

Ze schudde haar hoofd. 'Onzin, het was geen moeite. Ik heb het altijd heerlijk gevonden om gasten te hebben. Dat vond ik een van de dingen in het leven die me het meest voldoening gaven.' Ze liep naar het bed en zette haar lamp op het nachtkastje. 'Goed, ik heb hier een nachtjapon neergelegd en ik heb ook nog wat boeken gevonden. Ik kan me het einde van een dag niet voorstellen zonder voor het slapengaan een verhaal te lezen.' Ze raakte het boek boven op de stapel aan. '*Jane Eyre* is altijd een lievelingsboek van me geweest.'

'Ook van mij. Ik heb altijd een exemplaar bij me, al is dat van mij niet half zo mooi als van u.'

Ze glimlachte trots. 'Weet je, Edith, je doet me een beetje aan mezelf denken. Aan de persoon die ik had kunnen worden als het leven anders was uitgepakt. Dan had ik in Londen gewoond en met boeken gewerkt. Toen ik jong was, droomde ik ervan om gouvernante te worden. Van reizen en andere mensen leren kennen, van werken in een museum. Misschien zelfs van mijn eigen meneer Rochester.'

Ze kreeg iets verlegens en melancholisch en ik moest denken aan de gebloemde dozen die ik in de wapenkamer had aangetroffen, vooral die waarop stond *Marriage to Matthew de Courcy*. Ik wist genoeg van Junipers tragische liefdesverhaal, maar heel weinig van het romantische verleden van Saffy en Percy. Natuurlijk waren ook zij ooit jong en vervuld van lust geweest, en toch hadden beiden zich opgeofferd aan de verzorging van Juniper. 'U hebt toch een keer gezegd dat u ooit verloofd bent geweest?'

'Met een jongen die Matthew heette. We werden verliefd op elkaar toen we nog heel jong waren. Zestien.' Ze kreeg een zachtaardige glimlach bij de herinnering. 'We zouden gaan trouwen wanneer we eenentwintig werden.'

'Mag ik vragen wat er gebeurd is?'

'Ja, hoor.' Ze sloeg het bed open en legde de deken en het laken in een keurige hoek. 'Het beklijfde niet. Hij is met iemand anders getrouwd.'

'Het spijt me dat te horen.'

'Dat hoeft niet, hoor. Het is zo lang geleden. Ze zijn allebei al jaren dood.' Misschien vond ze het niet prettig dat het gesprek een wending van zelfmedelijden had gekregen, want ze maakte een grapje: 'Ik denk dat ik van geluk mocht spreken dat mijn zus zo vriendelijk was om me voor een appel en een ei op het kasteel te laten wonen.'

'Ik kan me niet voorstellen dat Percy daar überhaupt bezwaar tegen zou maken,' zei ik luchtig.

'Misschien niet, maar ik bedoelde eigenlijk Juniper.'

'Ik ben bang...'

Saffy knipperde verbaasd met haar ogen. 'Nou, het kasteel is van haar, wist je dat niet? We hadden natuurlijk altijd aangenomen dat het op Percy zou overgaan – tenslotte was zij de oudste en de enige die er net zo gek op was als hij – maar papa had op de valreep zijn testament laten veranderen.'

'Waarom?' dacht ik hardop. Ik had niet echt een antwoord verwacht, maar ze leek het verhaal maar al te graag kwijt te willen.

'Papa was geobsedeerd door de opvatting dat creatieve vrouwen met geen mogelijkheid hun kunst konden volhouden als ze eenmaal met een huwelijk en kinderen waren opgezadeld. Toen Juniper zo veelbelovend leek, raakte hij gefixeerd op het idee dat ze zou trouwen en haar talent verloren zou gaan. Hij hield haar thuis, liet haar nooit naar school gaan en andere mensen ontmoeten en daarna veranderde hij zijn testament zodat het huis van haar zou zijn. Hij redeneerde dat ze op die manier nooit belast zou worden met de plicht om de kost te verdienen, noch om te trouwen voor haar onderhoud. Maar het was vreselijk oneerlijk van hem. Het kasteel was altijd voor Percy bedoeld geweest. Zij houdt van dit huis zoals andere mensen van hun geliefde.' Ze schudde de kussens nog een laatste keer op voordat ze haar lamp weer van het nachtkastje pakte. 'In dat opzicht is het misschien maar een geluk dat Juniper niet is getrouwd en verhuisd.'

Het verband ontging me. 'Maar zou Juniper in dat geval niet blij zijn geweest met een zus die zo veel om dit oude huis gaf en die hier zou wonen om ervoor te zorgen?'

Saffy glimlachte. 'Zo eenvoudig was het niet. Papa kon wreed zijn als hij zijn zin wilde doordrijven. Hij liet een voorwaarde in het testament vastleggen. Als Juniper zou trouwen, zou het kasteel niet meer van haar zijn en in plaats daarvan aan de katholieke Kerk vervallen.'

'De Kerk?'

'Papa had last van schuldgevoelens.'

En na mijn gesprek met Percy wist ik precies waarom. 'Dus als Thomas en Juniper getrouwd zouden zijn, zou het kasteel verloren zijn gegaan?'

'Ja,' zei ze, 'dat klopt. Die arme Percy had het nooit kunnen verdragen.' Ze rilde. 'Het spijt me. Het is hier ook zo koud. Je beseft dat eigenlijk nooit. Zelf hebben we geen behoefte aan deze kamer. Ik ben bang dat er in deze vleugel geen verwarming is, maar er liggen extra dekens onder in de klerenkast.'

Toen schoot er een spectaculaire bliksemschicht door de lucht, gevolgd door een krakende donderslag. Het zwakke peertje haperde, flakkerde en ging uit. Saffy en ik hieven allebei onze lamp als marionetten aan hetzelfde touwtje. Samen keken we naar het afkoelende peertje.

'Lieve hemel,' zei ze. 'Daar gaat de elektra. Goddank hebben we de lampen bij ons.' Ze aarzelde. 'Red je het hier in je eentje?'

'Ja, hoor.'

'Goed dan,' glimlachte ze. 'Dan laat ik je nu met rust.'

's Nachts is het anders. De dingen zijn niet hetzelfde als de wereld zwart is. Onzekerheid en kwetsuren, zorgen en angst krijgen 's nachts tanden. Vooral wanneer je in een vreemd oud kasteel slaapt en het buiten stormt. En zeker wanneer je 's middags naar de biecht van een oude dame hebt geluisterd. Dus toen Saffy wegging en de deur achter zich had dichtgetrokken, piekerde ik er niet over om mijn lamp uit te doen.

Ik verwisselde mijn kleren voor de nachtjapon en ging als een wit spook op het bed zitten. Ik hoorde hoe de regen maar bleef stromen en de wind aan de luiken rukte alsof er iemand zijn best deed om binnen te komen. Nee, zulke gedachten moest ik van me afzetten en het lukte me zelfs om mezelf te lachen. Ik dacht natuurlijk aan de Mud Man. Dat was niet zo gek als je de nacht doorbrengt op de plek waar de roman zich afspeelde, op een nacht die zo uit het boek kon zijn geplukt...

Ik kroop onder de dekens en mijn gedachten dwaalden naar Percy. Ik had mijn aantekeningen bij me en nu sloeg ik ze open om de ideeën op te schrijven die in me opkwamen. Percy Blythe had me de ontstaansgeschiedenis van de *Mud Man* verteld, wat een grote coup was. Ze had ook de mysterieuze verdwijning van Thomas Cavill opgehelderd. Ik had me opgelucht moeten voelen, maar toch was ik onrustig. Dat gevoel was recent. Het had iets te maken met wat Saffy had verteld. Toen ze over haar vaders testament sprak, legde mijn brein onaangename verbanden en gingen me lichtjes op waardoor ik me in toenemende mate ongemakkelijk voelde: Percy's liefde voor het kasteel, een testament dat specificeerde dat het verloren zou gaan als Juniper zou trouwen, de onfortuinlijke dood van Thomas Cavill...

Maar nee. Percy had gezegd dat het een ongeluk was en dat geloofde ik.

Echt. Waarom zou ze liegen? Ze had net zo goed het hele verhaal voor zich kunnen houden.

Maar toch...

Gespreksflarden bleven maar rondjes draaien in mijn hoofd: Percy's stem, daarna Saffy's, plus mijn eigen twijfels. Maar niet de stem van Juniper. Ik leek altijd maar verhalen over en nooit ván de jongste Blythe zelf te horen.

Uiteindelijk sloeg ik mijn opschrijfboek met een gefrustreerde klap dicht. Het was wel genoeg voor één dag. Ik slaakte een zucht en nam de boeken door die Saffy had neergelegd, op zoek naar iets wat mijn gedachten tot rust kon brengen: *Jane Eyre, The Mysteries of Udolpho, Wuthering Heights*. Ik trok een gezicht, allemaal goede bekenden, maar niet het soort dat ik op een koude, stormachtige avond als deze graag gezelschap hield.

Ik was moe, erg moe zelfs, maar ik schoof het ogenblik van inslapen voor me uit, want ik wilde niet graag de lamp uitblazen om mezelf eindelijk in duisternis te hullen. Maar uiteindelijk werden mijn oogleden zwaar en nadat ik mezelf een paar keer wakker had geschud, geloofde ik dat ik moe genoeg was om me vlug door de slaap te laten overmannen. Ik blies het vlammetje uit en deed mijn ogen dicht terwijl de geur van afkoelende rook in de lucht om me heen werd verdund. Het laatste wat ik me herinnerde was een regenvlaag die langs het raam omlaag stroomde.

Ik werd met een schok wakker; het was plotseling en voelde onnatuurlijk, op een onbekend tijdstip. Ik bleef heel stil liggen luisteren en wachten, terwijl ik me afvroeg wat me had gewekt. De haartjes op mijn armen stonden overeind en ik had een heel sterk en griezelig gevoel dat ik niet alleen was, dat er nog iemand bij me in de kamer was. Met een bonkend hart van angst voor wat ik zou zien, speurde ik de schaduwen af.

Ik zag niets, maar ik wist het. Er was nog iemand.

Ik hield de adem in en spitste de oren, maar buiten regende het nog steeds en met die gierende wind die aan de luiken rammelde, en de schimmen die langs de stenen van de gang gleden, was er weinig kans dat ik nog iets anders zou horen. Ik had geen lucifers bij me zodat ik geen licht kon maken, dus praatte ik op mezelf in tot ik weer betrekkelijk rustig was. Ik hield mezelf voor dat het kwam door alles wat er vlak voor het in slaap vallen door me heen was gegaan, mijn obsessie met de Mud Man. Ik had een geluid gedroomd en verbeeldde me maar wat.

En net toen ik mezelf dat bijna had wijsgemaakt, zag ik in het licht van een enorme bliksemschicht dat mijn slaapkamerdeur openstond. Saffy had hem achter zich dichtgedaan. Ik had gelijk. Er wás iemand bij me op de kamer geweest; hij was er misschien nog en loerde in de schaduw...

'Meredith...'

Elke ruggenwervel trok recht. Mijn hart sloeg over en de hartslag voelde elektrisch in mijn aderen. Dat was niet de wind noch de muren, iemand had mijn moeders naam gefluisterd. Ik was als versteend en toch voelde ik me in de greep van een vreemde energie. Ik wist dat ik iets moest doen. Ik kon niet de hele nacht met een deken om me heen blijven zitten en met opengesperde ogen de duisternis om me heen afspeuren.

Het laatste wat ik wilde was mijn bed uit komen, maar ik deed het toch. Ik schoof over het laken en liep op mijn tenen naar de deur. De kruk voelde koel en glad aan, ik trok hem licht en geruisloos naar me toe, stapte de gang op en keek om me heen.

'Meredith...'

Ik gilde het bijna uit. Het was vlak achter me.

Ik draaide me langzaam om en daar stond Juniper. Ze droeg dezelfde jurk die ze had aangetrokken bij mijn eerste bezoek aan Milderhurst, de japon – wist ik nu – die Saffy voor haar had gemaakt om aan te trekken toen Thomas Cavill kwam eten.

'Juniper,' fluisterde ik. 'Wat doe jij hier?'

'Ik heb op je gewacht, Merry. Ik wist dat je zou komen. Ik heb het voor je, ik heb het veilig bewaard.'

Ik had geen idee wat ze bedoelde, maar ze gaf me iets lijvigs. Stevige rand, scherpe hoeken, maar niet zwaar. 'Dank je wel,' zei ik.

In het schemerdonker verflauwde haar glimlach. 'O, Meredith,' zei ze. 'Ik heb zoiets vreselijks gedaan.'

Ze had precies hetzelfde tegen Saffy gezegd, in de gang aan het eind van mijn rondleiding. Mijn hart ging iets sneller kloppen. Het was verkeerd van me om haar uit te horen, maar ik kon het niet laten om te vragen: 'Wat is er, wat heb je gedaan?'

'Tom komt straks. Hij komt hier eten.'

Ik had zo met haar te doen; ze had vijftig jaar op hem gewacht, in de overtuiging dat ze in de steek was gelaten. 'Natuurlijk komt hij,' zei ik. 'Tom houdt van je. Hij wil met je trouwen.'

'Tom houdt van me.'

'Ja.'

'En ik hou van hem.'

'Dat weet ik.'

En net toen ik genoot van het warme, blije gevoel dat ik haar in gedachten had teruggevoerd naar een gelukkige plek, vlogen haar handen in afschuw naar haar mond en zei ze: 'Maar er was bloed, Meredith...'

'Wat?'

'... zo veel bloed; mijn armen en jurk zaten onder.' Ze keek omlaag naar haar jurk en toen weer naar mij met een gezicht dat vertrokken was van ellende. 'Bloed, bloed, bloed. En Tom kwam niet. Maar ik herinner het me niet. Ik kan het me niet herinneren.'

Toen werd het me in één klap duidelijk.

Alles viel op zijn plek en ik zag wat ze verborgen hielden. Wat er echt met Thomas Cavill was gebeurd. Wie er verantwoordelijk was voor zijn dood.

Junipers black-outs na traumatische gebeurtenissen; de aanvallen waarna ze zich niet meer kon herinneren wat ze had gedaan; het incident met de hovenierszoon die in elkaar was geslagen, dat in de doofpot was gestopt. Met een dagend afgrijzen moest ik ook denken aan de brief die ze aan mama had geschreven en waarin ze haar enige angst had beschreven: dat ze misschien net zo zou worden als haar vader. En dat was gebeurd.

'Ik kan het me niet herinneren,' zei ze weer. 'Ik kan het me niet herinneren.' Ze keek hartverscheurend verward en ook al was het afgrijselijk wat ze vertelde, op dat moment wilde ik haar alleen maar omhelzen, om haar op de een of andere manier een heel klein beetje te verlossen van de vreselijke last die ze een halve eeuw had getorst. Ze fluisterde opnieuw: 'Ik heb iets heel vreselijks gedaan,' en voordat ik iets kon zeggen om haar te kalmeren, schoot ze langs me heen naar de deur.

'Juniper!' riep ik haar na. 'Wacht even.'

'Tom houdt van me,' zei ze alsof die blijde gedachte haar net te binnen was geschoten. 'Ik ga Tom tegemoet. Hij moet zo komen.'

En toen verdween ze de donkere gang in.

Ik wierp het doosvormige voorwerp op bed en liep haar achterna. Een hoek om en weer een korte gang door tot ze bij een kleine overloop kwam vanwaar een trap omlaag voerde. Er kwam een gemene, vochtige tochtvlaag van beneden en ik besefte dat ze een deur moest hebben geopend; dat ze van plan was in de koude, natte nacht te verdwijnen.

Ik aarzelde een fractie van een seconde voordat ik achter haar aan schoot. Ik kon haar niet zomaar aan de elementen overlaten. Het zou me niet verbazen als ze van plan was de hele oprijlaan af te lopen naar de weg, op zoek naar Thomas Cavill. Ik bereikte de voet van de trap en zag een deur die naar een kleine antichambre voerde die het kasteel met de buitenwereld verbond.

Het regende nog altijd pijpenstelen, maar ik zag dat het een soort tuin was. Er leek niet veel te groeien, hier en daar stond een beeld en het geheel werd omsloten door dichte hagen... Ik haalde diep adem. Het was de tuin die ik tijdens mijn eerste bezoek vanuit het zolderraam had gezien, het vierkante terrein dat, naar Percy Blythe me omstandig had uitgelegd, helemaal geen tuin was. En ze had gelijk. Ik had erover gelezen in mama's dagboek. Dit was de huisdierenbegraafplaats, Junipers speciale plekje.

Zij was midden in de tuin blijven staan, een broos oud dametje in een spookachtig lichte jurk, doorweekt en met een verwilderd gezicht. En opeens begreep ik wat Percy eerder had gezegd over stormachtig weer dat op Junipers zenuwen werkte. Het was noodweer geweest in die bewuste nacht in 1941, net als nu...

Het was raar, maar de storm leek haar te kalmeren terwijl ze daar zo stond. Even was ik gebiologeerd voordat ik besefte dat ik natuurlijk naar buiten moest gaan om haar weer terug te halen; dat ze met dit weer niet buiten kon blijven. Op dat moment hoorde ik een stem en zag ik Juniper naar rechts kijken. Vanuit een opening in de heg zag ik Percy Blythe verschijnen, gehuld in een regenjas en rubberlaarzen. Ze liep op haar zusje af om haar weer naar binnen te roepen. Ze stak haar armen uit en Juniper struikelde in haar omhelzing.

Opeens voelde ik me een indringer; een vreemde die getuige is van een persoonlijk moment. Ik maakte rechtsomkeert.

Er stond iemand achter me. Het was Saffy, met haar haren over haar schouder geborsteld. Ze droeg een ochtendjas en keek verontschuldigend.

'O, Edith,' zei ze, 'het spijt me zo dat je bent gestoord.'

'Juniper...' begon ik met een gebaar over mijn schouder in een poging het te verklaren.

'Het is al goed,' zei ze met een vriendelijke glimlach. 'Af en toe gaat ze aan de zwerf. Je hoeft je nergens zorgen om te maken. Percy brengt haar weer naar binnen. Je kunt weer naar bed gaan.'

Ik haastte me de trap weer op, de gang door en mijn kamer in, waar ik de deur voorzichtig achter me dichtdeed. Ik leunde ertegenaan om weer op adem te komen. Ik draaide aan het lichtknopje in de hoop dat de elektriciteit het weer deed, maar helaas: wel een dof plastic klikje, maar geen licht.

Ik liep op mijn tenen terug naar mijn bed, zette de mysterieuze doos op de grond en kroop onder de deken. Ik lag met mijn hoofd op het kussen en luisterde naar het bonken van mijn hart. Ik kon maar niet ophouden de bijzonderheden van Junipers bekentenis de revue te laten passeren, de verwarring waarmee ze trachtte de brokstukken van haar geheugen bij elkaar te brengen, de omhelzing met Percy op de dierenbegraafplaats. En toen begreep ik waarom Percy Blythe tegen me had gelogen. Ik twijfelde er geen moment aan dat Thomas Cavill inderdaad op een stormachtige oktoberavond in 1941 aan zijn eind was gekomen, maar Percy had dat niet gedaan; ze had alleen maar haar kleine zusje tot het laatst toe beschermd.

De volgende dag

Ik moest uiteindelijk in slaap zijn gevallen, omdat ik me vervolgens bewust werd van een zwak, mistig licht dat door de kieren in de luiken kroop. De storm was gaan liggen en had plaatsgemaakt voor een fletse ochtend. Ik lag een poosje met mijn ogen naar het plafond te knipperen en dacht na over de gebeurtenissen van de vorige avond. In het welkome daglicht was ik er meer dan ooit van overtuigd dat Juniper verantwoordelijk was voor de dood van Thomas Cavill. Het was de enige logische verklaring. Ik besefte ook hoe graag Percy en Saffy wilden dat niemand ooit achter de waarheid zou komen.

Ik sprong uit bed en struikelde bijna over de doos op de grond. Junipers cadeau. Door alle opschudding was ik hem helemaal vergeten. Hij had dezelfde vorm en grootte als Saffy's verzameling in de wapenkamer en toen ik hem opendeed, lag daar een manuscript in, maar het was niet van Saffy. Op het schutblad stond *Destiny: A Love Story, by Meredith Baker, October 1941*.

We hadden ons allemaal verslapen en hoewel het koffietijd was, stond de ontbijttafel in de gele salon nog gedekt toen ik beneden kwam, en zaten de gezusters alle drie aan tafel. De tweeling keuvelde erop los alsof er de vorige avond niets ongewoons was gebeurd. En misschien was dat ook zo; misschien was ik getuige geweest van een van vele soortgelijke incidenten. Saffy bood me glimlachend een kop thee aan. Ik bedankte haar en wierp een blik op Juniper, die met een wezenloos gezicht in haar leunstoel zat, en niets in haar gedrag verwees naar de opwinding van de afgelopen nacht. Toen ik mijn thee dronk, sloeg Percy me volgens mij iets nauwkeuriger gade dan gewoonlijk, maar dat kon het gevolg van haar biecht, vals of niet, van daags daarvoor zijn geweest.

Toen ik afscheid nam van de andere twee, liep zij met me mee naar de hal en praatten we ontspannen over koetjes en kalfjes tot we bij de deur waren. 'Met betrekking tot wat ik u gisteren heb verteld, juffrouw Burchill,' zei ze, terwijl ze haar stok met een beslist gebaar voor zich plantte, 'wil ik nogmaals benadrukken dat het een ongeluk was.'

Ik besefte dat ze me testte; dit was haar manier om vast te stellen dat ik het hele verhaal nog altijd geloofde. Of Juniper me 's nachts iets had verteld. Dit was mijn kans om te onthullen wat ik te weten was gekomen en haar rechtstreeks te vragen wie Thomas Cavill echt had vermoord. 'Natuurlijk,' zei ik. 'Ik begrijp het volkomen.' Waarom zou ik het haar zeggen? Om mijn eigen nieuwsgierigheid ten koste van de zielenrust van de gezusters te bevredigen? Ik kreeg het niet over mijn hart.

Ze was zichtbaar opgelucht. 'Ik heb er eindeloos onder geleden. Het is nooit mijn opzet geweest.'

'Dat weet ik. Ik weet dat het geen opzet was.' Ik voelde me geroerd door haar zusterlijke plichtsgevoel, een liefde die zo sterk was dat ze bereid was een misdaad toe te geven die ze niet op haar geweten had. 'Zet het maar uit uw hoofd,' zei ik zo vriendelijk mogelijk. 'Het was uw schuld niet.'

Toen keek ze me aan met een uitdrukking die ik nog niet eerder had gezien en die zich moeilijk laat beschrijven. Deels zorgelijkheid, deels opluchting, maar met een zweem van nog iets meer. Maar zij was nu eenmaal Percy Blythe en die hield niet van sentimenteel gedoe. Ze herstelde zich koeltjes en knikte scherp. 'Niet uw belofte vergeten, juffrouw Burchill. Ik reken op u. Ik ben er het type niet naar om op het toeval te vertrouwen.'

De grond was nat, de lucht was wit en het hele landschap had die verwaten blik van een gezicht na een hysterische woedeaanval. Een beetje zoals ik me mijn eigen gezicht voorstelde. Ik liep voorzichtig, want ik wilde niet graag als een boomstam mee stroomafwaarts worden gesleurd, en toen ik bij de boerderij aankwam, was mevrouw Bird al bezig met het voorbereiden van de lunch. Er hing een zware geur van soep, wat een eenvoudig maar kolossaal genoegen was voor iemand die een nacht in het gezelschap van de spoken van het kasteel had doorgebracht.

Mevrouw Bird was de tafels in de eetzaal aan het dekken en haar mollige, in een schort gehulde gestalte was zo'n gewone en geruststellende aanblik, dat ik sterk de neiging kreeg haar te omhelzen. Dat had ik misschien ook gedaan als ik op dat moment niet had gezien dat we niet alleen waren.

Er was nog iemand, een andere gast, die zich vooroverboog om de zwartwitfoto's aan de muur goed te bekijken.

Een heel vertrouwd iemand.

'Mama?'

Ze keek op en glimlachte aarzelend. 'Hallo, Edie.'

'Wat doe jij hier?'

'Jij hebt gezegd dat ik moest komen. Ik wilde je verrassen.'

Ik geloof niet dat ik ooit eerder zo blij en opgelucht was geweest om een ander mens te zien. Ik omhelsde haar in plaats van mevrouw Bird. 'Ik ben heel blij dat je er bent.'

Misschien viel mijn heftigheid op, misschien hield ik haar net iets te lang vast, want ze knipperde met haar ogen en vroeg: 'Is alles goed met je, Edie?'

Ik aarzelde terwijl de geheimen waar ik achter was gekomen en de bittere werkelijkheid waarvan ik getuige was geweest, in gedachten als kaarten werden geschud. Toen stopte ik ze weg en ik glimlachte. 'Prima, mam. Alleen een beetje moe. Het was vreselijk weer vannacht.'

'Dat zei mevrouw Bird al, ze zei dat je was ingeregend op het kasteel.' De kink in haar stem was maar licht. 'Ik ben blij dat ik niet gistermiddag ben vertrokken zoals ik eerst van plan was.'

'Ben je hier al lang?'

'Pas een minuut of twintig. Ik heb die staan bekijken.' Ze wees naar een foto vlakbij, een van de *Country Life*-foto's uit 1910. Het was de ronde zwemvijver toen die nog werd aangelegd. 'In die vijver heb ik leren zwemmen,' zei ze. 'Toen ik op het kasteel woonde.'

Ik bukte me om het onderschrift te lezen: *Oliver Sykes die de leiding van de aanleg heeft, toont de heer en mevrouw Raymond Blythe de vorderingen van hun nieuwe zwembad.* Daar stond hij dan, de knappe jonge architect, de Mud Man die zijn dagen zou eindigen begraven in de modder van de slotgracht die hij restaureerde. Ik voelde de koude adem van voorkennis over mijn huid waren en een zware last omdat ik het lot van die jongeman kende. Als een spookachtige fluistering hoorde ik weer de smeekbede van Percy Blythe: *Niet uw belofte vergeten. Ik reken op u.*

'Kan ik de dames de lunch opdienen?' vroeg mevrouw Bird.

Ik draaide Sykes' lachende gezicht de rug toe. 'Wat denk je, mam? Je moet wel honger hebben na die rit.'

'Een kop soep zou heerlijk zijn. Is het goed als we buiten gaan zitten?'

We kozen een tafeltje vanwaar we een glimp van het kasteel konden opvangen. Dat was op voorstel van mevrouw Bird, en voordat ik kon protesteren, had mama het al dapper perfect verklaard. Terwijl de ganzen in een nabije plas rondscharrelden in de eeuwige hoop dat er een korstje hun kant op zou komen, begon mama over haar verleden te vertellen. Over haar tijd op Milderhurst, over wat ze voor Juniper voelde, over haar kalverliefde voor haar onderwijzer, meneer Cavill en uiteindelijk over haar droom om journalist te worden.

‘Wat is ertussen gekomen, mam?’ vroeg ik terwijl ik mijn brood smeerde. ‘Waarom ben je van gedachten veranderd?’

‘Ik ben niet van gedachten veranderd, ik...’ Ze verschoof een beetje op de witte, gietijzeren stoel die mevrouw Bird met een handdoek had gedroogd. ‘Ik denk dat ik gewoon...’ Ze fronste toen ze de woorden die ze zocht niet vond en daarna vervolgde ze met hernieuwde moed: ‘De kennismaking met Juniper had een deur voor me geopend en ik wilde dolgraag aan de andere kant van die deur thuishoren. Maar zonder haar hulp leek ik die deur maar niet open te kunnen houden. Ik heb het geprobeerd, Edie, echt waar. Ik droomde ervan om te kunnen gaan studeren, maar in de oorlog waren er zo veel scholen in Londen dicht, en uiteindelijk heb ik maar naar een baantje als typiste gesolliciteerd. Ik geloofde altijd dat het maar tijdelijk zou zijn, dat ik ooit kon gaan doen wat ik wilde. Maar toen de oorlog afgelopen was, was ik achttien en veel te oud voor school. Zonder mijn middelbareschooldiploma kon ik niet naar de universiteit.’

‘Dus ben je toen gestopt met schrijven?’

‘O, nee.’ Ze tekende met het puntje van haar lepel een acht in haar soep, steeds maar weer. ‘Nee. Ik was nogal koppig in die tijd. Ik legde me erop toe en besloot dat ik me niet door zo’n kleinigheid uit het veld zou laten slaan.’ Ze glimlachte een beetje zonder op te kijken. ‘Ik ging voor mezelf schrijven en een beroemde journaliste worden.’

Ik glimlachte ook, onwaarschijnlijk blij met haar beschrijving van de jonge Meredith Baker.

‘Ik begon aan een project van mezelf en las alles wat ik in de bibliotheek kon vinden, schreef artikelen, recensies en soms verhalen en stuurde ze op.’

‘Is er ooit iets gepubliceerd?’

Ze verschoof koket in haar stoel. ‘Een paar kleine stukjes, zo hier en daar. Ik kreeg wel eens een bemoedigende brief van de hoofdredacteur van een groter blad, waarin vriendelijk maar beslist werd gezegd dat ik meer van hun huisstijl moest leren. Toen kwam er in 1952 een baantje vrij.’ Mama wierp een blik op de ganzen die met hun vleugels wapperden en iets in haar houding veranderde, alsof ze een beetje leegliep. Ze legde haar lepel neer. ‘Die baan was bij de BBC, een leerlingenbaan, maar precies wat ik zocht.’

‘Wat gebeurde er?’

‘Ik spaarde en kocht wat blitse kleren en een leren tas die hoorden bij mijn rol. Ik sprak mezelf streng toe om met zelfvertrouwen voor de dag te komen, duidelijk te spreken en niet mijn schouders te laten hangen.’ Ze inspecteerde de rug van haar handen en wreef met een duim over haar knokkels. ‘Maar toen was er verwarring met de bussen en in plaats van me naar Broadcasting House te brengen, zette de chauffeur me af bij Marble Arch. Ik holde bijna de hele weg terug, maar toen ik aan het begin van Regent Street stond, zag ik al die meisjes uit het gebouw komen. Ze lachten en maakten grapjes en zagen er zo modern gekleed en ontspannen uit, zo veel jonger dan ik, dat het wel leek alsof ze de antwoorden op alle levensvragen wisten.' Ze veegde een kruimel van tafel voordat ze me weer aankeek. 'Toen zag ik mijn spiegelbeeld in de etalage van een warenhuis en ik vond dat ik er als een bedriegster uitzag, Edie.'

'O, mam.'

'Zo'n slonzige bedriegster. Ik verafschuwde mezelf en geneerde me ervoor dat ik me ooit had verbeeld dat ik op zo'n plek thuishoorde. Ik geloof niet dat ik me ooit zo eenzaam heb gevoeld. Ik draaide Portland Place de rug toe en liep met de tranen op mijn wangen de andere kant op. Ik moet er niet uitgezien hebben. Ik voelde me vreselijk mistroostig en zat zo vol zelfmedelijden dat vreemde mensen me probeerden op te beuren, dus toen ik eindelijk langs een bioscoop liep, ben ik daar naar binnen gedoken om me in vrede ellendig te voelen.'

Ik moest denken aan papa's verhaal over het meisje dat voor de duur van de hele film zat te huilen. 'En u zag *The Holly and the Ivy.*'

Mama knikte, toverde ergens een papieren zakdoekje vandaan en depte haar ogen. 'En ik leerde je vader kennen. Hij nam me mee om me op thee met perentaart te trakteren.'

'Je lievelingsgebak.'

Ze glimlachte door haar tranen heen om de warme herinnering. 'Hij bleef maar vragen wat eraan scheelde en toen ik zei dat ik moest huilen om de film, keek hij me volslagen ongelovig aan. "Maar die is niet echt," zei hij terwijl hij nog een stuk taart bestelde. "Het is allemaal verzonnen."'

We moesten allebei lachen. Ze klonk precies als papa.

'Hij was zo sterk, Edie, en hij had zo'n solide beeld van de wereld en zijn plaats daarin. Op het verbijsterende af. Ik had nog nooit iemand zoals hij ontmoet. Hij geloofde pas iets als hij het zag en maakte zich niet druk om dingen voordat ze gebeurden. Daar ben ik verliefd op geworden, op zijn zekerheid. Hij stond met beide benen stevig in het hier en nu en als hij iets zei, voelde ik me opgenomen in zijn zekerheid. Gelukkig zag hij ook iets in mij. Het mag niet zo opwindend klinken, maar we zijn samen heel tevreden geweest. Je vader is een goed mens, Edie.'

'Dat weet ik.'

'Eerlijk, aardig en betrouwbaar. Daar is veel voor te zeggen.'

Dat beaamde ik en toen we aan onze soep begonnen, kreeg ik een beeld van Percy Blythe voor ogen. Zij was in dat opzicht een beetje als papa: het type dat je misschien over het hoofd ziet in levendiger gezelschap, maar wiens degelijkheid, onbuigzaamheid zelfs, de ondergrond was waarop alle anderen konden schitteren. Door de gedachte aan het kasteel en de gezusters Blythe schoot me iets te binnen.

'Ik kan niet geloven dat ik het vergeten ben!' zei ik, en ik haalde de doos die ik 's nachts van Juniper had gekregen uit mijn tas.

Mama legde haar lepel neer en veegde haar vingers af aan het servet op haar schoot. 'Een cadeau? En je wist niet eens dat ik kwam.'

'Het is niet van mij.'

'Van wie dan?'

Ik wilde zeggen: *Maak maar open, dan zie je het vanzelf*, tot ik moest denken aan de vorige keer dat ik haar een doos met aandenkens had gegeven en iets soortgelijks zei wat niet in zulke goede aarde gevallen was. 'Dit is van Juniper, mama.'

Haar lippen weken uiteen en ze maakte een puffend geluidje; ze hanneste onhandig met de doos in een poging hem open te krijgen. 'Moet je mij toch eens zien,' zei ze met een stem die ik niet herkende, 'ik ben ook zo onhandig.' Uiteindelijk had ze het deksel eraf en haar hand ging van verbazing naar haar mond. 'O, lieve hemel.' Ze haalde de dunne vellen papier tevoorschijn en hield ze in haar hand alsof ze het kostbaarste ter wereld vasthield.

'Juniper hield mij voor jou,' zei ik. 'Dit had ze voor je bewaard.'

Mama's blik schoot naar het kasteel en ze schudde een beetje ongelovig haar hoofd. 'Al die jaren...'

Ze sloeg de getypte bladzijden om, haar ogen vlogen over de tekst, lazen hier en daar een stukje en ze moest af en toe glimlachen. Ik sloeg haar gade en genoot van het plezier dat het manuscript haar duidelijk bezorgde. En er was nog iets. Er was een verandering over haar gekomen, een subtiele maar zekere verandering toen ze besefte dat haar vriendin haar niet was vergeten: haar gelaatstrekken, de spieren van haar hals en zelfs haar schouderbladen leken wel zachter te worden. Een levenslang harnas viel weg en even kon ik het meisje zien dat net wakker was geworden uit een lange, diepe slaap.

Vriendelijk zei ik: 'En het schrijven, mama?'

'Wat?'

'Het schrijven. Ben je daar niet mee doorgegaan?'

'O, nee, dat heb ik allemaal opgegeven.' Ze trok haar neus een beetje op en haar gezicht kreeg iets verontschuldigends. 'Waarschijnlijk klinkt dat jou heel laf in de oren.'

‘Niet laf, nee.’ Ik vervolgde behoedzaam: ‘Alleen, als je ergens plezier aan beleefde, begrijp ik niet waarom je ermee zou stoppen.’

De zon was doorgebroken en weerkaatste op de plassen om lichtvlekken op mama’s gezicht te werpen. Ze zette haar bril recht, ging een beetje verzitten en legde haar handen voorzichtig op het manuscript. ‘Het was zo’n groot stuk van mijn verleden, van wie ik was geweest,’ zei ze. ‘Het was zo’n samenloop van alle omstandigheden. Mijn ontzetting omdat ik dacht door Juniper en Tom in de steek gelaten te zijn, het gevoel dat ik mezelf in de steek had gelaten door dat sollicitatiegesprek mis te lopen... Waarschijnlijk putte ik er geen plezier meer uit. Ik trouwde met je vader en richtte me in plaats daarvan op de toekomst.’ Ze keek weer naar het manuscript, hield een vel papier omhoog en glimlachte even om wat er geschreven stond. ‘Ik vond het zó leuk,’ zei ze. ‘Om iets abstracts als een gedachte of een gevoel of een geur te nemen en dat op papier te vangen. Ik was vergeten hoe ik daarvan genoot.’

‘Het is nooit te laat om opnieuw te beginnen.’

‘Lieve Edie,’ glimlachte ze over haar bril met een warm soort berouw, ‘ik ben vijfenzestig. In tientallen jaren heb ik niet meer dan boodschappenlijstjes geschreven. Ik denk dat je veilig kunt stellen dat het te laat is.’

Ik schudde mijn hoofd. Ik kwam elke dag van mijn werkzame leven mensen van alle leeftijden tegen die schreven omdat ze het niet konden laten. ‘Het is nooit te laat, mam,’ herhaalde ik, maar ze luisterde al niet meer. Haar aandacht was afgedwaald over mijn schouder en ze keek weer naar het kasteel. Ze trok haar vest wat dichter om zich heen.

‘Het is gek, weet je. Ik wist niet goed hoe ik zou reageren, maar nu ik hier ben, weet ik niet of ik wel terug kan gaan. Ik weet niet of ik het wel wil.’

‘O, nee?’

‘Ik heb er een beeld van in mijn hoofd. Een heel vrolijk beeld. Ik wil niet dat het verandert.’

Misschien dacht ze dat ik zou tegensputteren, maar dat deed ik niet. Ik kon het niet. Het kasteel was tegenwoordig een mistroostige plek, een fletse bouwval, een beetje zoals zijn drie bewoners. ‘Daar kan ik in komen,’ zei ik. ‘Het ziet er allemaal een beetje vermoeid uit.’

‘Jíj ziet er een beetje vermoeid uit, Edie.’ Fronsend bekeek ze mijn gezicht alsof het haar net was opgevallen.

Terwijl ze het zei, moest ik geeuwen. ‘Nou, het was een spannende nacht. Ik heb weinig slaap gehad.’

‘Ja, mevrouw Bird zei al dat het gestormd had... Ik maak graag een wandeling door de tuin. Ik heb een heleboel om me mee bezig te houden. Waarom ga jij niet een uurtje liggen?’

Ik was halverwege de eerste trap toen mevrouw Bird mijn aandacht trok. Ze stond op de volgende overloop met iets over de leuning te zwaaien en vroeg of ze me even lastig mocht vallen. Ze was zo gretig dat ik wel ja zei, maar toch een beetje ongerust was.

'Ik moet je iets laten zien,' zei ze met een blik over haar schouder. 'Het is een beetje geheim.'

Na het etmaal dat ik net achter de rug had, werd ik daar niet heel enthousiast van.

Toen ik bij haar was, drukte ze me een grijze envelop in de handen en zei gespeeld fluisterend: 'Het is een van de brieven.'

'Welke brieven?' Ik had er de afgelopen maanden heel wat gezien.

Ze keek me aan alsof ik was vergeten wat voor dag het was, wat ook het geval was, nu ik erbij stilsta. 'De brieven waarover ik je heb verteld, natuurlijk, de liefdesbrieven van Raymond Blythe aan mijn moeder.'

'O ja! Die brieven.'

Ze knikte gretig en de koekoeksklok achter haar aan de muur koos dat ogenblik om een stel dansende muizen uit te laten. We wachtten tot het riedeltje voorbij was en toen vroeg ik: 'Wilt u dat ik er even naar kijk?'

'Je hoeft hem niet te lezen als je dat gênant vindt. Alleen, ik ben aan het denken gezet door iets wat je eergisteravond zei.'

'O, ja?'

'Je zei dat je de dagboeken van Raymond Blythe ging inzien en het kwam me voor dat je inmiddels een vrij goed idee moet hebben van hoe zijn handschrift eruitziet.' Ze haalde adem en zei haastig: 'Ik vroeg me af... Dat wil zeggen... Ik had gehoopt...'

'Dat ik even kon kijken om dat te bevestigen.'

'Juist.'

'Ja hoor, ik denk...'

'Geweldig!' Ze sloeg de handen licht tegen elkaar onder haar kin terwijl ik het vel papier uit zijn envelop haalde.

Ik zag direct dat ik haar moest teleurstellen, dat de brief helemaal niet van Raymond Blythe afkomstig was. Door het nauwgezet lezen van zijn dagboek was ik heel vertrouwd geraakt met zijn hellende handschrift met de lange, krullende staarten wanneer hij een G of een J schreef, en de kenmerkende R die hij gebruikte om iets te ondertekenen. Nee, deze brief was door iemand anders geschreven.

Lucy mijn lief, mijn ene, mijn enige,

Heb ik je ooit verteld hoe ik verliefd op je ben geworden? Dat het toesloeg zodra ik je voor het eerst zag? Het was iets in de manier waarop je stond, de houding van je schouders, in de plukjes haar die los waren gekomen en langs je nek streken; ik was de jouwe.
Ik heb nagedacht over wat je zei toen we elkaar voor het laatst spraken. Ik heb aan weinig anders gedacht. Ik vraag me af of je misschien gelijk hebt, dat het niet louter fantasie is. Dat we gewoon alles en iedereen vergeten en samen heel ver weg gaan.

De rest las ik niet. Ik sloeg de volgende alinea's over tot ik bij de initiaal kwam, precies zoals mevrouw Bird had gezegd. Maar terwijl ik keek, verschoven de variabelen een beetje en vielen er een aantal dingen op hun plek. Ik had het handschrift van deze persoon eerder gezien.

Ik wist wie de brief had geschreven en wie het was die Lucy Middleton meer dan wie ook had liefgehad. Mevrouw Bird had gelijk; het was een liefde die tegen alle maatschappelijke conventies inging, maar hij had zich niet afgespeeld tussen Raymond en Lucy. Het was geen R die onder aan die brieven stond, maar een P, geschreven in een ouderwets handschrift zodat er een krulletje uit de bolling van de letter kwam: makkelijk te verwarren met een R, vooral als je daarnaar zoekt.

'Wat een mooie brief,' zei ik struikelend over mijn woorden omdat ik me opeens mistroostig voelde doordat ik moest denken aan die twee jonge vrouwen en het lange leven dat ze zonder elkaar hadden doorgebracht.

'Heel triest, vind je niet?' zuchtte ze, terwijl ze de brief weer in haar zak stak, en daarna keek ze me hoopvol aan. 'Zo'n mooi geschréven brief.'

Toen ik me eindelijk van mevrouw Bird had losgemaakt nadat ik zo vaag was geweest als ik maar kon, ging ik rechtstreeks naar mijn kamer om me zijdelings op bed te storten. Ik deed mijn ogen dicht en probeerde mijn gedachten tot rust te brengen, maar het had geen zin. Mijn gedachten wilden niet loskomen van het kasteel. Ik bleef maar aan Percy Blythe denken, die zo prachtig en zo lang geleden had liefgehad; die werd beschouwd als koud en stijf en die het grootste deel van haar leven een vreselijk geheim had bewaard om haar zusje te beschermen.

Percy had me over Oliver Sykes en Thomas Cavill verteld op voorwaarde dat ik zou doen 'wat juist' was. Ze had een heleboel gesproken over de dood van mensen, maar waar ik niet de vinger op kon leggen, was waarom ze het überhaupt nodig had gevonden om het aan mij te vertellen, wat ze mij met de informatie wilde laten doen wat ze niet zelf kon. Die middag was ik te moe. Ik moest slaap inhalen en ik verheugde me erop daarna de avond met mama door te brengen. Dus besloot ik de volgende morgen naar het kasteel te gaan om Percy Blythe een laatste bezoek te brengen.

En tot slot

Alleen kreeg ik daar nooit de kans voor. Na het avondeten met mama viel ik vlug en gezond in slaap, maar even na middernacht schrok ik wakker. Een ogenblik bleef ik stil liggen in mijn bed in de boerderij en vroeg ik me af waarom ik wakker was geworden, of het was gekomen doordat ik iets had gehoord, een nachtelijk geluid dat daarna niet meer had geklonken, of dat ik mezelf op de een of andere manier wakker had gedroomd. Eén ding wist ik wel, het plotselinge ontwaken was niet half zo angstaanjagend als de avond daarvoor. Deze keer had ik niet het gevoel dat er iemand bij me op de kamer was en ik hoorde niets ongewoons. Toch voelde ik de zuigkracht waarvan ik al eerder heb gesproken, de connectie die ik met het kasteel voelde. Ik schoof uit bed en liep naar het raam om het gordijn open te trekken. En toen zag ik het. Van de schok kreeg ik rubberknieën en voelde ik me tegelijkertijd warm en koud worden. Waar het donkere kasteel had moeten staan, was alles helverlicht: oranje vlammen lekten aan de laaghangende, dichte bewolking.

De brand op Milderhurst Castle woedde bijna de hele nacht. Toen ik de brandweer belde, waren ze al onderweg, maar ze konden weinig uitrichten. Het kasteel mocht dan van steen zijn, maar er zat zo veel hout in verwerkt, alle eiken lambrisering, de steunbalken, de deuren, de miljoenen vellen papier. Zoals Percy Blythe had gewaarschuwd was één vonk voldoende om de hele bups in lichterlaaie te zetten.

De oude dames die er woonden hadden geen schijn van kans, volgens een van de brandweerlieden de volgende dag, toen we aan het ontbijt zaten dat mevrouw Bird had klaargemaakt. Ze hadden alle drie bij elkaar gezeten in een kamer op de eerste verdieping. 'Het lijkt erop dat ze door het vuur zijn verrast terwijl ze bij de haard zaten te dommelen.'

'Is het zo begonnen?' vroeg mevrouw Bird. 'Met een vonk uit het vuur, net als met de moeder van de tweeling?' Ze schudde haar hoofd bij de tragische parallel.

'Dat is moeilijk te zeggen,' zei de brandweerman voordat hij verder sprak. 'In feite kan het van alles zijn geweest. Een verdwaalde sintel uit de haard, een gevallen sigaret, kortsluiting... De bedrading in zulke huizen is meestal ouder dan ik.'

De politie of de brandweer, ik weet niet welk van beide, had een barrière om het smeulende kasteel opgetrokken, maar ik kende het terrein vrij goed en kon via de achterzijde de heuvel oplopen. Het mocht dan griezelig zijn, ik wilde per se een kijkje van dichtbij nemen. Ik had de gezusters Blythe maar kort gekend, maar ik had me hun verhalen en hun wereld zo eigen gemaakt, dat wakker worden en zien dat alles in de as was gelegd een gevoel van groot verlies teweegbracht. Het was natuurlijk de dood van de gezusters en hun kasteel, maar ook nog iets anders. Ik had sterk het gevoel dat ik was achtergelaten. Dat er een deur die zich pas onlangs voor me had geopend, in een oogwenk weer totaal was dichtgegaan en dat ik er nooit meer doorheen zou stappen.

Ik bleef een poosje staan om het geblakerde en uitgeholde karkas in me op te nemen en moest denken aan mijn eerste bezoek, al die maanden geleden, en aan het gevoel van verwachting waarmee ik langs de ronde vijver naar het kasteel was gelopen. Aan alles wat ik sindsdien te weten was gekomen.

Seledreorig... Het woord kwam als een fluistering in mijn hoofd. Verdriet wegens het gebrek aan een thuis. Een kleine steen van het kasteel lag los op de grond aan mijn voeten en dat versterkte het melancholische gevoel. Het was maar een steen. De gezusters Blythe waren dood en hun vervlogen tijden zwegen.

'Ongelooflijk dat het verwoest is.'

Ik draaide me om en zag een jongeman met donker haar naast me staan. 'Vertel mij wat,' zei ik. 'Honderden jaren oud, verwoest binnen enkele uren.'

'Ik hoorde het vanmorgen op de radio en ik kon het niet laten zelf een kijkje te komen nemen. Ik hoopte u ook te ontmoeten.'

Misschien keek ik verrast, want hij stak zijn hand uit en zei: 'Adam Gilbert.'

Die naam had iets voor me moeten betekenen en dat was ook zo: een oudere man in tweed en een antieke bureaustoel. 'Edie,' bracht ik uit. 'Edie Burchill.'

'Dat dacht ik al. Dezelfde Edie die mijn baantje heeft ingepikt.'

Hij maakte een grapje en ik zocht naar een geestig repliek. Maar in plaats daarvan stiet ik wat onduidelijke wartaal uit: 'Je knie... Die zuster... Ik dacht...'

'Allemaal hersteld. Althans bijna.' Hij wees naar de wandelstok in zijn andere hand. 'Zou je geloven als ik zeg dat het van een ongeluk tijdens het bergbeklimmen is gekomen?' Hij glimlachte scheef. 'Nee? Ook goed. Ik ben over een stapel boeken in de bibliotheek gestruikeld en dat kostte me mijn knie. De risico's van een schrijvend bestaan.' Hij maakte een gebaar met zijn hoofd naar de boerderij. 'Ga je terug?'

Ik wierp nog een laatste blik op het kasteel en knikte.

'Mag ik meelopen?'

'Natuurlijk.'

Dankzij Adams wandelstok liepen we een poosje vrij langzaam over onze herinneringen aan het kasteel en de gezusters Blythe te praten en over onze wederzijdse liefde voor de *Mud Man* toen we klein waren. Bij het veld dat naar de boerderij voerde, bleef hij staan en ik volgde zijn voorbeeld.

'God, wat voel ik me lomp om dit nu te vragen,' zei hij, met een gebaar naar het rokende kasteel in de verte. 'En toch...' Hij leek naar iets te luisteren wat ik niet kon horen. Hij knikte. 'Ja, kennelijk ga ik het toch vragen. Toen ik gisteravond thuiskwam, kreeg ik je boodschap van mevrouw Button. Klopt dat? Heb je iets gevonden over de oorsprong van de *Mud Man*?'

Hij had vriendelijke, bruine ogen, wat het niet eenvoudig maakte recht in zijn gezicht te liegen, dus dat deed ik ook niet. Ik keek naar zijn voorhoofd. 'Nee,' zei ik, 'helaas niet. Het was vals alarm.'

Hij hield een hand omhoog en zuchtte. 'Ach, nou ja. Dan is de waarheid samen met hen gestorven, neem ik aan. Dat heeft nog een zekere poëtische kwaliteit. We kunnen niet zonder onze mysteries, vind je wel?'

Ik was het met hem eens, maar voor ik dat kon zeggen, werd mijn aandacht getrokken door iets bij de boerderij. 'Wil je me even verontschuldigen?' vroeg ik. 'Ik moet even iets doen.'

Ik weet niet wat er door hoofdinspecteur Rawlins heen ging toen hij een uitgeputte vrouw met een wilde bos haar zich over het veld zijn kant op zag haasten, en nog minder toen ik hem mijn verhaal vertelde. Ik moet hem nageven dat hij buitengewoon neutraal bleef kijken toen ik aan tafel bij de thee voorstelde dat hij zijn onderzoek uitbreidde. Dat ik uit betrouwbare bron wist dat de overblijfselen van twee mannen begraven lagen in de aarde om het kasteel. Hij roerde alleen maar wat langzamer in zijn thee en vroeg: 'Twee mannen, zegt u? Ik neem aan dat u niet weet hoe ze heten, toevallig?'

'Ja, dat weet ik wel. De ene heette Oliver Sykes, de andere Thomas Cavill. Sykes kwam om in de brand van 1910 die Muriel Blythe het leven kostte, en Thomas is per ongeluk om het leven gekomen bij een storm in oktober 1941.'

'Aha.' Hij sloeg een vlieg bij zijn oor weg zonder dat zijn ogen de mijne loslieten.

'Sykes ligt begraven aan de westkant, waar vroeger een slotgracht lag.'

'En die ander?'

Ik moest denken aan de avond van het noodweer, aan Junipers vreselijke vlucht door de gangen naar de tuin, en Percy die precies wist waar ze haar moest vinden. 'Thomas Cavill ligt op de huisdierenbegraafplaats,' zei ik. 'Precies in het midden, bij een grafsteen met Emerson.'

Hij keek me aandachtig aan terwijl hij een slok thee nam en er vervolgens nog een halve lepel suiker bij deed. Hij keek met licht samengeknepen ogen terwijl hij nog eens roerde.

'Als u de archieven napluist,' vervolgde ik, 'zult u zien dat Thomas Cavill als vermist is opgegeven en dat de dood van geen van beiden ooit officieel is geregistreerd.' En een mens moest een tweetal data hebben, precies zoals Percy Blythe had gezegd. Alleen de eerste datum was niet voldoende. Een mens zonder het laatste haakje kon nooit rust vinden.

Ik besloot de inleiding voor de uitgave van de *Mud Man* door Pippin Books niet te schrijven. Ik legde Judith Waterman uit dat ik het niet met mijn werk kon verenigen en dat ik bovendien voor de brand amper de gelegenheid had gehad om de gezusters Blythe te spreken. Ze zei dat ze dat begreep; dat ze ervan overtuigd was dat Adam Gilbert de opdracht met plezier zou afmaken. Ik moest beamen dat dit een logische oplossing was, tenslotte was hij degene die al het researchwerk had gedaan.

En ik had het kunnen doen. Ik wist het antwoord op het raadsel dat literatuurcritici vijfenzeventig jaar had geplaagd, maar ik kon het niet met de wereld delen. Als ik dat had gedaan, zou dat hebben gevoeld als een ernstig verraad jegens Percy Blythe. 'Dit is een familieverhaal,' had ze gezegd voordat ze me vroeg of ze mij kon vertrouwen. Het zou me ook verantwoordelijk hebben gemaakt voor de onthulling van een triest en kwalijk verhaal dat voorgoed zijn schaduw over de roman zou werpen. Het boek dat een lezer van me had gemaakt.

Maar om iets anders te schrijven, om een opgewarmd prakje te maken van alle vroegere verslagen over de geheimzinnige oorsprong van het boek, zou geheel en al onoprecht zijn. Bovendien had Percy Blythe me onder valse voorwendselen in dienst genomen. Ze wilde niet dat ik de inleiding schreef, ze wilde dat ik de officiële geschiedschrijving rechtzette. En dat had ik gedaan. Rawlins en zijn manschappen breidden hun onderzoek van de bran uit en in de kasteelgronden werden twee lijken aangetroffen, precies op plekken die ik had aangegeven. Theo Cavill hoorde eindelijk wat er met broer Tom was gebeurd: dat hij midden in de oorlog in een stormachtige nacht bij Milderhurst Castle om het leven was gekomen.

Hoofdinspecteur Rawlins probeerde nog meer bijzonderheden uit me te krijgen, maar ik liet niets meer los. En het was ook zo. Ik wíst ook niets meer. Percy had me één ding verteld, Juniper iets anders. Ik nam aan dat Percy haar zus dekte, maar bewijzen kon ik het niet. En ik zou het hoe dan ook niet vertellen. De waarheid was met de drie gezusters ondergegaan, en als de stenen in de fundering nog altijd fluisterden over wat er die bewuste nacht in oktober 1941 was gebeurd, kon ik het niet horen. Ik wilde het niet horen. Niet meer. Het was tijd om de draad van mijn eigen leven weer op te vatten.

DEEL V

1

Milderhurst Castle, 29 oktober 1941

Het noodweer dat zich die middag op 29 oktober een weg landinwaarts van de Noordzee had gebaand, rolde grommend en groeiend en golvend door voordat het zich eindelijk om de toren van Milderhurst Castle plooide. De eerste aarzelende regendruppels braken uit de wolken en er zouden er nog talloze volgen voordat de nacht voorbij was. Het was een geniepig soort onweer, het soort regen dat de voorkeur geeft aan hardnekkigheid boven kabaal, uur na uur werd de aarde door dikke druppels geteisterd, stroomde het water van de dakpannen en viel als een dichte sluier van de dakranden af. Roving Brook zwol, de donkere vijver in Cardarker Wood werd nog donkerder en de strook zachte grond om het kasteel die iets lager lag dan de rest, raakte doorweekt en zoog water op zodat er in de duisternis een schaduw van de vroegere slotgracht verscheen. Maar de tweeling binnen had daar geen weet van; die wist alleen dat er na uren van gespannen wachten op de kasteeldeur werd geklopt.

Saffy was er het eerst, legde haar hand tegen de deurstijl en stak de koperen sleutel in het slot. Hij klemde een beetje, dat was altijd zo geweest en ze moest een beetje moeite doen. Ze zag dat haar handen beefden, dat haar nagellak was gebutst en dat haar huid er oud uitzag. Daarna gaf het mechaniek mee, ging de deur open en vlogen die gedachten de donkere, natte avondlucht in, want daar stond Juniper.

'O, lieverd.' Saffy kon wel huilen toen ze zag dat haar kleine zusje eindelijk weer veilig en wel thuis was. 'Goddank! We hebben je zo gemist!'

'Ik ben mijn sleutel kwijt,' zei Juniper. 'Het spijt me.'

Ondanks de volwassen regenjas en het volwassen kapsel dat onder haar hoed zichtbaar was, zag Juniper er in de schemerige deuropening nog zo uit als een kind, dat Saffy zich niet kon bedwingen, het gezicht van haar zus in beide handen nam en een kus op haar voorhoofd drukte, net als ze altij
deed toen June nog klein was. 'Geeft niets,' zei ze met een gebaar naar Per
wiens slechte humeur zich net had teruggetrokken in de stenen. 'We zijn

woon heel blij dat je weer gezond en wel thuis bent. Laat me eens naar je kijken...' Ze hield haar zus op armlengte en haar borst zwol op met een golf blijdschap en opluchting waarvoor ze nooit de juiste woorden zou vinden; ze trok Juniper tegen zich aan. 'Toen het zo laat werd, maakten we ons ongerust...'

'Het was de bus. We werden aangehouden, er was een soort... incident.'

'Een incident?' Saffy deed een stap naar achteren.

'Iets met de bus. Een wegversperring, denk ik. Ik weet het niet precies...' Ze haalde glimlachend haar schouders op en slikte de rest van haar woorden in, maar op haar gezicht lag nog een spoor van verbijstering. Het was maar een kleine verschuiving, maar het was voldoende; de onuitgesproken woorden weergalmden door de ruimte alsof ze die wel had gezegd. *Ik kan het me niet herinneren.* Zes eenvoudige woorden, onschuldig in de mond van ieder ander behalve Juniper. Het ongemak rustte opeens als een baksteen op Saffy's maag. Ze wisselde een blik met Percy en zag dat zich bij haar ook een vertrouwde vrees nestelde.

'Nou, kom maar gauw binnen,' zei Percy terwijl ze haar glimlach nieuw leven inblies. 'We hoeven hier niet buiten in de regen te staan.'

'Ja!' zei Saffy, net zo opgewekt als haar tweelingzus. 'Arme schat, zo meteen vat je nog kou als we niet oppassen... Wil jij even naar beneden om een warme kruik te halen, Percy?'

Toen Percy door de halfdonkere hal naar de keuken verdween, wendde Juniper zich naar Saffy, pakte haar pols en vroeg: 'Tom?'

'Nog niet.'

Ze liet haar gezicht hangen. 'Maar het is al zo laat. Ik ben zelf al zo laat.'

'Ik weet het, lieverd.'

'Wat kan hem tegen hebben gezeten?'

'De oorlog, schat; het is de schuld van de oorlog. Kom maar lekker bij de haard zitten. Ik schenk je een hartversterker in en dan komt hij zo, dat zul je zien.'

Ze waren bij de nette salon en Saffy veroorloofde zich even om van het ogenblik te genieten voordat ze Juniper meenam naar het kleed voor de open haard. Ze porde tegen het grootste stuk hout en haar zus haalde een pakje sigaretten uit haar jaszak.

Er spatte een vonk uit het vuur en Saffy schrok op. Ze rechtte de rug, zette de pook terug op zijn plaats en stofte haar handen af, al viel daar niets te reinigen. Juniper streek een lucifer af en nam een lange trek. 'Je haar,' zei Saffy licht.

'Ik heb het laten afknippen.' Iedere andere vrouw zou misschien haar hand naar haar nek brengen, maar niet Juniper.

'Nou, ik vind het mooi.'

Ze glimlachten naar elkaar, Juniper een beetje nerveus, had Saffy de indruk. Al sloeg dat natuurlijk nergens op; Juniper werd niet nerveus. Saffy deed alsof ze haar zus niet opnam toen die een arm om haar middel sloeg en weer een trekje nam.

Londen, wilde Saffy zeggen. Je bent in Londen geweest! Ik wil alles horen, schilder beelden met woorden zodat ik alles net zo kan zien en weten als jij. Heb je nog gedanst? Heb je op de oever van de Serpentine gezeten? Ben je verliefd geworden? De vragen stonden in de rij, de ene na de andere, smekend om gesteld te worden en toch zei ze niets. In plaats daarvan bleef ze als een onnozele hals staan terwijl het vuur hun gezicht warmde en de minuten verstreken. Ze wist dat het belachelijk was; Percy kon elk ogenblik terug zijn en dan zou de kans om Juniper alleen te spreken verkeken zijn. Ze zou het gewoon rechtstreeks moeten vragen: Vertel eens over hem, lieveling; vertel eens over Tom, over je plannen. Dit was Juniper tenslotte, haar geliefde kleine zusje. Er was niets waar ze niet over konden praten. En toch. Saffy moest denken aan wat ze in het dagboek had gelezen en haar wangen werden rood. 'Hier,' zei ze, 'wat nalatig van me! Geef me je jas maar even.'

Ze ging als een dienstmeisje achter haar staan, trok eerst één mouw en vervolgens, nadat Juniper haar sigaret in de andere hand had genomen, haar tweede uit, nam de bruine jas van de magere schouders en bracht hem naar de stoel achter de Constable. Het was niet ideaal om hem op de vloer te laten uitdruipen, maar er was geen tijd meer voor iets anders. Ze trok de stof een beetje recht, bekeek het naaiwerk op de zoom en vroeg zich af waarom ze zelf zo terughoudend was. Ze gaf zichzelf op haar kop omdat ze gewone familievragen binnenhield alsof de jonge vrouw bij het vuur een vreemde was. Het was verdikkeme Juniper; ze was eindelijk weer thuis en waarschijnlijk met een vrij belangrijk geheim achter de hand.

'Je brief,' moedigde Saffy aan terwijl ze de kraag van de jas gladstreek en zich afvroeg waar haar zus in 's hemelsnaam zo'n ding op de kop had getikt. 'Je laatste brief.'

'Ja?'

Juniper zat gehurkt voor het vuur zoals ze als kind ook altijd graag deed en draaide niet eens haar hoofd om. Saffy besefte met een schok dat haar zus het haar niet makkelijk ging maken. Ze aarzelde, zette zich schrap en toen ze in de verte een deur hoorde dichtslaan, wist ze dat tijd van het grootste belang was. ‘Alsjeblieft, Juniper,’ ze, terwijl ze vlug weer bij haar ging staan. ‘Vertel eens iets over Tom; ik wil alles weten, schat.’

‘Over Tom?’

‘Alleen dat... Ik vroeg me alleen af of er iets tussen jullie... iets serieuzers is dan je in je brief voorgaf.’

Er viel een stilte en de muren spitsten de oren.

Toen kwam er een geluidje uit Junipers keel, een zucht. ‘Ik wilde wachten,’ zei ze. ‘We hebben besloten te wachten tot we weer bij elkaar kunnen zijn.’

‘Wachten?’ Saffy’s hart ging tekeer als van een gevangen vogeltje. ‘Ik begrijp niet goed wat je bedoelt, lieverd.’

‘Tom en ik.’ Juniper nam een lange trek van haar sigaret en leunde vervolgens met haar wang op de muis van haar hand. Toen ze de rook uitblies, zei ze: ‘Tom en ik gaan trouwen. Hij heeft me een aanzoek gedaan en ik heb ja gezegd. En o, Saffy...’ Voor het eerst keek ze haar zus over haar schouder aan. ‘Ik hou van hem. Ik kan niet zonder hem leven. Dat doe ik niet.’

Hoewel het precies het nieuws was dat Saffy had verwacht, voelde ze zich gekwetst door de kracht van de bekentenis, door de snelheid waarmee hij was geuit, zijn invloed en repercussies. ‘Nou,’ zei ze, terwijl ze naar het buffet met de drank liep, ‘dat is geweldig, liefste. Dan is het feest vanavond.’

‘Je zegt het toch niet tegen Percy, hè? Niet voordat...’

‘Nee. Nee, natuurlijk niet.’ Saffy haalde de stop van de whiskykaraf.

‘Ik weet hoe ze zal... Wil jij me helpen? Om het haar te laten inzien?’

‘Natuurlijk, dat weet je best.’ Saffy concentreerde zich op de glazen die ze inschonk. Het was waar. Ze zou doen wat ze kon, ze had alles voor Juniper over. Maar Percy zou het nooit begrijpen. Papa’s testament liet daar geen misverstand over bestaan; als Juniper ging trouwen, was het kasteel verloren. Percy’s liefde, haar leven, haar bestaansreden...

Juniper staarde fronsend naar de vlammen. ‘Ze zal wel door de knieën gaan, hè?’

‘Ja,’ loog Saffy. Ze dronk haar glas in één teug leeg en schonk nog eens bij.

‘Ik weet wat het betekent, dat weet ik echt, en het spijt me vreselijk; ik wilde dat papa het nooit had gedaan. Ik heb hier nooit een deel van willen hebben.’ Juniper gebaarde naar de stenen muren. ‘Maar mijn hart, Saffy, mijn hart.’

Saffy hield Juniper haar glas voor. ‘Hier, lieverd, neem maar een...’ Ze sloeg haar andere hand voor haar mond toen haar zus opstond en zich omdraaide om het glas aan te nemen.

‘Wat is er?’

Ze kon niets uitbrengen.

'Saffy?'

'Je blouse...' bracht ze uit, 'Die is...'

'Die is nieuw.'

Saffy knikte. Het was een speling van het licht, anders niet. Ze pakte haar zus bij de hand en nam haar vlug mee naar de lamp.

Toen kreeg ze slappe knieën.

Er was geen vergissing mogelijk. Bloed. Saffy nam zich voor niet in paniek te raken, dat er niets te vrezen was, nog niet althans, dat ze vooral rustig moesten blijven. Ze zocht naar de juiste woorden om dat te zeggen, maar voordat ze die had, volgde Juniper haar blik.

Ze trok aan de stof van haar hemd, fronste even en toen gilde ze. Ze veegde hysterisch over haar blouse en deed een stap naar achteren alsof ze de verschrikking zo kon ontwijken.

'Stil maar,' zei Saffy met een handgebaar. 'Rustig maar, liefste, niet bang zijn.' Maar ze proefde haar eigen paniek, haar schaduw. 'Laat me je eens bekijken. Laat Saffy maar even kijken.'

Juniper bleef als verlamd staan en Saffy maakte met trillende vingers haar knoopjes los. Ze opende de blouse, streek met haar vingertoppen over de gladde huid van haar zus – ze moest vaag denken aan de keren dat ze Juniper als kind verzorgde – en onderzocht haar borst, haar zijkant en buik op verwondingen. Ze slaakte een diepe zucht van verlichting toen die niet werden gevonden. 'Je mankeert niets.'

'Maar van wie?' vroeg Juniper. 'Van wie dan?' Ze rilde. 'Waar komt het vandaan, Saffy?'

'Weet je dat niet meer?'

Juniper schudde haar hoofd.

'Herinner je je helemaal niets meer?'

De angst lichtte op in Junipers ogen.

'Doet je hoofd pijn? Heb je zo'n... tintelend gevoel in je vingers?'

Juniper knikte langzaam.

'Goed.' Saffy glimlachte zo goed en zo kwaad als het ging; ze hielp Juniper uit haar besmeurde blouse en sloeg een arm over haar schouder; ze moest bijna huilen van angst en liefde en bezorgdheid toen ze de smalle botten onder haar arm voelde. Ze hadden naar Londen moeten gaan, Percy had June weer naar huis moeten halen. 'Het is al goed,' zei ze beslist. 'Je bent nu thuis. Alles komt goed.'

Juniper zei niets; er was een waas over haar gezicht getrokken.

Saffy wierp een blik op de deur. Percy zou er wel iets op weten. Percy wist altijd wat er moest gebeuren. 'Stil maar, rustig maar,' zei ze, meer tegen zichzelf dan tegen Juniper, want die luisterde al niet meer.

Ze gingen naast elkaar op het uiteinde van de chaise longue zitten wachten. Het vuur knetterde in de haard, de wind jammerde langs de stenen en regenvlagen sloegen tegen de ramen. Het voelde alsof er honderd jaar verstreken. Toen verscheen Percy in de deuropening. Ze had zich gehaast en hield de warmwaterkruik in haar hand. 'Ik dacht dat ik een gil hoorde...' Ze bleef staan toen ze Junipers half ontklede staat zag. 'Wat is er? Wat is er gebeurd?'

Saffy gebaarde naar de bebloede blouse en zei ziekelijk opgewekt: 'Help me eens een handje, Perce. Juniper heeft de hele dag gereisd en ik vind dat we haar maar eens een heerlijk warm bad moeten geven.'

Percy knikte grimmig en met Juniper in het midden hielpen ze hun zus naar de deur.

De kamer kwam tot rust en de stenen begonnen te fluisteren.

Het losse luik zakte van een scharnier, maar er was niemand die het zag.

'Slaapt ze?'

'Ja.'

Percy haalde verlicht adem en liep een stukje verder de zolderkamer in om naar hun zusje dat in bed lag te kijken. Ze bleef staan bij Saffy's stoel. 'Heeft ze nog iets gezegd?'

'Niet veel. Ze herinnerde zich op de trein en de bus te hebben gezeten, dat die stopte en dat ze gehurkt langs de kant van de weg had gezeten; het volgende waarvan ze zich bewust werd, was dat ze op de oprijlaan liep en al bijna bij de voordeur was, met een tintelend gevoel in al haar ledematen. Zoals dat gebeurt, weet je wel, naderhand.'

Percy wist het. Ze stak haar hand uit om met de rug van twee vingers langs Junipers haargrens over haar wang te strelen. Hun zusje zag er zo klein uit, zo hulpeloos en onschuldig, wanneer ze sliep.

'Maak haar maar niet wakker.'

'Daar is weinig kans op.' Percy wees op het flesje met vaders tabletten naast het bed.

'Je hebt andere kleren aangetrokken,' zei Saffy en ze trok een beetje aan Percy's broekspijp.

'Ja.'

'Je gaat naar buiten.'

Percy knikte kort. Als Juniper uit de bus was gestapt en toch haar weg naar huis had gevonden, betekende dat waarschijnlijk dat, wat het ook was geweest dat haar de tijd had doen verliezen en verantwoordelijk was voor het bloed op haar kleren, het dicht bij huis was gebeurd. Dat betekende dat Percy direct moest gaan kijken; met de zaklantaarn de oprijlaan af lopen en zien wat ze kon vinden. Ze weigerde te speculeren over wat dat kon zijn; ze besefte alleen dat het haar plicht was om het op te ruimen. In feite was ze wel blij met die taak. Een concreet doel zou helpen haar angst op afstand te houden en voorkomen dat haar verbeelding met haar op de loop ging. De situatie was al moeilijk genoeg. Ze keek naar Saffy's hoofd met die mooie krullen en fronste. 'Beloof me dat je iets gaat doen wanneer ik weg ben,' zei ze, 'iets anders dan hier zitten nagelbijten.'

'Maar Perce...'

'Ik meen het, Saffy. Zij zal urenlang onder zeil zijn. Ga maar naar beneden, ga wat schrijven. Zoek afleiding. Op paniek zitten we niet te wachten.'

Saffy stak haar hand uit om haar vingers met die van Percy te verstrengelen. 'En kijk uit voor meneer Potts. Hou je zaklantaarn laag. Je weet hoe hij is tijdens de verduistering.'

'Doe ik.'

'Ook de Duitsers, Perce. Kijk goed uit.'

Percy liet haar hand los en troostte zich door beide handen diep in haar zakken te steken. 'Op een avond als deze? Als ze een beetje hersens hebben, liggen ze allemaal thuis, lekker onder de wol.'

Saffy probeerde te glimlachen maar het lukte niet helemaal. En wie kon het haar kwalijk nemen? De kamer hing vol spoken van vroeger. Percy onderdrukte een rilling en liep naar de deur met de woorden: 'Nou, dan ga...'

'Weet je nog dat we hierboven sliepen, Perce?'

Percy wachtte even en tastte naar de sigaret die ze even daarvoor had gedraaid. 'Vaag.'

'Het was leuk, hè? Wij tweeën.'

'Zoals ik het me herinner, kon jij niet wachten om naar beneden te gaan.'

Toen glimlachte Saffy wel, maar op een mistroostige manier. Ze meed Percy's blik en bleef naar Juniper kijken. 'Ik had altijd zo'n haast. Om groot te worden en weg te gaan.'

Percy's borstkas deed zeer. Ze verzette zich tegen de zuigkracht van het sentiment. Ze wilde zich niet het meisje herinneren dat haar tweelingzus was geweest in de tijd voordat papa haar brak, toen ze nog talent had en dromen en alle kans om die te vervullen. Niet nu; nooit meer als het aan haar lag. Het deed te veel pijn.

In haar broekzak zaten de snippers papier die ze puur bij toeval in de keuken had gevonden toen ze water kookte voor de kruik. Ze had op zoek naar lucifers een deksel van het aanrecht opgetild en daar lagen ze: de snippers van de verscheurde brief van Emily. Goddank, ze had ze gevonden. Het laatste waar ze op zaten te wachten was dat Saffy zich aan haar oude wanhoop zou overgeven. Percy zou ze nu mee naar beneden nemen en ze op weg naar buiten verbranden. 'Ik ga nu maar eens, Saff...'

'Ik denk dat Juniper bij ons weggaat.'

'Wat?'

'Ik denk dat ze uitvliegt.'

Waarom zou haar tweelingzus dat zeggen? En waarom nu? Waarom vanavond? Percy's hart ging sneller kloppen. 'Heb je naar hem geïnformeerd?'

Saffy aarzelde zo lang dat Percy haar antwoord al wist.

'Wil ze gaan trouwen?'

'Ze zegt dat ze van hem houdt,' zuchtte Saffy.

'Maar dat is niet zo.'

'Ze gelooft het zelf wel, Perce.'

'Je vergist je.' Percy verbeet zich. 'Ze zou niet gaan trouwen. Dat doet ze niet. Ze weet wat papa heeft gedaan, wat het zou betekenen.'

Saffy glimlachte mistroostig. 'Liefde laat mensen wrede dingen doen.'

Percy liet haar doosje lucifers vallen en bukte zich om het op te rapen. Toen ze weer rechtop stond, zag ze dat Saffy haar gadesloeg met een merkwaardige uitdrukking op haar gezicht, bijna alsof ze een complex idee probeerde over te brengen, of een oplossing wilde vinden voor een raadsel dat haar dwarszat. 'Komt hij nog, Percy?'

Haar zus stak een sigaret op en liep de trap af. 'Maar Saffy,' zei ze, 'hoe moet ik dat nu weten?'

De mogelijkheid had Saffy stilletjes beslopen. De boze stemming van haar tweelingzus van die hele avond had ze wel jammer gevonden, maar hij was niet nieuw, dus had ze er niet meer bij stilgestaan; ze had alleen een poging gedaan de bui van haar zus te beheersen zodat ze het etentje niet zou bederven. Maar daarna was ze heel lang beneden in de keuken gebleven, zogenaamd om aspirines te zoeken en was ze teruggekomen met een besmeurde jurk en een verhaal over geluiden buiten. Die wezenloze blik toen Saffy vroeg of ze de aspirine had gevonden, alsof ze helemaal was vergeten dat ze die was gaan zoeken... En nu Percy's hardnekkige overtuiging dat Juniper niet ging trouwen...

Maar nee.
Ho.
Percy kon hard en zelfs onvriendelijk zijn, maar daartoe was ze niet in staat. Saffy zou zoiets nooit kunnen geloven. Haar tweelingzus hield hartstochtelijk veel van het kasteel, maar nooit ten koste van haar eigen menselijkheid. Percy was moedig en fatsoenlijk en eerlijk; ze klom in bomkraters om levens te redden. Bovendien was het niet Percy geweest die onder het bloed van iemand anders zat...

Saffy beefde, en opeens ging ze staan. Percy had gelijk: ze schoot er weinig mee op als ze zwijgend waakte terwijl Juniper sliep. Ze hadden haar drie van papa's pillen moeten geven om haar zo te kalmeren dat ze in slaap viel, het arme schaap, en er was weinig kans dat ze de eerste uren bij kennis zou komen.

Om haar zo klein en kwetsbaar te laten liggen, druiste in tegen alle moedergevoelens waarover Saffy beschikte, maar ze wist dat daar blijven een uitnodiging was om vreselijk in paniek te raken. Haar gedachten tuimelden nu al over elkaar van de akelige mogelijkheden: Juniper had geen aanval van verloren tijd gehad als ze niet een of ander trauma had opgelopen, tenzij ze iets had gezien of gedaan wat haar zintuigen had overprikkeld, iets wat haar hart harder had doen kloppen dan goed voor haar was. Dat tezamen met het bloed op haar blouse en de algemene ongemakkelijke sfeer die met haar mee naar binnen was gekomen...

Nee.
Stop.
Saffy drukte de muis van haar handen hard tegen haar borstkas. Ze probeerde de knoop van angst weg te masseren die zich daar vormde. Nu was niet het moment om te bezwijken voor een van haar paniekaanvallen. Ze moest kalm blijven. Er was nog zoveel niet bekend, en toch was één ding zeker. Juniper zou niet veel aan haar hebben als ze haar eigen grillige angsten niet in bedwang kon houden.

Ze zou naar beneden gaan om aan haar roman te werken, zoals Percy had voorgesteld. Een uurtje of zo in het heerlijke gezelschap van Adèle was net wat ze nodig had. Juniper was veilig, Percy zou vinden wat er te vinden was en Saffy zou. Niet. In. Paniek. Raken.

Dat móc ht niet.
Vastberaden trok ze de deken recht en streek hem vriendelijk glad over haar borst. Ze lag zo stil te slapen als een kind dat moe was van een dag in de zon, van de helderblauwe hemel boven een dag aan het strand.

Ze was zo'n bijzonder kind geweest. Ze kreeg een herinnering, plotseling en compleet, als in een flits: Juniper als klein meisje met spillebeentjes en witte haren die blonken in de zon. Hurkend, met knieën onder de korsten, met haar blote stoffige voeten plat op de geschroeide zomerse aarde, gezeten boven een oude afvoer, krabbelend met een stok in de aarde op zoek naar de perfecte steen om door het roostertje te laten vallen...

Een regenvlaag sloeg tegen het raam en het meisje, de zon en de geur van droge aarde veranderden in rook en verwaaiden. Alleen de schemerige, bedompte zolder was er nog. De zolder waar Saffy en Percy samen klein waren geweest, waar ze van jengelende baby's humeurige jongedames waren geworden. Er waren niet veel sporen meer van hun tijd daar, althans geen zichtbare. Alleen het bed, de inktvlek op de vloer, de boekenkast bij het raam waarop ze was ge...

Nee!

Stop!

Saffy balde haar vuisten. Ze zag het flesje met papa's pillen. Ze dacht even na en toen schroefde ze de dop eraf en schudde er een in haar hand. Hij zou de scherpe kantjes eraf halen en haar helpen zich te ontspannen. Ze liet de deur op een kier staan en sloop voorzichtig over de smalle trap naar beneden.

Achter haar in de kamer slaakten de gordijnen een zucht.

Juniper bewoog.

Een lange jurk hing te glimmen tegen de kast als een bleek, vergeten spook.

Het was een maanloze, natte nacht en ondanks haar regenjas en laarzen raakte Percy doorweekt. Om de zaak nog erger te maken, kreeg de zaklantaarn kuren. Ze plantte haar voeten stevig op de oprijlaan en sloeg met de zaklantaarn op haar hand. De batterij rammelde, het licht flikkerde en de hoop laaide op. Daarna ging hij uit. Helemaal.

Percy vloekte binnensmonds en veegde met haar pols het haar weg dat op haar voorhoofd geplakt zat. Ze wist niet goed wat ze verwachtte aan te treffen, alleen dat ze het inmiddels wel gevonden zou hebben. Hoe langer het duurde, hoe verder ze van het kasteel verwijderd raakte en hoe minder kans er was dat ze de kwestie in de hand konden houden.

Ze tuurde door de regen en probeerde te onderscheiden wat ze kon.

De beek was flink gezwollen; ze hoorde het water woest kolken en razend zijn weg naar het woud vervolgen. Als het zo doorging, zou de brug morgenochtend zijn weggeslagen.

Ze draaide haar hoofd een beetje naar links, voelde het dreigende bastion van Cardarker Wood en hoorde de wind door de boomtoppen sluipen.

Percy probeerde de zaklantaarn nog een keer. Dat verrekte ding deed het nog steeds niet. Ze liep langzaam en voorzichtig verder in de richting van de weg en speurde zo goed en zo kwaad als het ging om zich heen.

Een bliksemschicht en de hele wereld werd wit; de doornatte velden die voor haar uit glooiden, de terugdeinzende bossen, het kasteel dat teleurgesteld de armen had gekruist. Een bevroren ogenblik waarin Percy zich volslagen alleen voelde, zowel koud en wit vanbinnen als van buiten.

Ze zag het toen de laatste echo van de flits wegstierf. Een vorm op de oprijlaan verderop. Iets wat heel stil lag.

Lieve god: de omvang, de gedaante van een man.

2

Tom had bloemen uit Londen meegebracht, een klein bosje orchideeën. Ze waren moeilijk te vinden geweest, hadden hem een rib uit het lijf gekost en toen de dag plaatsmaakte voor de avond, kreeg hij spijt van dat besluit. Ze zagen er een beetje vermoeid uit en hij vroeg zich af of Junipers zussen wel meer van snijbloemen uit de winkel hielden dan zij. Hij had de jam van zijn verjaardag ook meegenomen. Jezus, wat was hij nerveus.

Hij keek op zijn horloge en besloot dat verder niet meer te doen. Hij was al meer dan te laat. Er was niets aan te doen geweest: de trein was stilgehouden, daarna had hij een andere bus moeten zoeken, de enige die naar het oosten ging was van een naburig plaatsje vertrokken en hij had kilometers dwars door het landschap moeten hollen om erachter te komen dat hij die middag niet meer reed. Deze bus was drie uur later als vervanging gekomen, net toen hij weer op pad wilde gaan om te zien of hij een lift kon krijgen.

Hij had zijn uniform aangetrokken; over een paar dagen zou hij naar het front terugkeren en bovendien was hij er inmiddels aan gewend, maar de zenuwen maakten hem houterig en het jack dat om zijn schouders hing, voelde niet vertrouwd. Hij had zijn medaille ook opgespeld, die ze hem hadden gegeven voor die toestand op het Kanaal van Escaut. Tom had gemengde gevoelens over dat eerbetoon; hij kon hem niet op zijn borst voelen zonder te denken aan de jongens die ze waren verloren toen ze als gekken uit die hel wegvluchtten, maar anderen leken hem wel belangrijk te vinden, zijn moeder bijvoorbeeld, en omdat dit voor het eerst was dat hij Junipers familie ging ontmoeten, was het waarschijnlijk maar het beste zo.

Hij wilde graag in de smaak vallen en dat alles zo goed mogelijk zou verlopen. Meer voor haar bestwil dan de zijne; haar ambivalentie verwarde hem. Ze had vaak over haar zussen en haar kinderjaren gesproken, en altijd met veel genegenheid. Door naar haar te luisteren, en van wat hij zich kon herinneren van de glimp van het kasteel die hijzelf had opgevangen, stelde Tom zich een idylle voor, een pastoraal visioen; sterker nog: een soort sprookje. En toch had ze heel lang niet gewild dat hij er een bezoek zou brengen en was ze steeds op haar hoede als hij de mogelijkheid ook maar ter sprake bracht.

Vervolgens was Juniper twee weken daarvoor typerend plotseling van gedachten veranderd. Terwijl het Tom nog duizelde omdat ze zijn aanzoek had geaccepteerd, kondigde ze aan dat ze een bezoek aan haar zussen moesten brengen om hun het nieuws samen te vertellen. Natuurlijk moesten ze dat. Dus hier was hij dan. En hij wist dat het niet ver meer kon zijn, want ze waren al een aantal malen gestopt en hij was maar een van de weinige overgebleven passagiers. Het was bewolkt geweest bij zijn vertrek uit Londen, de hemel was bedekt met een wit masker van wolken, die in de hoeken donkerder werden naarmate ze dichter bij Kent kwamen, maar inmiddels stroomde het van de regen en de ruitenwissers maakten zo'n ritmisch, sissend geluid dat hij er slaperig van zou zijn geworden als hij niet zo nerveus was geweest.

'Je gaat zeker naar huis?'

Tom speurde in het donker naar de persoon achter de stem en zag een vrouw aan de andere kant van het gangpad zitten. Ze was een jaar of vijftig – het was moeilijk met zekerheid te zeggen – met een vrij vriendelijk gezicht, zoals zijn moeder eruit kon hebben gezien als haar leven wat eenvoudiger was geweest. 'Op bezoek bij een vriendin,' antwoordde hij. 'Ze woont aan de weg naar Tenterden.'

'O ja?' De vrouw glimlachte samenzweerderig. 'Je liefje, zeker?'

Hij glimlachte omdat het zo was en daarna niet meer omdat ze het ook niet was. Hij ging met Juniper Blythe trouwen, maar ze was niet zijn 'liefje'. Dat woord sloeg op een meisje dat een knaap ontmoette wanneer hij met verlof thuis was, het leuke meisje met die pruilmond en de mooie benen en de holle beloften om naar het front te schrijven; het meisje met een voorliefde voor gin en dansen en vozen laat op de avond.

Juniper Blythe was niets van dat al. Zij zou zijn vrouw worden en hij haar man, maar ook al klampte Tom zich aan die harde feiten vast, hij wist dat ze hem nooit zou toebehoren. Keats had vrouwen zoals Juniper gekend. Toen hij schreef over zijn *lady in the meads*, de dame in de weiden, het beeldschone sprookjeskind met het lange haar, de lichte tred en die wilde, wilde blik, had hij Juniper Blythe voor ogen kunnen hebben.

De vrouw aan de andere kant van het gangpad wachtte nog steeds op bevestiging en Tom glimlachte. 'Verloofde,' zei hij, en hij genoot van de pregnante verwachting van betrouwbaarheid die het woord herbergde, ook al trokken zijn tenen krom omdat het zo tekortschoot.

'Kijk eens aan, is dat niet prachtig. Het is zo heerlijk om gelukkige verhalen in een tijd als deze te horen. Heb je haar in deze buurt leren kennen?'

'Nee... Nou, eigenlijk wel, maar niet goed. Dat gebeurde pas in Londen.'

'Londen.' Ze glimlachte meelevend. 'Ik ga er wel eens bij een vriendin op bezoek en toen ik de laatste keer uitstapte op Charing Cross...' Ze schudde haar hoofd. 'Dat dappere, oude Londen. Vreselijk wat er is gebeurd. Hebt u of uw familie nog schade geleden?'

'Tot nu toe hebben we geluk gehad.'

'Lange reis gemaakt vandaag?'

'Ik ben vertrokken met de trein van twaalf over negen. Sindsdien is het één en al ellende geweest.'

Ze schudde haar hoofd. 'Dat stoppen en starten. Die krankzinnig volle treinen. De identiteitscontroles, maar toch bent u er nu. Bijna aan het eind van uw reis. Jammer van het weer. Ik hoop dat u een paraplu bij u hebt.'

Die had hij niet, maar hij knikte glimlachend en concentreerde zich weer op zijn eigen gedachten.

Saffy nam haar dagboek mee naar de nette salon. Vanavond hadden ze alleen daar het vuur aangestoken en ondanks alles deed de fraaie aankleding van de kamer haar nog een beetje genoegen. Ze wilde zich niet opgesloten voelen, dus verkoos ze een stoel aan tafel boven een van de leunstoelen. Ze ruimde, heel behoedzaam om de andere drie niet te verstoren, één couvert op. Het was natuurlijk waanzin, maar een heel klein stukje van haar hoopte nog altijd dat ze samen zouden dineren, met z'n vieren.

Ze schonk nog een glas whisky in voor zichzelf en ging vervolgens zitten om haar dagboek op de recentste bladzijde open te slaan, en las hem door om weer in Adèles tragische liefdesgeschiedenis te geraken. Ze zuchtte toen de geheime wereld van het boek zijn armen uitstrekte om haar te verwelkomen.

Saffy schrok op van een geweldige donderklap en ze werd eraan herinnerd dat ze de scène waarin William zijn verloving met Adèle verbrak wilde herschrijven.

Die arme, lieve Adèle. Natuurlijk moest haar wereld instorten gedurende een noodweer waarin de hemelen zelf uiteengereten leken te worden! Dat was alleen maar toepasselijk. Alle tragische momenten van het leven hoorden door de elementen te worden benadrukt.

Het had moeten stormen toen Matthew zijn verloving met Saffy verbrak, maar dat was niet het geval geweest. Ze zaten op de tweezitsbank bij de terrasdeuren van de bibliotheek terwijl het zonlicht op hun schoot viel. Er was een jaar verstreken sinds dat vreselijke uitstapje naar Londen, naar de première van het toneelstuk, die donkere schouwburg, dat afgrijselijke schepsel dat uit de slotgracht omhoogkwam en de oever beklom, schreeuwend van een moordende pijn... Saffy had net thee voor twee ingeschonken toen Matthew het woord nam.

'Ik geloof dat we elkaar maar het beste nu kunnen laten gaan.'

'Laten gaan...? Maar ik begrijp niet...' Ze knipperde met haar ogen. 'Hou je niet meer van me?'

'Ik zal altijd van je houden, Saffy.'

'Waarom... dan?' Toen ze wist dat hij kwam, had ze haar saffierblauwe jurk aangetrokken. Het was haar mooiste; het was de jurk die ze ook had aangetrokken toen ze naar Londen gingen; ze had gewild dat hij haar zou bewonderen, begeren en naar haar zou verlangen zoals op die dag bij het meer. Ze voelde zich een dwaas. 'Waarom?' vroeg ze weer en ze verachtte de zwakheid in haar stem.

'Wij kunnen niet trouwen, jij weet dat net zo goed als ik. Hoe kunnen wij ooit als man en vrouw leven als jij weigert deze plek te verlaten?'

'Weigert? Ik weiger het niet, ik verláng er juist naar hier weg te gaan...'

'Kom dan, ga dan nu met me mee.'

'Dat kan niet...' Ze stond op. 'Dat heb ik al uitgelegd.'

Toen veranderde zijn houding, alsof een bitter mes zijn trekken had verminkt. 'Natuurlijk kun je dat. Als je van me hield, zou je meegaan. Dan zou je in mijn auto stappen en zouden we wegrijden van deze vreselijke, beschimmelde plek.' Hij kwam naast haar staan en smeekte: 'Kom mee, Saffy,' zei hij, terwijl elk spoortje boosheid weer wegviel. Hij gebaarde met zijn hoed naar het begin van de oprijlaan waar zijn auto stond. 'Laten we weggaan. Nu, wij samen.'

Ze wilde weer 'Dat kan ik niet' zeggen, hem bidden om dat te begrijpen, om geduldig te zijn en op haar te wachten, maar dat deed ze niet. In een ogenblik van helderheid, als een ontvlammende lucifer, had ze beseft dat ze niets kon zeggen of doen om het hem te laten begrijpen. De verlammende paniek die haar besloop als ze het kasteel probeerde te verlaten; de zwarte en ongegronde angst die zijn klauwen in haar sloeg en haar in zijn vleugels vouwde zodat haar longen werden samengeknepen en haar blikveld wazig werd, die haar op deze kille, donkere plek gevangen hield, even zwak en hulpeloos als een kind.

'Kom,' herhaalde hij, terwijl hij haar hand pakte. 'Kom maar.' Hij zei het zo teder, dat Saffy zestien jaar later in de salon nog zijn echo kon horen, die langs haar ruggengraat omlaag kriebelde en zich warm onder haar rokken nestelde.

Ze moest glimlachen, ze kon er niets aan doen, ook al besefte ze dat ze boven aan een hoog klif stond en het duistere water in de diepte kolkte, en de man die ze liefhad erop aandrong om haar te redden, zich onbewust van het feit dat ze niet te redden was, dat zijn tegenstander zo veel sterker was dan hij.

'Je had gelijk,' zei ze terwijl ze van het klif sprong en uit zijn leven viel. 'Het is het beste voor ons allebei als we elkaar lieten gaan.'

Ze had Matthew nooit meer gezien, noch haar nicht Emily die in de coulissen haar kans had afgewacht omdat ze altijd begeerde wat Saffy wilde...

Een boomstam. Niets anders dan een stuk drijfhout, stroomafwaarts gespoeld door de snel wassende beek. Percy trok het van de oprijlaan en vervloekte het gewicht en de tak die aan haar schouder bleef hangen en ze wist niet of ze zich opgelucht of teleurgesteld moest voelen omdat ze verder moest zoeken.

Percy bleef besluiteloos in de regen staan en keek de heuvel af in de richting van de weg en toen weer terug naar het verduisterde kasteel.

Het niet geheel verduisterde kasteel.

Er scheen een klein maar fel licht uit een van de ramen. De nette salon.

Dat verrekte luik ook. Had ze het maar meteen degelijk gerepareerd.

Het luik gaf de doorslag. Het laatste waarop ze vanavond zaten te wachten was de aandacht van meneer Potts met zijn burgerwacht. Na een laatste blik naar de Tenterden Road maakte Percy rechtsomkeert en liep ze terug naar het kasteel.

De bus stopte aan de kant van de weg en Tom sprong eruit. Het goot van de regen en zijn bloemen verloren hun moedige strijd om het bestaan zodra hij was uitgestapt. Hij overlegde even of verwoeste bloemen beter waren dan helemaal geen bloemen, voordat hij de stelen in de stromende greppel gooide. Het kenmerk van een goede soldaat is weten wanneer hij de aftocht moet blazen en hij had altijd de pot jam nog.

In de donkere, regenachtige nacht onderscheidde hij een stel smeedijzeren hekken. Hij legde zijn hand op de ene en duwde het open. Toen het piepend openging onder zijn gewicht, hief hij zijn gezicht naar de inktzwarte lucht. Hij deed zijn ogen dicht en liet de regen vrijelijk over zijn wangen stromen. Het was vervelend, maar zonder regenjas of paraplu kon hij zich er maar beter aan overgeven. Hij was laat, hij was nat, maar hij was er tenminste.

Hij deed het hek achter zich dicht, hees zijn plunjezak over zijn schouder en liep de oprijlaan op. God, wat was het donker. De verduistering in Londen was één ding, maar op het platteland, waar het beestenweer alle sterren had uitgeschakeld, was het alsof je door pek liep. Rechts was een dreigende massa te zien die donkerder was dan de rest. Dat moest Cardarker Wood zijn. De wind was toegenomen en toen hij die kant op keek, knarsetandden de boomtoppen. Huiverend wendde hij zich af en dacht aan Juniper, die hem in het warme, droge kasteel opwachtte.

Hij zette de ene voet voor de andere en hield vol. Hij liep een bocht door, stak een brug over waaronder het water snel stroomde en de oprijlaan slingerde zich verder voor hem uit.

Toen was er opeens een grillige lichtflits en Tom bleef in verwondering staan. Het was schitterend. De wereld baadde zich in zilverwit licht – een enorme, zwoegende massa bomen, een kasteel van lichte steen op de heuvel en de oprijlaan die door de sidderende velden slingerde – voordat het weer een en al duisternis was. Er bleven vlekken voor zijn ogen zweven van het oplichtende beeld als het negatief van een foto en zo wist Tom dat hij niet alleen was in het donker. Voor hem uit liep nog iemand anders de oprijlaan op, een magere maar mannelijke figuur.

Tom vroeg zich vruchteloos af waarom iemand anders zich op zo'n avond naar buiten zou begeven, of er misschien nog een gast werd verwacht op het kasteel, iemand zoals hij die ook te laat was en door de regen was verrast. Het idee beurde hem op en hij overwoog iets te roepen – het was toch beter om samen met een andere laatkomer te arriveren? – maar een donderende onweersklap weerhield hem ervan. Hij liep snel door en hield zijn blik op de plek in het donker waar hij het kasteel had gezien.

Tom zag het pas toen hij al dichtbij was: een kleine opening in de duisternis. Hij fronste, knipperde met zijn ogen en besefte dat hij het zich niet verbeeldde. Er was een gouden vlekje verderop, een vierkantje licht in de muur van het bastion. Hij verbeeldde zich dat Juniper hem daar opwachtte als een zeemeermin in een oud sprookje die een lantaarn hoog houdt om haar lief veilig uit de storm naar binnen te loodsen. Vervuld van een vurige vastberadenheid liep hij die kant op.

Terwijl Percy en Tom door de regen omhooglopen, is alles in de diepte van Milderhurst Castle in stilte gehuld. Hoog in de zolderkamer droomt Juniper haar duistere dromen; beneden in de nette salon dommelt Saffy, die het schrijven moe is geworden, op de chaise longue. Achter haar is de kamer met het knetterende haardvuur; voor haar is een deur waarachter zich een picknick bij de vijver afspeelt. Het is een ideale dag aan het eind van het voorjaar van 1922, misschien warmer dan verwacht en de hemel is zo blauw als teer, Venetiaans glas. Er hebben mensen gezwommen die nu op dekens zitten, cocktails drinken en kostelijke sandwiches eten.

Een paar jonge mensen maken zich los en de dromende Saffy loopt hen achterna; ze houdt vooral het jonge stel achteraan in de gaten, de jongen die Matthew heet en een knap meisje van zestien met de naam Seraphina. Ze kennen elkaar al vanaf hun kindertijd, hij is een vriend van haar merkwaardige neven en nichten uit het noorden en is daarom door vaders ballotage gekomen; in de loop der jaren hebben ze elkaar achternagezeten door talrijke akkers, generaties forel uit de beek gevist, met grote ogen bij de jaarlijkse vreugdevuren van de oogstfeesten gezeten, maar er is iets tussen hen veranderd. Bij dit bezoek heeft ze gemerkt dat ze met haar mond vol tanden zit in zijn gezelschap, dat hij haar in de gaten hield met ogen vol bedoelingen en haar wangen als antwoord hadden gegloeid. Sinds zijn komst hebben ze niet meer dan drie woorden uitgewisseld.

Het groepje waar het tweetal achteraan loopt blijft staan. Met een extravagante zorgeloosheid worden er dekens onder een boom uitgespreid; er wordt een ukelele tevoorschijn gehaald, sigaretten worden aangestoken en er wordt gekeuveld. Ze spreken niet met elkaar en kijken elkaar evenmin aan. Ze zitten allebei te doen alsof ze belangstelling voor de lucht hebben, voor de vogels en het zonlicht dat op de bladeren speelt, terwijl ze alleen maar denken aan de paar centimeter ruimte tussen haar knie en zijn dij. De galvanische hartenklop die de ruimte vult. De wind fluistert, blaadjes trillen, een spreeuw roept...

Haar adem stokt. Ze bedekt haar mond zodat niemand het ziet.

Zijn vingertoppen hebben langs het randje van haar hand gestreken. Zo licht dat ze het misschien niet had gevoeld als haar aandacht niet met wiskundige precisie op de afstand tussen hen was gericht, op zijn ademstokkende nabijheid... Op dit ogenblik versmelt de droomster met haar jonge zelf. Ze slaat de geliefden niet meer van een afstand gade, maar zit met gekruiste benen op de deken met haar armen naar achteren gestrekt en een hart dat in haar borstkas bonkt met alle onbevlekte vreugde en verwachting van de jeugd.

Saffy durft niet naar Matthew te kijken. Ze werpt vlug een blik op de groep, geschokt dat niemand anders in de gaten blijkt te hebben wat er gebeurt; dat de wereld als een pendel heeft bewogen en alles is veranderd, terwijl de wereld om hen heen hetzelfde lijkt te blijven.

Ze slaat de ogen neer en laat haar blik langs haar hele arm glijden, voorbij haar pols naar de hand waar ze op steunt. Daar. Zijn vingertoppen. Zijn huid tegen de hare.

Ze raapt de moed bijeen om haar blik op te slaan, de brug die hij tussen hem en haar heeft geslagen over te steken en haar ogen hun reis te laten maken over zijn hand, zijn pols en langs zijn hele arm omhoog naar waar ze de zijne weet, wachtend op haar, wanneer haar aandacht wordt getrokken door iets anders. Iets donkers op de heuvel achter hen.

Haar eeuwig bezorgde vader is hen gevolgd en kijkt nu toe vanaf een heuveltje. Ze voelt zijn blik op haar rusten en beseft dat hij vooral op haar let; ze weet ook dat hij heeft gezien dat Matthews vingers de hare hebben geraakt. Ze slaat de ogen weer neer; haar wangen worden vuurrood en iets verroert zich diep en laag in haar buik. Op de een of andere manier – ze weet niet goed waarom – brengen papa's gezicht en zijn aanwezigheid op de heuvel haar recente gevoelens scherp in beeld. Ze beseft dat haar liefde voor Matthew – want dat is het natuurlijk – een merkwaardige gelijkenis vertoont met de gevoelens die ze voor haar vader koestert: het verlangen kostbaar voor iemand te zijn, om iemand te betoveren, het sterke verlangen om grappig en intelligent te worden gevonden...

Saffy was diep in slaap op de chaise longue bij de haard; ze had een leeg glas op schoot, er lag een slaperig glimlachje om haar lippen en Percy slaakte een zucht van verlichting. Dat was tenminste iets; het luik hing los, er was geen enkel teken van datgene waardoor Juniper een aanval van verloren tijd had gehad, maar alles op het thuisfront was tenminste rustig.

Ze liet zich van de vensterbank zakken en het laatste stukje vanaf de fundatieplaat liet zich vallen, terwijl ze zich schrap zette voor de zompige landing op de gedempte slotgracht die doordrenkt was en waarin het water snel rees. Het kwam al een stuk boven haar enkels. Het was net wat ze dacht: ze had het juiste gereedschap nodig om het luik fatsoenlijk vast te maken.

Percy liep om de flank van het kasteel naar de keukendeur, duwde hem open en stapte struikelend naar binnen, de regen uit. Het contrast was adembenemend. De warme, droge keuken met zijn vlezige stoom en gonzende elektrische licht was zo'n schoolvoorbeeld van ontspannen huiselijkheid, dat het verlangen om haar doorweekte kleren en laarzen en slijmerige sokken af te leggen en zich op te krullen op de mat voor het fornuis en alles wat gedaan moest worden te laten zitten, haar bijna te machtig werd, om te slapen met de kinderlijke zekerheid dat daar iemand anders voor was.

Ze glimlachte, greep de grillige gedachte bij zijn staart en wierp hem terzijde. Dit was niet het geschikte moment om over slapen te fantaseren, en zeker niet over opgekruld op de keukenvloer liggen. Ze knipperde met haar ogen terwijl de druppels over haar gezicht liepen en ging naar de gereedschapskist. Vanavond zou ze het luik dichttimmeren en het een keer bij daglicht fatsoenlijk herstellen.

Saffy's droom was gaan kronkelen als een lint. Plaats en tijdstip zijn veranderd, maar het centrale beeld is gebleven, als een donkere vorm op het netvlies wanneer je je ogen sluit tegen de zon.

Papa.

Nu is Saffy jonger, een meisje van twaalf. Ze loopt een trap op, stenen muren rijzen aan weerskanten van haar op en ze werpt een blik over haar schouder omdat papa heeft gezegd dat de zusters een eind aan haar bezoekjes maken als ze erachter komen. Het is 1917 en het is oorlog. Papa is weg geweest, maar nu is hij weer terug van het front en ook van het randje van de dood, zoals talloze verpleegsters al hebben verteld. Saffy gaat naar boven omdat zij en papa een nieuw spel hebben. Een geheim spelletje waarbij zij hem dingen vertelt die haar angst aanjagen wanneer ze alleen is, maar die zijn ogen doen oplichten van plezier. Ze spelen het al vijf dagen.

Opeens is het een paar dagen eerder in de droom. Saffy loopt niet meer over de koude stenen trap naar boven, maar ligt in bed. Ze wordt met een schok wakker. Alleen en bang. Ze tast naar haar tweelingzus, zoals altijd wanneer de nachtmerrie komt, maar het laken naast haar is leeg en koud. Ze brengt de ochtend dwalend door de gangen door in een poging dagen te vullen die alle vorm en betekenis kwijt zijn in een poging aan de nachtmerrie te ontkomen.

En nu zit ze met haar rug tegen de muur in de kamer onder de wenteltrap. Het is de enige plek waar ze zich veilig voelt. Geluiden uit de toren dalen in flarden af naar beneden, de stenen zuchten en zingen, en als ze haar ogen sluit, hoort ze het. Een stem die haar naam fluistert.

Eén vreugdevol ogenblik verkeert ze in de waan dat haar tweelingzus weer terug is. Dan ziet ze hem als door een nevel zitten op een bankje bij het raam aan de andere kant van de hal met zijn wandelstok op schoot. Het is papa, al is hij erg veranderd en niet meer de sterke, jonge man die drie jaar geleden naar het front ging.

Hij wenkt haar en ze kan niet weigeren.

Ze loopt langzaam naar hem toe, op haar hoede voor hem en de nieuwe schaduwen die om hem heen hangen.

'Ik heb je gemist,' zegt hij wanneer ze bij hem is. En iets in zijn stem klinkt zo vertrouwd dat al het verlangen dat ze tijdens zijn afwezigheid heeft opgepot begint te zwellen. 'Kom maar naast me zitten,' zegt hij, 'en vertel eens waarom je zo benauwd kijkt.'

En dat doet ze. Ze vertelt hem alles. Over de droom, over de man die haar komt halen, de griezelige man die in de modder woont.

Uiteindelijk was Tom bij het kasteel aanbeland en zag hij dat het helemaal geen lantaarn was. Het schijnsel dat hij had gevolgd als een baken dat zeelui veilig thuisbrengt was in feite elektrisch licht achter een raam in een van de vertrekken van het kasteel. Hij zag dat er een luik loshing waardoor de verduistering niet compleet was.

Hij zou aanbieden het te maken wanneer hij eenmaal binnen was. Juniper had verteld dat haar zusters zelf het hele huis draaiende moesten houden omdat ze alle bedienden die ze hadden aan de oorlog waren kwijtgeraakt. Tom was geen technisch genie, maar met een hamer en spijkers wist hij wel raad.

Iets vrolijker waadde hij door een plas op de lage strook gras om het kasteel en liep de trap op van het bordes. Bij de voordeur bleef hij even staan om zichzelf te bekijken. Zijn haar, kleren en schoenen konden niet natter zijn als hij het Nauw van Calais was overgezwommen om hier te komen, maar hij was er. Hij liet zijn plunjezak van zijn schouder glijden en tastte erin rond naar de pot jam. Daar was hij. Tom trok de pot tevoorschijn en hield hem dicht bij zijn gezicht om te controleren of er geen barst in zat.

Hij voelde ongeschonden. Misschien was het geluk weer met hem. Glimlachend haalde Tom zijn hand door zijn haar in een poging er orde in te scheppen, klopte aan en wachtte af met de jam in zijn hand.

Percy gaf vloekend een klap op de gereedschapskist. Waar was in 's hemelsnaam die verrekte hamer? Ze pijnigde haar hersens in een poging zich te herinneren waar ze hem voor het laatst had gebruikt. Er was iets aan Saffy's kippenren gerepareerd, de planken die los waren gekomen op de vensterbank in de gele salon; de leuning van de torentrap... Ze kon zich niet herinneren dat ze de hamer in de kist had teruggelegd, maar Percy wist zeker dat ze dat had gedaan; op dat soort dingen lette ze.

Verdomme.

Percy voelde aan haar jas en wriemelde haar vingers tussen de knopen van haar regenjas om in haar broekzak te voelen en trof er tot haar opluchting haar buidel tabak. Ze richtte zich weer op en streek een vloeitje glad buiten bereik van de druppels die nog altijd van haar mouwen, haar en neus vielen. Ze verspreidde tabak langs de vouw, ging met haar tong langs de rand, plakte het dicht en rolde de sigaret tussen haar vingers. Ze streek een lucifer af en nam een stevige haal. Ze zoog de heerlijke rook op en blies frustratie uit.

Een zoekgeraakte hamer was vanavond wel het laatste waaraan ze behoefte had: boven op Junipers terugkeer, het mysterieuze bloed op haar blouse, het nieuws dat ze ging trouwen, om maar niet te spreken van het feit dat ze 's middags Lucy tegen het lijf was gelopen...

Percy nam nog een trekje en veegde iets uit haar oog terwijl ze de rook uitblies. Saffy meende het niet, dat kon niet, want ze wist niets van wat er met Lucy was gebeurd, van de liefde en het verlies die Percy te verduren had gekregen. Daar had Percy wel voor gezorgd. Waarschijnlijk was het heel goed mogelijk dat haar tweelingzus iets had gehoord of gezien of aangevoeld wat niet voor haar bestemd was, maar toch. Saffy was er helemaal niet het type naar om Percy haar ellende onder de neus te wrijven. Zij zou de eerste zijn om te weten hoe het voelde om te worden beroofd van de liefde van je leven.

Er klonk een geluid en Percy's adem stokte even. Ze spitste de oren, maar hoorde niets meer. Ze kreeg een beeld van Saffy die in haar stoel zat te slapen met het lege whiskyglas wankel op schoot. Misschien had ze zich bewogen en was het op de grond gevallen. Percy speurde het plafond af, wachtte nog een halve minuut en besloot dat het niets anders was geweest.

Niettemin was er geen tijd om hier rond te hangen en te piekeren over wat voorbij was. Met de sigaret tussen haar lippen ging ze verder met spitten door haar gereedschap.

Tom klopte nog eens aan en zette de pot op de grond zodat hij zich in zijn handen kon wrijven. Het was een groot huis, bedacht hij; wie wist hoeveel tijd het kostte om van boven naar beneden te komen. Er verstreek ongeveer een minuut. Hij draaide de deur de rug toe om naar de regen te kijken die van de dakranden stroomde en verbaasde zich erover dat hij het kouder had nu hij nat onder een afdak stond dan toen hij dwars door de volle kracht van de plensbui liep.

Zijn aandacht ging naar de grond en hij zag dat het water zich dieper om de omtrek van het kasteel verzamelde dan verderop. Toen ze op een dag in Londen samen in bed lagen en hij honderduit vroeg over het kasteel, had Juniper verteld dat er ooit een slotgracht om Milderhurst had gelopen, maar dat haar vader die na de dood van zijn eerste vrouw had laten dempen.

'Dat moet van verdriet zijn geweest,' had Tom opgemerkt. Hij kon daar goed in komen wanneer hij naar Juniper keek en zich de peilloze verschrikking voorstelde als hij haar zou kwijtraken, en waartoe een man dan in staat zou zijn.

'Niet van verdriet,' had ze geantwoord, terwijl ze de punten van haar haren tussen haar vingers vlocht. 'Eerder uit schudgevoel.'

Hij vroeg zich af wat ze bedoelde, maar ze had zich met een glimlach afgewend om op de rand van het bed te gaan zitten; haar gladde blote rug smeekte erom te worden gestreeld en zijn vraag was vervluchtigd. Tot nu toe had hij er niet meer aan gedacht. Schuldgevoel waarover? Hij nam zich voor het haar later te vragen, wanneer hij kennis had gemaakt met de gezusters, wanneer Juniper en hij hun het nieuws hadden verteld en ze met elkaar alleen waren.

Toms aandacht viel op een driehoekje licht dat op de oppervlakte van het water scheen. Het kwam van het raam met het kapotte luik. Hij vroeg zich af of het misschien gewoon een kwestie was van het luik aan de bestaande haak terughangen en of hij daar nu een poging toe moest doen.

Het raam was niet hoog. Hij kon in een oogwenk omhoogklimmen en terug zijn. Dan zou hij niet weer naar buiten hoeven wanneer hij eenmaal schoon en droog was, en misschien won hij daarmee wel de sympathie van de zussen.

Met een grijns zette Tom zijn tas bij de deur en liep hij weer de regen in.

Sinds het moment waarop ze het knetterende haardvuur de rug had toegekeerd, heeft Saffy liggen dromen, steeds verder naar binnen via de rimpels van de vijver van haar geest. Nu is ze in het midden, de stilteplek van waaruit alle dromen ontspruiten en waarin ze allemaal terugkeren. De plek van die oude getrouwe.

Ze heeft het al talloze malen eerder gedroomd, al sinds haar kindertijd. Het is altijd hetzelfde; als een oud stuk film spoelde hij telkens weer terug, klaar om opnieuw te worden afgespeeld. En hoe vaak ze die droom ook heeft gehad, hij is altijd vers en de doodsangst even rauw als altijd.

De droom begint met dat ze wakker wordt. Ze denkt dat ze in de echte wereld is wakker geworden en dan valt haar de merkwaardige stilte op die om haar heen hangt. Het is koud en Saffy is alleen; ze schuift over het witte laken en zet haar voeten op de houten vloer. Haar kindermeisje slaapt in het kamertje vlakbij en ademt langzaam en regelmatig, wat aan veiligheid zou moeten doen denken, maar in deze wereld alleen maar het teken is van een onoverbrugbare afstand.

Langzaam loopt Saffy naar het raam; ze wordt erheen getrokken.

Ze klimt op de boekenkast en trekt haar nachtjapon dichter om haar benen omdat het opeens ijskoud is. Ze tilt haar hand op om het beslagen raam te voelen en tuurt in het donker...

Percy vond de hamer. Het kostte een hele zoektocht en flink wat verwensingen, maar uiteindelijk sloot haar hand zich om de houten steel die tijdens jarenlang gebruik was glad gepolijst. Met een triomfantelijke zucht trok ze hem tussen de bahco's en schroevendraaiers vandaan en legde hem naast haar op de grond. Ze opende een pot met spijkers en schudde er een stuk of tien in haar hand. Ze hield er een tegen het licht, bekeek hem eens goed en schatte dat zeven centimeter lang genoeg moest zijn, op zijn minst voor vannacht. Ze stopte de spijkers in de zak van haar regenjas, griste de hamer van de grond en liep door de keuken naar de achterdeur.

Hij had een betere start kunnen maken, dat was een feit. Hij had een steen verkeerd beoordeeld, was uitgegleden en in de modderige slotgracht getuimeld, en dat was een ruwe schok. Het was in elk geval geen onderdeel van het plan geweest en nadat Tom een paar keer had gevloekt als een soldaat – wat hij tenslotte was – was hij overeind gekrabbeld, had hij met de rug van zijn pols zijn ogen gewist om te kunnen zien en was hij de muur vastbeslotener dan ooit te lijf gegaan.

Zeg nooit 'sterven', zoals zijn commandant geroepen zou hebben toen ze zich vechtend een weg door Frankrijk baanden. *Zeg nooit 'sterven'*.

En nu was hij eindelijk bij de rand van het kozijn. Gelukkig zat er toevallig een groef tussen twee stenen waaruit de mortel al jaren was verdwenen, wat een prachtige voetsteun opleverde voor de neus van zijn hoge schoenen. Het licht uit de kamer was een zegen en Tom had niet lang nodig om te zien dat het luik meer behoefde dan hij nu te bieden had.

Hij had zich zo op het luik geconcentreerd dat hij geen aandacht aan de kamer erachter had besteed. Maar nu keek hij naar binnen en zag hij een tafereel van archetypische knusheid. Een knappe vrouw die sliep bij het vuur. Eerst dacht hij dat het Juniper was.

Maar de vrouw bewoog en vertrok haar gezicht. Van wat hij van Junipers verhalen wist, was het waarschijnlijk Saffy, de moederlijke van de twee, de zus die na de dood van hun moeder haar opvoeding ter hand nam, die last van paniekaanvallen had en niet weg kon uit het kasteel.

Terwijl hij keek, schoten haar ogen met een plotselinge beweging open en verloor hij van schrik bijna zijn greep op de stenen. Ze wendde haar hoofd naar het raam en hun blikken kruisten elkaar.

Percy zag de man voor het raam zodra ze de hoek van het kasteel omkwam. Hij werd belicht door het schijnsel van binnen; een donkere figuur die als een gorilla de muur had beklommen en in de nette salon gluurde. De kamer waar Saffy lag te slapen. Iets in Percy begon te koken; haar hele leven had ze het als haar plicht beschouwd haar zussen te beschermen en haar hand greep de steel van de hamer nog steviger vast. Met rauwe zenuwuiteinden holde ze door de regen op de man af.

Om als een voyeur na een modderbad voor het raam op Junipers zussen over te komen was wel de laatste indruk die Tom had willen maken.

Maar nu was hij ontdekt. Hij kon niet zomaar naar beneden springen om zich te verstoppen, of doen alsof er niets was gebeurd. Hij glimlachte aarzelend en hief een hand op om te wuiven en zijn goede bedoelingen kenbaar te maken, maar liet hem weer zakken toen hij zag dat hij onder de blubber zat.

O, god. Daar stond ze, en ze glimlachte niet terug.

Een deel van hem kon verder kijken dan het afgrijzen, kon puur door de mate van bespottelijkheid zien dat dit ogenblik was voorbestemd een favoriete anekdote te worden: *Weet je nog, de avond dat we Tom leerden kennen? Hij verscheen onder de modder voor het raam en zwaaide naar ons.*

Maar nog niet. Voorlopig kon hij weinig anders dan toekijken hoe ze langzaam, als in een droom, op hem afkwam en een beetje beefde alsof ze het net zo ijskoud had als hij zich in de regen voelde.

Ze stak haar hand uit om de spanjolet van het raam open te draaien, hij zocht naar woorden ter verklaring en toen pakte ze iets van de vensterbank.

Percy bleef met een ruk staan. De man was weg. Vlak voor haar ogen was hij op de grond gestort. Ze wierp een blik omhoog en zag Saffy staan sidderen met de moersleutel nog stevig in haar handen.

Een scherpe klap, en hij vroeg zich af wat het was. Beweging, van hemzelf, plotseling en verrassend.

Hij viel.

Iets kouds en nats op zijn gezicht.

Geluiden, misschien van vogels die verschrikt krijsten. Hij vertrok zijn gezicht en proefde modder. Waar was hij? Waar was Juniper?

Regendruppels trommelden op zijn hoofd, hij voelde elke druppel afzonderlijk, alsof ze op snaren tokkelden die een complexe melodie speelden. Ze waren prachtig en hij vroeg zich af waarom hij dat nooit eerder had geweten. Individuele druppels, perfect, stuk voor stuk. Ze vielen op de aarde en drongen in de grond zodat zich rivieren konden vormen die oceanen konden vullen en mensen, dieren en planten te drinken zouden hebben... Het was allemaal zo eenvoudig.

Hij moest denken aan een onweersbui toen hij klein was en zijn vader nog leefde. Tom was bang geweest. Het was donker en lawaaiig en hij had zich onder de keukentafel verstopt. Hij huilde met stijf toegeknepen ogen en gebalde vuisten. Hij huilde zo verschrikkelijk en zijn eigen verdriet klonk hem zo hard in de oren dat het hem niet was opgevallen dat zijn vader was binnengekomen. Het eerste wat hij besefte, was dat die grote beer van een man hem optilde en hem met zijn grote, dikke armen stevig tegen zich aan drukte. Daarna zei hij tegen Tom dat het allemaal goed kwam, en de zoete, heerlijke geur van tabak op zijn adem was het bewijs. Uit zijn vaders mond was het een bezwering. Een belofte. En Tom vergat zijn angst...

Waar had hij de jam neergezet?

De jam was belangrijk. De man in het kelderappartement had gezegd dat het tot nu toe zijn beste was; dat hij de bramen zelf had geplukt en gerantsoeneerde suiker van maanden had gebruikt. Maar Tom kon zich niet herinneren waar hij hem had neergezet. Hij had hem wel meegenomen, dat wist hij nog. Hij had hem uit Londen in zijn tas meegenomen, maar hem er daarna uitgehaald en neergezet. Had hij ze onder de tafel gezet? Had hij de pot bij zich toen hij zich verstopte voor de regen? Waarschijnlijk moest hij opstaan en gaan zoeken, en dat zou hij ook doen. Dat moest, want die jam was een cadeau. Straks zou hij gaan zoeken, en dan zou hij lachen, hoe had hij die ooit kunnen verliezen? Eerst een poosje rusten.

Hij was moe. Zo moe. Het was ook zo'n lange reis geweest. Die stormachtige avond, die lange wandeling over de oprijlaan, de dag van treinen en bussen en op een haar na gemiste verbindingen, maar vooral de reis die hem naar haar had gebracht. Hij had zo'n eind gelopen, hij had zo veel gelezen en onderwezen en gedroomd en gewenst en gehoopt. Het was heel natuurlijk dat hij even moest rusten, dat hij nu misschien even zijn ogen moest dichtdoen voor een tukje, gewoon even slapen, zodat hij klaar zou zijn als hij haar weer zag...

Tom deed zijn ogen dicht en zag miljoenen sterretjes twinkelen en bewegen, en ze waren zo mooi dat hij er alleen maar naar wilde kijken. Hij had het gevoel dat hij niets ter wereld liever wilde dan hier blijven liggen om naar die sterren te kijken. Dus dat deed hij ook, hij zag ze bewegen en verstrooid worden, hij vroeg zich af of hij ze misschien zelfs kon bereiken, of hij zijn vinger kon uitsteken om ze aan te raken, en eindelijk zag hij dat zich iets daartussen schuilhield. Een gezicht, dat van Juniper. Zijn hart schudde zijn vleugels. Ze was dus toch aangekomen. Ze was dichtbij en bukte zich om haar hand op zijn schouder te leggen en in zijn oor te fluisteren. Woorden die het allemaal zo perfect beschreven, dat ze, toen hij probeerde ze vast te pakken om ze voor zichzelf te herhalen, in water veranderden, en er blonken sterren in haar ogen en sterren op haar lippen en er hingen kleine glimmerlichtjes in haar haar; en hij kon haar niet meer verstaan, ook al zag hij haar lippen bewegen en knipperden de sterren, omdat zij nu steeds meer verdween en zwart werd en hij ook bezig was te verdwijnen.

'June...' fluisterde hij toen de laatste lichtjes begonnen te trillen en een voor een uitgingen en zijn keel en zijn neus en zijn mond zich met dikke modder vulden en de regen maar op zijn hoofd bleef kletteren en zijn longen uiteindelijk geen lucht meer kregen; hij glimlachte toen haar adem over zijn hals streek...

3

Juniper werd met een schok wakker, met een bonkende hoofdpijn en de vieze smaak van een onnatuurlijke slaap. Haar ogen voelden geraspt. Waar was ze? Het was donker, avond dus, maar ergens kwam een vaag schijnsel vandaan. Ze knipperde met haar ogen en registreerde een plafond hoog boven haar. De kenmerken en de balken kwamen haar vertrouwd voor en toch klopte het op de een of andere manier niet. Het viel niet op zijn plaats. Wat was er gebeurd?

Iets, dat wist ze; ze kon het voelen. Maar wat?

Ik kan het me niet herinneren.

Ze draaide langzaam haar hoofd om en liet de rommel van losse, naamloze objecten in haar brein omvallen. Ze bekeek de ruimte naast zich om een aanwijzing te vinden; ze zag alleen maar een leeg laken, daarachter een plank met rommel en een smal streepje licht dat door een deur die op een kier stond naar binnen viel.

Juniper kende deze plek. Dit was de zolder van Milderhurst. Ze lag in haar eigen bed. Ze had er niet lang gelegen. Ze herinnerde zich een andere zolder, een zonnige plek, heel anders dan hier.

Ik kan het me niet herinneren.

Ze was alleen. Het woord kwam solide bij haar binnen, alsof ze het gelezen had, zwart op wit, en de afwezigheid voelde als een pijn, een open wond. Ze had iemand anders naast haar verwacht. Een man, besefte ze. Ze had een man verwacht.

Daarna werd ze overspoeld door een merkwaardige golf bange vermoedens; zich niet herinneren wat zich tijdens verloren tijd had afgespeeld was gewoon, maar er was nog iets. Juniper was verdwaald in de donkere klerenkast van haar geest en al zag ze niet wat er allemaal om haar heen was, ze was vervuld van de zekerheid, van de loodzware angst dat er iets vreselijks diep vanbinnen zat opgeborgen.

Ik kan het me niet herinneren.

Ze deed haar ogen dicht en spitste de oren, koortsachtig op zoek naar alles wat maar kon helpen. Hier was niets van de bedrijvigheid van Londen, de bussen, de mensen beneden op straat, het geroezemoes bij de buren, maar de aderen van het huis piepten, de stenen zuchtten en er was nog een aanhoudend geluid. Regen... Er viel een lichte regen op het dak.

Ze deed haar ogen open. Ze herinnerde zich regen.

Ze herinnerde zich een bus die stopte.

Ze herinnerde zich bloed.

Opeens ging Juniper rechtop zitten, te zeer gericht op dat sprankje licht van herinnering om zich iets van haar hoofdpijn aan te trekken. Ze herinnerde zich bloed.

Maar van wie?

De angst verplaatste zich en strekte zijn benen.

Ze had frisse lucht nodig. Opeens voelde de lucht op zolder verstikkend; warm en klam en stroperig.

Ze zette haar voeten op de houten vloer. Overal lagen spullen, haar spullen, toch had ze het gevoel dat ze er niets mee te maken had. Iemand had geprobeerd ruimte te maken, zich een pad door de bende te banen.

Ze stond op. Ze herinnerde zich bloed.

Waarom keek ze dan naar haar handen? Wat het ook was, ze deinsde ervoor terug. Er zat iets op. Ze veegde ze vlug aan haar blouse af en het gebaar veroorzaakte een vertrouwde rimpeling onder haar huid. Ze bracht haar handen dicht naar haar gezicht en de plekken verdwenen. Schaduwen. Het waren maar schaduwen.

Zowel van haar stuk gebracht als opgelucht liep ze bevend naar het raam. Ze trok het verduisteringsgordijn opzij en schoof het raam omhoog. Een lichte, koele bries streek langs haar wangen.

Het was een maanloze en sterrenloze nacht, maar Juniper had geen licht nodig om te weten wat daarbuiten was. De wereld van Milderhurst drong zich aan haar op. Dieren rilden onzichtbaar in het struikgewas, Roving Brook klaterde in het bos, in de verte uitte een vogel een jammerklacht. Waar gingen de vogels naartoe wanneer het regende?

Er was nog iets, recht beneden haar. Een lichtje, besefte ze. Een lamp aan een stok. Daar beneden op het huisdierenkerkhof was iemand in de regen aan het werk.

Percy.

Percy met een schop.

Ze groef.

Achter haar lag iets op de grond. Een berg van het een of ander. Groot en stil.

Percy deed een stap opzij en Juniper sperde haar ogen open. Ze schoten een bericht af naar haar belegerde brein en het licht in de duistere klerenkast flikkerde, en heel even zag ze heel duidelijk het verschrikkelijks dat zich daar schuilhield; het kwaad dat ze had gevoeld maar niet gezien en dat haar van angst had vervuld. Ze zag het, benoemde het en het afgrijzen zette alle zenuwen van haar lichaam in vuur en vlam. *Jij bent net als ik*, had papa gezegd vlak voordat hij haar zijn gruwelijke verhaal opbiechtte...

Haar stoppen sloegen door en het licht ging uit.

Verrekte handen ook.

Percy raapte de gevallen sigaret op van de keukenvloer, stak hem tussen haar lippen en streek een lucifer af. Ze had erop gerekend dat dit vertrouwde gebaar iets van haar ijzeren wilskracht zou terugbrengen, maar dat was te veel gevraagd. Haar hand beefde als een blad in de wind. Het vlammetje doofde en ze probeerde een nieuwe. Ze concentreerde zich erop om stevig af te strijken en het verrekte ding stil te houden terwijl het sissend tot ontbranding kwam en het vlammetje oplaaide, ze richtte zich op het transport naar het eind van haar sigaret. Dichter, dichter, steeds dichterbij... Iets trok haar aandacht, een donkere veeg op de binnenkant van haar pols en geschrokken liet ze het doosje lucifers en het vlammetje vallen.

De lucifers lagen verspreid over de flagstones en ze ging op haar knieën zitten om ze op te rapen. Een voor een, zij aan zij terug in het doosje; Percy nam de tijd en liet zich opgaan in het eenvoudige karweitje, ze sloeg het om als een mantel en maakte alle knoopjes dicht.

Er zat modder op haar pols, alleen maar modder. Een veegje dat ze over het hoofd had gezien toen ze naar binnen ging, toen ze in de gootsteen de modder van haar handen, gezicht en armen boende tot ze dacht dat haar huid zou gaan bloeden.

Percy klemde een lucifer tussen duim en wijsvinger. Ze keek er voorbij maar zag niets. Hij viel weer op de grond.

Hij was zwaar geweest.

Ze had wel vaker lijken gedragen, zij en Dot. Ze hadden mensen uit gebombardeerde huizen gered, hen in de ambulance getild en ze weer het ziekenhuis in gedragen. Ze wist dat de doden meer wogen dan de vrienden die ze hadden achtergelaten. Maar dit was anders geweest. Hij was zwaar.

Ze wist dat hij dood was zodra ze hem uit de slotgracht had getrokken. Ze wist niet of dat het gevolg was van de klap of van het laagje modderwater waarin hij was gevallen. Maar hij was al dood; dat wist ze wel. Ze had toch een poging tot reanimatie gedaan, een instinct dat meer voortkwam uit de schok dan vanuit hoop; ze had alles geprobeerd wat ze haar in de ambulancedienst hadden geleerd. En het had geregend en daar was ze blij om, want dat betekende dat ze die verrekte tranen kon ontkennen wanneer ze waagden te vallen.

Zijn gezicht.

Ze deed haar ogen stijf dicht, maar ze bleef het zien. Ze besefte dat ze het beeld nooit meer zou kwijtraken.

Haar voorhoofd raakte haar knie en het concrete contact was een opluchting. Haar harde knieschijf, de koele zekerheid toen ze die tegen haar warme hoofd drukte waarin de gedachten over elkaar heen tuimelden, voelde geruststellend, bijna zoals het contact met een ander persoon, iemand die rustiger was dan zij, ouder en wijzer en meer toegerust op de taken die wachtten.

Want er moesten dingen gebeuren. Andere dingen, nog meer dan wat ze al had gedaan. Waarschijnlijk moest er een brief aan zijn familie geschreven worden, al wist ze niet goed wat daarin moest staan. Niet de waarheid, in elk geval. Daar waren de dingen te zeer voor uit de hand gelopen. Er was een ogenblik geweest, heel even maar, waarop ze het misschien anders had kunnen doen, waarop ze inspecteur Watkins had kunnen bellen om hem de hele ellende voor te leggen, maar dat deed ze niet. Wat had ze kunnen zeggen om het hem te laten begrijpen, te laten inzien dat het Saffy's schuld niet was? En dus moest er een brief naar de familie van de man. Percy had geen aanleg voor verzinsels, maar nood brak wet en ze zou wel iets verzinnen.

Ze hoorde een geluid en schrok. Er was iemand op de trap.

Percy herstelde zich en veegde met haar hand haar natte wangen af, boos op zichzelf, boos op hem, boos op de wereld.

'Ik heb haar weer naar bed gebracht,' zei Saffy onderweg naar de deur. 'Je had gelijk, ze was weer op de been en er verschrikkelijk aan toe... Perce?'

'Hier ben ik.' Haar keel deed zeer van de spanning.

Saffy's gezicht verscheen boven de tafel. 'Wat doe je daar bene... O, hemeltje. Laat me je even helpen.'

Terwijl haar tweelingzus naast haar hurkte om de gevallen lucifers op te rapen, verstopte Percy zich achter haar onaangestoken sigaret en vroeg: 'Dus ze ligt weer?'

'Nu wel. Ze was uit bed gekomen; de pillen waren blijkbaar niet zo sterk als we hadden gedacht. Ik heb haar er nog een gegeven.'

Percy veegde de moddervlek van haar pols en knikte.

'Ze was er erg aan toe, de arme schat. Ik heb mijn best gedaan haar gerust te stellen dat alles goed zal komen, dat de jongeman alleen maar is opgehouden en dat hij natuurlijk morgen komt. Dat is alles, toch, Percy? Hij komt toch wel? Perce? Wat is er? Waarom kijk je zo?'

Percy schudde haar hoofd.

'Je maakt me bang.'

'Hij komt vast wel,' zei Percy terwijl ze haar hand op de arm van haar zuster legde. 'Je hebt gelijk. We moeten gewoon geduld oefenen.'

Saffy was overduidelijk opgelucht. Ze gaf Percy een volle doos lucifers en knikte naar de sigaret in haar hand. 'Hier. Die heb je wel nodig als je van plan bent te roken.' Ze kwam overeind en trok de groene jurk die te strak zat recht. Percy weerstond de neiging de japon aan stukken te scheuren en te huilen, te jammeren en te schreeuwen. 'Natuurlijk heb je gelijk, we moeten gewoon geduldig zijn. Morgen is Juniper weer de oude. Dat geldt toch voor de meeste mensen? Intussen moest ik de tafelspulletjes maar eens gaan opruimen.'

'Dat is maar het beste.'

'Natuurlijk. Er is niets zo treurig als een tafel die is gedekt voor een feestelijk etentje dat niet is doorgegaan... O, hemeltje!' Ze was inmiddels bij de deur en keek naar de troep die daar lag. 'Wat is hier gebeurd?'

'Ik keek niet goed uit.'

'Hé...' Saffy ging iets dichterbij kijken. 'Dat lijkt wel jam, een hele pot. O, wat zonde!'

Percy had de pot bij de voordeur gevonden toen ze terugkwam met een schop. Inmiddels was het hoogtepunt van het onweer achter de rug, de wolken verspreidden zich en een paar sterren tuurden gretig door de deken van de nacht. Eerst zag ze de plunjezak en daarna de glazen pot ernaast.

'Ik kan wel wat konijn opdienen als je trek hebt, Perce.' Saffy had zich gebukt om de scherven op te ruimen.

'Ik heb geen trek.'

Ze was binnengekomen en aan de keukentafel gaan zitten, had de plunjezak en de jam erop gelegd en ernaar gekeken. Er verstreek een eeuwigheid voordat de boodschap van haar brein haar hand bereikte met de opdracht de zak open te maken om te zien van wie hij was. Ze besefte natuurlijk dat hij het moest zijn geweest die ze had begraven, maar ze kon maar beter zeker van haar zaak zijn. Met bevende vingers en een hart dat klopte als een natte hondenstaart stak ze haar hand uit en gooide daarbij de pot jam op de grond. Zonde, doodzonde.

Veel had er niet in de zak gezeten. Schoon ondergoed, een portefeuille met een beetje geld en geen adres, een leren aantekenboekje. In dat aantekenboek vond ze de brieven. Een van Juniper en ze zou het nooit over haar hart kunnen verkrijgen om die te openen, een ander van iemand die Theo heette, een broer, begreep ze uit de inhoud.

Want die brief las ze wel. Ze liet het afgrijselijke feit bezinken dat ze een brief van een dode las, dat ze meer over zijn familie te weten kwam dan ze ooit had willen weten: de moeder die weduwe was, de zussen en hun baby's, de broer die zwakzinnig en bij allemaal geliefd was. Ze dwong zichzelf elk woord twee keer te lezen met het halfbakken idee dat ze aldus, door zichzelf zo te straffen, iets kon goedmaken. Een stompzinnig idee. Voor wat er nu was gebeurd bestond geen aflaat. Behalve misschien door open kaart te spelen.

Maar kon ze hun op de een of andere manier de waarheid schrijven? Bestond er een kans dat ze zouden begrijpen hoe het was gebeurd? Dat het een ongeluk was, een vreselijk ongeluk waar Saffy helemaal niets aan kon doen? Dat Saffy, die arme Saffy, de laatste persoon op aarde was die in staat was iemand iets akeligs toe te wensen of aan te doen? Dat haar ook zware schade was berokkend, dat ze zich nooit had kunnen ontworstelen aan de beperkingen van Milderhurst, niet sinds die eerste hysterische aanval in de schouwburg; dat als er iemand schuld had aan de dood van de jongeman, het hun vader Raymond Blythe was...

Nee. Je kon van niemand verwachten dat hij de zaak zo zou bekijken. Niemand kon weten hoe het was om op te groeien in de schaduw van dat boek. Percy voelde zich erg verbitterd als ze dacht aan de afgrijselijke nalatenschap van de *Mud Man*. Dit, wat hier vanavond was gebeurd, de schade die Saffy zonder het te beseffen had toegebracht, was het gevolg van wat hij had gedaan. Toen ze klein waren, placht hij hun uit Milton voor te lezen *Evil on itself shall back recoil*, ofwel 'Het kwaad slaat op zichzelf terug' en Milton had gelijk, want ze betaalden nog altijd de tol voor papa's boosaardige daad.

Nee, van eerlijkheid kon geen sprake zijn. Ze zou de familie op het adres dat ze in de plunjezak had gevonden, in Henshaw Street in Londen, iets anders schrijven. De zak zelf zou ze verbranden; zo niet verbranden, dan toch verbergen. Misschien zou de wapenkamer er de beste plek voor zijn... Wat was ze toch een sentimentele oude gek: wel in staat een man te begraven, maar niet om zijn persoonlijke spullen weg te gooien... De waarheid en het feit dat ze die naast zich neerlegde, zouden Percy's verantwoordelijkheid zijn. Wat papa verder ook mocht hebben uitgespookt, in één ding had hij gelijk: zij moest voor de anderen zorgen. En ze zou ervoor zorgen dat ze met zijn drieën één lijn trokken.

'Kom je gauw boven, Perce?' Saffy had de jam opgeruimd en stond met een karaf water in haar handen.

'Er zijn nog een paar dingen hier die ik moet afmaken. Er moeten nieuwe batterijen in de zaklantaarn...'

'Dan breng ik dit naar Juniper. De arme schat heeft dorst. Tot zo dan?'

'Ik kom wel even binnen op weg naar boven.'

'Niet te lang wegblijven, Perce.'

'Nee. Ik ben zo bij je.'

Saffy aarzelde even aan de voet van de trap, draaide zich om naar Percy en glimlachte blij en een beetje nerveus. 'Wij drieën weer bij elkaar,' zei ze. 'Dat is me wat, hè, Perce? Dat wij drieën weer samen zijn?'

Later waakte Saffy de hele nacht op Junipers kamer. Haar nek werd stijf en ondanks de deken die ze over haar knieën had gedrapeerd, kreeg ze het koud. Maar ze week niet van haar plaats, ze kwam niet in de verleiding naar haar eigen warme bed beneden te gaan, niet zolang ze hier nodig was. Soms dacht Saffy dat de gelukkigste momenten van haar leven waren geweest wanneer ze voor Juniper kon zorgen. Ze zou graag zelf kinderen gehad hebben. Dat had ze geweldig gevonden.

Juniper bewoog zich en Saffy stond direct op om het klamme voorhoofd van haar zusje te strelen en ze vroeg zich af wat voor nevels en demonen daar rondzwermden.

Dat bloed op haar blouse.

Dat was nog eens zorgelijk, maar Saffy weigerde erbij stil te staan. Niet nu. Percy zou er wel iets op vinden. Goddank dat zij er was. Percy de puinruimer, die altijd wist wat haar te doen stond.

Juniper was weer gekalmeerd en ademde diep, dus Saffy ging weer zitten. Haar benen deden pijn van de spanning van die dag en ze was ongewoon moe. Toch wilde ze niet in slaap zakken; het was een avond met rare fantasiebeelden geweest. Ze had die pil van papa nooit moeten slikken; ze had een afgrijselijke nachtmerrie gehad toen ze in de salon lag te dommelen. Ze had die droom al sinds ze een klein meisje was, maar deze keer was hij zo levendig geweest. Dat kwam natuurlijk van die pil en de whisky, de toestand van die avond en het noodweer buiten. Ze was weer een klein meisje in haar eentje op zolder geweest. Iets had haar in die droom gewekt, een geluid bij het raam en ze was een kijkje gaan nemen. De man die zich buiten aan de stenen vastklampte was zo zwart als zegelwas geweest, als iemand die verkoold is door vuur. Bij het licht van een bliksemschicht had Saffy zijn gezicht gezien. De gracieuze, knappe jongeling die zich achter het boosaardige masker van de Mud Man verschool. Een verraste blik, een aarzelende glimlach. Het was net zoals ze had gedroomd toen ze klein was, precies zoals papa had beschreven. Het geschenk van de Mud Man was zijn gezicht. Ze had iets gepakt, ze wist niet meer wat, en er hard mee op zijn hoofd geslagen. Zijn ogen werden groot van verbazing en vervolgens viel hij, eerst tegen de stenen en daarna was hij naar beneden gevallen, in de gracht waar hij thuishoorde.

4

Diezelfde nacht hield een vrouw elders, in het naburige dorp, een pasgeboren baby tegen zich aan en streek met haar duim over het zachte wangetje. Haar man zou pas uren later moe van zijn werk als nachtwaker thuiskomen en de vrouw, die nog versuft was van de onverwachte en traumatische bevalling, zou hem de bijzonderheden aan de thee vertellen, zoals ze weeën had gekregen in de bus, die plotselinge, heftige pijnscheuten, het bloeden en de moordende angst dat haar baby zou sterven, dat zij zou sterven, dat ze haar pasgeboren zoontje nooit vast zou houden; en dan zou ze vermoeid en toegewijd glimlachen en even zwijgen om de warme tranen op haar wangen te deppen, en zou ze hem vertellen over de engel die naast haar in de berm was verschenen, die naast haar knieën was gehurkt om het leven van de baby te redden.

En het zou een familieanekdote worden, steeds weer verteld en doorgegeven, nieuw leven ingeblazen op regenachtige avonden bij het vuur, opgeroepen als middel om ruzies te bezweren, herhaald bij familieaangelegenheden. En de tijd zou in galop verstrijken, maanden, jaren en decennia, totdat op de vijftigste verjaardag van die baby, zijn moeder, inmiddels weduwe, vanaf haar zachte kussen aan het hoofdeind van de restauranttafel zou toezien terwijl zijn kinderen een toost uitbrachten en het familieverhaal vertelden van de engel die hun vaders leven had gered en zonder wie geen van hen zou bestaan.

Thomas Cavill ging niet met zijn regiment naar de slachtbank van Noord-Afrika. Hij was toen al dood. Dood en begraven, koud onder de aarde van Milderhurst Castle. Hij stierf omdat het een regenachtige avond was. Omdat er een luik loshing. Omdat hij een goede beurt wilde maken. Hij stierf omdat een jaloerse man zijn vrouw vele jaren daarvoor met een andere man had aangetroffen.

Maar heel lang had geen mens er weet van. Het noodweer trok over, het water zakte en Cardarker Wood sloeg zijn beschermende vleugels om Milderhurst Castle. De wereld vergat Thomas Cavill en alle vragen naar zijn lot gingen verloren onder het puin van de verwoestende oorlog.

Percy stuurde haar brief, de ultieme, verdorven onwaarheid die haar levenslang zou achtervolgen; Saffy schreef om de positie van gouvernante af te zeggen... Juniper had haar nodig, wat kon ze anders? Vliegtuigen vlogen over, de oorlog kwam ten einde en het ene jaar volgde op het andere. De gezusters Blythe werden oud; ze werden het object van curieuze nieuwsgierigheid in het dorp en stof van legenden. Totdat er op een dag een jonge vrouw op bezoek kwam. Zij had iets te maken met een andere vrouw die er al vroeger was geweest en de stenen fluisterden van herkenning. Percy Blythe zag dat het moment was aangebroken. Dat ze haar last van een halve eeuw van haar schouders kon laten glijden en Thomas Cavill zijn einddatum kon bezorgen. Het verhaal kon een slot krijgen.

Dus dat deed ze en ze gaf het meisje opdracht de juiste dingen te doen.

Waarna nog maar één taak restte.

Ze bracht haar beminde zussen bijeen en zorgde ervoor dat ze diep in slaap waren en droomden. Daarna streek ze een lucifer af in de bibliotheek waar het allemaal was begonnen.

Epiloog

Tientallen jaren was de zolder als opslagplaats gebruikt. Er stond niets anders dan dozen en oude stoelen en achterhaald drukkersmateriaal. Het gebouw zelf is onderdak van een uitgeverij en wanden en vloeren wasemen de vage lucht van inkt en papier. Het is niet onaangenaam als je ervan houdt.

Het is 1993. De renovatie heeft maanden geduurd maar is eindelijk af. De rommel is opgeruimd, de muur die iemand ooit heeft opgetrokken om van één tochtige zolder twee te maken, is weg en voor het eerst in vijftig jaar heeft de bovenste verdieping van Herbert Billings victoriaanse huis in Notting Hill een nieuwe huurder.

Er wordt geklopt en een jonge vrouw huppelt vanaf de vensterbank over de vloer. Het is een bijzonder brede vensterbank waarop je prachtig kunt zitten, wat precies is wat ze daar zat te doen. Het meisje voelt zich aangetrokken tot het raam. Het appartement is op het zuiden, dus is er altijd zon, vooral in juli. Ze houdt ervan om over de tuin naar de straat te kijken en de mussen te voeren die langskomen voor kruimels. Ze vraagt zich ook af wat de donkere plekken op de vensterbank zijn, iets als kersenvlekken, die weigeren te verdwijnen onder een verse laag witte verf.

Edie Burchill doet open en is aangenaam verrast wanneer ze haar moeder ziet staan. Meredith geeft haar een toefje kamperfoelie en zegt: ‘Dat zag ik op een schutting groeien en ik kon de verleiding niet weerstaan om het voor je te plukken. Niets fleurt een kamer zo op als kamperfoelie, hè? Heb je een vaas?’

Die heeft Edie nog niet, maar ze heeft wel een idee. Bij de renovatie was een glazen pot tevoorschijn gekomen, zo’n pot die best eens voor jam gebruikt had kunnen zijn, en die staat nu naast de gootsteen. Edie doet er water in, zet de kamperfoelie erin en geeft het een plek op de vensterbank waar het nog wat zonlicht kan opvangen. ‘Waar is papa?’ vraagt ze. ‘Is hij vandaag niet meegekomen?’

‘Hij heeft Dickens ontdekt. *Bleak House.*’

‘Ach,’ zegt Edie. ‘Dan ben ik bang dat je hem nu echt kwijt bent.’

Meredith haalt een stapel papieren uit haar tas en schudt die boven haar hoofd.

'Je hebt het af!' Edie klapt in haar handen.

'Ja.'

'En is dit mijn exemplaar?'

'Ik heb het speciaal laten inbinden.'

Edie grijnst en pakt het manuscript van haar moeder aan. 'Gefeliciteerd, wat een prestatie!'

'Ik wilde wachten tot we je morgen zouden zien,' zegt Meredith blozend, 'maar ik kon niet wachten. Ik wilde dat jij het als eerste zou lezen.'

'Dat zou ik wel denken! Hoe laat moet je naar les?'

'Drie uur.'

'Ik loop met je mee,' zegt Edie. 'Ik ga bij Theo langs.'

Edie maakt de deur open en laat haar moeder voorgaan. Ze wil haar net volgen, wanneer haar iets te binnen schiet. Later treft ze Adam Gilbert voor een borrel om de publicatie te vieren van de Pippin Books-uitgave van de *Mud Man*, en ze had beloofd hem haar eerste uitgave van *Jane Eyre* te laten zien, een cadeau van Herbert toen ze de leiding van Billing & Brown overnam.

Vlug maakt ze rechtsomkeert en heel even ziet ze twee figuren op de vensterbank zitten. Een man en een vrouw, zo dicht bij elkaar dat hun voorhoofden elkaar net raken. Ze knippert met haar ogen en weg zijn ze. Ze ziet niets anders meer dan een bundel zonlicht die op de vensterbank valt.

Het is niet voor het eerst. Het gebeurt zo af en toe, die verschuiving in haar perifere gezichtsveld. Ze weet dat het niet meer is dan een speling van het zonlicht op de witgekalkte muren, maar Edie heeft een wilde fantasie en mag zich graag verbeelden dat het iets meer is. Dat er ooit een gelukkig stel heeft gewoond in het appartement dat nu van haar is. Dat zij degenen zijn geweest die de kersenvlekken op de vensterbank hebben gemaakt. Dat hun geluk is opgezogen door de muren van het huis.

Want iedereen die er op bezoek komt zegt hetzelfde, dat er een goede sfeer in de kamer hangt. En dat is waar; Edie kan het niet uitleggen, maar er hangt inderdaad een goede sfeer op die zolder; het is een gelukkige plek.

'Kom je, Edie?'

Meredith steekt haar hoofd om de deur, want ze wil niet graag te laat op de cursus schrijven komen, waarop ze zo dol is.

'Ik kom.' Edie pakt *Jane Eyre* op, werpt een blik op zichzelf in het spiegeltje boven de porseleinen gootsteen en haast zich achter haar moeder aan.

De deur gaat achter haar dicht, zodat de spookachtige geliefden andermaal in de stille warmte achterblijven.

Dankwoord

Mijn oprechte dank gaat uit naar iedereen die de eerste concepten van *De vergeten brief* heeft gelezen, met name Davin Patterson, Kim Wilkins en Julia Kretschmer; naar mijn vriendin en agent Selwa Anthony omdat ze zo geweldig voor me heeft gezorgd; naar Diane Morton voor het snellezen van de laatste pagina's en naar mijn hele familie – Mortons, Pattersons en vooral Oliver en Louis – en al mijn vrienden, omdat ze me zo vaak met de noorderzon naar Milderhurst Castle hebben laten afreizen, en me hebben geduld wanneer ik versuft, afwezig en soms zelfs een tikje ontheemd weer heuvelafwaarts struikelde.

Ik bof geweldig met een briljant, continenten omspannend redactieteam en met hun onvermoeibare werk en eindeloze steun om *De vergeten brief* op tijd bij de drukker te krijgen. Ik wil Annette Barlow en Clara Finlay bij Allen & Unwin in Australië hartelijk dankzeggen; Maria Rejt, Eli Dryden en Sophie Orme bij Pan Macmillan in Engeland; en Liz Cowen, die me blijft verbazen omdat ze alles weet. Ook veel dank is verschuldigd aan Lisa Keim, Judith Kerr en het personeel bij Atria, VS, evengoed als aan al mijn uitgevers voor hun blijvende toewijding aan mij en mijn boeken.

Ook gaat mijn dank uit naar Robert Gorman bij Allen & Unwin voor zijn toegewijde werk; naar Sammy en Simon van Bookhouse, die ongelooflijk geduldig met me zijn geweest, en nauwgezet toen het aankwam op de typografie van mijn woorden; naar Clive Harris, die me liet zien dat de sporen van de Blitzkrieg nog steeds in Londen te vinden zijn als je weet waar je moet zoeken; naar de kunstenaars en ontwerpers die hebben gewerkt aan de schitterende omslagen voor *De vergeten brief*; naar boekhandelaren en bibliothecarissen overal ter wereld omdat ze begrijpen dat verhalen iets bijzonders zijn; en postuum naar Herbert en Rita Davies.

En tot slot een groot dankwoord aan mijn lezers. Zonder jullie zou het maar half zo leuk zijn.

De vergeten brief is begonnen als een eenvoudig idee over een stel zussen in een kasteel op een heuvel. Daarnaast heb ik me door een heleboel bronnen laten inspireren, waaronder illustraties, foto's, kaarten, gedichten, dagboeken, kerkregisters, online verslagen van de Tweede Wereldoorlog, de tentoonstelling *Children's War* van het Imperial War Museum, mijn eigen bezoeken aan kastelen en landhuizen, romans en films uit de jaren dertig en veertig en spookverhalen en griezelromans uit de achttiende en negentiende eeuw. Ik kan hier onmogelijk de hele lijst non-fictie die ik heb geraadpleegd opsommen, maar de volgende horen tot mijn favorieten: *A Very Great Profession* van Nicola Beauman (1995), *Lost Gardens of England* van Katherine Bradley-Hole (2008), *Debs at War* van Ann De Courcy (2005), *Wartime Britain 1939-1945* van Juliet Gardiner (2004), *The Children's War*, ook van Gardiner (2005), *Life in the English Country House* van Mark Girouard (1979), *Children of War* van Susan Goodman (2005), *Few Eggs and No Oranges: the Diaries of Vere Hodgson 1940-45* van Vere Hodgson (1998), *A Harvest of Memories: A Wartime Evacuee in Kent* van Gina Hughes (2005), *Nella Last's War: The Second World War Diaries of a Housewife, 49* van Richard Broad en Suzie Fleming (red., 1981), *How We Lived Then: A History of Everyday Life in the Second World War* van Norman Longmate (1971), *Bombers & Mash: The Domestic Front 1939-45* van Raynes Minns (1988), *On the Other Side: Letters to my Children from Germany 1940-1946* van Mathilde Wolff-Mönckeberg (1979), *The English Manor House* van Jeffrey Musson (1999), *Sissinghurst* van Adam Nicolson (2008), *Singled Out* van Virginia Nicolson (2007); *In My Father's House* van Miranda Seymour (2007), *Country House Camera* van Christopher Simon Sykes (1980), *No Time to Wave Goodbye* van Ben Wicks (1989), *Our Longest Days* van Sandra Koa Wing (2007) en *London at War 1939-1945* van Philip Ziegler (1995).